THE LAUREL LANGUAGE LIBRARY

Germaine Brée, General Editor, French Series

Taking for his plot an actual crime, Stendhal portrays an intelligent young man of humble origins who is determined to succeed. Ironically, it is his love affairs that best advance his ambitions—and lead to his downfall. One of the great psychological novels, LE ROUGE ET LE NOIR *also dramatizes the highly charged political situation, and Paris and provincial French society in the nineteenth century.*

The editor, Alvin A. Eustis, Jr., is Professor of French at the University of California at Berkeley. He has published books on various aspects of French literary criticism, particularly Racine's literary fortune in France, Taine's conception of classicism, and the NOUVELLE REVUE FRANÇAISE *movement. At present he is working on a study of Molière's irony.*

A NOTE ON THE GENERAL EDITOR

Germaine Brée is Professor of French Literature, Institute for Research in the Humanities, University of Wisconsin, and a faculty trustee at Wellesley College. Formerly Professor of French at Bryn Mawr College and most recently Head of the Department of Romance Languages at New York University, she is the author of MARCEL PROUST AND DELIVERANCE FROM TIME *(1955),* ANDRÉ GIDE *(1953), and* CAMUS *(1959). Among other books she has edited is Laurel's* GREAT FRENCH SHORT STORIES. *She frequently is asked to comment on contemporary fiction in articles and reviews.*

A LIST OF AVAILABLE AND FORTHCOMING TITLES

Chrétien de Troyes, YVAIN OU LE CHEVALIER AU LION. *Introduction and notes by Julian Harris.*

Pierre Corneille, POLYEUCTE *and* LE MENTEUR. *Introduction and notes by Georges May.*

Molière, LE TARTUFFE *and* LE MÉDECIN MALGRÉ LUI. *Introduction and notes by Jacques Guicharnaud.*

Jean Racine, PHÈDRE *and* BRITANNICUS. *Introduction and notes by George B. Daniel, Jr.*

Denis Diderot, JACQUES LE FATALISTE. *Introduction and notes by J. Robert Loy.*

Honoré de Balzac, LA PEAU DE CHAGRIN. *Introduction and notes by Victor Brombert.*

Gustave Flaubert, MADAME BOVARY. *Introduction and notes by Iris Friederich.*

FRENCH POETRY FROM BAUDELAIRE TO THE PRESENT. *Edited, with an introduction, by Elaine Marks.*

Albert Camus, DE "L'ENVERS ET L'ENDROIT" À "L'EXIL ET LE ROYAUME." *Introduction and notes by Germaine Brée.*

Jean Giraudoux, L'APOLLON DE BELLAC *and* LA FOLLE DE CHAILLOT. *Introduction and notes by Thomas Bishop.*

Stendhal

Le Rouge et le Noir

Chronique du XIXe siècle

Introduction and notes by Alvin A. Eustis, Jr.

Germaine Brée, General Editor, French Series

THE LAUREL LANGUAGE LIBRARY

Published by DELL PUBLISHING CO., INC.
750 Third Avenue, New York, N.Y.

Typography by R. Scudellari
First printing: August, 1963
Printed in U.S.A.

Contents

Chronology

1783–1799 Birth, childhood, and adolescence of Henri Beyle in Grenoble. Antagonism toward his father, aunt, and tutor; affection for his mother, grandfather, and great aunt. Political liberalism and anticlericalism, epicureanism, and exalted sentiments. Studies at the Ecole Centrale (1796-99): rationalism and mathematics.

1789–1804 French Revolution and revolutionary wars.

1799–1806 Beyle in Paris, under the sponsorship of his influential Daru cousins, whom he follows to Italy, serving as a second lieutenant for two years. First love affairs and preparation for his career as a dramatist. Failure of a commercial venture in Marseilles.

1804 Napoleon Bonaparte becomes Emperor of France.

1806–1814 Service by Beyle as a commissariat officer in the Napoleonic armies: Brunswick, Vienna, Italy, and Russia.

1814 Napoleon abdicates. Return of the Bourbons.

1814–1821 Beyle in Milan: work and pleasures of a dilettante, suspicion from the Austrian authorities, and money difficulties. *Vies de Haydn, Mozart et Métastase* (1815). *Histoire de la Peinture en Italie* and *Rome, Naples et Florence* (1817).

1815 Waterloo. Restoration of the Bourbons (Louis XVIII and Charles X, 1824–30).

1821–1830 Beyle in Paris: contacts with men of letters, hard work, and love affairs, interspersed with trips to England and Italy. *De l'Amour* (1822). *Racine et Shakespeare* (1823, 1825). *Vie de Rossini* (1823). *Armance* (1827). During a short trip to Marseilles in 1829, first draft of a novel provisionally called *Julien*. *Promenades dans Rome* (1829). *Le Rouge et le Noir* (1830).

1830 Revolution. Louis-Philippe becomes King (1830-1848).

1830–1841 Beyle is appointed French consul at Trieste for one year, then at Civita Vecchia for the rest of his life, with extensive traveling in other parts of Italy and a three-year leave in Paris (1836-39). Period of composition of a number of important works left unpublished at his death: *Souvenirs d'égotisme, Vie de Henri Brulard, Lucien Leuwen* (unfinished), *Lamiel* (unfinished), *Vie de Napoléon, Chroniques italiennes* (1837-39). *Mémoires d'un touriste* (1838). *La Chartreuse de Parme* (1839).

1841–1842 Return to Paris and death.

Introduction

Stendhal was forty-six years old when he began work on *Le Rouge et le Noir.* He had published criticism, a treatise on love, and one short novel; but the fame he had dreamed of since early youth had not come to him. In 1830, critics dismissed the subject matter of *Le Rouge et le Noir* as immoral, its style as meager and desiccated. It did not occur to them that it might one day rank with the dozen or so greatest novels of all time.

Stendhal was born Henri Beyle in Grenoble in 1783. His entire work is already mirrored in his early dislike for middle class morality and religious or political conservatism. Like the hero of *Le Rouge et le Noir,* he detested those ideas as they were embodied in individuals, particularly his father, with whom he was at odds from childhood.

Others whom he loved instilled in him an admiration for two opposite ways of life: that of the eighteenth-century epicurean, who masks his skepticism and selfishness behind graceful manners and careful observance of social convention, and that of the exalted hero, who believes in his own destiny and is committed to pursuing it at any cost to himself or to others. The interplay of these two philosophies, exemplified by the Marquis de La Mole and Julien Sorel, is at the root of the complexity of *Le Rouge et le Noir,* and the same two themes can be traced throughout the life of their author.

At the age of nineteen, Beyle left Grenoble for Paris, ostensibly to enter the Ecole Polytechnique. He decided instead to be a writer. In order to live while awaiting success, he took a clerical position with his powerful Daru cousins, and soon followed them to Italy.

For a number of years, he strove to become a dramatist. He also studied the eighteenth-century *idéologues,* who believed that a certain character-type will always react in a foreseeable way in a given set of circumstances. He even accumulated files of such types, classified by temperament, background, and ruling passions. A trace of this early preoccupation lingers in *Le Rouge et le Noir,* but only a trace; by the time he turned to novels, Beyle had fortunately realized that well-drawn characters are likely to be most interesting when they are least predictable.

His love of art and music, as well as his wholehearted acceptance of the sensual pleasures he discovered in Italy, played an important part in his gradual estrangement from eighteenth-century rationalism. His first works reflect this frame of mind: the lives of Haydn, Mozart, and Metastasio (1815); his history of Italian painting; and his impressions of the museums of Rome, Naples, and Florence (1817).

In the meantime, Beyle had fallen in love. Throughout his life, he continued to seek love: in his many affairs, the unhappy as well as the successful ones, he found that intensity of feeling which for him was the chief reason of existence and set a personality above the common run of men. His one great love, which was unrequited, was for Méthilde Dembowski, whom he had met in Milan in 1818 and whose coldness reappears in her namesake Mathilde de La Mole. Beyle observed his own feelings and at the same time provided an outlet for them in *De l'Amour* (1822), which for over a century has masqueraded as a dispassionate psychological treatise.

The intense fear of ridicule that Beyle owed to his unattractive appearance had taught him by then to dissemble his burning emotions behind a mask of cynicism, even of coarseness, which deceived his contemporaries. He enjoyed this game for itself, as well as for the protection it gave to his feelings and—perhaps more important at the time—to his often subversive political ideas. This explains the hundreds of pseudonyms which he invented for himself and others in his journals. He adopted one of those pseudonyms for the works he published: Stendahl or Stendhal, after the name of a town he had come across in Brunswick during his tour of duty between 1806 and 1808. But in this instance he had still another reason to choose that name: Stendahl had been the birthplace of the great art historian Winckelmann whose aesthetics Beyle opposed.

Stendhal's polemical contribution to French Romanticism (which was gathering momentum in the eighteen twenties, but did not as yet have much sense of identity) stems from his opposition to Winckelmann's ideal of classical beauty, supposedly the same in all ages and countries. Taking up the cudgels in defence of a new, modern literature, Stendhal published two broadsides attacking Racine and French classicism; he demanded the establishment of a national theatre in tune with the times and inspired by Shakespeare, whose inventive genius had not been shackled by rules (1823, 1825).

It cannot however be asserted that Stendhal was ever a member of the French Romantic movement. A liberal who disapproved of a heart-on-one's-sleeve attitude, a florid style, and poetry *per se*, he criticized in the same work the monarchist poets who already formed the Romantic vanguard. On the other hand, Stendhal definitely belonged to the Age of Romanticism.

By 1826, he had given up trying to be a dramatist. In 1827, he published his first novel, *Armance*. That same year, he chanced upon a newspaper account of a trial at Grenoble in which a young man named Antoine Berthet had been convicted of murder. Berthet, the son of a village craftsman living not far from Grenoble, had attracted the attention of the local priest, who had obtained for him a scholarship in a seminary. When poor health forced him to interrupt his studies, Berthet became tutor to the children of one of the village's leading citizens. An affair with the latter's wife brought about his summary dismissal. After a short stay in a Grenoble seminary, he took another tutoring position, this time in an aristocratic family. He was once again dismissed for seducing the daughter of the house. Embittered, he returned to his native village, entered the church during the service, and fired a shot at his first mistress. Tried and sentenced in late 1827, he was executed early the next year.

Stendhal had found the plot for his next novel. It took him three years to transpose a vulgar crime into a great novel and a commonplace neurotic into Julien Sorel. He brought back his first draft, tentatively called *Julien,* from a trip to Marseilles in 1829. However, he kept on expanding and revising it up to the time of publication.

He had barely completed *Le Rouge et le Noir* when he was appointed French consul at Trieste. He remained there scarcely a year; the Austrian authorities, because of his liberal views, declared him *persona non grata.* He was then transferred to Civita Vecchia in the Papal States.

He had little to do officially, and in addition to taking numerous trips to various parts of Italy and spending three years in Paris on leave, he wrote steadily. He turned out a number of important works that did not appear until after his death, including two volumes of autobiography, two unfinished novels, and a life of Napoleon. Two published works were still more important, the *Chroniques italiennes* (1837-39), for what it revealed of his fondness for violence, and the immortal novel *La Chartreuse de Parme* (1839).

Only two years later, Stendhal's rapidly failing health compelled him to apply for sick leave. He died in Paris at the age of fifty-nine.

Le Rouge et le Noir is the story of Julian Sorel, a sawyer's son of extraordinary intelligence who, in defiance of a hostile environment, climbs to the top of the social ladder. A generation earlier, in his hero Napoleon's time, a plebeian could become a general on the strength of his ability. Under the Restoration's caste system, commissions in the army—the Red—are reserved for the sons of the aristocracy. The only route upwards for an ambitious young commoner is the priesthood—the Black.

Gifted with a prodigious memory, Julien has learned the Vulgate by heart. He is befriended by the estimable vicar of Verrières, l'abbé Chélan, who gives him lessons and encourages him to enter a seminary. The fact that Julien has no vocation must not be expected to deter him; he is surrounded by scoundrels who are the tools of the all-powerful Congregation—an association of clerics and laymen whose purpose is to reestablish the power of the Church shaken by the Revolution—and whose religion does not hide their greed.

On l'abbé Chélan's recommendation, M. de Rênal, the mayor

of Verrières, takes Julien into his house as tutor to his three children, less out of concern for their education than as a status symbol. Julien's purpose is to earn his tuition for the seminary. Inordinately proud, constantly humiliated by his pompous, coarse-grained employer, Julien at first looks upon the entire family with enmity. When he realizes that the virtuous and gentle Mme de Rênal, out of loneliness and scarcely realized frustration, has fallen in love with him, he decides to seduce her—not because he loves her, but because he is afraid that his natural timidity will be mistaken for cowardice. However, Mme de Rênal's sincere affection causes him to let down his defences for the first time in his life. He enjoys a few months of perfect happiness. Then, tongues begin to wag, a campaign of anonymous letters is launched, and l'abbé Chélan packs him off to the seminary at Besançon.

Julien is wretched at the seminary. Surrounded by barely literate peasants whose only goal is to be able to sit down to two meals a day, he is an object of envy and derision. He does win the affection, carefully concealed, of the austere director, l'abbé Pirard. Facing dismissal because of the machinations of his enemies, l'abbé Pirard accepts the Marquis de La Mole's offer of a parish in the Paris region. At the same time, Julien becomes the Marquis' secretary.

Julien's initiation into high society is painful; his provincial speech and lack of social graces are an embarrassment. He quickly proves himself indispensable to the Marquis, who entrusts his business affairs to him, has him awarded the Legion of Honor, and makes him the confidential emissary of a group of royalist plotters. But the Marquis likes Julien because he amuses him, not for any estimable reason.

The Marquis does not know that Julien's independent bearing and haughty mien have attracted his only daughter's attention. Mlle de La Mole finds Julien a welcome change from the effete young nobles paying her court; she is sure, as Mme de Rênal was before her, that he will have a brilliant destiny. She fancies herself in love with him; but the caprice soon passes.

After Julien has suffered several times from Mathilde's changes of heart, he realizes that she will love him only so long as he pretends not to love her. Coolness and paying court to another woman bring her around. She tells her father that they must marry, and the Marquis, beside himself at first, relents to the extent of settling money on the lovers, buying Julien an army commission, and procuring him a title.

Julien reflects that his "romance has come to a conclusion." He does not realize to what conclusion. When the Marquis asks Mme de Rênal to furnish Julien with a character reference, she replies that he is a schemer who has deliberately used women to further his career. On seeing her letter, Julien flies into a blind rage, rushes to Verrières, and shoots her during Mass.

For Julien, life is over. Even when he learns that Mme de Rênal has recovered, he has no desire to save himself. In fact, he deliberately abstains from any step that might help him. The clue to his conduct lies buried in his character. He knows now that he has never really loved Mathilde nor she him; she will have forgotten him a few months after his death. His one love has been Mme de Rênal, the only person with whom he could be his natural self. His mad chasing after ambition—a form of vanity—has led him astray; he feels nothing but disdain for the society whose conquest had appeared to him of paramount importance. Happiness lies behind him, during his brief idyll with Mme de Rênal at Verrières. He spends his last months preparing for his ordeal.

"Tout se passa simplement, convenablement, et de sa part sans aucune affectation."

Le Rouge et le Noir at first glance resembles a picaresque novel. The hero lives through a series of adventures that take him from one locale to another and give the novelist an opportunity to describe different manners and mores. The novel begins at the beginning, not *in medias res;* it progresses steadily; there are no flashbacks or simultaneous actions. The reader experiences most events through the hero's eyes.

The resemblance goes no farther than the external rhythm and the manner of exposition. *Le Rouge et le Noir* has a tightly knit structure. The locales are limited to three, each perfectly characterized—provincial life in Verrières, the seminary in Besançon, high society in Paris—with a rapid return at the end, corresponding to the novel's shift in moral values, to prison in Verrières and Besançon. All the important characters are announced early in the book and the episodes dovetail neatly. Some even deliberately foreshadow others, as in the opening scene in the church at Verrières. Still others are withheld to build up suspense, as when the climax of Julien's relations with Mathilde is interrupted by his journey for the conspirators.

There are however enough repetitions and minor discrepancies in ages, names, and actions to make us aware that Stendhal's seemingly careful plotting does not furnish the key to his actual method of composition. Once his framework was established—ready to hand in the Berthet affair—he wrote at fever pitch, starting each day's work by seeking inspiration in rereading what he had written the previous day, improvising as he went along, and following his characters' actions, thoughts, and feelings wherever they led him. Many of the underpinnings of the novel, which he called *pilotis,* were not added until he was correcting the page proofs.

Le Rouge et le Noir summarizes French fiction up to its time, but looks far ahead as well. Traditional psychological analysis is everywhere present; it is however kept within limits by the rapid pace of the action. Thanks to a skillful combination of inner monologue and dialogue, we observe the characters' motives simultaneously with their utterances. Conversely, neither action nor description grows out of proportion.

There is one aspect of *Le Rouge et le Noir* that strikes the reader: the deliberate compression of important events, as if the author, unlike less richly endowed novelists, could afford to throw away sure-fire effects. The line quoted at the end of the plot summary, for example, is all that we are told of Julien's execution. Yet the event has been led up to with great care; the route to the execution block is mentioned several times. We expect at least a description of the procession. Instead, we are given an utterly convincing vision of something far more important. Julien succeeds in going to his death "without pretense." Laying aside the self-made defences that had imprisoned him, he is freed by his own strength as he had been once before by Mme de Rênal's tenderness.

Throughout the work, a few scant lines etch in a minor character, indicate a course of action, or describe a setting. Stendhal was reacting quite consciously against Sir Walter

Scott's French disciples, with their lengthy descriptions of backgrounds and costumes.

In spite of its brevity, Stendhal's depiction of contemporary society is so all-inclusive and incisive that for many generations he was hailed as a precursor of nineteenth-century realism. Actually, his novel is less realistic—in the sense of objective reporting—than much eighteenth-century French fiction. Almost no statement is to be taken at face value; nearly every description is tinged with satire. His secondary characters are nearly all objects of hatred and his main characters are idealized.

Stendhal tries to repress his fondness for romantic incident, but it fills the novel: bedrooms entered by ladders, shots in the dark, duels, sinister plots, attempts on the hero's life, and even a Gothic tower inhabited by a screech owl. *Le Rouge et le Noir* looks realistic only when compared to other fiction of the period. For more than twenty years, the French novel had been escaping from reality into exalted lyricism or medieval local color. Although Stendhal might seem to prepare the coming of the realists by his contemporary setting, Flaubert and later writers of Zola's school carefully kept their personalities from obtruding in their novels. Stendhal constantly intervenes to comment on his characters' actions or tell the reader what to think.

Few novels are as patently autobiographical as Stendhal's. His personal traits, achievements, observations, memories, antipathies, and aspirations are their very substance. Scholars have been kept busy tracking down sources and models. This subjective type of novel reflects a Romantic attitude. Stendhal looks at the society of his time, with all due allowances for its oppressiveness, from the point of view of the outsider who is unwilling to accept its norms. Stendhal is Julien, and the latter's revolt is his own.

Julien Sorel is one of the most misunderstood and maligned characters in fiction. Critics have called him a schemer, an anarchist, an evil force, and a menace to organized society. Such twaddle can only come from a complete misreading of the novel. Nothing has done so much damage as the comparisons with Molière's Tartuffe or Nietzsche's superman. The real Tartuffe is a vile creature, a Dickensian blackguard, who wishes to profit by society as it exists, preys on its faults, and never dreams of criticizing it. His every move is planned in advance and the one flaw in his armor is his animal-like sensuality. In terms of *Le Rouge et le Noir,* he is closer to M. Valenod, the scheming parvenu of Verrières, than to Julien. It is true that in the course of the novel Stendhal himself compares Julien to Tartuffe; but Stendhal, who did not understand Molière, had a secret liking for Tartuffe and recreated him in his own image as a masquerader. Critics have, perhaps understandably, missed the point.

Reference to Nietzsche is even more nonsensical. There is no subversion of values in *Le Rouge et le Noir.* Concern for the weak and afflicted (Nietzsche's "slaves"), the weighing of means against ends, tears on the slightest provocation, and generous impulses: these attributes of Julien's lead us away from Nietzsche and back to the tradition of the French moralists, whose criticism is aimed at the individuals who corrupt society, not at societies that corrupt the individual—with one qualification furnished by Jean-Jacques Rousseau: a society may need renovating in order to be worthy of the virtuous individual.

What, then, is Julien? He is a young man who, because of a stifling environment, dares not express his essential nobility of character and is obliged to take refuge in hypocrisy. He is determined to succeed; it is hardly his fault that a change of regime has replaced the Red by the Black. He plans every move in his existence; but, comically, his plans usually go awry and if he succeeds, it is often by mistake.

Julien starts out distrustful, at war with society, and ends having learned that most individuals are not so devious as he has believed. In his creator's words, he passes, unlike most men, "from slyness to tenderness... and easily moved goodness." He has learned to identify happiness with naturalness and the banishment of constraint. The Julien whom we encounter in the closing chapters is a maturer, saner being than the hotblooded youngster of the beginning; in Jean Prévost's phrase, he suddenly "grows up" to Stendhal's own age.

In each of Julien's love affairs, his motives are not so much social ambition as the need to increase his importance in his own eyes. His downfall is not to be attributed, in the cant phrase of the critics, to society's narrow victory over a threat to its existence, but to a tragic flaw in his character: an acute sensitivity that takes the form of sudden, unreasoning rages. He learns to love rather than hate, suffers much, and dies wisely. Most critics would not admit that they have made Stendhal pay a penalty for having rejected the flawless heroes of his time and shown Julien's defects alongside his virtues.

The two heroines, who love Julien in succession and then, at the end, vie for his tenderness in a neat bit of patterning, are the only characters who approach Julien in complexity. The others, while vibrantly alive, are not carefully rounded characters and are rarely seen from the inside.

Mme de Rênal is sincere in the purest sense of the term, torn between her religion and her passion, and undemanding in her affection for Julien. Whenever her love temporarily vanquishes her scruples, her conduct is astonishingly audacious and cool-headed; she is obviously the perfect mistress in the eyes of Stendhal (who had many). The depth of her feelings is to be measured by her surviving Julien by only three days, in spite of her love for her children and her conviction that she goes to eternal damnation. Her character is the best rejoinder to those who have claimed that Stendhal's cynicism prevented him from appreciating virtue.

Mathilde is more of a problem; perhaps one can never succeed in reading her entirely. At the outset, she suffers somewhat from having been conceived as a paradox. In the novels of Stendhal's time, a hero's success with his sweetheart depended on the number of his declarations of undying love. Stendhal wished to create a heroine who would love only to the degree that she thought herself spurned. In order to make Mathilde's motivation plausible, Stendhal grounded her character in vanity and boredom and gave her a cerebral love ("un amour de tête"). She is meant to be haughty and capricious and, finally, to be defeated by true love.

Mathilde, however, runs away from Stendhal's initial conception, falls passionately in love with Julien, commits follies that endear her to the reader, and nearly steals first place from Mme de Rênal. The author tries in vain to restrain her, to ascribe selfish motives to her conduct, to make her obstinacy appear comic; she *will* lead an independent existence in spite of him.

The admixture of comic and tragic elements in character

portrayal (another trait that Stendhal shares with the Romantic Age) furnishes the key to the tone of the novel, which is not of the unrelievedly somber hue that has sometimes been attributed to it. A number of episodes, strategically placed to relieve tension or simply to vary the tone, impart to *Le Rouge et le Noir* some of the qualities of the *opera buffa* that Stendhal so greatly admired. M. de Rênal's mock-heroic soliloquy on the miseries of cuckoldry, Geronimo's visit to Verrières, the café episode ushering in Julien's life in Besançon, the conversation overheard in the Paris stagecoach, Julien's duel, and the grotesque burial service are memorable examples.

In addition to comic elements in the novel's structure, the richness of Stendhal's verbal irony would, if the work had no other qualities, make it a masterpiece of prose writing. The style is deceptively simple. There are practically no conjunctions; they are replaced by punctuation. The rhythm is brisk and alert. The sentences are short and apparently clear. Yet many require pause for thought. Sometimes their meaning is implied rather than expressed. At other times, they have a secondary, hidden meaning and are meant to be taken with a grain of salt or even construed backwards. As Victor Brombert has put it, we must learn to read Stendhal "obliquely."

Stendhal's irony in its simplest form is readily apparent, reminiscent of Voltaire when he is puncturing his unsympathetic characters' egos or of Fielding when he is poking fun at his hero's shortcomings. His tone becomes more complex in his relations with his readers. He intended writing for an elite capable of following his agile mind and being amused or moved by what he did not put into words.

He is also conscious, however, of the need for his book to be a commercial success. He talks directly to the Philistine, reassuring him, and condemning or excusing his characters in the name of conventional morality. In nearly every such instance, the reader must take censure of the characters as praise and commiseration with the reader as an indictment.

There will also be the times when Stendhal forgets himself and speaks the truth in praise of his characters; then, the reader must judge for himself. The task is not always easy, since Stendhal's irony—luckily not often—may wander off into unintelligibility, usually when he is indulging in wishful thinking and will not admit it. We are never sure, for example, whether we are meant to take the mysterious allusions to Julien's birth seriously.

Irony is not the only characteristic of this style, which in its brevity, conciseness, and lack of colorful epithets seems capable of communicating nothing more than reason and wit. In effects of intensity, it is unsurpassed in French literature. Whenever emotion reaches a certain pitch, its musical qualities and subtle overtones turn it into an instrument adequate to the rendering of the slight shade of feeling, the fleeting impression, or the exalted state. Exaltation seems most likely to overtake the characters when they find themselves, as Proust has remarked, in symbolically high places, as when Julien gazes out from his grotto over a vast panorama or soliloquizes in his lofty prison.

Stendhal the man was completely of his time. Stendhal the writer was in most respects outside it. Only a few traits link him to the Romantic poets or novelists and even fewer to his fellow genius, Balzac, who was half seer and half realist. Stendhal himself was aware of the reasons for his failure. "I will be understood," he said, "around 1880."

Recognition of his greatness did come, with few exceptions, at about that date. The scientifically minded nineteenth century, however, in headlong flight from Romanticism, distorted his true image. For Taine he was above all a realist, and for Bourget, a clinical psychologist. He has continued to increase in stature since 1880; today we may flatter ourselves that we see his work in perspective.

That work contains several other novels well worth reading. *Lucien Leuwen* is the delight of Stendhal specialists. *Armance* pleases those who like delicacy of feeling. *Lamiel* titillates the lover of Balzac, who is enchanted to find in it a lustier Stendhal.

Stendhal's masterpieces nonetheless remain *Le Rouge et le Noir* and *La Chartreuse de Parme*. They share the characteristics common to all his novels: a son in revolt against his father and trying desperately to flee his environment, veneration for Napoleon and what he meant to France, haughty pride, egotism, and life conceived as a military strategy directed toward the attainment of happiness.

The differences between the two books are slighter than has sometimes been maintained. Both possess a youthful ardor that is one of Stendhal's secrets; both reveal hatred and scorn as well as tenderness; both have episodes of comic relief. Where the two differ most is in structure and style. *La Chartreuse* is conceived on a larger scale; it is loosely knit and rambling; it is relaxed in tone and serene in outlook. After the tension of *Le Rouge et le Noir,* the later novel's magnificent tone poems, evocative descriptions, and willingness to linger over life's sweetnesses come as a surprise.

Stendhal's ever-growing popularity is proof that *Le Rouge et le Noir's* message still has significance. We may read it for the exposé of tyranny. After Sartre and Camus, we can sympathize with the outcast who challenges society's values. The attacks of Shaw, Huxley, and Gide on middle class hypocrisy make us appreciative of Stendhal's attempt to strip the veneer of respectability from the Valenods and Rênals of his day. His picture of an aristocracy that refuses to change with the times may remind us of Proust.

Marxian criticism to the contrary, it is hard to see in Julien Sorel a member of the proletariat engaged in class warfare; he might play a leading part if a revolution came, but for the present he is quite satisfied to forget his origins and be called M. de la Vernaye. The religious issue raised by Stendhal, too, will be for most readers a dead one.

Nothing, however, can dim for us *Le Rouge et le Noir's* unique, irreplaceable qualities: emotion that is all the more intense for being severely channeled or carefully concealed, irony that betrays a tender heart, and the sheer aesthetic joy that we feel in the presence of a perfect work of art.

Alvin A. Eustis, Jr.

Le Rouge et le Noir

AVERTISSEMENT DE L'ÉDITEUR: *Cet ouvrage était prêt à paraître lorsque les grands événements de juillet*[1] *sont venus donner à tous les esprits une direction peu favorable aux jeux de l'imagination. Nous avons lieu de croire que les feuilles suivantes furent écrites en 1827.*

Livre i.

La vérité, l'âpre vérité.
DANTON.[2]

1. *Une Petite Ville*

Put thousands together
Less bad,
But the cage less gay.
HOBBES.[3]

La petite ville de Verrières peut passer pour l'une des plus jolies de la Franche-Comté. Ses maisons blanches avec leurs toits pointus de tuiles rouges s'étendent sur la pente d'une colline, dont des touffes de vigoureux châtaigniers marquent les moindres sinuosités. Le Doubs coule à quelques centaines de pieds au-dessous de ses fortifications, bâties jadis par les Espagnols,[4] et maintenant ruinées.

Verrières est abritée du côté du nord par une haute montagne, c'est une des branches du Jura.[5] Les cimes brisées du Verra se couvrent de neige dès les premiers froids d'octobre. Un torrent, qui se précipite de la montagne, traverse Verrières avant de se jeter dans le Doubs, et donne le mouvement à un grand nombre de scies à bois, c'est une industrie fort simple et qui procure un certain bien-être à la majeure partie des habitants plus paysans que bourgeois. Ce ne sont pas cependant les scies à bois qui ont enrichi cette petite ville. C'est à la fabrique des toiles peintes, dites de Mulhouse,[6] que l'on doit l'aisance générale qui, depuis la chute de Napoléon, a fait rebâtir les façades de presque toutes les maisons de Verrières.

A peine entre-t-on dans la ville que l'on est étourdi par le fracas d'une machine bruyante et terrible en apparence. Vingt marteaux pesants, et retombant avec un bruit qui fait trembler le pavé, sont élevés par une roue que l'eau du torrent fait mouvoir. Chacun de ces marteaux fabrique, chaque jour, je ne sais combien de milliers de clous. Ce sont de jeunes filles fraîches et jolies qui présentent aux coups de ces marteaux énormes les petits morceaux de fer qui sont rapidement transformés en clous. Ce travail, si rude en apparence, est un de ceux qui étonnent le plus le voyageur qui pénètre pour la première fois dans les montagnes qui séparent la France de l'Helvétie. Si, en entrant à Verrières, le voyageur demande à qui appartient cette belle fabrique de clous qui assourdit les gens qui montent la grande rue, on lui répond avec un accent traînard: *Eh! elle est à M. le maire.*

Pour peu que le voyageur s'arrête quelques instants dans cette grande rue de Verrières, qui va en montant depuis la rive du Doubs jusque vers le sommet de la colline, il y a cent à parier contre un qu'il verra paraître un grand homme à l'air affairé et important.

A son aspect tous les chapeaux se lèvent rapidement. Ses cheveux sont grisonnants, et il est vêtu de gris. Il est chevalier de plusieurs ordres, il a un grand front, un nez aquilin, et au total sa figure ne manque pas d'une certaine régularité: on trouve même, au premier aspect, qu'elle réunit à la dignité du maire de village cette sorte d'agrément qui peut encore se rencontrer avec quarante-huit ou cinquante ans. Mais bientôt le voyageur parisien est choqué d'un certain air de contentement de soi et de suffisance[7] mêlé à je ne sais quoi de borné et de peu inventif. On sent enfin que le talent de cet homme-là se borne à se faire payer bien exactement ce qu'on lui doit, et à payer lui-même le plus tard possible quand il doit.

Tel est le maire de Verrières, M. de Rênal. Après avoir traversé la rue d'un pas grave, il entre à la mairie et disparaît aux yeux du voyageur. Mais, cent pas plus haut, si celui-ci continue sa promenade, il aperçoit une maison d'assez belle apparence, et, à travers une grille de fer attenante à la maison, des jardins magnifiques. Au delà, c'est une ligne d'horizon formée par les collines de la Bourgogne, et qui semble faite à souhait pour le plaisir des yeux. Cette vue fait oublier au voyageur l'atmosphère empestée des petits intérêts d'argent dont il commence à être asphyxié.[8]

On lui apprend que cette maison appartient à M. de Rênal.

C'est aux bénéfices qu'il a faits sur sa grande fabrique de clous que le maire de Verrières doit cette belle habitation en pierre de taille qu'il achève en ce moment. Sa famille, dit-on, est espagnole, antique, et, à ce qu'on prétend,[9] établie dans le pays bien avant la conquête de Louis XIV.

Depuis 1815 il rougit d'être industriel: 1815 l'a fait maire de Verrières.[10] Les murs en terrasse qui soutiennent les diverses parties de ce magnifique jardin qui, d'étage en étage, descend jusqu'au Doubs, sont aussi la récompense de la science de M. de Rênal dans le commerce du fer.

Ne vous attendez point à trouver en France ces jardins pittoresques qui entourent les villes manufacturières de l'Allemagne, Leipsick, Francfort, Nuremberg, etc. En Franche-Comté, plus on bâtit de murs, plus on hérisse sa propriété de pierres rangées les unes au-dessus des autres, plus on acquiert de droits aux respects de ses voisins. Les jardins de M. de Rênal, remplis de murs, sont encore[10a] admirés parce qu'il a acheté, au poids de l'or, certains petits morceaux de terrain qu'ils occupent. Par exemple, cette scie à bois, dont la position singulière sur la rive du Doubs vous a frappé en entrant à Verrières, et où vous avez remarqué le nom de SOREL, écrit en caractères gigantesques sur une planche qui domine le toit, elle occupait, il y a six ans, l'espace sur lequel on élève en ce moment le mur de la quatrième terrasse des jardins de M. de Rênal.

Malgré sa fierté, M. le maire a dû faire bien des démarches auprès du vieux Sorel, paysan dur et entêté; il a dû lui compter de beaux louis[11] d'or pour obtenir qu'il transportât son usine ailleurs. Quant au ruisseau *public* qui faisait aller la scie, M. de Rênal, au moyen du crédit dont il jouit à Paris, a obtenu qu'il fût détourné. Cette grâce lui vint après les élections de 182*.[12]

Il a donné à Sorel quatre arpents pour un, à cinq cents pas plus bas sur les bords du Doubs. Et, quoique cette position fût beaucoup plus avantageuse pour son commerce de planches de sapin, le père Sorel, comme on l'appelle depuis qu'il est riche, a eu le secret d'obtenir de l'impatience et de la *manie de propriétaire,* qui animait son voisin, une somme de 6.000 francs.

Il est vrai que cet arrangement a été critiqué par les bonnes têtes de l'endroit. Une fois, c'était un jour de dimanche, il y a quatre ans de cela, M. de Rênal, revenant de l'église en costume de maire, vit de loin le vieux Sorel, entouré de ses trois fils, sourire en le regardant. Ce sourire a porté un jour fatal[13] dans l'âme de M. le maire, il pense depuis lors qu'il eût pu[14] obtenir l'échange à meilleur marché.

Pour arriver à la considération publique à Verrières, l'essentiel est de ne pas adopter, tout en bâtissant beaucoup de murs, quelque plan apporté d'Italie par ces maçons qui au printemps traversent les gorges du Jura pour gagner Paris. Une telle innovation vaudrait à l'imprudent bâtisseur une éternelle réputation de *mauvaise tête,* et il serait à jamais perdu auprès des gens sages et modérés qui distribuent la considération en Franche-Comté.

Dans le fait, ces gens sages y exercent le plus ennuyeux *despotisme;* c'est à cause de ce vilain mot que le séjour des petites villes est insupportable pour qui a vécu dans cette grande république qu'on appelle Paris. La tyrannie de l'opinion, et quelle opinion ! est aussi *bête* dans les petites villes de France qu'aux Etats-Unis d'Amérique.[15]

2. *Un Maire*

L'importance ! Monsieur, n'est-ce rien ? Le respect des sots, l'ébahissement des enfants, l'envie des riches, le mépris du sage.
BARNAVE.[16]

Heureusement pour la réputation de M. de Rênal comme administrateur, un immense *mur de soutènement* était nécessaire à la promenade publique qui longe la colline à une centaine de pieds au-dessus du cours du Doubs. Elle doit à cette admirable position une des vues les plus pittoresques de France. Mais, à chaque printemps, les eaux de pluie sillonnaient la promenade, y creusaient des ravins et la rendaient impraticable. Cet inconvénient, senti par tous, mit M. de Rênal dans l'heureuse nécessité d'immortaliser son administration par un mur de vingt pieds de hauteur et de trente ou quarante toises de long.

Le parapet de ce mur pour lequel M. de Rênal a dû faire trois voyages à Paris, car l'avant-dernier ministre de l'intérieur s'était déclaré l'ennemi mortel de la promenade de Verrières, le parapet de ce mur s'élève maintenant de quatre pieds au-dessus du sol. Et, comme pour braver tous les ministres présents et passés, on le garnit en ce moment avec des dalles de pierre de taille.

Combien de fois, songeant aux bals de Paris abandonnés la veille, et la poitrine appuyée contre ces grands blocs de pierre d'un beau gris tirant sur le bleu, mes regards ont plongé dans la vallée du Doubs! Au delà, sur la rive gauche, serpentent cinq ou six vallées au fond desquelles l'œil distingue fort bien de petits ruisseaux. Après avoir couru de cascade en cascade on les voit tomber dans le Doubs. Le soleil est fort chaud dans ces montagnes; lorsqu'il brille d'aplomb, la rêverie du voyageur est abritée sur cette terrasse par de magnifiques platanes. Leur croissance rapide et leur belle verdure tirant sur le bleu, ils la doivent à la terre rapportée, que M. le maire a fait placer derrière son immense mur de soutènement, car, malgré l'opposition du conseil municipal, il a élargi la promenade de plus de six pieds (quoiqu'il soit ultra[17] et moi libéral, je l'en loue), c'est pourquoi dans son opinion et dans celle de M. Valenod, l'heureux directeur du dépôt de mendicité[18] de Verrières, cette terrasse peut soutenir la comparaison avec celle de Saint-Germain-en-Laye.[19]

Je ne trouve, quant à moi, qu'une chose à reprendre au COURS DE LA FIDÉLITÉ; on lit ce nom officiel en quinze ou vingt endroits, sur des plaques de marbre qui ont valu une croix de plus[20] à M. de Rênal; ce que je reprocherais au Cours de la Fidélité, c'est la manière barbare dont l'autorité fait tailler et tondre jusqu'au vif ces vigoureux platanes. Au lieu de ressembler par leurs têtes basses, rondes et aplaties, à la plus vulgaire des plantes potagères, ils ne demanderaient pas mieux que d'avoir ces formes magnifiques qu'on leur voit en Angleterre.[21] Mais la volonté de M. le maire est despotique, et deux fois par an tous les arbres appartenant à la commune[22] sont impitoyablement amputés. Les libéraux[23] de l'endroit prétendent, mais ils exagèrent, que la main du jardinier officiel est devenue bien plus sévère depuis que M. le vicaire[24] Maslon a pris l'habitude de s'emparer des produits de la tonte.

Ce jeune ecclésiastique fut envoyé de Besançon,[25] il y a quelques années, pour surveiller l'abbé Chélan et quelques curés des environs. Un vieux chirurgien-major de l'armée d'Italie retiré à Verrières, et qui de son vivant était à la fois, suivant M. le maire, jacobin[26] et bonapartiste, osa bien un jour se plaindre à lui de la mutilation périodique de ces beaux arbres.

— J'aime l'ombre, répondit M. de Rênal avec la nuance de hauteur[27] convenable quand on parle à un chirurgien, membre de la Légion d'honneur; j'aime l'ombre, je fais tailler *mes* arbres pour donner de l'ombre, et je ne conçois pas qu'un arbre soit fait pour autre chose, quand toutefois, comme l'utile noyer, il *ne rapporte pas de revenu*.

Voilà le grand mot qui décide de tout à Verrières: RAP-

PORTER DU REVENU. A lui seul il représente la pensée habituelle de plus des trois quarts des habitants.

Rapporter du revenu est la raison qui décide de tout dans cette petite ville qui vous semblait si jolie. L'étranger qui arrive, séduit par la beauté des fraîches et profondes vallées qui l'entourent, s'imagine d'abord que ses habitants sont sensibles au *beau;* ils ne parlent que trop souvent de la beauté de leur pays: on ne peut pas nier qu'ils n'en fassent grand cas;[28] mais c'est parce qu'elle attire quelques étrangers dont l'argent enrichit les aubergistes, ce qui, par le mécanisme de l'octroi,[29] *rapporte du revenu à la ville.*

C'était par un beau jour d'automne que M. de Rênal se promenait sur le Cours de la Fidélité, donnant le bras à sa femme. Tout en écoutant son mari qui parlait d'un air grave, l'œil de Mme de Rênal suivait avec inquiétude les mouvements de trois petits garçons. L'aîné, qui pouvait avoir onze ans, s'approchait trop souvent du parapet et faisait mine d'y monter. Une voix douce prononçait alors le nom d'Adolphe, et l'enfant renonçait à son projet ambitieux. Mme de Rênal paraissait une femme de trente ans, mais encore assez jolie.

— Il pourrait bien s'en repentir, ce beau monsieur de Paris, disait M. de Rênal d'un air offensé, et la joue plus pâle encore qu'à l'ordinaire. Je ne suis pas sans avoir quelques amis au Château ...[30]

Mais, quoique je veuille vous parler de la province pendant deux cents pages, je n'aurai pas la barbarie de vous faire subir la longueur et les *ménagements savants*[31] d'un dialogue de province.

Ce beau monsieur de Paris, si odieux au maire de Verrières, n'était autre que M. Appert,[32] qui, deux jours auparavant, avait trouvé le moyen de s'introduire non seulement dans la prison et le dépôt de mendicité de Verrières, mais aussi dans l'hôpital administré gratuitement par le maire et les principaux propriétaires de l'endroit.

— Mais, disait timidement Mme de Rênal, quel tort peut vous faire ce monsieur de Paris, puisque vous administrez le bien des pauvres avec la plus scrupuleuse probité ?

— Il ne vient que pour *déverser* le blâme, et ensuite il fera insérer des articles dans les journaux du libéralisme.

— Vous ne les lisez jamais, mon ami.

— Mais on nous parle de ces articles jacobins; tout cela nous distrait *et nous empêche de faire le bien.* Quant à moi je ne pardonnerai jamais au curé.

3. *Le Bien des pauvres*

> *Un curé vertueux et sans intrigue est une Providence pour le village.*
>
> FLEURY.[34]

Il faut savoir que le curé de Verrières, vieillard de quatre-vingts ans, mais qui devait à l'air vif de ces montagnes une santé et un caractère de fer, avait le droit de visiter à toute heure la prison, l'hôpital et même le dépôt de mendicité. C'était précisément à six heures du matin que M. Appert, qui de Paris était recommandé au curé, avait eu la sagesse d'arriver dans une petite ville curieuse. Aussitôt il était allé au presbytère.

En lisant la lettre que lui écrivait M. le marquis de La Mole, pair de France, et le plus riche propriétaire de la province, le curé Chélan resta pensif.

Je suis vieux et aimé ici, se dit-il enfin à mi-voix, ils n'oseraient ! Se tournant tout de suite vers le monsieur de Paris, avec des yeux où, malgré le grand âge, brillait ce feu sacré qui annonce le plaisir de faire une belle action un peu dangereuse:

— Venez avec moi, monsieur, et en présence du geôlier et surtout des surveillants du dépôt de mendicité, veuillez n'émettre aucune opinion sur les choses que nous verrons. M. Appert comprit qu'il avait affaire à un homme de cœur:[35] il suivit le vénérable curé, visita la prison, l'hospice, le dépôt, fit beaucoup de questions et, malgré d'étranges réponses, ne se permit pas la moindre marque de blâme.

Cette visite dura plusieurs heures. Le curé invita à dîner M. Appert, qui prétendit avoir des lettres à écrire: il ne voulait pas compromettre davantage son généreux compagnon. Vers les trois heures, ces messieurs allèrent achever l'inspection du dépôt de mendicité, et revinrent ensuite à la prison. Là, ils trouvèrent sur la porte le geôlier, espèce de géant de six pieds de haut et à jambes arquées; sa figure ignoble était devenue hideuse par l'effet de la terreur.

— Ah ! monsieur, dit-il au curé, dès qu'il l'aperçut, ce monsieur que je vois là avec vous, n'est-il pas M. Appert ?

— Qu'importe ? dit le curé.

— C'est que depuis hier j'ai l'ordre le plus précis, et que M. le préfet a envoyé par un gendarme, qui a dû galoper toute la nuit, de ne pas admettre M. Appert dans la prison.

— Je vous déclare, monsieur Noiroud, dit le curé, que ce voyageur, qui est avec moi, est M. Appert. Reconnaissez-vous que j'ai le droit d'entrer dans la prison à toute heure du jour et de la nuit, et en me faisant accompagner par qui je veux ?

— Oui, M. le curé, dit le geôlier à voix basse, et baissant la tête comme un bouledogue que fait obéir à regret la crainte du bâton. Seulement, M. le curé, j'ai femme et enfants, si je suis dénoncé on me destituera; je n'ai pour vivre que ma place.

— Je serais aussi bien fâché de perdre la mienne, reprit le bon curé, d'une voix de plus en plus émue.

— Quelle différence ! reprit vivement le geôlier; vous, M. le curé, on sait que vous avez 800 livres de rente, du bon bien au soleil...[36]

Tels sont les faits qui, commentés, exagérés de vingt façons différentes, agitaient depuis deux jours toutes les passions haineuses de la petite ville de Verrières. Dans ce moment, ils servaient de texte à la petite discussion que M. de Rênal avait avec sa femme. Le matin, suivi de M. Valenod, directeur du dépôt de mendicité, il était allé chez le curé pour lui témoigner le plus vif mécontentement. M. Chélan n'était protégé par personne; il sentit toute la portée de leurs paroles.

— Eh bien, messieurs ! je serai le troisième curé, de quatre-vingts ans d'âge, que l'on destituera dans ce voisinage. Il y a cinquante-six ans que je suis ici; j'ai baptisé presque tous les habitants de la ville, qui n'était qu'un bourg quand j'y arrivai. Je marie tous les jours des jeunes gens, dont jadis j'ai marié les grands-pères. Verrières est ma famille; mais je me suis dit, en voyant l'étranger : « Cet homme venu de Paris peut être à la vérité un libéral, il n'y en a que trop; mais quel mal peut-il faire à nos pauvres et à nos prisonniers ? »

Les reproches de M. de Rênal, et surtout ceux de M. Valenod, le directeur du dépôt de mendicité, devenant de plus en plus vifs:

— Eh bien, messieurs! faites-moi destituer, s'était écrié le vieux curé, d'une voix tremblante. Je n'en habiterai pas moins le pays.[37] On sait qu'il y a quarante-huit ans, j'ai hérité d'un champ qui rapporte 800 livres.[38] Je vivrai avec ce revenu. Je ne fais point d'économies dans ma place, moi, messieurs, et c'est peut-être pourquoi je ne suis pas si effrayé quand on parle de me la faire perdre.

M. de Rênal vivait fort bien avec[39] sa femme; mais ne sachant que répondre à cette idée, qu'elle lui répétait timidement: « Quel mal ce monsieur de Paris peut-il faire aux prisonniers ? » il était sur le point de se fâcher tout à fait quand elle jeta un cri. Le second de ses fils venait de monter sur le parapet du mur de la terrasse, et y courait, quoique ce mur fût élevé de plus de vingt pieds sur la vigne qui est de l'autre côté. La crainte d'effrayer son fils et de le faire tomber empêchait Mme de Rênal de lui adresser la parole. Enfin l'enfant, qui riait de sa prouesse, ayant regardé sa mère, vit sa pâleur, sauta sur la promenade et accourut à elle. Il fut bien grondé.

Ce petit événement changea le cours de la conversation.

— Je veux absolument prendre chez moi Sorel, le fils du scieur de planches, dit M. de Rênal; il surveillera les enfants qui commencent à devenir trop diables pour nous. C'est un jeune prêtre, ou autant vaut, bon latiniste, et qui fera faire des progrès aux enfants; car il a un caractère ferme, dit le curé. Je lui donnerai 300 francs et la nourriture. J'avais quelques doutes sur sa moralité; car il était le benjamin de ce vieux chirurgien, membre de la Légion d'honneur, qui, sous prétexte qu'il était leur cousin, était venu se mettre en pension chez les Sorel. Cet homme pouvait fort bien n'être au fond qu'un agent secret des libéraux; il disait que l'air de nos montagnes faisait du bien à son asthme; mais c'est ce qui n'est pas prouvé. Il avait fait toutes les campagnes de *Buonaparté* en Italie,[40] et même avait, dit-on, signé *non* pour l'empire dans le temps.[41] Ce libéral montrait le latin au fils Sorel, et lui a laissé cette quantité de livres qu'il avait apportés avec lui. Aussi n'aurais-je jamais songé à mettre le fils du charpentier [42] auprès de nos enfants; mais le curé, justement la veille de la scène qui vient de nous brouiller à jamais, m'a dit que ce Sorel étudie la théologie depuis trois ans, avec le projet d'entrer au séminaire; il n'est donc pas libéral, et il est latiniste.

Cet arrangement convient de plus d'une façon, continua M. de Rênal, en regardant sa femme d'un air diplomate; le Valenod est tout fier des deux beaux normands [43] qu'il vient d'acheter pour sa calèche. Mais il n'a pas de précepteur pour ses enfants.

— Il pourrait bien nous enlever celui-ci.

— Tu approuves donc mon projet ? dit M. de Rênal, remerciant sa femme, par un sourire, de l'excellente idée qu'elle venait d'avoir. Allons, voilà qui est décidé.

— Ah, bon Dieu! mon cher ami, comme tu prends vite un parti !

~~Cette résolution subite laissa Mme de Rênal toute pen-~~
Ne dissimulons rien, nous sommes environnés de libéraux ici. Tous ces marchands de toile me portent envie, j'en ai la certitude; deux ou trois deviennent des richards; eh bien ! j'aime assez qu'ils voient passer les enfants de M. de Rênal, allant à la promenade sous la conduite de *leur précepteur*. Cela imposera. Mon grand-père nous racontait souvent que, dans sa jeunesse, il avait eu un précepteur. C'est cent écus [44] qu'il m'en pourra coûter, mais ceci doit être classé comme une dépense nécessaire pour soutenir notre rang.

Cette résolution subite laissa Mme. de Rênal toute pensive. C'était une femme grande, bien faite, qui avait été la beauté du pays, comme on dit dans ces montagnes. Elle avait un certain air de simplicité, et de la jeunesse dans la démarche; aux yeux d'un Parisien, cette grâce naïve, pleine d'innocence et de vivacité, serait même allée jusqu'à rappeler des idées de douce volupté. Si elle eût appris ce genre de succès, Mme de Rênal en eût été bien honteuse. Ni la coquetterie, ni l'affectation n'avaient jamais approché de ce cœur. M. Valenod, le riche directeur du dépôt, passait pour [45] lui avoir fait la cour, mais sans succès, ce qui avait jeté un éclat singulier sur sa vertu; car ce M. Valenod, grand jeune homme, taillé en force,[46] avec un visage coloré et de gros favoris noirs, était un de ces êtres grossiers, effrontés et bruyants, qu'en province on appelle de beaux hommes.

Mme de Rênal, fort timide, et d'un caractère en apparence fort inégal,[46a] était surtout choquée du mouvement continuel et des éclats de voix de M. Valenod. L'éloignement qu'elle avait pour ce qu'à Verrières on appelle de la joie, lui avait valu la réputation d'être très fière de sa naissance. Elle n'y songeait pas, mais avait été fort contente de voir les habitants de la ville venir moins chez elle. Nous ne dissimulerons pas qu'elle passait pour sotte aux yeux de *leurs* dames, parce que, sans nulle politique[47] à l'égard de son mari, elle laissait échapper les plus belles occasions de se faire acheter de beaux chapeaux de Paris ou de Besançon. Pourvu qu'on la laissât seule errer dans son beau jardin, elle ne se plaignait jamais.

C'était une âme naïve, qui jamais ne s'était élevée même jusqu'à juger son mari, et à s'avouer qu'il l'ennuyait. Elle supposait, sans le dire, qu'entre mari et femme il n'y avait pas de plus douces relations. Elle aimait surtout M. de Rênal quand il lui parlait de ses projets sur leurs enfants, dont il destinait l'un à l'épée,[48] le second à la magistrature, et le troisième à l'église. En somme, elle trouvait M. de Rênal beaucoup moins ennuyeux que tous les hommes de sa connaissance.

Ce jugement conjugal était raisonnable. Le maire de Verrières devait une réputation d'esprit[48a] et surtout de bon ton à une demi-douzaine de plaisanteries dont il avait hérité d'un oncle. Le vieux capitaine de Rênal servait avant la révolution dans le régiment d'infanterie de M. le duc d'Orléans, et, quand il allait à Paris, était admis dans les salons du prince. Il y avait vu Mme de Montesson, la fameuse Mme de Genlis, M. Ducrest, l'inventeur du Palais-Royal.[49] Ces personnages ne reparaissaient que trop souvent dans les anecdotes de M. de Rênal. Mais peu à peu ce souvenir de choses aussi délicates à raconter était devenu un travail pour lui, et, depuis quelque temps, il ne répétait que dans les grandes occasions ses anecdotes relatives à la maison d'Orléans. Comme il était d'ailleurs fort poli, excepté lorsqu'on parlait d'argent, il passait, avec raison, pour le personnage le plus aristocratique de Verrières.

4. *Un Père et un fils*

E sarà mia colpa
Se cosi è?
MACHIAVELLI.[50]

Ma femme a réellement beaucoup de tête! se disait, le lendemain à six heures du matin, le maire de Verrières, en descendant à la scie du père Sorel. Quoi que je lui aie dit, pour conserver la supériorité qui m'appartient, je n'avais pas songé que si je ne prends pas ce petit abbé Sorel, qui, dit-on, sait le latin comme un ange, le directeur du dépôt, cette âme sans repos,[51] pourrait bien avoir la même idée que moi et me l'enlever. Avec quel ton de suffisance il parlerait du précepteur de ses enfants!... Ce précepteur, une fois à moi, portera-t-il la soutane?

M. de Rênal était absorbé dans ce doute, lorsqu'il vit de loin un paysan, homme de près de six pieds, qui, dès le petit jour, semblait fort occupé à mesurer des pièces de bois déposées le long du Doubs, sur le chemin de halage. Le paysan n'eut pas l'air fort satisfait de voir approcher M. le maire, car ses pièces de bois obstruaient le chemin, et étaient déposées là en contravention.[52]

Le père Sorel, car c'était lui, fut très surpris et encore plus content de la singulière proposition que M. de Rênal lui faisait pour son fils Julien. Il ne l'en écouta pas moins avec cet air de tristesse mécontente et de désintérêt dont sait si bien se revêtir la finesse des habitants de ces montagnes. Esclaves du temps de [52a] la domination espagnole, ils conservent encore ce trait de la physionomie du fellah de l'Egypte.

La réponse de Sorel ne fut d'abord que la longue récitation de toutes les formules de respect qu'il savait par cœur. Pendant qu'il répétait ces vaines paroles, avec un sourire gauche qui augmentait l'air de fausseté et presque de friponnerie naturel à sa physionomie, l'esprit actif du vieux paysan cherchait à découvrir quelle raison pouvait porter un homme aussi considérable à prendre chez lui son vaurien de fils. Il était fort mécontent de Julien, et c'était pour lui que M. de Rênal lui offrait le gage inespéré de 300 francs par an, avec la nourriture et même l'habillement. Cette dernière prétention, que le père Sorel avait eu le génie de mettre en avant subitement, avait été accordée de même par M. de Rênal.

Cette demande frappa le maire. Puisque Sorel n'est pas ravi et comblé de ma proposition, comme naturellement il devrait l'être, il est clair, se dit-il, qu'on lui a fait des offres d'un autre côté; et de qui peuvent-elles venir, si ce n'est du Valenod ?[53] Ce fut en vain que M. de Rênal pressa Sorel de conclure sur-le-champ: l'astuce du vieux paysan s'y refusa opiniâtrément; il voulait, disait-il, consulter son fils, comme si, en province, un père riche consultait un fils qui n'a rien, autrement que pour la forme.

Une scie à eau se compose d'un hangar au bord d'un ruisseau. Le toit est soutenu par une charpente qui porte sur quatre gros piliers en bois. A huit ou dix pieds d'élévation, au milieu du hangar, on voit une scie qui monte et descend, tandis qu'un mécanisme fort simple pousse contre cette scie une pièce de bois. C'est une roue mise en mouvement par le ruisseau qui fait aller ce double mécanisme: celui de la scie qui monte et descend, et celui qui pousse doucement la pièce de bois vers la scie, qui la débite en planches.

En approchant de son usine, le père Sorel appela Julien de sa voix de stentor; personne ne répondit. Il ne vit que ses fils aînés, espèce de géants qui, armés de lourdes haches, équarrissaient les troncs de sapin,[54] qu'ils allaient porter à la scie. Tout occupés à suivre exactement la marque noire tracée sur la pièce de bois, chaque coup de leur hache en séparait des copeaux énormes. Ils n'entendirent pas la voix de leur père. Celui-ci se dirigea vers le hangar; en y entrant, il chercha vainement Julien à la place qu'il aurait dû occuper, à côté de la scie. Il l'aperçut à cinq ou six pieds plus haut, à cheval sur l'une des pièces de la toiture. Au lieu de surveiller attentivement l'action de tout le mécanisme, Julien lisait. Rien n'était plus antipathique au vieux Sorel; il eût peut-être pardonné à Julien sa taille mince, peu propre aux travaux de force, et si différente de celle de ses aînés; mais cette manie de lecture lui était odieuse, il ne savait pas lire lui-même.

Ce fut en vain qu'il appela Julien deux ou trois fois. L'attention que le jeune homme donnait à son livre, bien plus que le bruit de la scie, l'empêcha d'entendre la terrible voix de son père. Enfin, malgré son âge, celui-ci sauta lestement sur l'arbre soumis à l'action de la scie, et de là sur la poutre transversale qui soutenait le toit. Un coup violent fit voler dans le ruisseau le livre que tenait Julien; un second coup aussi violent, donné sur la tête, en forme de calotte, lui fit perdre l'équilibre. Il allait tomber à douze ou quinze pieds plus bas, au milieu des leviers de la machine en action, qui l'eussent brisé, mais son père le retint de la main gauche, comme il tombait:

— Eh bien, paresseux ! tu liras donc toujours tes maudits livres, pendant que tu es de garde à la scie ? Lis-les le soir, quand tu vas perdre ton temps chez le curé, à la bonne heure.

Julien, quoique étourdi par la force du coup, et tout sanglant, se rapprocha de son poste officiel, à côté de la scie. Il avait les larmes aux yeux, moins à cause de la douleur physique que pour la perte de son livre qu'il adorait.

« Descends, animal, que [54a] je te parle. » Le bruit de la machine empêcha encore Julien d'entendre cet ordre. Son père qui était descendu, ne voulant pas se donner la peine de remonter sur le mécanisme, alla chercher une longue perche pour abattre des noix, et l'en frappa sur l'épaule. A peine Julien fut-il à terre, que le vieux Sorel, le chassant rudement devant lui, le poussa vers la maison. Dieu sait ce qu'il va me faire ! se disait le jeune homme. En passant, il regarda tristement le ruisseau où était tombé son livre; c'était celui de tous qu'il affectionnait le plus, le *Mémorial de Sainte-Hélène*.[55]

Il avait les joues pourpres et les yeux baissés. C'était un petit jeune homme de dix-huit à dix-neuf ans, faible en apparence, avec des traits irréguliers, mais délicats, et un nez aquilin. De grands yeux noirs, qui, dans les moments tranquilles, annonçaient de la réflexion et du feu, étaient animés en cet instant de l'expression de la haine la plus féroce. Des cheveux châtain foncé, plantés fort bas,[56] lui donnaient un petit front, et, dans les moments de colère, un air méchant. Parmi les innombrables variétés de la physionomie humaine, il n'en est peut-être point qui se soit distinguée par une spécialité [57] plus saisissante. Une taille svelte et bien prise [58] annonçait plus de légèreté que de vigueur. Dès sa première jeunesse, son air extrêmement pensif et sa grande pâleur avaient donné l'idée à son père qu'il ne vivrait pas ou qu'il vivrait pour être une charge à sa famille. Objet des mépris de tous à la maison, il haïssait ses frères et son père; dans les jeux du dimanche, sur la place publique, il était toujours battu.

Il n'y avait pas un an que sa jolie figure commençait à lui donner quelques voix [58a] amies parmi les jeunes filles. Méprisé de tout le monde, comme un être faible, Julien avait adoré ce vieux chirurgien-major qui un jour osa parler au maire au sujet des platanes.

Ce chirurgien payait quelquefois au père Sorel la journée de son fils, et lui enseignait le latin et l'histoire, c'est-à-dire, ce qu'il savait d'histoire, la campagne de 1796 en Italie. En mourant, il lui avait légué sa croix de la Légion d'honneur, les arrérages de sa demi-solde et trente ou quarante volumes, dont le plus précieux venait de faire le saut dans le *ruisseau public,* détourné par le crédit de M. le maire.

A peine entré dans la maison, Julien se sentit l'épaule arrêtée par la puissante main de son père; il tremblait, s'attendant à quelques coups.

— Réponds-moi sans mentir, lui cria aux oreilles la voix dure du vieux paysan, tandis que sa main le retournait comme la main d'un enfant retourne un soldat de plomb. Les grands yeux noirs et remplis de larmes de Julien se trouvèrent en face des petits yeux gris et méchants du vieux charpentier, qui avait l'air de vouloir lire jusqu'au fond de son âme.

5. *Une Négociation*

Cunctando restituit rem.
ENNIUS.[59]

Réponds-moi sans mentir, si tu le peux, chien de *lisard*;[60] d'où connais-tu Mme de Rênal, quand lui as-tu parlé ?

— Je ne lui ai jamais parlé, répondit Julien, je n'ai jamais vu cette dame qu'à l'église.

— Mais tu l'auras regardée, vilain effronté ?

— Jamais ! Vous savez qu'à l'église je ne vois que Dieu, ajouta Julien, avec un petit air hypocrite, tout propre, selon lui, à éloigner le retour des taloches.

— Il y a pourtant quelque chose là-dessous, répliqua le paysan malin, et il se tut un instant; mais je ne saurai rien de toi, maudit hypocrite. Au fait, je vais être délivré de toi, et ma scie n'en ira que mieux. Tu as gagné M. le curé ou tout autre, qui t'a procuré une belle place. Va faire ton paquet, et je te mènerai chez M. de Rênal, où tu seras précepteur des enfants.

— Qu'aurai-je pour cela ?

— La nourriture, l'habillement et trois cents francs de gages.

— Je ne veux pas être domestique.

— Animal, qui te parle d'être domestique, est-ce que je voudrais que mon fils fût domestique ?

— Mais, avec qui mangerai-je ?

Cette demande déconcerta le vieux Sorel, il sentit qu'en parlant il pourrait commettre quelque imprudence; il s'emporta contre Julien, qu'il accabla d'injures,[60a] en l'accusant de gourmandise,[61] et le quitta pour aller consulter ses autres fils.

Julien les vit bientôt après, chacun appuyé sur sa hache et tenant conseil. Après les avoir longtemps regardés, Julien, voyant qu'il ne pouvait rien deviner, alla se placer de l'autre côté de la scie, pour éviter d'être surpris. Il voulait penser à cette annonce imprévue qui changeait son sort, mais il se sentit incapable de prudence; son imagination était tout entière à se figurer ce qu'il verrait dans la belle maison de M. de Rênal.

Il faut renoncer à tout cela, se dit-il, plutôt que de se laisser réduire à manger avec les domestiques. Mon père voudra m'y forcer; plutôt mourir. J'ai quinze francs huit sous d'économies je me sauve cette nuit; en deux jours, par des chemins de traverse [62] où je ne crains nul gendarme, je suis à Besançon; là, je m'engage comme soldat, et, s'il le faut, je passe en Suisse. Mais alors plus d'avancement, plus d'ambition pour moi, plus de ce bel état de prêtre qui mène à tout.

Cette horreur pour manger avec des domestiques n'était pas naturelle à Julien, il eût fait pour arriver à la fortune des choses bien autrement pénibles. Il puisait cette répugnance dans les *Confessions* de Rousseau.[63] C'était le seul livre à l'aide duquel son imagination se figurait [63a] le monde. Le recueil des bulletins de la grande armée [64] et le *Mémorial de Sainte-Hélène* complétaient son Coran. Il se serait fait tuer pour ces trois ouvrages. Jamais il ne crut en aucun autre. D'après un mot du vieux chirurgien-major, il regardait tous les autres livres du monde comme menteurs, et écrits par des fourbes pour avoir de l'avancement.

Avec une âme de feu, Julien avait une de ces mémoires étonnantes si souvent unies à la sottise. Pour gagner le vieux curé Chélan, duquel il voyait bien que dépendait son sort à venir, il avait appris par cœur tout le Nouveau Testament en latin; il savait aussi le livre *du Pape* de M. de Maistre,[65] et croyait à l'un aussi peu qu'à l'autre.

Comme par un accord mutuel, Sorel et son fils évitèrent de se parler ce jour-là. Sur la brune, Julien alla prendre sa leçon de théologie chez le curé, mais il ne jugea pas prudent de lui rien dire de l'étrange proposition qu'on avait faite à son père. Peut-être est-ce un piège, se disait-il, il faut faire semblant de l'avoir oublié.

Le lendemain de bonne heure, M. de Rênal fit appeler le vieux Sorel, qui, après s'être fait attendre une heure ou deux, finit par arriver, en faisant dès la porte cent excuses, entremêlées d'autant de révérences. A force de parcourir toutes sortes d'objections, Sorel comprit que son fils mangerait avec le maître et la maîtresse de la maison, et les jours où il y aurait du monde, seul dans une chambre à part avec les enfants. Toujours plus disposé à incidenter à mesure qu'il distinguait un véritable empressement chez M. le maire, et d'ailleurs rempli de défiance [66] et d'étonnement, Sorel demanda à voir la chambre où coucherait son fils. C'était une grande pièce meublée fort proprement, mais dans laquelle on était déjà occupé à transporter les lits des trois enfants.

Cette circonstance fut un trait de lumière pour le vieux paysan; il demanda aussitôt avec assurance à voir l'habit que l'on donnerait à son fils. M. de Rênal ouvrit son bureau et prit cent francs.

— Avec cet argent, votre fils ira chez M. Durand, le drapier, et lèvera [67] un habit noir complet.

— Et quand même je le retirerais de chez vous, dit le paysan, qui avait tout à coup oublié ses formes révérencieuses, cet habit noir lui restera ?

— Sans doute.[68]

— Eh bien ! dit Sorel d'un ton de voix traînard, il ne reste donc plus qu'à nous mettre d'accord sur une seule chose: l'argent que vous lui donnerez.

— Comment ! s'écria M. de Rênal indigné, nous sommes d'accord depuis hier: je donne trois cents francs; je crois que c'est beaucoup, et peut-être trop.

— C'était votre offre, je ne le nie point, dit le vieux Sorel, parlant encore plus lentement; et, par un effort de génie qui n'étonnera que ceux qui ne connaissent pas les paysans francs-comtois, il ajouta, en regardant fixement M. de Rênal: *Nous trouvons mieux ailleurs.*

A ces mots la figure du maire fut bouleversée. Il revint cependant à lui, et, après une conversation savante de deux grandes heures, où pas un mot ne fut dit au hasard, la finesse du paysan l'emporta sur la finesse de l'homme riche, qui n'en a pas besoin pour vivre. Tous les nombreux articles qui devaient régler la nouvelle existence de Julien se trouvèrent arrêtés;[68a] non seulement ses appointements furent réglés à quatre cents francs, mais on dut les payer d'avance, le premier de chaque mois.

— Eh bien ! je lui remettrai trente-cinq francs, dit M. de Rênal.

— Pour faire la somme ronde, un homme riche et généreux comme monsieur notre maire, dit le paysan d'une voix *câline*, ira bien jusqu'à trente-six francs.

— Soit, dit M. de Rênal, mais finissons-en.

Pour le coup, la colère lui donnait le ton de la fermeté. Le paysan vit qu'il fallait cesser de marcher en avant. Alors, à son tour, M. de Rênal fit des progrès. Jamais il ne voulut remettre le premier mois de trente-six francs au vieux Sorel, fort empressé de le recevoir pour son fils. M. de Rênal vint à penser qu'il serait obligé de raconter à sa femme le rôle qu'il avait joué dans toute cette négociation.

— Rendez-mois les cent francs que je vous ai remis, dit-il avec humeur. M. Durand me doit quelque chose. J'irai avec votre fils faire la levée du drap noir.

Après cet acte de vigueur, Sorel rentra prudemment dans ses formules respectueuses; elles prirent un bon quart d'heure. A la fin, voyant qu'il n'y avait décidément plus rien à gagner, il se retira. Sa dernière révérence finit par ces mots:

— Je vais envoyer mon fils au château.

C'était ainsi que les administrés de M. le maire appelaient sa maison quand ils voulaient lui plaire.

De retour à son usine, ce fut en vain que Sorel chercha son fils. Se méfiant de ce qui pouvait arriver, Julien était sorti au milieu de la nuit. Il avait voulu mettre en sûreté ses livres et sa croix de la Légion d'honneur. Il avait transporté le tout chez un jeune marchand de bois, son ami, nommé Fouqué, qui habitait dans la haute montagne qui domine Verrières.

Quand il reparut: — Dieu sait, maudit paresseux, lui dit son père, si tu auras jamais assez d'honneur pour me payer le prix de ta nourriture, que j'avance depuis tant d'années ! Prends tes guenilles, et va-t'en chez M. le maire.

Julien, étonné de n'être pas battu, se hâta de partir. Mais à peine hors de la vue de son terrible père, il ralentit le pas. Il jugea qu'il serait utile à son hypocrisie d'aller faire une station à l'église.

Ce mot vous surprend ? Avant d'arriver à cet horrible

mot, l'âme du jeune paysan avait eu bien du chemin à parcourir.

Dès sa première enfance, la vue de certains dragons du 6e,[69] aux longs manteaux blancs, et la tête couverte de casques aux longs crins noirs, qui revenaient d'Italie, et que Julien vit attacher leurs chevaux à la fenêtre grillée de la maison de son père, le rendit fou de l'état militaire. Plus tard il écoutait avec transport les récits des batailles du pont de Lodi, d'Arcole, de Rivoli,[70] que lui faisait le vieux chirurgien-major. Il remarqua les regards enflammés que le vieillard jetait sur sa croix.

Mais lorsque Julien avait quatorze ans,[71] on commença à bâtir à Verrières une église, que l'on peut appeler magnifique pour une aussi petite ville. Il y avait surtout quatre colonnes de marbre dont la vue frappa Julien; elles devinrent célèbres dans le pays, par la haine mortelle qu'elles suscitèrent entre le juge de paix et le jeune vicaire, envoyé de Besançon, qui passait pour être l'espion de la congrégation.[72] Le juge de paix fut sur le point de perdre sa place, du moins telle était l'opinion commune. N'avait-il pas osé avoir un différend avec un prêtre qui, presque tous les quinze jours, allait à Besançon, où il voyait, disait-on, monseigneur l'évêque ?

Sur ces entrefaites, le juge de paix, père d'une nombreuse famille, rendit plusieurs sentences qui semblèrent injustes; toutes furent portées contre ceux des habitants qui lisaient le *Constitutionnel*.[73] Le bon parti triompha. Il ne s'agissait, il est vrai, que de sommes de trois ou de cinq francs; mais une de ces petites amendes dut être payée par un cloutier, parrain de Julien. Dans sa colère, cet homme s'écriait: « Quel changement ! et dire que, depuis plus de vingt ans, le juge de paix passait pour un si honnête homme ! » Le chirurgien-major, ami de Julien, était mort.

Tout à coup Julien cessa de parler de Napoléon; il annonça le projet de se faire prêtre, et on le vit constamment, dans la scie de son père, occupé à apprendre par cœur une bible latine que le curé lui avait prêtée. Ce bon vieillard, émerveillé de ses progrès, passait des soirées entières à lui enseigner la théologie. Julien ne faisait paraître devant lui que des sentiments pieux. Qui eût pu deviner que cette figure de jeune fille, si pâle et si douce, cachait la résolution inébranlable de s'exposer à mille morts plutôt que de ne pas faire fortune !

Pour Julien, faire fortune, c'était d'abord sortir de Verrières; il abhorrait sa patrie.[74] Tout ce qu'il y voyait glaçait son imagination.

Dès sa première enfance, il avait eu des moments d'exaltation. Alors il songeait avec délices qu'un jour il serait présenté aux jolies femmes de Paris, il saurait attirer leur attention par quelque action d'éclat. Pourquoi ne serait-il pas aimé de l'une d'elles, comme Bonaparte, pauvre encore, avait été aimé de la brillante Mme de Beauharnais ?[75] Depuis bien des années, Julien ne passait peut-être pas une heure de sa vie sans se dire que Bonaparte, lieutenant obscur et sans fortune, s'était fait le maître du monde avec son épée. Cette idée le consolait de ses malheurs qu'il croyait grands, et redoublait sa joie quand il en avait.

La construction de l'église et les sentences du juge de paix l'éclairèrent tout à coup; une idée qui lui vint le rendit comme fou pendant quelques semaines, et enfin s'empara de lui avec la toute-puissance de la première idée qu'une âme passionnée croit avoir inventée.

« Quand Bonaparte fit parler de lui, la France avait peur d'être envahie;[76] le mérite militaire était nécessaire et à la mode. Aujourd'hui, on voit des prêtres de quarante ans avoir cent mille francs d'appointements, c'est-à-dire trois fois autant que les fameux généraux de division de Napoléon. Il leur faut des gens qui les secondent. Voilà ce juge de paix, si bonne tête, si honnête homme, jusqu'ici, si vieux, qui se déshonore par crainte de déplaire à un jeune vicaire de trente ans. Il faut être prêtre. »

Une fois, au milieu de sa nouvelle piété, il y avait déjà deux ans que Julien étudiait la théologie, il fut trahi par une irruption soudaine du feu qui dévorait son âme. Ce fut chez M. Chélan, à un dîner de prêtres auquel le bon curé l'avait présenté comme un prodige d'instruction, il lui arriva de louer Napoléon avec fureur. Il se lia le bras droit contre la poitrine, prétendit s'être disloqué le bras en remuant un tronc de sapin, et le porta pendant deux mois dans cette position gênante. Après cette peine afflictive, il se pardonna.

Voilà le jeune homme de dix-neuf ans, mais faible en apparence, et à qui l'on en eût tout au plus donné dix-sept, qui, portant un petit paquet sous le bras, entrait dans la magnifique église de Verrières.

Il la trouva sombre et solitaire. A l'occasion d'une fête, toutes les croisées de l'édifice avaient été couvertes d'étoffe cramoisie. Il en résultait, aux rayons du soleil, un effet de lumière éblouissant, du caractère le plus imposant et le plus religieux. Julien tressaillit. Seul, dans l'église, il s'établit dans le banc qui avait la plus belle apparence. Il portait les armes de M. de Rênal.

Sur le prie-Dieu, Julien remarqua un morceau de papier imprimé, étalé là comme pour être lu. Il y porta les yeux et vit:

Détails de l'exécution et des derniers moments de Louis Jenrel, exécuté à Besançon, le ...

Le papier était déchiré. Au revers on lisait les deux premiers mots d'une ligne, c'étaient: *Le premier pas.*

— Qui a pu mettre ce papier là ? dit Julien. Pauvre malheureux, ajouta-t-il avec un soupir, son nom finit comme le mien ... et il froissa le papier.

En sortant, Julien crut voir du sang près du bénitier, c'était de l'eau bénite qu'on avait répandue: le reflet des rideaux rouges qui couvraient les fenêtres la faisait paraître du sang.[77]

Enfin, Julien eut honte de sa terreur secrète.

— Serais-je un lâche ! se dit-il, *aux armes !*

Ce mot si souvent répété dans les récits de batailles du vieux chirurgien était héroïque pour Julien. Il se leva et marcha rapidement vers la maison de M. de Rênal.

Malgré ces belles résolutions, dès qu'il l'aperçut à vingt pas de lui, il fut saisi d'une invincible timidité. La grille de fer était ouverte, elle lui semblait magnifique, il fallait entrer là dedans.

Julien n'était pas la seule personne dont le cœur fût troublé par son arrivée dans cette maison. L'extrême timidité de Mme de Rênal était déconcertée par l'idée de cet étranger, qui, d'après ses fonctions, allait constamment se trouver entre elle et ses enfants. Elle était accoutumée à avoir ses fils couchés dans sa chambre. Le matin, bien des larmes avaient coulé quand elle avait vu transporter leurs petits lits dans l'appartement destiné au précepteur. Ce fut en vain qu'elle demanda à son mari que le lit de Stanislas-Xavier, le plus jeune, fût reporté dans sa chambre.

La délicatesse de femme était poussée à un point excessif chez Mme de Rênal. Elle se faisait l'image la plus désagréable d'un être grossier et mal peigné, chargé de gronder ses enfants, uniquement parce qu'il savait le latin, un langage barbare pour lequel on fouetterait ses fils.

6. *L'Ennui*

Non so più cosa son,
Cosa faccio.
MOZART. (*Figaro.*)[78]

Avec la vivacité et la grâce qui lui étaient naturelles quand elle était loin des regards des hommes, Mme de Rênal sortait par la porte-fenêtre du salon qui donnait sur le jardin, quand elle aperçut près de la porte d'entrée la figure d'un jeune paysan presque encore enfant, extrêmement pâle et qui venait de pleurer. Il était en chemise bien blanche, et avait sous le bras une veste fort propre de ratine violette.

Le teint de ce petit paysan était si blanc, ses yeux si doux, que l'esprit un peu romanesque[79] de Mme de Rênal eut d'abord l'idée que ce pouvait être une jeune fille déguisée, qui venait demander quelque grâce à M. le maire. Elle eut pitié de cette pauvre créature, arrêtée à la porte d'entrée, et qui évidemment n'osait pas lever la main jusqu'à la sonnette. Mme de Rênal s'approcha, distraite un instant de l'amer chagrin que lui donnait l'arrivée du précepteur. Julien, tourné vers la porte, ne la voyait pas s'avancer. Il tressaillit quand une voix douce dit tout près de son oreille:

— Que voulez-vous ici, mon enfant ?

Julien se tourna vivement, et, frappé du regard si rempli de grâce de Mme de Rênal, il oublia une partie de sa timidité. Bientôt, étonné de sa beauté, il oublia tout, même ce qu'il venait faire. Mme de Rênal avait répété sa question.

— Je viens pour être précepteur, Madame, lui dit-il enfin, tout honteux de ses larmes qu'il essuyait de son mieux.

Mme de Rênal resta interdite, ils étaient fort près l'un de l'autre à se regarder. Julien n'avait jamais vu un être aussi bien vêtu et surtout une femme avec un teint si éblouissant, lui parler d'un air doux. Mme de Rênal regardait les grosses larmes qui s'étaient arrêtées sur les joues si pâles d'abord et maintenant si roses de ce jeune paysan. Bientôt elle se mit à rire, avec toute la gaieté folle d'une jeune fille, elle se moquait d'elle-même et ne pouvait se figurer tout son bonheur. Quoi, c'était là ce précepteur qu'elle s'était figuré comme un prêtre sale et mal vêtu, qui viendrait gronder et fouetter ses enfants !

— Quoi, Monsieur, lui dit-elle enfin, vous savez le latin ?

Ce mot de Monsieur [80] étonna si fort Julien qu'il réfléchit un instant.

— Oui, Madame, dit-il timidement.

Mme de Rênal était si heureuse, qu'elle osa dire à Julien:

— Vous ne gronderez pas trop ces pauvres enfants ?

— Moi, les gronder, dit Julien étonné, et pourquoi ?

— N'est-ce pas, Monsieur, ajouta-t-elle après un petit silence et d'une voix dont chaque instant augmentait l'émotion, vous serez bon pour eux, vous me le promettez ?

S'entendre appeler de nouveau Monsieur, bien sérieusement, et par une dame si bien vêtue, était au-dessus de toutes les prévisions de Julien: dans tous les châteaux en Espagne de sa jeunesse, il s'était dit qu'aucune dame comme il faut [81] ne daignerait lui parler que quand il aurait un bel uniforme. Mme de Rênal, de son côté, était complètement trompée par la beauté du teint, les grands yeux noirs de Julien et ses jolis cheveux qui frisaient plus qu'à l'ordinaire, parce que pour se rafraîchir il venait de plonger la tête dans le bassin de la fontaine publique. A sa grande joie, elle trouvait l'air timide d'une jeune fille à ce fatal [82] précepteur, dont elle avait tant redouté pour ses enfants la dureté et l'air rébarbatif. Pour l'âme si paisible de Mme de Rênal, le contraste de ses craintes et de ce qu'elle voyait fut un grand événement. Enfin elle revint de sa surprise. Elle fut étonnée de se trouver ainsi à la porte de sa maison avec ce jeune homme presque en chemise et si près de lui.

— Entrons, Monsieur, lui dit-elle d'un air assez embarrassé.

De sa vie [83] une sensation purement agréable n'avait aussi profondément ému Mme de Rênal, jamais une apparition aussi gracieuse n'avait succédé à des craintes plus inquiétantes. Ainsi ces jolis enfants, si soignés par elle, ne tomberaient pas dans les mains d'un prêtre sale et grognon. A peine entrée sous le vestibule, elle se retourna vers Julien qui la suivait timidement. Son air étonné, à l'aspect d'une maison si belle, était une grâce de plus aux yeux de Mme de Rênal. Elle ne pouvait en croire ses yeux, il lui semblait surtout que le précepteur devait avoir un habit noir.

— Mais, est-il vrai, Monsieur, lui dit-elle en s'arrêtant encore, et craignant mortellement de se tromper, tant sa croyance la rendait heureuse, vous savez le latin?

Ces mots choquèrent l'orgueil de Julien et dissipèrent le charme dans lequel il vivait depuis un quart d'heure.

— Oui, Madame, lui dit-il en cherchant à prendre un air froid; je sais le latin aussi bien que M. le curé, et même quelquefois il a la bonté de dire mieux que lui.

Mme de Rênal trouva que Julien avait l'air méchant, il s'était arrêté à deux pas d'elle. Elle s'approcha et lui dit à mi-voix:

— N'est-ce pas, les premiers jours, vous ne donnerez pas le fouet à mes enfants, même quand ils ne sauraient pas leurs leçons.

Ce ton si doux et presque suppliant d'une si belle dame fit tout à coup oublier à Julien ce qu'il devait à sa réputation de latiniste. La figure de Mme de Rênal était près de la sienne, il sentit le parfum des vêtements d'été d'une femme, chose si étonnante pour un pauvre paysan. Julien rougit extrêmement et dit avec un soupir et d'une voix défaillante:

— Ne craignez rien, Madame, je vous obéirai en tout.

Ce fut en ce moment seulement, quand son inquiétude pour ses enfants fut tout à fait dissipée, que Mme de Rênal fut frappée de l'extrême beauté de Julien. La forme presque féminine de ses traits et son air d'embarras ne semblèrent point ridicules à une femme extrêmement timide elle-même. L'air mâle que l'on trouve communément nécessaire à la beauté d'un homme lui eût fait peur.

— Quel âge avez-vous, Monsieur? dit-elle à Julien.

— Bientôt dix-neuf ans.

— Mon fils aîné a onze ans, reprit Mme de Rênal tout à fait rassurée, ce sera presque un camarade pour vous, vous lui parlerez raison. Une fois son père a voulu le battre, l'enfant a été malade pendant toute une semaine, et cependant c'était un bien petit coup.

Quelle différence avec moi, pensa Julien. Hier encore,

mon père m'a battu. Que ces gens riches sont heureux !

Mme de Rênal en était déjà à saisir les moindres nuances de ce qui se passait dans l'âme du précepteur; elle prit ce mouvement de tristesse pour de la timidité, et voulut l'encourager.

— Quel est votre nom, Monsieur, lui dit-elle avec un accent et une grâce dont Julien sentit tout le charme, sans pouvoir s'en rendre compte.[84]

— On m'appelle Julien Sorel, Madame; je tremble en entrant pour la première fois de ma vie dans une maison étrangère, j'ai besoin de votre protection et que vous me pardonniez bien des choses les premiers jours. Je n'ai jamais été au collège,[85] j'étais trop pauvre; je n'ai jamais parlé à d'autres hommes que mon cousin le chirurgien-major, membre de la Légion d'honneur, et M. le curé Chélan. Il vous rendra bon témoignage de moi. Mes frères m'ont toujours battu, ne les croyez pas s'ils vous disent du mal de moi, pardonnez mes fautes, Madame, je n'aurai jamais mauvaise intention.

Julien se rassurait pendant ce long discours, il examinait Mme de Rênal. Tel est l'effet de la grâce parfaite, quand elle est naturelle au caractère, et que [86] surtout la personne qu'elle décore ne songe pas à avoir de la grâce, Julien, qui se connaissait fort bien en beauté féminine, eût juré dans cet instant qu'elle n'avait que vingt ans. Il eut sur-le-champ l'idée hardie de lui baiser la main. Bientôt il eut peur de son idée; un instant après il se dit: Il y aurait de la lâcheté à moi de ne pas exécuter une action qui peut m'être utile, et diminuer le mépris que cette belle dame a probablement pour un pauvre ouvrier à peine arraché à la scie. Peut-être Julien fut-il un peu encouragé par ce mot de joli garçon, que depuis six mois il entendait répéter le dimanche par quelques jeunes filles. Pendant ces débats intérieurs, Mme de Rênal lui adressait deux ou trois mots d'instruction sur la façon de débuter avec les enfants. La violence que se faisait Julien le rendit de nouveau fort pâle; il dit, d'un air contraint:

— Jamais, Madame, je ne battrai vos enfants; je le jure devant Dieu.

Et en disant ces mots, il osa prendre la main de Mme de

Rênal et la porter à ses lèvres. Elle fut étonnée de ce geste, et par réflexion, choquée. Comme il faisait très chaud, son bras était tout à fait nu sous son châle, et le mouvement de Julien, en portant la main à ses lèvres, l'avait entièrement découvert. Au bout de quelques instants, elle se gronda elle-même, il lui sembla qu'elle n'avait pas été assez rapidement indignée.

M. de Rênal, qui avait entendu parler, sortit de son cabinet; du même air majestueux et paterne qu'il prenait lorsqu'il faisait des mariages à la mairie, il dit à Julien:

— Il est essentiel que je vous parle avant que les enfants ne vous voient.

Il fit entrer Julien dans une chambre et retint sa femme qui voulait les laisser seuls. La porte fermée, M. de Rênal s'assit avec gravité.

— M. le curé m'a dit que vous étiez un bon sujet,[87] tout le monde vous traitera ici avec honneur, et si je suis content, j'aiderai à vous faire par la suite un petit établissement. Je veux que vous ne voyiez plus ni parents ni amis, leur ton ne peut convenir à mes enfants. Voici trente-six francs pour le premier mois; mais j'exige votre parole de ne pas donner un sou de cet argent à votre père.

M. de Rênal était piqué contre le vieillard, qui, dans cette affaire, avait été plus fin que lui.

— Maintenant, *Monsieur*, car d'après mes ordres tout le monde ici va vous appeler Monsieur, et vous sentirez l'avantage d'entrer dans une maison de gens comme il faut; maintenant, Monsieur, il n'est pas convenable que les enfants vous voient en veste. Les domestiques l'ont-ils vu ? dit M. de Rênal à sa femme.

— Non, mon ami, répondit-elle d'un air profondément pensif.

— Tant mieux. Mettez ceci, dit-il au jeune homme surpris, en lui donnant une redingote à lui.[88] Allons maintenant chez M. Durand, le marchand de drap.

Plus d'une heure après, quand M. de Rênal rentra avec le nouveau précepteur tout habillé de noir, il retrouva sa femme assise à la même place. Elle se sentit tranquillisée par la présence de Julien, en l'examinant elle oubliait d'en avoir peur. Julien ne songeait point à elle; malgré toute sa méfiance du destin et des hommes, son âme dans ce moment n'était que celle d'un enfant, il lui semblait avoir vécu des années depuis l'instant où, trois heures auparavant, il était tremblant dans l'église. Il remarqua l'air glacé de Mme de Rênal, il comprit qu'elle était en colère de ce qu'il avait osé lui baiser la main. Mais le sentiment d'orgueil que lui donnait le contact d'habits si différents de ceux qu'il avait coutume de porter, le mettait tellement hors de lui-même, et il avait tant d'envie de cacher sa joie, que tous ses mouvements avaient quelque chose de brusque et de fou. Mme de Rênal le contemplait avec des yeux étonnés.

— De la gravité, Monsieur, lui dit M. de Rênal, si vous voulez être respecté de mes enfants et de mes gens.[89]

— Monsieur, répondit Julien, je suis gêné dans ces nouveaux habits; moi, pauvre paysan, je n'ai jamais porté que des vestes; j'irai, si vous le permettez, me renfermer dans ma chambre.

— Que te semble de cette nouvelle acquisition ? dit M. de Rênal à sa femme.

Par un mouvement presque instinctif, et dont certainement elle ne se rendit pas compte, Mme de Rênal déguisa la vérité à son mari.

— Je ne suis point aussi enchantée que vous de ce petit paysan, vos prévenances en feront un impertinent que vous serez obligé de renvoyer avant un mois.

— Eh bien ! nous le renverrons, ce sera une centaine de francs qu'il m'en pourra coûter, et Verrières sera accoutumée à voir un précepteur aux enfants de M. de Rênal. Ce but n'eût point été rempli si j'eusse laissé à Julien l'accoutrement d'un ouvrier. En le renvoyant, je retiendrai, bien entendu, l'habit noir complet que je viens de lever chez le drapier. Il ne lui restera que ce que je viens de trouver tout fait chez le tailleur, et dont je l'ai couvert.

L'heure que Julien passa dans sa chambre parut un instant à Mme de Rênal. Les enfants, auxquels l'on avait annoncé le nouveau précepteur, accablaient leur mère de questions. Enfin Julien parut. C'était un autre homme. C'eût été mal parler que de dire qu'il était grave; c'était la gravité incarnée. Il fut présenté aux enfants, et leur parla d'un air qui étonna M. de Rênal lui-même.

— Je suis ici, Messieurs, leur dit-il en finissant son allocution, pour vous apprendre le latin. Vous savez ce que c'est que de réciter une leçon. Voici la sainte Bible, dit-il en leur montrant un petit volume in-32,[90] relié en noir. C'est particulièrement l'histoire de Notre-Seigneur Jésus-Christ, c'est la partie qu'on appelle le Nouveau Testament. Je vous ferai souvent réciter des leçons, faites-moi réciter la mienne.

Adolphe, l'aîné des enfants, avait pris le livre.

— Ouvrez-le, au hasard, continua Julien, et dites-moi le premier mot d'un alinéa. Je réciterai par cœur le livre sacré, règle de notre conduite à tous, jusqu'à ce que vous m'arrêtiez.

Adolphe ouvrit le livre, lut un mot, et Julien récita toute la page avec la même facilité que s'il eût parlé français.[91] M. de Rênal regardait sa femme d'un air de triomphe. Les enfants, voyant l'étonnement de leurs parents, ouvraient de grands yeux. Un domestique vint à la porte du salon, Julien continua de parler latin. Le domestique resta d'abord immobile, et ensuite disparut. Bientôt la femme de chambre de Madame et la cuisinière arrivèrent près de la porte; alors Adolphe avait déjà ouvert le livre en huit endroits, et Julien récitait toujours avec la même facilité.

— Ah, mon Dieu ! le joli petit prêtre, dit tout haut la cuisinière, bonne fille fort dévote.

L'amour-propre de M. de Rênal était inquiet; loin de songer à examiner le précepteur, il était tout occupé à chercher dans sa mémoire quelques mots latins; enfin, il put dire un vers d'Horace. Julien ne savait de latin que sa Bible. Il répondit en fronçant le sourcil:

— Le saint ministère auquel je me destine m'a défendu de lire un poète aussi profane.

M. de Rênal cita un assez grand nombre de prétendus vers d'Horace. Il expliqua à ses enfants ce que c'était qu'Horace; mais les enfants, frappés d'admiration, ne faisaient guère attention à ce qu'il disait. Ils regardaient Julien.

Les domestiques étant toujours à la porte, Julien crut devoir prolonger l'épreuve:

— Il faut, dit-il au plus jeune des enfants, que M. Stanislas-Xavier m'indique aussi un passage du livre saint.

Le petit Stanislas, tout fier, lut tant bien que mal le

premier mot d'un alinéa, et Julien dit toute la page. Pour que rien ne manquât au triomphe de M. de Rênal, comme Julien récitait, entrèrent M. Valenod, le possesseur des beaux chevaux normands, et M. Charcot de Maugiron, sous-préfet de l'arrondissement. Cette scène valut à Julien le titre de Monsieur; les domestiques eux-mêmes n'osèrent pas le lui refuser.

Le soir, tout Verrières afflua chez M. de Rênal pour voir la merveille. Julien répondait à tous d'[91a]un air sombre qui tenait à distance. Sa gloire s'étendit si rapidement dans la ville, que peu de jours après M. de Rênal, craignant qu'on ne le lui enlevât, lui proposa de signer un engagement de deux ans.

— Non, Monsieur, répondit froidement Julien, si vous vouliez me renvoyer je serais obligé de sortir. Un engagement qui me lie sans vous obliger à rien n'est point égal, je le refuse.

Julien sut si bien faire que, moins d'un mois après son arrivée dans la maison, M. de Rênal lui-même le respectait. Le curé étant brouillé avec MM. de Rênal et Valenod, personne ne put trahir l'ancienne passion de Julien pour Napoléon, il n'en parlait qu'avec horreur.

7. *Les Affinités électives*[92]

Ils ne savent toucher le cœur qu'en le froissant.
UN MODERNE.

Les enfants l'adoraient, lui ne les aimait point; sa pensée était ailleurs. Tout ce que ces marmots pouvaient faire ne l'impatientait jamais. Froid, juste, impassible, et cependant aimé, parce que son arrivée avait en quelque sorte chassé l'ennui de la maison, il fut un bon précepteur. Pour lui, il n'éprouvait que haine et horreur pour la haute société où il était admis, à la vérité au bas bout de la table, ce qui explique peut-être la haine et l'horreur. Il y eut certains dîners d'apparat, où il put à grand' peine contenir sa haine pour tout ce qui l'environnait. Un jour de la Saint-Louis [93] entre autres, M. de Valenod tenait le dé [94] chez M. de Rênal, Julien fut sur le point de se trahir; il se sauva dans le jardin, sous prétexte de voir les enfants. Quels éloges de la probité ! s'écria-t-il; on dirait que c'est la seule vertu; et cependant quelle considération, quel respect bas pour un homme qui évidemment a doublé et triplé sa fortune, depuis qu'il administre le bien des pauvres! je parierais qu'il gagne même sur les fonds destinés aux enfants trouvés,[95] à ces pauvres dont la misère est encore plus sacrée que celle des autres ! Ah ! monstres ! monstres ! Et moi aussi, je suis une sorte d'enfant trouvé, haï de mon père, de mes frères, de toute ma famille.

Quelques jours avant la Saint-Louis, Julien, se promenant seul et disant son bréviaire dans un petit bois, qu'on appelle le Belvédère, et qui domine le Cours de la Fidélité, avait cherché en vain à éviter ses deux frères, qu'il voyait venir de loin par un sentier solitaire. La jalousie de ces ouvriers grossiers avait été tellement provoquée par le bel habit noir, par l'air extrêmement propre de leur frère, par le mépris sincère qu'il avait pour eux, qu'ils l'avaient battu au point de le laisser évanoui et tout sanglant. Mme de Rênal, se promenant avec M. Valenod et le sous-préfet, arriva par hasard dans le petit bois; elle vit Julien étendu sur la terre et le crut mort. Son saisissement fut tel, qu'il donna de la jalousie à M. Valenod.

Il prenait l'alarme trop tôt. Julien trouvait Mme de Rênal fort belle, mais il la haïssait à cause de sa beauté; c'était le premier écueil qui avait failli arrêter sa fortune. Il lui parlait le moins possible, afin de faire oublier le transport qui, le premier jour, l'avait porté à lui baiser la main.

Elisa, la femme de chambre de Mme de Rênal, n'avait pas manqué de devenir amoureuse du jeune précepteur; elle en parlait souvent à sa maîtresse. L'amour de Mlle Elisa avait valu à Julien la haine d'un des valets. Un jour, il entendit cet homme qui disait à Elisa: Vous ne voulez plus me parler depuis que ce précepteur crasseux est entré dans la maison. Julien ne méritait pas cette injure; mais, par instinct de joli garçon, il redoubla de soins pour sa personne. La haine de M. Valenod redoubla aussi. Il dit publiquement que tant de coquetterie ne convenait pas à un jeune abbé. A la soutane près,[95a] c'était le costume que portait Julien.

Mme de Rênal remarqua qu'il parlait plus souvent que de coutume à Mlle Elisa; elle apprit que ces entretiens étaient causés par la pénurie de la très petite garde-robe de Julien. Il avait si peu de linge, qu'il était obligé de le faire laver fort souvent hors de la maison, et c'est pour ces petits soins qu'Elisa lui était utile. Cette extrême pauvreté, qu'elle ne soupçonnait pas, toucha Mme de Rênal; elle eut envie de lui faire des cadeaux, mais elle n'osa pas; cette résistance intérieure fut le premier sentiment pénible que lui causa Julien. Jusque-là le nom de Julien et le sentiment d'une joie pure et tout intellectuelle étaient synonymes pour elle. Tourmentée par l'idée de la pauvreté de Julien, Mme de Rênal parla à son mari de lui faire un cadeau de linge:

— Quelle duperie ! répondit-il. Quoi ! faire des cadeaux à un homme dont nous sommes parfaitement contents, et qui nous sert bien ? ce serait dans le cas où il se négligerait qu'il faudrait stimuler son zèle.

Mme de Rênal fut humiliée de cette manière de voir; elle ne l'eût pas remarquée avant l'arrivée de Julien. Elle ne voyait jamais l'extrême propreté de la mise, d'ailleurs fort simple, du jeune abbé, sans se dire: ce pauvre garçon, comment peut-il faire ?

Peu à peu, elle eut pitié de tout ce qui manquait à Julien, au lieu d'en être choquée.

Mme de Rênal était une de ces femmes de province, que l'on peut très bien prendre pour des sottes pendant les quinze premiers jours qu'on les voit. Elle n'avait aucune expérience de la vie, et ne se souciait pas de parler. Douée d'une âme délicate et dédaigneuse, cet instinct de bonheur naturel à tous les êtres faisait que, la plupart du temps, elle ne donnait aucune attention aux actions des personnages grossiers au milieu desquels le hasard l'avait jetée.

On l'eût remarquée pour le naturel et la vivacité d'esprit, si elle eût reçu la moindre éducation. Mais en sa qualité d'héritière, elle avait été élevée chez des religieuses adoratrices passionnées du *Sacré-Cœur de Jésus,*[96] et animeés d'une haine violente pour les Français ennemis des jésuites. Mme de Rênal s'était trouvé assez de sens pour oublier bientôt, comme absurde, tout ce qu'elle avait appris au couvent; mais elle ne mit rien à la place, et finit par ne rien savoir. Les flatteries précoces dont elle avait été l'objet en sa qualité d'héritière d'une grande fortune, et un penchant décidé à la dévotion[96a] passionnée, lui avaient donné une manière de vivre tout intérieure. Avec l'apparence de la condescendance[97] la plus parfaite, et d'une abnégation de volonté, que les maris de Verrières citaient en exemple à leurs femmes, et qui faisait l'orgueil de M. de Rênal, la conduite habituelle de son âme était en effet le résultat de l'humeur la plus altière. Telle princesse, citée à cause de son orgueil, prête infiniment plus d'attention à ce que ses gentilshommes[98] font autour d'elle, que cette femme si douce, si modeste en apparence, n'en donnait à tout ce que disait ou faisait son mari. Jusqu'à l'arrivée de Julien, elle n'avait réellement eu d'attention que pour ses enfants. Leurs petites maladies, leurs douleurs, leurs petites joies occupaient toute la sensibilité de cette âme qui, de la vie, n'avait adoré que Dieu, quand elle était au *Sacré-Cœur*[99] de Besançon.

Sans qu'elle daignât le dire à personne, un accès de fièvre d'un de ses fils la mettait presque dans le même état que si l'enfant eût été mort. Un éclat de rire grossier, un haussement d'épaules, accompagné de quelque maxime triviale sur la folie des femmes, avaient constamment accueilli les confidences [100] de ce genre de chagrins, que le besoin d'épanchement l'avait portée à faire à son mari, dans les premières années de leur mariage. Ces sortes de plaisanteries, quand surtout elles portaient sur les maladies de ses enfants, retournaient [100a] le poignard dans le cœur de Mme de Rênal. Voilà ce qu'elle trouva au lieu des flatteries empressées et mielleuses du couvent jésuitique où elle avait passé sa jeunesse. Son éducation fut faite par la douleur. Trop fière pour parler de ce genre de chagrins, même à son amie Mme Derville, elle se figura que tous les hommes étaient comme son mari, M. Valenod et le sous-préfet Charcot de Maugiron. La grossièreté, et la plus brutale insensibilité à tout ce qui n'était pas intérêt d'argent, de préséance ou de croix; la haine aveugle pour tout raisonnement qui les contrariait, lui parurent des choses naturelles à ce sexe, comme porter des bottes et un chapeau de feutre.

Après de longues années, Mme de Rênal n'était pas encore accoutumée à ces gens à argent [100b] au milieu desquels il fallait vivre.

De là le succès du petit paysan Julien. Elle trouva des jouissances douces, et toutes brillantes du charme de la nouveauté dans la sympathie de cette âme noble et fière. Mme de Rênal lui eut bientôt pardonné son ignorance extrême qui était une grâce de plus, et la rudesse de ses façons qu'elle parvint à corriger. Elle trouva qu'il valait la peine de l'écouter, même quand on parlait des choses les plus communes, même quand il s'agissait d'un pauvre chien écrasé, comme il traversait la rue, par la charrette d'un paysan allant au trot. Le spectacle de cette douleur donnait son gros rire à son mari, tandis qu'elle voyait se contracter les beaux sourcils noirs et si bien arqués de Julien. La générosité, la noblesse d'âme, l'humanité lui semblèrent peu à peu n'exister que chez ce jeune abbé. Elle eut pour lui seul toute la sympathie et même l'admiration que ces vertus excitent chez les âmes bien nées.[101]

A Paris, la position de Julien envers Mme de Rênal eût été bien vite simplifiée; mais à Paris, l'amour est fils des romans. Le jeune précepteur et sa timide maîtresse auraient retrouvé dans trois ou quatre romans, et jusque dans les couplets du Gymnase,[102] l'éclaircissement de leur position. Les romans leur auraient tracé le rôle à jouer, montré le modèle à imiter; et ce modèle, tôt ou tard, et quoique sans nul plaisir, et peut-être en rechignant, la vanité eût forcé Julien à le suivre.

Dans une petite ville de l'Aveyron[103] ou des Pyrénées, le moindre incident eût été rendu décisif par le feu du climat. Sous nos cieux plus sombres, un jeune homme pauvre, et qui n'est qu'ambitieux parce que la délicatesse de son cœur lui fait un besoin de quelques-unes des jouissances que donne l'argent, voit tous les jours une femme de trente ans, sincèrement sage, occupée de ses enfants, et qui ne prend nullement dans les romans des exemples de conduite. Tout va lentement, tout se fait peu à peu dans les provinces, il y a plus de naturel.

Souvent, en songeant à la pauvreté du jeune précepteur, Mme de Rênal était attendrie jusqu'aux larmes. Julien la surprit, un jour, pleurant tout à fait.

— Eh ! Madame, vous serait-il arrivé quelque malheur ?

— Non, mon ami, lui répondit-elle; appelez les enfants, allons nous promener.

Elle prit son bras et s'appuya d'une façon qui parut singulière à Julien. C'était pour la première fois qu'elle l'avait appelé mon ami.

Vers la fin de la promenade, Julien remarqua qu'elle rougissait beaucoup. Elle ralentit le pas.

— On vous aura raconté, dit-elle sans le regarder, que je suis l'unique héritière d'une tante fort riche qui habite Besançon. Elle me comble de présents ... Mes fils font des progrès ... si étonnants ... que je voudrais vous prier d'accepter un petit présent comme marque de ma reconnaissance. Il ne s'agit que de quelques louis pour vous faire du linge. Mais ... ajouta-t-elle en rougissant encore plus, et elle cessa de parler.

— Quoi, Madame ? dit Julien.

— Il serait inutile, continua-t-elle en baissant la tête, de parler de ceci à mon mari.

— Je suis petit, Madame, mais je ne suis pas bas,[104] reprit Julien en s'arrêtant les yeux brillants de colère, et se relevant de toute sa hauteur, c'est à quoi vous n'avez pas assez réfléchi. Je serais moins qu'un valet si je me mettais dans le cas de cacher à M. de Rênal quoi que ce soit de relatif *à mon argent.*

Mme de Rênal était atterrée.

— M. le maire, continua Julien, m'a remis cinq fois trente-six francs depuis que j'habite sa maison, je suis prêt à montrer mon livre de dépenses à M. de Rênal et à qui que ce soit, même à M. Valenod qui me hait.

A la suite de cette sortie,[105] Mme de Rênal était restée pâle et tremblante et la promenade se termina sans que ni l'un ni l'autre pût trouver un prétexte pour renouer le dialogue. L'amour pour Mme de Rênal devint de plus en plus impossible dans le cœur orgueilleux de Julien; quant à elle, elle le respecta, elle l'admira; elle en [105a] avait été grondée. Sous prétexte de réparer l'humiliation involontaire qu'elle lui avait causée, elle se permit les soins les plus tendres. La nouveauté de ces manières fit pendant huit jours le bonheur de Mme de Rênal. Leur effet fut d'apaiser en partie la colère de Julien; il était loin d'y voir rien qui pût ressembler à un goût personnel.[106]

Voilà, se disait-il, comme sont ces gens riches, ils humilient, et croient ensuite pouvoir tout réparer par quelques singeries !

Le cœur de Mme de Rênal était trop plein, et encore trop innocent, pour que, malgré ses résolutions à cet égard, elle ne racontât pas à son mari l'offre qu'elle avait faite à Julien, et la façon dont elle avait été repoussée.

— Comment, reprit M. de Rênal vivement piqué, avez-vous pu tolérer un refus de la part d'un *domestique ?*

Et comme Mme de Rênal se récriait sur ce mot:

— Je parle, Madame, comme feu M. le prince de Condé,[107] présentant ses chambellans à sa nouvelle épouse: « *Tous ces gens-là,* lui dit-il, *sont nos domestiques.* » Je vous ai lu ce passage des Mémoires de Besenval,[108] essentiel pour les préséances. Tout ce qui n'est pas gentilhomme qui vit chez vous et reçoit un salaire, est votre domestique. Je vais dire deux mots à ce M. Julien, et lui donner cent francs.

— Ah ! mon ami, dit Mme de Rênal tremblante, que ce ne soit pas du moins devant les domestiques !

— Oui, ils pourraient être jaloux et avec raison, dit son mari en s'éloignant et pensant à la quotité de la somme.

Mme de Rênal tomba sur une chaise, presque évanouie de douleur. Il va humilier Julien, et par ma faute ! Elle eut horreur de son mari, et se cacha la figure avec les mains. Elle se promit bien de ne jamais faire de confidences.

Lorsqu'elle revit Julien, elle était toute tremblante, sa poitrine était tellement contractée qu'elle ne put parvenir à prononcer la moindre parole. Dans son embarras elle lui prit les mains qu'elle serra.

— Eh bien ! mon ami, lui dit-elle enfin, êtes-vous content de mon mari ?

— Comment ne le serais-je pas ? répondit Julien avec un sourire amer; il m'a donné cent francs.

Mme de Rênal le regarda comme incertaine.

— Donnez-moi le bras, dit-elle enfin avec un accent de courage que Julien ne lui avait jamais vu.

Elle osa aller jusque chez le libraire de Verrières, malgré son affreuse réputation de libéralisme. Là, elle choisit pour [109] dix louis de livres qu'elle donna à ses fils. Mais ces livres étaient ceux qu'elle savait que Julien désirait. Elle exigea que là, dans la boutique du libraire, chacun des enfants écrivît son nom sur les livres qui lui étaient échus en partage.[110] Pendant que Mme de Rênal était heureuse de la sorte de réparation qu'elle avait l'audace de faire à Julien, celui-ci était étonné de la quantité de livres qu'il apercevait chez le libraire. Jamais il n'avait osé entrer en un lieu aussi profane; son cœur palpitait. Loin de songer à deviner ce qui se passait dans le cœur de Mme de Rênal, il rêvait profondément au moyen qu'il y aurait, pour un jeune étudiant en théologie, de se procurer quelques-uns de ces livres. Enfin il eut l'idée qu'il serait possible avec de l'adresse de persuader à M. de Rênal qu'il fallait donner pour sujet de thème à ses fils l'histoire des gentilshommes célèbres nés dans la province. Après un mois de soins, Julien vit réussir cette idée, et à un tel point que, quelque temps après, il osa hasarder, en parlant à M. de Rênal, la mention d'une action bien autrement pénible pour le noble maire; il s'agissait de contribuer à la fortune d'un libéral, en prenant un abonnement chez le libraire. M. de Rênal convenait bien qu'il était sage de donner à son fils aîné l'idée *de visu* [111] de plusieurs ouvrages qu'il entendrait mentionner dans la conversation, lorsqu'il serait à l'Ecole militaire;[111a] mais Julien voyait M. le maire s'obstiner à ne pas aller plus loin. Il soupçonnait une raison secrète, mais ne pouvait la deviner.

— Je pensais, Monsieur, lui dit-il un jour, qu'il y aurait une haute inconvenance [112] à ce que le nom d'un bon gentilhomme tel qu'un Rênal parût sur le sale registre du libraire.

Le front de M. de Rênal s'éclaircit.

— Ce serait aussi une bien mauvaise note, continua Julien, d'un ton plus humble, pour un pauvre étudiant en théologie, si l'on pouvait un jour découvrir que son nom a été sur le registre d'un libraire loueur de livres. Les libéraux pourraient m'accuser d'avoir demandé les livres les plus infâmes; qui sait même s'ils n'iraient pas jusqu'à écrire après mon nom les titres de ces livres pervers.

Mais Julien s'éloignait de la trace.[113] Il voyait la physionomie du maire reprendre l'expression de l'embarras et de l'humeur. Julien se tut. Je tiens mon homme, se dit-il.

Quelques jours après, l'aîné des enfants interrogeant Julien sur un livre annoncé dans *La Quotidienne,*[114] en présence de M. de Rênal:

— Pour éviter tout sujet de triomphe au parti jacobin, dit le jeune précepteur, et cependant me donner les moyens de répondre à M. Adolphe, on pourrait faire prendre un abonnement chez le libraire par le dernier de vos gens.

— Voilà une idée qui n'est pas mal, dit M. de Rênal, évidemment fort joyeux.

— Toutefois il faudrait spécifier, dit Julien de cet air grave et presque malheureux qui va si bien à de certaines gens, quand ils voient le succès des affaires qu'ils ont le plus longtemps désirées, il faudrait spécifier que le domestique ne pourra prendre aucun roman. Une fois dans la maison, ces livres dangereux pourraient corrompre les filles de Madame, et le domestique lui-même.

— Vous oubliez les pamphlets politiques, ajouta M. de Rênal, d'un air hautain. Il voulait cacher l'admiration que lui donnait le savant mezzo-termine [115] inventé par le précepteur de ses enfants.

La vie de Julien se composait ainsi d'une suite de petites

négociations; et leur succès l'occupait beaucoup plus que le sentiment de préférence marquée qu'il n'eût tenu qu'à lui de lire dans le cœur de Mme de Rênal.

La position morale où il avait été toute sa vie se renouvelait chez M. le maire de Verrières. Là, comme à la scierie de son père, il méprisait profondément les gens avec qui il vivait, et en [115a] était haï. Il voyait chaque jour dans les récits faits par le sous-préfet, par M. Valenod, par les autres amis de la maison, à l'occasion de choses qui venaient de se passer sous leurs yeux, combien leurs idées ressemblaient peu à la réalité. Une action lui semblait-elle admirable,[116] c'était celle-là précisément qui attirait le blâme des gens qui l'environnaient. Sa réplique intérieure était toujours: Quels monstres ou quels sots ! Le plaisant,[117] avec tant d'orgueil, c'est que souvent il ne comprenait absolument rien à ce dont on parlait.

De la vie, il n'avait parlé avec sincérité qu'au vieux chirurgien-major; le peu d'idées qu'il avait étaient relatives aux campagnes de Bonaparte en Italie ou à la chirurgie. Son jeune courage se plaisait au récit circonstancié des opérations les plus douloureuses; il se disait: Je n'aurais pas sourcillé.

La première fois que Mme de Rênal essaya avec lui une conversation étrangère à l'éducation des enfants, il se mit à parler d'opérations chirurgicales; elle pâlit et le pria de cesser.

Julien ne savait rien au delà. Ainsi, passant sa vie avec Mme de Rênal, le silence le plus singulier s'établissait entre eux dès qu'ils étaient seuls. Dans le salon, quelle que fût l'humilité de son maintien, elle trouvait dans ses yeux un air de supériorité intellectuelle envers tout ce qui venait chez elle. Se trouvait-elle seule un instant avec lui, elle le voyait visiblement embarrassé. Elle en était inquiète, car son instinct de femme lui faisait comprendre que cet embarras n'était nullement tendre.

D'après je ne sais quelle idée prise dans quelque récit de la bonne société, telle que l'avait vue le vieux chirurgien-major, dès qu'on se taisait dans un lieu où il se trouvait avec une femme, Julien se sentait humilié, comme si ce silence eût été son tort particulier. Cette sensation était cent fois plus pénible dans le tête-à-tête. Son imagination remplie des notions les plus exagérées, les plus espagnoles, sur ce qu'un homme doit dire, quand il est seul avec une femme, ne lui offrait dans son trouble que des idées inadmissibles. Son âme était dans les nues, et cependant il ne pouvait sortir du silence le plus humiliant. Ainsi son air sévère, pendant ses longues promenades avec Mme de Rênal et les enfants, était augmenté par les souffrances les plus cruelles. Il se méprisait horriblement. Si par malheur il se forçait à parler, il lui arrivait de dire les choses les plus ridicules. Pour comble de misère, il voyait et s'exagérait son absurdité; mais ce qu'il ne voyait pas, c'était l'expression de ses yeux, ils étaient si beaux et annonçaient une âme si ardente, que, semblables aux bons acteurs, ils donnaient quelquefois un sens charmant à ce qui n'en avait pas. Mme de Rênal remarqua que, seul avec elle, il n'arrivait jamais à dire quelque chose de bien que lorsque, distrait par quelque événement imprévu, il ne songeait pas à bien tourner un compliment. Comme les amis de la maison ne la gâtaient pas en lui présentant des idées nouvelles et brillantes, elle jouissait avec délices des éclairs d'esprit de Julien.

Depuis la chute de Napoléon, toute apparence de galanterie est sévèrement bannie des mœurs de la province. On a peur d'être destitué. Les fripons cherchent un appui dans la congrégation; et l'hypocrisie a fait les plus beaux progrès même dans les classes libérales. L'ennui redouble. Il ne reste d'autre plaisir que la lecture et l'agriculture.

Mme de Rênal, riche héritière d'une tante dévote, mariée à seize ans à un bon gentilhomme, n'avait de sa vie éprouvé ni vu rien qui ressemblât le moins du monde à l'amour. Ce n'était guère que son confesseur, le bon curé Chélan, qui lui avait parlé de l'amour, à propos des poursuites de M. Valenod, et il lui en avait fait une image si dégoûtante, que ce mot ne lui représentait que l'idée du libertinage le plus abject. Elle regardait comme une exception, ou même comme tout à fait hors de nature, l'amour tel qu'elle l'avait trouvé dans le très petit nombre de romans que le hasard avait mis sous ses yeux. Grâce à cette ignorance, Mme de Rênal, parfaitement heureuse, occupée sans cesse de Julien, était loin de se faire le plus petit reproche.

8. *Petits Evénements*

Then there were sighs, the deeper for suppression,
And stolen glances, sweeter for the theft,
And burning blushes, though for no transgression.
Don Juan, C. I, st. 74.[118]

L'angélique douceur que Mme de Rênal devait à son caractère et à son bonheur actuel[118a] n'était un peu altérée que quand elle venait à songer à sa femme de chambre Elisa. Cette fille fit un héritage, alla se confesser au curé Chélan et lui avoua le projet d'épouser Julien. Le curé eut une véritable joie du bonheur de son ami; mais sa surprise fut extrême, quand Julien lui dit d'un air résolu que l'offre de Mlle Elisa ne pouvait lui convenir.

— Prenez garde, mon enfant, à ce qui se passe dans votre cœur, dit le curé fronçant le sourcil; je vous félicite de votre vocation, si c'est à elle seule que vous devez le mépris d'une fortune plus que suffisante. Il y a cinquante-six ans sonnés que je suis curé de Verrières, et cependant, suivant toute apparence, je vais être destitué. Ceci m'afflige, et toutefois j'ai huit cents livres de rente. Je vous fais part de ce détail afin que vous ne vous fassiez pas d'illusions sur ce qui vous attend dans l'état de prêtre. Si vous songez à faire la cour aux hommes qui ont la puissance, votre perte[118b] éternelle est assurée. Vous pourrez faire fortune, mais il faudra nuire aux misérables, flatter le sous-préfet, le maire, l'homme considéré, et servir ses passions: cette conduite, qui dans le monde s'appelle savoir-vivre, peut, pour un laïque, n'être pas absolument incompatible avec le salut; mais, dans notre état, il faut opter; il s'agit de faire fortune dans ce monde ou dans l'autre, il n'y a pas de milieu. Allez, mon cher ami, réfléchissez, et revenez dans trois jours me rendre une réponse définitive. J'entrevois avec peine, au fond de votre caractère, une ardeur sombre qui ne m'annonce pas la modération et la parfaite abnégation des avantages terrestres nécessaires à un prêtre; j'augure bien de votre esprit; mais, permettez-moi de vous le dire, ajouta le bon curé, les larmes aux yeux, dans l'état de prêtre, je tremblerai pour votre salut.

Julien avait honte de son émotion; pour la première fois de sa vie, il se voyait aimé; il pleurait avec délices, et alla cacher ses larmes dans les grands bois au-dessus de Verrières.

Pourquoi l'état où je me trouve? se dit-il enfin; je sens que je donnerais cent fois ma vie pour ce bon curé Chélan, et cependant il vient de me prouver que je ne suis qu'un sot. C'est lui surtout qu'il m'importe de tromper, et il me devine. Cette ardeur secrète dont il me parle, c'est mon projet de faire fortune. Il me croit indigne d'être prêtre, et cela précisément quand je me figurais que le sacrifice de cinquante louis de rente allait lui donner la plus haute idée de ma piété et de ma vocation.

A l'avenir, continua Julien, je ne compterai que sur les parties de mon caractère que j'aurai éprouvées. Qui m'eût dit que je trouverais du plaisir à répandre des larmes! que j'aimerais celui qui me prouve que je ne suis qu'un sot!

Trois jours après, Julien avait trouvé le prétexte dont il eût dû se munir dès le premier jour; ce prétexte était une calomnie, mais qu'importe? Il avoua au curé, avec beaucoup d'hésitation, qu'une raison qu'il ne pouvait lui expliquer, parce qu'elle nuirait à un tiers, l'avait détourné tout d'abord de l'union projetée. C'était accuser la conduite d'Elisa. M. Chélan trouva dans ses manières un certain feu tout mondain, bien différent de celui qui eût dû animer un jeune lévite.

— Mon ami, lui dit-il encore, soyez un bon bourgeois de campagne, estimable et instruit, plutôt qu'un prêtre sans vocation.

Julien répondit à ces nouvelles remontrances, fort bien, quant aux paroles: il trouvait les mots qu'eût employés un jeune séminariste fervent; mais le ton dont il les prononçait, mais le feu mal caché qui éclatait dans ses yeux alarmaient M. Chélan.

Il ne faut pas trop mal augurer de Julien; il inventait correctement les paroles d'une hypocrisie cauteleuse et prudente. Ce n'est pas mal à son âge. Quant au ton et aux gestes, il vivait avec des campagnards; il avait été privé de la vue des grands modèles. Par la suite, à peine lui eut-il été donné d'approcher de ces messieurs, qu'il fut admirable pour les gestes comme pour les paroles.

Mme de Rênal fut étonnée que la nouvelle fortune de sa femme de chambre ne rendît pas cette fille plus heureuse; elle la voyait aller sans cesse chez le curé, et en revenir les larmes aux yeux; enfin Elisa lui parla de son mariage.

Mme de Rênal se crut malade; une sorte de fièvre l'empêchait de trouver le sommeil; elle ne vivait que lorsqu'elle avait sous les yeux sa femme de chambre ou Julien. Elle ne pouvait penser qu'à eux et au bonheur qu'ils trouveraient dans leur ménage. La pauvreté de cette petite maison, où l'on devrait vivre avec cinquante louis de rente, se peignait à elle sous des couleurs ravissantes. Julien pourrait très bien se faire avocat à Bray, la sous-préfecture à deux lieues de Verrières; dans ce cas elle le verrait quelquefois.

Mme de Rênal crut sincèrement qu'elle allait devenir folle; elle le dit à son mari, et enfin tomba malade. Le soir même, comme sa femme de chambre la servait, elle remarqua que cette fille pleurait. Elle abhorrait Elisa dans ce moment, et venait de la brusquer; elle lui en demanda pardon. Les larmes d'Elisa redoublèrent; elle dit que si sa maîtresse le lui permettait, elle lui conterait tout son malheur.

— Dites, répondit Mme de Rênal.

— Eh bien, Madame, il me refuse; des méchants lui auront dit du mal de moi, il les croit.

— Qui vous refuse ? dit Mme de Rênal respirant à peine.

— Eh qui, Madame, si ce n'est M. Julien ? répliqua la femme de chambre en sanglotant. M. le curé n'a pu vaincre sa résistance; car M. le curé trouve qu'il ne doit pas refuser une honnête [118c] fille, sous prétexte qu'elle a été femme de chambre. Après tout, le père de M. Julien n'est autre chose qu'un charpentier; lui-même comment gagnait-il sa vie avant d'être chez Madame ?

Mme de Rênal n'écoutait plus; l'excès du bonheur lui avait presque ôté l'usage de la raison. Elle se fit répéter plusieurs fois l'assurance que Julien avait refusé d'une façon positive, et qui ne permettait plus de revenir à une résolution plus sage.

— Je veux tenter un dernier effort, dit-elle à sa femme de chambre, je parlerai à M. Julien.

Le lendemain après le déjeuner, Mme de Rênal se donna la délicieuse volupté de plaider la cause de sa rivale, et de voir la main et la fortune d'Elisa refusées constamment pendant une heure.

Peu à peu Julien sortit de ses réponses compassées, et finit par répondre avec esprit aux sages représentations de Mme de Rênal. Elle ne put résister au torrent de bonheur qui inondait son âme après tant de jours de désespoir. Elle se trouva mal tout à fait. Quand elle fut remise et bien établie dans sa chambre, elle renvoya tout le monde. Elle était profondément étonnée.

Aurais-je de l'amour pour Julien, se dit-elle enfin?

Cette découverte, qui dans tout autre moment l'aurait plongée dans les remords et dans une agitation profonde, ne fut pour elle qu'un spectacle singulier, mais comme indifférent. Son âme, épuisée par tout ce qu'elle venait d'éprouver, n'avait plus de sensibilité au service des passions.

Mme de Rênal voulut travailler, et tomba dans un profond sommeil; quand elle sc réveilla, elle ne s'effraya pas autant qu'elle l'aurait dû. Elle était trop heureuse pour pouvoir prendre en mal quelque chose. Naïve et innocente, jamais cette bonne provinciale n'avait torturé son âme, pour tâcher d'en arracher un peu de sensibilité à quelque nouvelle nuance de sentiment ou de malheur. Entièrement absorbée avant l'arrivée de Julien par cette masse de travail qui, loin de Paris, est le lot d'une bonne mère de famille, Mme de Rênal pensait aux passions, comme nous pensons à la loterie: duperie certaine et bonheur cherché par des fous.

La cloche du dîner sonna; Mme de Rênal rougit beaucoup quand elle entendit la voix de Julien, qui amenait les enfants. Un peu adroite depuis qu'elle aimait, pour expliquer sa rougeur, elle se plaignit d'un affreux mal de tête.

— Voilà comment sont toutes les femmes, lui répondit M. de Rênal, avec un gros rire. Il y a toujours quelque chose à raccommoder à ces machines-là !

Quoique accoutumée à ce genre d'esprit, ce ton de voix choqua Mme de Rênal. Pour se distraire, elle regarda la physionomie de Julien; il eût été l'homme le plus laid, que dans [119] cet instant il lui eût plu.

Attentif à copier les habitudes des gens de cour, dès les premiers beaux jours du printemps, M. de Rênal s'établit à Vergy; c'est le village rendu célèbre par l'aventure tragique de Gabrielle.[120] A quelques centaines de pas des ruines si pittoresques de l'ancienne église gothique,[121] M. de Rênal possède un vieux château avec ses quatre tours, et un jardin dessiné comme celui des Tuileries,[122] avec force bordures de buis et allées de marronniers taillés deux fois par an. Un champ voisin, planté de pommiers, servait de promenade. Huit ou dix noyers magnifiques étaient au bout du verger; leur feuillage immense s'élevait peut-être à quatre-vingts pieds de hauteur.

Chacun de ces maudits noyers, disait M. de Rênal quand sa femme les admirait, me coûte la récolte d'un demi-arpent, le blé ne peut venir sous leur ombre.

La vue de la campagne sembla nouvelle à Mme de Rênal; son admiration allait jusqu'aux transports. Le sentiment dont elle était animée lui donnait de l'esprit et de la résolution. Dès le surlendemain de l'arrivée à Vergy, M. de Rênal étant retourné à la ville, pour les affaires de la mairie, Mme de Rênal prit des ouvriers à ses frais. Julien lui avait donné l'idée d'un petit chemin sablé, qui circulerait dans le verger et sous les grands noyers, et permettrait aux enfants de se promener dès le matin, sans que leurs souliers fussent mouillés par la rosée. Cette idée fut mise à exécution moins de vingt-quatre heures après avoir été conçue. Mme de Rênal passa toute la journée gaiement avec Julien à diriger les ouvriers.

Lorsque le maire de Verrières revint de la ville, il fut bien surpris de trouver l'allée faite. Son arrivée surprit aussi Mme de Rênal; elle avait oublié son existence. Pendant deux mois, il parla avec humeur de la hardiesse qu'on avait eue de faire, sans le consulter, une *réparation* [123] aussi importante, mais Mme de Rênal l'avait exécutée à ses frais, ce qui le consolait un peu.

Elle passait ses journées à courir avec ses enfants dans le verger, et à faire la chasse aux papillons. On avait construit de grands capuchons de gaze claire, avec lesquels on prenait les pauvres *lépidoptères*. C'est le nom barbare que Julien apprenait à Mme de Rênal. Car elle avait fait venir de Besançon le bel ouvrage de M. Godart;[124] et Julien lui racontait les mœurs singulières de ces pauvres bêtes.

On les piquait sans pitié avec des épingles dans un grand cadre de carton arrangé aussi par Julien.

Il y eut enfin entre Mme de Rênal et Julien un sujet de conversation, il ne fut plus exposé à l'affreux supplice que lui donnaient les moments de silence.

Ils se parlaient sans cesse, et avec un intérêt extrême, quoique toujours de choses fort innocentes. Cette vie active, occupée et gaie, était du goût de tout le monde, excepté de Mlle Elisa, qui se trouvait excédée de travail. Jamais dans le carnaval, disait-elle, quand il y a bal à Verrières, Madame ne s'est donné tant de soins pour sa toilette; elle change de robes deux ou trois fois par jour.

Comme notre intention est de ne flatter personne, nous ne nierons point que Mme de Rênal, qui avait une peau superbe, ne se fît arranger des robes qui laissaient les bras et la poitrine fort découverts. Elle était très bien faite, et cette manière de se mettre lui allait à ravir.

— Jamais vous *n'avez été si jeune*, Madame, lui disaient ses amis de Verrières qui venaient dîner à Vergy. (C'est une façon de parler du pays.)

Une chose singulière, qui trouvera peu de croyance, parmi nous,[125] c'était sans intention directe que Mme de Rênal se livrait à tant de soins. Elle y trouvait du plaisir; et, sans y songer autrement, tout le temps qu'elle ne passait pas à la chasse aux papillons avec les enfants et Julien, elle travaillait avec Elisa à bâtir des robes. Sa seule course à Verrières fut causée par l'envie d'acheter de nouvelles robes d'été qu'on venait d'apporter de Mulhouse.

Elle ramena à Vergy une jeune femme de ses parentes. Depuis son mariage, Mme de Rênal s'était liée insensiblement[126] avec Mme Derville qui autrefois avait été sa compagne au *Sacré-Cœur*.

Mme Derville riait beaucoup de ce qu'elle appelait les

idées folles de sa cousine: Seule, jamais je n'y penserais, disait-elle. Ces idées imprévues qu'on eût appelées saillies à Paris, Mme de Rênal en avait honte comme d'une sottise, quand elle était avec son mari; mais la présence de Mme Derville lui donnait du courage. Elle lui disait d'abord ses pensées d'une voix timide; quand ces dames étaient longtemps seules, l'esprit de Mme de Rênal s'animait, et une longue matinée solitaire passait comme un instant et laissait les deux amies fort gaies. A ce voyage la raisonnable Mme Derville trouva sa cousine beaucoup moins gaie et beaucoup plus heureuse.

Julien, de son côté, avait vécu en véritable enfant depuis son séjour à la campagne, aussi heureux de courir à la suite des papillons que ses élèves. Après tant de contrainte et de politique habile, seul, loin des regards des hommes, et, par instinct, ne craignant point Mme de Rênal, il se livrait au plaisir d'exister, si vif à cet âge, et au milieu des plus belles montagnes du monde.

Dès l'arrivée de Mme Derville, il sembla à Julien qu'elle était son amie; il se hâta de lui montrer le point de vue que l'on a de l'extrémité de la nouvelle allée sous les grands noyers; dans le fait, il est égal, si ce n'est supérieur à ce que la Suisse et les lacs d'Italie peuvent offrir de plus admirable. Si l'on monte la côte rapide qui commence à quelques pas de là, on arrive bientôt à de grands précipices bordés par des bois de chênes, qui s'avancent presque jusque sur la rivière. C'est sur les sommets de ces rochers coupés à pic que Julien, heureux, libre, et même quelque chose de plus, roi de la maison, conduisait les deux amies, et jouissait de leur admiration pour ces aspects sublimes.

— C'est pour moi comme de la musique de Mozart,[127] disait Mme Derville.

La jalousie de ses frères, la présence d'un père despote et rempli d'humeur avaient gâté aux yeux de Julien les campagnes des environs de Verrières. A Vergy, il ne trouvait point de ces souvenirs amers; pour la première fois de sa vie, il ne voyait point d'ennemi. Quand M. de Rênal était à la ville, ce qui arrivait souvent, il osait lire; bientôt, au lieu de lire la nuit, et encore en ayant soin de cacher sa lampe au fond d'un vase à fleurs renversé, il put se livrer au sommeil; le jour, dans l'intervalle des leçons des enfants, il venait dans ces rochers avec le livre, unique[128] règle de sa conduite et objet de ses transports. Il y trouvait à la fois bonheur, extase et consolation dans les moments de découragement.

Certaines choses que Napoléon dit des femmes, plusieurs discussions sur le mérite des romans à la mode sous son règne lui donnèrent alors, pour la première fois, quelques idées que tout autre jeune homme de son âge aurait eues depuis longtemps.

Les grandes chaleurs arrivèrent. On prit l'habitude de passer les soirées sous un immense tilleul à quelques pas de la maison. L'obscurité y était profonde. Un soir, Julien parlait avec action, il jouissait avec délices du plaisir de bien parler et à des femmes jeunes;[129] en gesticulant, il toucha la main de Mme de Rênal qui était appuyée sur le dos d'une de ces chaises de bois peint que l'on place dans les jardins.

Cette main se retira bien vite; mais Julien pensa qu'il était de son *devoir* d'obtenir que l'on ne retirât pas cette main quand il la touchait. L'idée d'un devoir à accomplir, et d'un ridicule ou plutôt d'un sentiment d'infériorité à encourir si l'on n'y parvenait pas, éloigna sur-le-champ tout plaisir de son cœur.

9. *Une Soirée à la campagne*

La Didon de M. Guérin, esquisse charmante.
STROMBECK.[130]

Ses regards le lendemain, quand il revit Mme de Rênal, étaient singuliers; il l'observait comme un ennemi avec lequel il va falloir se battre. Ces regards, si différents de ceux de la veille, firent perdre la tête à Mme de Rênal: elle avait été bonne pour lui, et il paraissait fâché. Elle ne pouvait détacher ses regards des siens.

La présence de Mme Derville permettait à Julien de moins parler et de s'occuper davantage de ce qu'il avait dans la tête. Son unique affaire, toute cette journée, fut de se fortifier par la lecture du livre inspiré qui retrempait son âme.

Il abrégea beaucoup les leçons des enfants, et ensuite, quand la présence de Mme de Rênal vint le rappeler tout à fait aux soins de sa gloire, il décida qu'il fallait absolument qu'elle permît ce soir-là que sa main restât dans la sienne.

Le soleil en baissant, et rapprochant le moment décisif, fit battre le cœur de Julien d'une façon singulière. La nuit vint. Il observa, avec une joie qui lui ôta un poids immense de dessus la poitrine, qu'elle serait fort obscure. Le ciel chargé de gros nuages, promenés par un vent très chaud, semblait annoncer une tempête. Les deux amies se promenèrent fort tard. Tout ce qu'elles faisaient ce soir-là semblait singulier à Julien. Elles jouissaient de ce temps,[130a] qui, pour certaines âmes délicates, semble augmenter le plaisir d'aimer.

On s'assit enfin, Mme de Rênal à côté de Julien, et Mme Derville près de son amie. Préoccupé de ce qu'il allait tenter, Julien ne trouvait rien à dire. La conversation languissait.

Serai-je aussi tremblant, et malheureux au premier duel qui me viendra ? se dit Julien, car il avait trop de méfiance et de lui et des autres, pour ne pas voir l'état de son âme.

Dans sa mortelle angoisse, tous les dangers lui eussent semblé préférables. Que de fois ne désira-t-il pas voir survenir à Mme de Rênal quelque affaire qui l'obligeât de rentrer à la maison et de quitter le jardin ! La violence que Julien était obligé de se faire était trop forte pour que sa voix ne fût pas profondément altérée; bientôt la voix de Mme de Rênal devint tremblante aussi, mais Julien ne s'en aperçut point. L'affreux combat que le devoir livrait à la timidité était trop pénible pour qu'il fût en état de rien observer hors lui-même. Neuf heures trois quarts venaient de sonner à l'horloge du château, sans qu'il eût encore rien osé. Julien, indigné de sa lâcheté, se dit: Au moment précis où dix heures sonneront, j'exécuterai ce que, pendant toute la journée, je me suis promis de faire ce soir, ou je monterai chez moi me brûler la cervelle.

Après un dernier moment d'attente et d'anxiété, pendant lequel l'excès de l'émotion mettait Julien comme hors de lui, dix heures sonnèrent à l'horloge qui était au-dessus de sa tête. Chaque coup de cette cloche fatale retentissait dans sa poitrine, et y causait comme un mouvement physique.

Enfin, comme le dernier coup de dix heures retentissait encore il étendit la main et prit celle de Mme de Rênal, qui la retira aussitôt. Julien, sans trop savoir ce qu'il faisait, la saisit de nouveau. Quoique bien ému lui-même, il fut frappé de la froideur glaciale de la main qu'il prenait; il la serrait avec une force convulsive; on fit un dernier effort pour la lui ôter, mais enfin cette main lui resta.

Son âme fut inondée de bonheur, non qu'il aimât Mme de Rênal, mais un affreux supplice venait de cesser. Pour que Mme Derville ne s'aperçut de rien, il se crut obligé de parler; sa voix alors était éclatante et forte. Celle de Mme de Rênal, au contraire, trahissait tant d'émotion, que son amie la crut malade et lui proposa de rentrer. Julien sentit le danger: si Mme de Rênal rentre au salon, je vais retomber dans la position affreuse où j'ai passé la journée. J'ai tenu cette main trop peu de temps pour que cela compte comme un avantage qui m'est acquis.

Au moment où Mme Derville renouvelait la proposition

de rentrer au salon, Julien serra fortement la main qu'on lui abandonnait.

Mme de Rênal, qui se levait déjà, se rassit, en disant, d'une voix mourante:

— Je me sens, à la vérité, un peu malade, mais le grand air me fait du bien.

Ces mots confirmèrent le bonheur de Julien, qui, dans ce moment, était extrême: il parla, il oublia de feindre, il parut l'homme le plus aimable aux deux amies qui l'écoutaient. Cependant il y avait encore un peu de manque de courage dans cette éloquence qui lui arrivait tout à coup. Il craignait mortellement que Mme Derville, fatiguée du vent qui commençait à s'élever et qui précédait la tempête, ne voulût rentrer seule au salon. Alors il serait resté en tête à tête avec Mme de Rênal. Il avait eu presque par hasard le courage aveugle qui suffit pour agir; mais il sentait qu'il était hors de sa puissance de dire le mot le plus simple à Mme de Rênal. Quelque légers que fussent ses reproches, il allait être battu, et l'avantage qu'il venait d'obtenir anéanti.

Heureusement pour lui, ce soir-là, ses discours touchants et emphatiques [131] trouvèrent grâce devant Mme Derville, qui très souvent le trouvait gauche comme un enfant, et peu amusant. Pour Mme de Rênal, la main dans celle de Julien, elle ne pensait à rien; elle se laissait vivre. Les heures qu'on passa sous ce grand tilleul, que la tradition du pays dit planté par Charles le Téméraire,[132] furent pour elle une époque de bonheur. Elle écoutait avec délices les gémissements du vent dans l'épais feuillage du tilleul, et le bruit de quelques gouttes rares qui commençaient à tomber sur ses feuilles les plus basses. Julien ne remarqua pas une circonstance qui l'eût bien rassuré; Mme de Rênal, qui avait été obligée de lui ôter sa main, parce qu'elle se leva pour aider sa cousine à relever un vase de fleurs que le vent venait de renverser à leurs pieds, fut à peine assise de nouveau, qu'elle lui rendit sa main presque sans difficulté, et comme si déjà c'eût été entre eux une chose convenue.

Minuit était sonné depuis longtemps; il fallut enfin quitter le jardin: on se sépara. Mme de Rênal, transportée du bonheur d'aimer, était tellement ignorante, qu'elle ne se faisait presque aucun reproche. Le bonheur lui ôtait le sommeil. Un sommeil de plomb s'empara de Julien, mortellement fatigué des combats que toute la journée la timidité et l'orgueil s'étaient livrés dans son cœur.

Le lendemain on le réveilla à cinq heures; et, ce qui eût été cruel pour Mme de Rênal si elle l'eût su, à peine lui donna-t-il une pensée. Il avait fait *son devoir, et un devoir héroïque*. Rempli de bonheur par ce sentiment, il s'enferma à clef dans sa chambre, et se livra avec un plaisir tout nouveau à la lecture des exploits de son héros.

Quand la cloche du déjeuner se fit entendre, il avait oublié, en lisant les bulletins de la grande armée, tous ses avantages de la veille. Il se dit, d'un ton léger, en descendant au salon: il faut dire à cette femme que je l'aime.

Au lieu de ces regards chargés de volupté, qu'il s'attendait à rencontrer, il trouva la figure sévère de M. de Rênal, qui, arrivé depuis deux heures de Verrières, ne cachait point son mécontentement de ce [132a] que Julien passait toute la matinée sans s'occuper des enfants. Rien n'était laid comme cet homme important, ayant de l'humeur et croyant pouvoir la montrer.

Chaque mot aigre de son mari perçait le cœur de Mme de Rênal. Quant à Julien, il était tellement plongé dans l'extase, encore si occupé des grandes choses qui, pendant plusieurs heures, venaient de passer devant ses yeux, qu'à peine d'abord put-il rabaisser son attention jusqu'à écouter les propos durs que lui adressait M. de Rênal. Il lui dit enfin, assez brusquement:

— J'étais malade.

Le ton de cette réponse eût piqué un homme beaucoup moins susceptible que le maire de Verrières, il eut quelque idée de répondre à Julien en le chassant à l'instant. Il ne fut retenu que par la maxime qu'il s'était faite de ne jamais trop se hâter en affaires.

Ce jeune sot, se dit-il bientôt, s'est fait une sorte de réputation dans ma maison, le Valenod peut le prendre chez lui, ou bien il épousera Elisa, et dans les deux cas, au fond du cœur, il pourra se moquer de moi.

Malgré la sagesse de ses réflexions, le mécontentement de M. de Rênal n'en éclata pas moins par une suite de mots grossiers qui peu à peu irritèrent Julien. Mme de Rênal était sur le point de fondre en larmes. A peine le déjeuner fut-il fini, qu'elle demanda à Julien de lui donner le bras pour la promenade, elle s'appuyait sur lui avec amitié. A tout ce que Mme de Rênal lui disait, Julien ne pouvait que répondre à demi-voix:

— *Voilà bien les gens riches!*

M. de Rênal marchait tout près d'eux; sa présence augmentait la colère de Julien. Il s'aperçut tout à coup que Mme de Rênal s'appuyait sur son bras d'une façon marquée; ce mouvement lui fit horreur, il la repoussa avec violence et dégagea son bras.

Heureusement, M. de Rênal ne vit point cette nouvelle impertinence, elle ne fut remarquée que de Mme Derville, son amie fondait en larmes. En ce moment M. de Rênal se mit à poursuivre à coups de pierre une petite paysanne qui avait pris un sentier abusif,[133] et traversait un coin du verger.

— Monsieur Julien, de grâce, modérez-vous; songez que nous avons tous des moments d'humeur, dit rapidement Mme Derville.

Julien la regarda froidement avec des yeux où se peignait le plus souverain mépris.

Ce regard étonna Mme Derville, et l'eût surprise bien davantage si elle en eût deviné la véritable expression; elle y eût lu comme un espoir vague de la plus atroce vengeance. Ce sont sans doute de tels moments d'humiliation qui ont fait les Robespierre.[134]

— Votre Julien est bien violent, il m'effraie, dit tout bas Mme Derville à son amie.

— Il a raison d'être en colère, lui répondit celle-ci. Après les progrès étonnants qu'il a fait faire aux enfants, qu'importe qu'il passe une matinée sans leur parler; il faut convenir que les hommes sont bien durs.

Pour la première fois de sa vie, Mme de Rênal sentit une sorte de désir de vengeance contre son mari. La haine extrême qui animait Julien contre les riches allait éclater. Heureusement M. de Rênal appela son jardinier, et resta occupé avec lui à barrer, avec des fagots d'épines, le sentier abusif à travers le verger. Julien ne répondit pas un seul mot aux prévenances dont pendant tout le reste de la promenade il fut l'objet. A peine M. de Rênal s'était-il éloigné, que les deux amies, se prétendant fatiguées, lui avaient demandé chacune un bras.

Entre ces deux femmes dont un trouble extrême couvrait les joues de rougeur et d'embarras, la pâleur hautaine, l'air sombre et décidé de Julien formait un étrange contraste. Il méprisait ces femmes, et tous les sentiments tendres.

Quoi ! se disait-il, pas même cinq cents francs de rente pour terminer mes études ! Ah ! comme je l'enverrais promener ! [135]

Absorbé par ces idées sévères, le peu qu'il daignait comprendre des mots obligeants des deux amies lui déplaisait comme vide de sens, niais, faible, en un mot *féminin*.

A force de parler pour parler, et de chercher à maintenir la conversation vivante, il arriva à Mme de Rênal de dire que son mari était venu de Verrières parce qu'il avait fait marché, pour de la paille de maïs, avec un de ses fermiers. (Dans ce pays, c'est avec de la paille de maïs que l'on remplit les paillasses des lits.)

— Mon mari ne nous rejoindra pas, ajouta Mme de Rênal; avec le jardinier et son valet de chambre, il va s'occuper d'achever le renouvellement des paillasses de la maison. Ce matin il a mis de la paille de maïs dans tous les lits du premier étage,[136] maintenant il est au second.

Julien changea de couleur; il regarda Mme de Rênal d'un air singulier, et bientôt la prit à part en quelque sorte en doublant le pas. Mme Derville les laissa s'éloigner.

— Sauvez-moi la vie, dit Julien à Mme de Rênal, vous seule le pouvez; car vous savez que le valet de chambre me hait à la mort. Je dois vous avouer, Madame, que j'ai un portrait; je l'ai caché dans la paillasse de mon lit.

A ce mot, Mme de Rênal devint pâle à son tour.

— Vous seule, Madame, pouvez dans ce moment entrer dans ma chambre; fouillez, sans qu'il y paraisse, dans l'angle de la paillasse qui est le plus rapproché de la fenêtre, vous y trouverez une petite boîte de carton noir et lisse.

— Elle renferme un portrait ! dit Mme de Rênal pouvant à peine se tenir debout.

Son air de découragement fut aperçu de Julien, qui aussitôt en profita.

— J'ai une seconde grâce à vous demander, Madame, je vous supplie de ne pas regarder ce portrait, c'est mon secret.

— C'est un secret, répéta Mme de Rênal d'une voix éteinte.

Mais, quoique élevée parmi des gens fiers de leur fortune, et sensibles au seul intérêt d'argent, l'amour avait déjà mis de la générosité dans cette âme. Cruellement blessée, ce fut avec l'air du dévouement le plus simple que Mme de Rênal fit à Julien les questions nécessaires pour pouvoir bien s'acquitter de sa commission.

— Ainsi, lui dit-elle en s'éloignant, une petite boîte ronde, de carton noir, bien lisse.

— Oui, Madame, répondit Julien de cet air dur que le danger donne aux hommes.

Elle monta au second étage du château, pâle comme si elle fût allée à la mort. Pour comble de misère elle sentit qu'elle était sur le point de se trouver mal; mais la nécessité de rendre service à Julien lui rendit des forces.

— Il faut que j'aie cette boîte, se dit-elle en doublant le pas.

Elle entendit son mari parler au valet de chambre, dans la chambre même de Julien. Heureusement, ils passèrent dans celle des enfants. Elle souleva le matelas et plongea la main dans la paillasse avec une telle violence qu'elle s'écorcha les doigts. Mais quoique fort sensible aux petites douleurs de ce genre, elle n'eut pas la conscience de celle-ci, car presque en même temps, elle sentit le poli de la boîte de carton. Elle la saisit et disparut.

A peine fut-elle délivrée de la crainte d'être surprise par son mari, que l'horreur que lui causait cette boîte fut sur le point de la faire décidément se trouver mal.

Julien est donc amoureux, et je tiens là le portrait de la femme qu'il aime !

Assise sur une chaise dans l'antichambre de cet appartement, Mme de Rênal était en proie à toutes les horreurs de la jalousie. Son extrême ignorance lui fut encore utile en ce moment, l'étonnement tempérait la douleur. Julien parut, saisit la boîte, sans remercier, sans rien dire, et courut dans sa chambre où il fit du feu, et la brûla à l'instant.

Il était pâle, anéanti, il s'exagérait l'étendue du danger qu'il venait de courir.

Le portrait de Napoléon, se disait-il en hochant la tête, trouvé caché chez un homme qui fait profession d'une telle haine pour l'usurpateur ! [137] trouvé par M. de Rênal, tellement ultra et tellement irrité ! et pour comble d'imprudence, sur le carton blanc derrière le portrait, des lignes écrites de ma main ! et qui ne peuvent laisser aucun doute sur l'excès de mon admiration ! et chacun de ces transports d'amour est daté ! il y en a d'avant-hier.

Toute ma réputation tombée, anéantie en un moment ! se disait Julien, en voyant brûler la boîte, et ma réputation est tout mon bien, je ne vis que par elle ... et encore, quelle vie, grand Dieu !

Une heure après, la fatigue et la pitié qu'il sentait pour lui-même le disposaient à l'attendrissement. Il rencontra Mme de Rênal et prit sa main qu'il baisa avec plus de sincérité qu'il n'avait jamais fait. Elle rougit de bonheur, et, presque au même instant, repoussa Julien avec la colère de la jalousie. La fierté de Julien, si récemment blessée, en fit un sot dans ce moment. Il ne vit en Mme de Rênal qu'une femme riche, il laissa tomber sa main avec dédain, et s'éloigna. Il alla se promener pensif dans le jardin, bientôt un sourire amer parut sur ses lèvres.

— Je me promène là, tranquille comme un homme maître de son temps ! Je ne m'occupe pas des enfants ! je m'expose aux mots humiliants de M. de Rênal, et il aura raison. Il courut à la chambre des enfants.

Les caresses du plus jeune, qu'il aimait beaucoup, calmèrent un peu sa cuisante douleur.

Celui-là ne me méprise pas encore, pensa Julien. Mais bientôt il se reprocha cette diminution de douleur comme une nouvelle faiblesse. Ces enfants me caressent comme ils caresseraient le jeune chien de chasse que l'on a acheté hier.

10. Un Grand Cœur et une petite fortune

But passion most dissembles, yet betrays,
Even by its darkness; as the blackest sky
Foretells the heaviest tempest.
Don Juan, C. I, st. 73.

M. de Rênal, qui suivait toutes les chambres du château, revint dans celle des enfants avec les domestiques qui rapportaient les paillasses. L'entrée soudaine de cet homme fut pour Julien la goutte d'eau qui fait déborder le vase.

Plus pâle, plus sombre qu'à l'ordinaire, il s'élança vers lui. M. de Rênal s'arrêta et regarda ses domestiques.

— Monsieur, lui dit Julien, croyez-vous qu'avec tout autre précepteur, vos enfants eussent fait les mêmes progrès qu'avec moi ? Si vous répondez que non, continua Julien sans laisser à M. de Rênal le temps de parler, comment osez-vous m'adresser le reproche que je les néglige ?

M. de Rênal, à peine remis de sa peur, conclut du ton étrange qu'il voyait prendre à ce petit paysan, qu'il avait en poche quelque proposition avantageuse et qu'il allait le quitter. La colère de Julien, s'augmentant à mesure qu'il parlait :

— Je puis vivre sans vous, Monsieur, ajouta-t-il.

— Je suis vraiment fâché[137a] de vous voir si agité, répondit M. de Rênal en balbutiant un peu. Les domestiques étaient à dix pas, occupés à arranger les lits.

— Ce n'est pas ce qu'il me faut, Monsieur, reprit Julien hors de lui; songez à l'infamie des paroles que vous m'avez adressées, et devant des femmes encore !

M. de Rênal ne comprenait que trop ce que demandait Julien,[138] et un pénible combat déchirait son âme. Il arriva que Julien, effectivement fou de colère, s'écria :

— Je sais où aller, Monsieur, en sortant de chez vous.

A ce mot, M. de Rênal vit Julien installé chez M. Valenod.

— Eh bien ! Monsieur, lui dit-il enfin avec un soupir et de l'air[139] dont il eût appelé le chirurgien pour l'opération la plus douloureuse, j'accède à votre demande. A compter d'après-demain, qui est le premier du mois, je vous donne cinquante francs par mois.

Julien eut envie de rire et resta stupéfait: toute sa colère avait disparu.

Je ne méprisais pas assez l'animal, se dit-il. Voilà sans doute la plus grande excuse que puisse faire une âme aussi basse.

Les enfants qui écoutaient cette scène bouche béante, coururent au jardin dire à leur mère que M. Julien était bien en colère, mais qu'il allait avoir cinquante francs par mois.

Julien les suivit par habitude, sans même regarder M. de Rênal, qu'il laissa profondément irrité.

Voilà cent soixante-huit francs, se disait le maire, que me coûte M. Valenod. Il faut absolument que je lui dise deux mots fermes sur son entreprise des fournitures pour les enfants trouvés.[140]

Un instant après, Julien se retrouva vis-à-vis de M. de Rênal:

— J'ai à parler de ma conscience à M. Chélan; j'ai l'honneur de vous prévenir que je serai absent quelques heures.

— Eh, mon cher Julien ! dit M. de Rênal, en riant de l'air le plus faux, toute la journée, si vous voulez, toute celle de demain, mon bon ami. Prenez le cheval du jardinier pour aller à Verrières.

Le voilà, se dit M. de Rênal, qui va rendre réponse à Valenod, il ne m'a rien promis, mais il faut laisser se refroidir cette tête de jeune homme.

Julien s'échappa rapidement et monta dans les grands bois par lesquels on peut aller de Vergy à Verrières. Il ne voulait point arriver sitôt chez M. Chélan. Loin de désirer s'astreindre à une nouvelle scène d'hypocrisie, il avait besoin d'y voir clair dans son âme, et de donner audience à la foule de sentiments qui l'agitaient.

J'ai gagné une bataille, se dit-il aussitôt qu'il se vit dans les bois et loin du regard des hommes, j'ai donc gagné une bataille !

Ce mot lui peignait en beau toute sa position, et rendit à son âme quelque tranquillité.

Me voilà avec cinquante francs d'appointements par mois, il faut que M. de Rênal ait eu une belle peur. Mais de quoi ?

Cette méditation sur ce qui avait pu faire peur à l'homme heureux et puissant contre lequel une heure auparavant il était bouillant de colère acheva de rasséréner l'âme de Julien. Il fut presque sensible un moment à la beauté ravissante des bois au milieu desquels il marchait. D'énormes quartiers de roches nues étaient tombés jadis au milieu de la forêt du côté de la montagne. De grands hêtres s'élevaient presque aussi haut que ces rochers dont l'ombre donnait une fraîcheur délicieuse à trois pas des endroits où la chaleur des rayons du soleil eût rendu impossible de s'arrêter.

Julien prenait haleine un instant à l'ombre de ces grandes roches, et puis se remettait à monter. Bientôt par un étroit sentier à peine marqué et qui sert seulement aux gardiens des chèvres, il se trouva debout sur un roc immense et bien sûr d'être séparé de tous les hommes. Cette position physique le fit sourire, elle lui peignait la position qu'il brûlait d'atteindre au moral. L'air pur de ces montagnes élevées communiqua la sérénité et même la joie à son âme. Le maire de Verrières était bien toujours, à ses yeux, le représentant de tous les riches et de tous les insolents de la terre; mais Julien sentait que la haine qui venait de l'agiter, malgré la violence de ses [140a] mouvements, n'avait rien de personnel. S'il eût cessé de voir M. de Rênal, en huit jours il l'eût oublié, lui, son château, ses chiens, ses enfants et toute sa famille. Je l'ai forcé, je ne sais comment, à faire le plus grand sacrifice. Quoi ! plus de cinquante écus par an ! un instant auparavant je m'étais tiré du plus grand danger. Voilà deux victoires en un jour; la seconde est sans mérite, il faudrait en deviner le comment. Mais à demain les pénibles recherches.

Julien, debout, sur son grand rocher, regardait le ciel, embrasé par un soleil d'août. Les cigales chantaient dans le champ au-dessous du rocher, quand elles se taisaient tout était silence autour de lui. Il voyait à ses pieds vingt lieues de pays. Quelque épervier parti des grandes roches au-dessus de sa tête était aperçu par lui, de temps à autre, décrivant en silence ses cercles immenses. L'œil de Julien suivait machinalement l'oiseau de proie. Ses mouvements tranquilles et puissants le frappaient, il enviait cette force, il enviait cet isolement.

C'était la destinée de Napoléon, serait-ce un jour la sienne ?

11. *Une Soirée*

Yet Julia's very coldness still was kind,
And tremulously gentle her small hand
Withdrew itself from his, but left behind,
A little pressure, thrilling, and so bland
And slight, so very light, that to the mind
'Twas but a doubt.

Don Juan, C. I, st. 71.

Il fallut pourtant paraître à Verrières. En sortant du presbytère, un heureux hasard fit que Julien rencontra M. Valenod auquel il se hâta de raconter l'augmentation de ses appointements.

De retour à Vergy, Julien ne descendit au jardin que lorsqu'il fut nuit close. Son âme était fatiguée de ce grand nombre d'émotions puissantes qui l'avaient agitée dans cette journée. Que leur dirai-je ? pensait-il avec inquiétude, en songeant aux dames. Il était loin de voir que son âme était précisément au niveau des petites circonstances qui occupent ordinairement tout l'intérêt des femmes. Souvent Julien était inintelligible pour Mme Derville et même pour son amie, et à son tour ne comprenait qu'à demi tout ce qu'elles lui disaient. Tel était l'effet de la force, et, si j'ose parler ainsi, de la grandeur des mouvements de passion qui bouleversaient l'âme de ce jeune ambitieux. Chez cet être singulier, c'était presque tous les jours tempête.

En entrant ce soir-là au jardin, Julien était disposé à s'occuper des idées des jolies cousines. Elles l'attendaient avec impatience. Il prit sa place ordinaire, à côté de Mme de Rênal. L'obscurité devint bientôt profonde. Il voulut prendre une main blanche que depuis longtemps il voyait près de lui, appuyée sur le dos d'une chaise. On hésita un peu, mais on finit par la lui retirer d'une façon qui marquait de l'humeur. Julien était disposé à se le tenir pour dit,[141] et à continuer gaiement la conversation, quand il entendit M. de Rênal qui s'approchait.

Julien avait encore dans l'oreille les paroles grossières du matin. Ne serait-ce pas, se dit-il, une façon de se moquer de cet être, si comblé de tous les avantages de la fortune, que de prendre possession de la main de sa femme, précisément en sa présence ? Oui, je le ferai, moi, pour qui il a témoigné tant de mépris.

De ce moment, la tranquillité, si peu naturelle au caractère de Julien, s'éloigna bien vite; il désira avec anxiété, et sans pouvoir songer à rien autre chose, que Mme de Rênal voulût bien lui laisser sa main.

M. de Rênal parlait politique avec colère: deux ou trois industriels de Verrières devenaient décidément plus riches que lui, et voulaient le contrarier dans les élections. Mme Derville l'écoutait. Julien, irrité de ses discours, approcha sa chaise de celle de Mme de Rênal. L'obscurité cachait tous les mouvements. Il osa placer sa main très près du joli bras que la robe laissait à découvert. Il fut troublé, sa pensée ne fut plus à lui, il approcha sa joue de ce joli bras, il osa y appliquer ses lèvres.

Mme de Rênal frémit. Son mari était à quatre pas, elle se hâta de donner sa main à Julien, et en même temps de le repousser un peu. Comme M. de Rênal continuait ses injures contre les gens de rien et les jacobins qui s'enrichissent, Julien couvrait la main qu'on lui avait laissée de baisers passionnés ou du moins qui semblaient tels à Mme de Rênal. Cependant la pauvre femme avait eu la preuve, dans cette journée fatale, que l'homme qu'elle adorait sans se l'avouer aimait ailleurs ! Pendant toute l'absence de Julien, elle avait été en proie à un malheur extrême, qui l'avait fait réfléchir.

Quoi ! j'aimerais, se disait-elle, j'aurais de l'amour ! Moi, femme mariée, je serais amoureuse ! mais, se disait-elle, je n'ai jamais éprouvé pour mon mari cette sombre folie, qui fait que je ne puis détacher ma pensée de Julien. Au fond ce n'est qu'un enfant plein de respect pour moi ! Cette folie sera passagère. Qu'importe à mon mari les sentiments que je puis avoir pour ce jeune homme ! M. de Rênal serait ennuyé des conversations que j'ai avec Julien, sur des choses d'imagination. Lui, il pense à ses affaires. Je ne lui enlève rien pour le donner à Julien.

Aucune hypocrisie ne venait altérer la pureté de cette âme naïve, égarée par une passion qu'elle n'avait jamais éprouvée. Elle était trompée, mais à son insu, et cependant un instinct de vertu était effrayé. Tels étaient les combats qui l'agitaient quand Julien parut au jardin. Elle l'entendit parler, presque au même instant elle le vit s'asseoir à ses côtés. Son âme fut comme [142] enlevée par ce bonheur charmant qui depuis quinze jours l'étonnait plus encore qu'il ne la séduisait.[143] Tout était imprévu pour elle. Cependant, après quelques instants, il suffit donc, se dit-elle, de la présence de Julien pour effacer tous ses torts ? Elle fut effrayée; ce fut alors qu'elle lui ôta sa main.

Les baisers remplis de passion, et tels que jamais elle n'en avait reçu de pareils, lui firent tout à coup oublier que peut-être il aimait une autre femme. Bientôt il ne fut plus coupable à ses yeux. La cessation de la douleur poignante, fille du soupçon, la présence d'un bonheur que jamais elle n'avait même rêvé, lui donnèrent des transports d'amour et de folle gaieté. Cette soirée fut charmante pour tout le monde excepté pour le maire de Verrières qui ne pouvait oublier ses industriels enrichis. Julien ne pensait plus à sa noire ambition, ni à ses projets si difficiles à exécuter. Pour la première fois de sa vie, il était entraîné par le pouvoir de la beauté. Perdu dans une rêverie vague et douce, si étrangère à son caractère, pressant doucement cette main qui lui plaisait comme [144] parfaitement jolie, il écoutait à demi le mouvement des feuilles du tilleul agitées par ce léger vent de la nuit, et les chiens du moulin du Doubs qui aboyaient dans le lointain.

Mais cette émotion était un plaisir et non une passion. En rentrant dans sa chambre il ne songea qu'à un bonheur, celui de reprendre son livre favori; à vingt ans, l'idée du monde et de l'effet à y produire l'emporte sur tout.

Bientôt cependant il posa le livre. A force de songer aux victoires de Napoléon, il avait vu quelque chose de nouveau dans la sienne. Oui, j'ai gagné une bataille, se dit-il, mais il faut en profiter, il faut écraser l'orgueil de ce fier gentilhomme pendant qu'il est en retraite. C'est là Napoléon tout pur. Il faut que je demande un congé de trois jours pour aller voir mon ami Fouqué. S'il me le refuse, je lui mets encore le marché à la main,[145] mais il cédera.

Mme de Rênal ne put fermer l'œil. Il lui semblait n'avoir pas vécu jusqu'à ce moment. Elle ne pouvait distraire sa pensée du bonheur de sentir Julien couvrir sa main de baisers enflammés.

Tout à coup l'affreuse parole: adultère, lui apparut. Tout ce que la plus vile débauche peut imprimer de dégoûtant à l'idée de l'amour des sens se présenta en foule à[146] son imagination. Ces idées voulaient tâcher de ternir l'image tendre et divine qu'elle se faisait de Julien et du bonheur de l'aimer. L'avenir se peignait sous des couleurs terribles. Elle se voyait méprisable.

Ce moment fut affreux; son âme arrivait dans des pays inconnus. La veille elle avait goûté un bonheur inéprouvé; maintenant elle se trouvait tout à coup plongée dans un malheur atroce. Elle n'avait aucune idée de telles souffrances, elles troublèrent sa raison. Elle eut un instant la pensée d'avouer à son mari qu'elle craignait d'aimer Julien. C'eût été parler de lui. Heureusement elle rencontra dans sa mémoire un précepte donné jadis par sa tante, la veille de son mariage. Il s'agissait du danger des confidences faites à un mari, qui après tout est un maître. Dans l'excès de sa douleur, elle se tordait les mains.

Elle était entraînée au hasard par des images contradictoires et douloureuses. Tantôt elle craignait de n'être pas aimée, tantôt l'affreuse idée du crime la torturait comme si le lendemain elle eût dû être exposée au pilori, sur la place publique de Verrières, avec un écriteau expliquant son adultère à la populace.

Mme de Rênal n'avait aucune expérience de la vie; même pleinement éveillée et dans l'exercice de toute sa raison, elle n'eût aperçu aucun intervalle entre être coupable aux yeux de Dieu, et se trouver accablée en public des marques les plus bruyantes du mépris général.

Quand l'affreuse idée d'adultère et de toute l'ignominie que, dans son opinion, ce crime entraîne à sa suite, lui laissait quelque repos, et qu'elle venait à songer à la douceur de vivre avec Julien innocemment, et comme par le passé, elle se trouvait jetée dans l'idée horrible que Julien aimait une autre femme. Elle voyait encore sa pâleur quand il avait craint de perdre son portrait, ou de la [147] compromettre en le laissant voir. Pour la première fois elle avait surpris la crainte sur cette physionomie si tranquille et si noble. Jamais il ne s'était montré ému ainsi pour elle ou pour ses enfants. Ce surcroît de douleur arriva à toute l'intensité de malheur qu'il est donné à l'âme humaine de pouvoir supporter. Sans s'en douter, Mme de Rênal jeta des cris qui réveillèrent sa femme de chambre. Tout à coup elle vit paraître auprès de son lit la clarté d'une lumière, et reconnut Elisa.

— Est-ce vous qu'il aime ? s'écria-t-elle dans sa folie.

La femme de chambre, étonnée du trouble affreux dans lequel elle surprenait sa maîtresse, ne fit heureusement aucune attention à ce mot singulier. Mme de Rênal sentit son imprudence: « J'ai la fièvre, lui dit-elle, et, je crois, un peu de délire, restez auprès de moi. » Tout à fait réveillée par la nécessité de se contraindre,[148] elle se trouva moins malheureuse; la raison reprit l'empire que l'état de demi-sommeil lui avait ôté. Pour se délivrer du regard fixe de sa femme de chambre, elle lui ordonna de lire le journal, et ce fut au bruit monotone de la voix de cette fille, lisant un long article de *la Quotidienne,* que Mme de Rênal prit la résolution vertueuse de traiter Julien avec une froideur parfaite quand elle le reverrait.

12. Un Voyage

On trouve à Paris des gens élégants, il peut y avoir en province des gens à caractère.
SIÉYÈS.[149]

Le lendemain, dès cinq heures, avant que Mme de Rênal fût visible, Julien avait obtenu de son mari un congé de trois jours. Contre son attente, Julien se trouva le désir de la revoir, il songeait à sa main si jolie. Il descendit au jardin, Mme de Rênal se fit longtemps attendre. Mais si Julien l'eût aimée, il l'eût aperçue derrière les persiennes à demi fermées du premier étage, le front appuyé contre la vitre. Elle le regardait. Enfin, malgré ses résolutions, elle se détermina à paraître au jardin. Sa pâleur habituelle avait fait place aux plus vives couleurs. Cette femme si naïve était évidemment agitée: un sentiment de contrainte et même de colère altérait cette expression de sérénité profonde et comme audessus de tous les vulgaires intérêts de la vie, qui donnait tant de charmes à cette figure céleste.

Julien s'approcha d'elle avec empressement; il admirait ces bras si beaux qu'un châle jeté à la hâte laissait apercevoir. La fraîcheur de l'air du matin semblait augmenter encore l'éclat d'un teint que l'agitation de la nuit ne rendait que plus sensible à toutes les impressions. Cette beauté modeste et touchante, et cependant pleine de pensées que l'on ne trouve point dans les classes inférieures, semblait révéler à Julien une faculté de son âme qu'il n'avait jamais sentie. Tout entier à l'admiration des charmes que surprenait son regard avide, Julien ne songeait nullement à l'accueil amical qu'il s'attendait à recevoir. Il fut d'autant plus étonné de la froideur glaciale qu'on cherchait à lui montrer, et à travers laquelle il crut même distinguer l'intention de le remettre à sa place.

Le sourire du plaisir expira sur ses lèvres: il se souvint

du rang qu'il occupait dans la société, et surtout aux yeux d'une noble et riche héritière. En un moment il n'y eut plus sur sa physionomie que de la hauteur et de la colère contre lui-même. Il éprouvait un violent dépit [150] d'avoir pu retarder son départ de plus d'une heure pour recevoir un accueil aussi humiliant.

Il n'y a qu'un sot, se dit-il, qui soit en colère contre les autres: une pierre tombe parce qu'elle est pesante.[151] Serai-je toujours un enfant ? quand donc aurai-je contracté la bonne habitude de donner de mon âme à ces gens-là juste pour leur argent ? Si je veux être estimé et d'eux et de moi-même, il faut leur montrer que c'est ma pauvreté qui est en commerce avec leur richesse, mais que mon cœur est à mille lieues de leur insolence, et placé dans une sphère trop haute pour être atteint par leurs petites marques de dédain ou de faveur.

Pendant que ces sentiments se pressaient en foule dans l'âme du jeune précepteur, sa physionomie mobile prenait l'expression de l'orgueil souffrant et de la férocité. Mme de Rênal en fut toute troublée. La froideur vertueuse qu'elle avait voulu donner à son accueil fit place à l'expression de l'intérêt, et d'un intérêt animé par toute la surprise du changement subit qu'elle venait de voir. Les paroles vaines que l'on s'adresse le matin sur la santé, sur la beauté de la journée, tarirent à la fois chez tous les deux. Julien, dont le jugement n'était troublé par aucune passion, trouva bien vite un moyen de marquer à Mme de Rênal combien peu il se croyait avec elle dans des rapports d'amitié; il ne lui dit rien du petit voyage qu'il allait entreprendre, la salua et partit.

Comme elle le regardait aller, atterrée de la hauteur sombre qu'elle lisait dans ce regard si aimable la veille, son fils aîné, qui accourait du fond du jardin, lui dit en l'embrassant:

— Nous avons congé, M. Julien s'en va pour un voyage.

A ce mot, Mme de Rênal se sentit saisie d'un froid mortel; elle était malheureuse par sa vertu, et plus malheureuse encore par sa faiblesse.

Ce nouvel événement vint occuper toute son imagination; elle fut emportée bien au delà des sages résolutions qu'elle devait à la nuit terrible qu'elle venait de passer. Il n'était plus question de résister à cet amant si aimable, mais de le perdre à jamais.

Il fallut assister au déjeuner. Pour comble de douleur, M. de Rênal et Mme Derville ne parlèrent que du départ de Julien. Le maire de Verrières avait remarqué quelque chose d'insolite dans le ton ferme avec lequel il avait demandé un congé.

— Ce petit paysan a sans doute en poche des propositions de quelqu'un. Mais ce quelqu'un, fût-ce M Valenod, doit être un peu découragé par la somme de 600 francs, à laquelle maintenant il faut porter le déboursé annuel. Hier, à Verrières, on [152] aura demandé un délai de trois jours pour réfléchir; et ce matin, afin de n'être pas obligé à me donner une réponse, le petit monsieur part pour la montagne. Etre obligé de compter avec [153] un misérable ouvrier qui fait l'insolent, voilà pourtant où nous sommes arrivés !

Puisque mon mari, qui ignore combien profondément il a blessé Julien, pense qu'il nous quittera, que dois-je croire moi-même ? se dit Mme de Rênal. Ah ! tout est décidé !

Afin de pouvoir du moins pleurer en liberté, et ne pas répondre aux questions de Mme Derville, elle parla d'un mal de tête affreux, et se mit au lit.

— Voilà ce que c'est que les femmes, répéta M. de Rênal, il y a toujours quelque chose de dérangé à ces machines compliquées. Et il s'en alla goguenard.

Pendant que Mme de Rênal était en proie à ce qu'a de plus cruel la passion terrible dans laquelle le hasard l'avait engagée, Julien poursuivait son chemin gaiement au milieu des plus beaux aspects que puissent présenter les scènes de montagnes. Il fallait traverser la grande chaîne au nord de Vergy. Le sentier qu'il suivait, s'élevant peu à peu parmi de grands bois de hêtres, forme des zigzags infinis sur la pente de la haute montagne qui dessine au nord la vallée du Doubs. Bientôt les regards du voyageur, passant pardessus les coteaux moins élevés qui contiennent le cours du Doubs vers le midi, s'étendirent jusqu'aux plaines fertiles de la Bourgogne et du Beaujolais.[154] Quelque insensible que l'âme de ce jeune ambitieux fût à ce genre de beauté, il ne pouvait s'empêcher de s'arrêter de temps à autre pour regarder un spectacle si vaste et si imposant.

Enfin il atteignit le sommet de la grande montagne, près duquel il fallait passer pour arriver, par cette route de traverse, à la vallée solitaire qu'habitait Fouqué, le jeune marchand de bois son ami. Julien n'était point pressé de le voir, lui ni aucun autre être humain. Caché comme un oiseau de proie, au milieu des roches nues qui couronnent la grande montagne, il pouvait apercevoir de bien loin tout homme qui se serait approché de lui. Il découvrit une petite grotte au milieu de la pente presque verticale d'un des rochers. Il prit sa course, et bientôt fut établi dans cette retraite. Ici, dit-il, avec des yeux brillants de joie, les hommes ne sauraient me faire de mal. Il eut l'idée de se livrer au plaisir d'écrire ses pensées, partout ailleurs si dangereux pour lui. Une pierre carrée lui servait de pupitre. Sa plume volait: il ne voyait rien de ce qui l'entourait. Il remarqua enfin que le soleil se couchait derrière les montagnes éloignées du Beaujolais.

Pourquoi ne passerais-je pas la nuit ici? se dit-il, j'ai du pain, et *je suis libre!* Au son de ce grand mot son âme s'exalta, son hypocrisie faisait qu'il n'était pas libre même chez Fouqué. La tête appuyée sur les deux mains, Julien resta dans cette grotte plus heureux qu'il ne l'avait été de la vie, agité par ses rêveries et par son bonheur de liberté. Sans y songer il vit s'éteindre, l'un après l'autre, tous les rayons du crépuscule.[155] Au milieu de cette obscurité immense, son âme s'égarait dans la contemplation de ce qu'il s'imaginait rencontrer un jour à Paris. C'était d'abord une femme bien plus belle et d'un génie bien plus élevé que tout ce qu'il avait pu voir en province. Il aimait avec passion, il était aimé. S'il se séparait d'elle pour quelques instants, c'était pour aller se couvrir de gloire et mériter d'en être encore plus aimé.

Même en lui supposant l'imagination de Julien, un jeune homme élevé au milieu des tristes vérités de la société de Paris eût été réveillé à ce point de son roman[156] par la froide ironie; les grandes actions auraient disparu avec l'espoir d'y atteindre, pour faire place à la maxime si connue: Quitte-t-on sa maîtresse, on risque, hélas! d'être trompé deux ou trois fois par jour. Le jeune paysan ne voyait rien entre lui et les actions les plus héroïques, que le manque d'occasion.

Mais une nuit profonde avait remplacé le jour, et il avait encore deux lieues à faire pour descendre au hameau habité par Fouqué. Avant de quitter la petite grotte, Julien alluma le feu et brûla avec soin tout ce qu'il avait écrit.

Il étonna bien son ami en frappant à sa porte à une heure du matin. Il trouva Fouqué occupé à écrire ses comptes. C'était un jeune homme de haute taille, assez mal fait, avec de grands traits durs, un nez infini, et beaucoup de bonhomie cachée sous cet aspect repoussant.

— T'es-tu donc brouillé avec ton M. de Rênal, que [157] tu m'arrives ainsi à l'improviste ?

Julien lui raconta, mais comme il le fallait, les événements de la veille.

— Reste avec moi, lui dit Fouqué, je vois que tu connais M. de Rênal, M. Valenod, le sous-préfet Maugiron, le curé Chélan; tu as compris les finesses du caractère de ces gens-là; te voilà en état de paraître aux adjudications.[158] Tu sais l'arithmétique mieux que moi, tu tiendras mes comptes. Je gagne gros dans mon commerce. L'impossibilité de tout faire par moi-même et la crainte de rencontrer un fripon dans l'homme que je prendrais pour associé m'empêchent tous les jours d'entreprendre d'excellentes affaires. Il n'y a pas un mois que j'ai fait gagner six mille francs à Michaud de Saint-Amand, que je n'avais pas revu depuis six ans, et que j'ai trouvé par hasard à la vente de Pontarlier. Pourquoi n'aurais-tu pas gagné, toi, ces six mille francs, ou du moins trois mille ? car, si ce jour-là je t'avais eu avec moi, j'aurais mis l'enchère à cette coupe de bois, et tout le monde me l'eût bientôt laissée. Sois mon associé.

Cette offre donna de l'humeur à Julien, elle dérangeait sa folie. Pendant tout le souper, que les deux amis préparèrent eux-mêmes comme des héros d'Homère, car Fouqué vivait seul, il montra ses comptes à Julien, et lui prouva combien son commerce de bois présentait d'avantages. Fouqué avait la plus haute idée des lumières [159] et du caractère de Julien.

Quand enfin celui-ci fut seul dans sa petite chambre de bois de sapin: Il est vrai, se dit-il, je puis gagner ici quelques mille francs, puis reprendre avec avantage le métier de soldat ou celui de prêtre, suivant la mode qui alors régnera en France. Le petit pécule que j'aurai amassé lèvera toutes les difficultés de détail. Solitaire dans cette montagne, j'aurai dissipé un peu l'affreuse ignorance où je suis de tant de choses qui occupent tous ces hommes de salon. Mais Fouqué renonce à se marier, il me répète que la solitude le rend malheureux. Il est évident que s'il prend un associé qui n'a pas de fonds à verser dans son commerce, c'est dans l'espoir de se faire un compagnon qui ne le quitte jamais.

Tromperai-je mon ami? s'écria Julien avec humeur. Cet être, dont l'hypocrisie et l'absence de toute sympathie étaient les moyens ordinaires de salut, ne put cette fois supporter l'idée du plus petit manque de délicatesse envers un homme qui l'aimait.

Mais tout à coup Julien fut heureux, il avait une raison pour refuser. Quoi ! je perdrais lâchement sept ou huit années ! j'arriverais ainsi à vingt-huit ans; mais, à cet âge, Bonaparte avait fait ses plus grandes choses. Quand j'aurai gagné obscurément quelque argent en courant ces ventes de bois et méritant la faveur de quelques fripons subalternes, qui me dit que j'aurai encore le feu sacré avec lequel on se fait un nom ?

Le lendemain matin, Julien répondit d'un grand sang-froid au bon Fouqué, qui regardait l'affaire de l'association comme terminée, que sa vocation pour le saint ministère des autels [160] ne lui permettait pas d'accepter. Fouqué n'en revenait pas.

— Mais songes-tu, lui répétait-il, que je t'associe [161] ou, si tu l'aimes mieux, que je te donne quatre mille francs par an ? et tu veux retourner chez ton M. Rênal, qui te méprise comme la boue de ses souliers ! quand tu auras deux cents louis devant toi, qu'est-ce qui t'empêche d'entrer au séminaire ? Je te dirai plus, je me charge de te procurer la meilleure cure du pays.[162] Car, ajouta Fouqué en baissant la voix, je fournis de bois à brûler M. le..., M. le..., M... Je leur livre de l'essence de chêne de première qualité qu'ils ne me payent que comme du bois blanc,[163] mais jamais argent ne fut mieux placé.[164]

Rien ne put vaincre la vocation de Julien. Fouqué finit

par le croire un peu fou. Le troisième jour, de grand matin, Julien quitta son ami pour passer la journée au milieu des rochers de la grande montagne. Il retrouva sa petite grotte, mais il n'avait plus la paix de l'âme, les offres de son ami la lui avaient enlevée. Comme Hercule, il se trouvait non entre le vice et la vertu,[164a] mais entre la médiocrité suivie d'un bien-être assuré et tous les rêves héroïques de sa jeunesse. Je n'ai donc pas une véritable fermeté, se disait-il; et c'était là le doute qui lui faisait le plus de mal. Je ne suis pas du bois dont on fait les grands hommes, puisque je crains que huit années passées à me procurer du pain ne m'enlèvent cette énergie sublime qui fait faire les choses extraordinaires.

13. Les Bas à jour

Un roman : c'est un miroir qu'on promène le long d'un chemin.

SAINT-RÉAL.[165]

Quand Julien aperçut les ruines pittoresques de l'ancienne église de Vergy, il remarqua que depuis l'avant-veille il n'avait pas pensé une seule fois à Mme de Rênal. L'autre jour en partant, cette femme m'a rappelé la distance infinie qui nous sépare, elle m'a traité comme le fils d'un ouvrier. Sans doute elle a voulu me marquer son repentir de m'avoir laissé sa main la veille... Elle est pourtant bien jolie, cette main ! quel charme ! quelle noblesse dans les regards de cette femme !

La possibilité de faire fortune avec Fouqué donnait une certaine facilité aux raisonnements de Julien; ils n'étaient plus aussi souvent gâtés par l'irritation, et le sentiment vif de sa pauvreté et de sa bassesse aux yeux du monde. Placé comme sur un promontoire élevé, il pouvait juger, et dominait pour ainsi dire l'extrême pauvreté et l'aisance qu'il appelait encore richesse. Il était loin de juger sa position en philosophe, mais il eut assez de clairvoyance pour se sentir *différent* après ce petit voyage dans la montagne.

Il fut frappé du trouble extrême avec lequel Mme de Rênal écouta le petit récit de son voyage, qu'elle lui avait demandé.

Fouqué avait eu des projets de mariage, des amours malheureuses; de longues confidences à ce sujet avaient rempli les conversations des deux amis. Après avoir trouvé le bonheur trop tôt, Fouqué s'était aperçu qu'il n'était pas seul aimé. Tous ces récits avaient étonné Julien; il avait appris bien des choses nouvelles. Sa vie solitaire toute d'imagination et de méfiance l'avait éloigné de tout ce qui pouvait l'éclairer.

Pendant son absence, la vie n'avait été pour Mme de

Rênal qu'une suite de supplices différents, mais tous intolérables; elle était réellement malade.

— Surtout, lui dit Mme Derville, lorsqu'elle vit arriver Julien, indisposée comme tu l'es, tu n'iras pas ce soir au jardin, l'air humide redoublerait ton malaise.

Mme Derville voyait avec étonnement que son amie, toujours grondée par M. de Rênal à cause de l'excessive simplicité de sa toilette, venait de prendre des bas à jour et de charmants petits souliers arrivés de Paris. Depuis trois jours la seule distraction de Mme de Rênal avait été de tailler et de faire faire en toute hâte par Elisa une robe d'été, d'une jolie petite étoffe fort à la mode. A peine cette robe put-elle être terminée quelques instants après l'arrivée de Julien; Mme de Rênal la mit aussitôt. Son amie n'eut plus de doutes. Elle aime, l'infortunée ! se dit Mme Derville. Elle comprit toutes les apparences singulières de sa maladie.

Elle la vit parler à Julien. La pâleur succédait à la rougeur la plus vive. L'anxiété se peignait dans ses yeux attachés sur ceux du jeune précepteur. Mme de Rênal s'attendait à chaque moment qu'il allait s'expliquer, et annoncer qu'il quittait la maison ou y restait. Julien n'avait garde de rien dire sur ce sujet, auquel il ne songeait pas. Après des combats affreux, Mme de Rênal osa enfin lui dire, d'une voix tremblante, et où se peignait toute sa passion:

— Quitterez-vous vos élèves pour vous placer ailleurs ?

Julien fut frappé de la voix incertaine et du regard de Mme de Rênal. Cette femme-là m'aime, se dit-il; mais après ce moment passager de faiblesse que se reproche son orgueil, et dès qu'elle ne craindra plus mon départ, elle reprendra sa fierté. Cette vue de la position respective fut, chez Julien, rapide comme l'éclair, il répondit en hésitant:

— J'aurais beaucoup de peine à quitter des enfants si aimables et *si bien nés,* mais peut-être le faudra-t-il. On a aussi des devoirs envers soi.

En prononçant la parole *si bien nés* (c'était un de ces mots aristocratiques que Julien avait appris depuis peu), il s'anima d'un profond sentiment d'anti-sympathie.[166]

Aux yeux de cette femme, moi, se disait-il, je ne suis pas bien né.

Mme de Rênal, en l'écoutant, admirait son génie, sa

beauté, elle avait le cœur percé de la possibilité de départ qu'il lui faisait entrevoir. Tous ses amis de Verrières, qui, pendant l'absence de Julien, étaient venus dîner à Vergy, lui avaient fait compliment comme à l'envi[167] sur l'homme étonnant que son mari avait eu le bonheur de déterrer. Ce n'est pas que l'on comprît rien aux progrès des enfants. L'action de savoir par cœur la Bible, et encore en latin, avait frappé les habitants de Verrières d'une admiration qui durera peut-être un siècle.

Julien, ne parlant à personne, ignorait tout cela. Si Mme de Rênal avait eu le moindre sang-froid, elle lui eût fait compliment de la réputation qu'il avait conquise, et l'orgueil de Julien rassuré, il eût été pour elle doux et aimable, d'autant plus que la robe nouvelle lui semblait charmante. Mme de Rênal contente aussi de sa jolie robe, et de ce que lui en disait Julien, avait voulu faire un tour de jardin; bientôt elle avoua qu'elle était hors d'état de marcher. Elle avait pris le bras du voyageur et, bien loin d'augmenter ses forces,[168] le contact de ce bras les lui ôtait tout à fait.

Il était nuit; à peine fut-on assis, que Julien, usant de son ancien privilège, osa approcher les lèvres du bras de sa jolie voisine, et lui prendre la main. Il pensait à la hardiesse dont Fouqué avait fait preuve avec ses maîtresses, et non à Mme de Rênal; le mot *bien nés* pesait encore sur son cœur. On lui serra la main, ce qui ne lui fit aucun plaisir. Loin d'être fier, ou du moins reconnaissant du sentiment que Mme de Rênal trahissait ce soir-là par des signes trop évidents, la beauté, l'élégance, la fraîcheur le trouvèrent presque insensible. La pureté de l'âme, l'absence de toute émotion haineuse prolongent sans doute la durée de la jeunesse. C'est la physionomie qui vieillit la première chez la plupart des jolies femmes.

Julien fut maussade toute la soirée; jusqu'ici il n'avait été en colère qu'avec le hasard et la société; depuis que Fouqué lui avait offert un moyen ignoble d'arriver à l'aisance, il avait de l'humeur contre lui-même. Tout à ses pensées, quoique de temps en temps il dît quelques mots à ces dames, Julien finit sans s'en apercevoir par abandonner la main de Mme de Rênal. Cette action bouleversa l'âme de cette pauvre femme; elle y vit la manifestation de son sort.

Certaine de l'affection de Julien, peut-être sa vertu eût trouvé des forces contre lui. Tremblante de le perdre à jamais, sa passion l'égara jusqu'au point de reprendre la main de Julien, que, dans sa distraction, il avait laissée appuyée sur le dossier d'une chaise. Cette action réveilla ce jeune ambitieux: il eût voulu qu'elle eût pour témoins tous ces nobles si fiers qui, à table, lorsqu'il était au bas bout avec les enfants, le regardaient avec un sourire si protecteur. Cette femme ne peut plus me mépriser: dans ce cas, se dit-il, je dois être sensible à sa beauté; je me dois à moi-même d'être son amant. Une telle idée ne lui fût pas venue avant les confidences naïves faites par son ami.

La détermination subite qu'il venait de prendre forma une distraction agréable. Il se disait: il faut que j'aie une de ces deux femmes; il s'aperçut qu'il aurait beaucoup mieux aimé faire la cour à Mme Derville; ce n'est pas qu'elle fût plus agréable, mais toujours elle l'avait vu précepteur honoré pour sa science, et non pas ouvrier charpentier, avec une veste de ratine pliée sous le bras, comme il était apparu à Mme de Rênal.

C'était précisément comme jeune ouvrier, rougissant jusqu'au blanc des yeux, arrêté à la porte de la maison et n'osant sonner, que Mme de Rênal se le figurait avec le plus de charme.

En poursuivant la revue de sa position, Julien vit qu'il ne fallait pas songer à la conquête de Mme Derville, qui s'apercevait probablement du goût que Mme. de Rênal montrait pour lui. Forcé de revenir à celle-ci: Que connais-je du caractère de cette femme ? se dit Julien. Seulement ceci: avant mon voyage, je lui prenais la main, elle la retirait; aujourd'hui je retire ma main, elle la saisit et la serre. Belle occasion de lui rendre tous les mépris qu'elle a eus pour moi. Dieu sait combien elle a eu d'amants ! elle ne se décide peut-être en ma faveur qu'à cause de la facilité des entrevues.

Tel est, hélas, le malheur d'une excessive civilisation ! [169] A vingt ans, l'âme d'un jeune homme, s'il a quelque éducation, est à mille lieues du laisser-aller, sans lequel l'amour n'est souvent que le plus ennuyeux des devoirs.

Je me dois d'autant plus, continua la petite vanité de Julien, de réussir auprès de cette femme, que si jamais je fais fortune, et que [170] quelqu'un me reproche le bas emploi de précepteur, je pourrai faire entendre que l'amour m'avait jeté à cette place.

Julien éloigna de nouveau sa main de celle de Mme de Rênal, puis il la reprit en la serrant. Comme on rentrait au salon, vers minuit, Mme de Rênal lui dit à demi-voix:

— Vous nous quitterez, vous partirez ?

Julien répondit en soupirant:

— Il faut bien que je parte, car je vous aime avec passion, c'est une faute ... et quelle faute pour un jeune prêtre !

Mme de Rênal s'appuya sur son bras, et avec tant d'abandon que sa joue sentit la chaleur de celle de Julien.

Les nuits de ces deux êtres furent bien différentes. Mme de Rênal était exaltée par les transports de la volupté morale la plus élevée. Une jeune fille coquette qui aime de bonne heure s'accoutume au trouble de l'amour; quand elle arrive à l'âge de la vraie passion, le charme de la nouveauté manque. Comme Mme de Rênal n'avait jamais lu de romans, toutes les nuances de son bonheur étaient neuves pour elle. Aucune triste vérité ne venait la glacer, pas même le spectre de l'avenir. Elle se vit aussi heureuse dans dix ans qu'elle l'était en ce moment. L'idée même de la vertu et de la fidélité jurée à M. de Rênal, qui l'avait agitée quelques jours auparavant, se présenta en vain, on la renvoya comme un hôte importun.[171] Jamais je n'accorderai rien à Julien, se dit Mme de Rênal, nous vivrons à l'avenir comme nous vivons depuis un mois. Ce sera un ami.

14. *Les Ciseaux anglais*

Une jeune fille de seize ans avait un teint de rose, et elle mettait du rouge.

POLIDORI.[172]

Pour Julien, l'offre de Fouqué lui avait en effet enlevé tout bonheur: il ne pouvait s'arrêter à aucun parti.[173]

Hélas ! peut-être manqué-je de caractère, j'eusse été un mauvais soldat de Napoléon. Du moins, ajouta-t-il, ma petite intrigue[174] avec la maîtresse du logis va me distraire un moment.

Heureusement pour lui, même dans ce petit incident subalterne, l'intérieur de son âme répondait mal à son langage cavalier. Il avait peur de Mme de Rênal à cause de sa robe si jolie. Cette robe était à ses yeux l'avant-garde de Paris.[175] Son orgueil ne voulut rien laisser au hasard et à l'inspiration du moment. D'après les confidences de Fouqué et le peu qu'il avait lu sur l'amour dans sa Bible, il se fit un plan de campagne fort détaillé. Comme, sans se l'avouer, il était fort troublé, il écrivit ce plan.

Le lendemain matin au salon, Mme de Rênal fut un instant seule avec lui:

— N'avez-vous point d'autre nom que Julien ? lui dit-elle.

A cette demande si flatteuse, notre héros ne sut que répondre. Cette circonstance n'était pas prévue dans son plan. Sans cette sottise de faire un plan, l'esprit vif de Julien l'eût bien servi, la surprise n'eût fait qu'ajouter à la vivacité de ses aperçus.

Il fut gauche et s'exagéra sa gaucherie. Mme de Rênal la lui pardonna bien vite. Elle y vit l'effet d'une candeur charmante. Et ce qui manquait précisément à ses yeux à cet homme, auquel on trouvait tant de génie, c'était l'air de la candeur.

— Ton petit précepteur m'inspire beaucoup de méfiance,

lui disait quelquefois Mme Derville. Je lui trouve l'air de penser toujours et de n'agir qu'avec politique. C'est un sournois.

Julien resta profondément humilié du malheur de n'avoir su que répondre à Mme de Rênal.

Un homme comme moi se doit de réparer cet échec, et saisissant le moment où l'on passait d'une pièce à l'autre, il crut de son devoir de donner un baiser à Mme de Rênal.

Rien de moins amené, rien de moins agréable et pour lui et pour elle, rien de plus imprudent. Ils furent sur le point d'être aperçus. Mme de Rênal le crut fou. Elle fut effrayée et surtout choquée. Cette sottise lui rappela M. Valenod.

Que m'arriverait-il, se dit-elle, si j'étais seule avec lui? Toute sa vertu revint, parce que l'amour s'éclipsait.

Elle s'arrangea de façon à ce qu'un de ses enfants restât toujours auprès d'elle.

La journée fut ennuyeuse pour Julien, il la passa tout entière à exécuter avec gaucherie son plan de séduction. Il ne regarda pas une seule fois Mme. de Rênal, sans que ce regard n'eût un pourquoi ;[176] cependant, il n'était pas assez sot pour ne pas voir qu'il ne réussissait point à être aimable, et encore moins séduisant.

Mme de Rênal ne revenait point de son étonnement de le trouver si gauche et en même temps si hardi. C'est la timidité de l'amour dans un homme d'esprit ! [176a] se dit-elle enfin, avec une joie inexprimable. Serait-il possible qu'il n'eût jamais été aimé de ma rivale !

Après le déjeuner, Mme. de Rênal rentra dans le salon pour recevoir la visite de M. Charcot de Maugiron, le sous-préfet de Bray. Elle travaillait à un petit métier de tapisserie fort élevé. Mme. Derville était à ses côtés. Ce fut dans une telle position, et par le plus grand jour, que notre héros trouva convenable d'avancer sa botte et de presser le joli pied de Mme. de Rênal, dont le bas à jour et le joli soulier de Paris attiraient évidemment les regards du galant sous-préfet.

Mme. de Rênal eut une peur extrême; elle laissa tomber ses ciseaux, son peloton de laine, ses aiguilles, et le mouvement de Julien put passer pour une tentative gauche destinée à empêcher la chute des ciseaux, qu'il avait vus glisser.

Heureusement ces petits ciseaux d'acier anglais se brisèrent, et Mme de Rênal ne tarit pas en regrets de ce que Julien ne s'était pas trouvé plus près d'elle.

— Vous avez aperçu la chute avant moi, vous l'eussiez empêchée; au lieu de cela votre zèle n'a réussi qu'à me donner un fort grand coup de pied.

Tout cela trompa le sous-préfet, mais non Mme Derville. Ce joli garçon a de bien sottes manières ! pensa-t-elle; le savoir-vivre d'une capitale de province [177] ne pardonne point ces sortes de fautes. Mme de Rênal trouva le moment de dire à Julien:

— Soyez prudent, je vous l'ordonne.

Julien voyait sa gaucherie, il avait de l'humeur. Il délibéra longtemps avec lui-même pour savoir s'il devait se fâcher de ce mot: *Je vous l'ordonne.* Il fut assez sot pour penser: elle pourrait me dire *je l'ordonne,* s'il s'agissait de quelque chose de relatif à l'éducation des enfants, mais en répondant à mon amour, elle suppose l'égalité. On ne peut aimer sans *égalité* ...; et tout son esprit se perdit à faire des lieux communs sur l'égalité. Il se répétait avec colère ce vers de Corneille, que Mme Derville lui avait appris quelques jours auparavant:

. . . . L'amour
Fait les égalités et ne les cherche pas.[178]

Julien s'obstinant à jouer le rôle d'un don Juan, lui qui de la vie n'avait eu de maîtresse, il fut sot à mourir toute la journée. Il n'eut qu'une idée juste; ennuyé de lui et de Mme de Rênal, il voyait avec effroi s'avancer la soirée où il serait assis au jardin, à côté d'elle et dans l'obscurité. Il dit à M. de Rênal qu'il allait à Verrières voir le curé; il partit après dîner, et ne rentra que dans la nuit.

A Verrières, Julien trouva M. Chélan occupé à déménager; il venait enfin d'être destitué, le vicaire Maslon le remplaçait. Julien aida le bon curé, et il eut l'idée d'écrire à Fouqué que la vocation irrésistible qu'il se sentait pour le saint ministère l'avait empêché d'accepter d'abord ses offres obligeantes, mais qu'il venait de voir un tel exemple d'injustice, que peut-être il serait plus avantageux à son salut de ne pas entrer dans les ordres sacrés.

Julien s'applaudit de sa finesse à tirer parti de la destitution du curé de Verrières pour se laisser une porte ouverte et revenir au commerce, si dans son esprit la triste prudence l'emportait sur l'héroïsme.

15. Le Chant du coq

Amour en latin faict amor;
Or donc provient d'amour la mort,
Et, par avant, soulcy qui mord,
Deuil, plours, pieges, forfaitz, remords.

BLASON D'AMOUR.[179]

Si Julien avait eu un peu de l'adresse qu'il se supposait si gratuitement, il eût pu s'applaudir le lendemain de l'effet produit par son voyage à Verrières. Son absence[180] avait fait oublier ses gaucheries. Ce jour-là encore, il fut assez maussade; sur le soir, une idée ridicule lui vint, et il la communiqua à Mme de Rênal avec une rare intrépidité.

A peine fut-on assis au jardin, que sans attendre une obscurité suffisante, Julien approcha sa bouche de l'oreille de Mme de Rênal, et, au risque de la compromettre horriblement, il lui dit:

— Madame, cette nuit, à deux heures, j'irai dans votre chambre, je dois vous dire quelque chose.

Julien tremblait que sa demande ne fût accordée;[181] son rôle de séducteur lui pesait si horriblement, que s'il eût pu suivre son penchant, il se fût retiré dans sa chambre pour plusieurs jours, et n'eût plus vu ces dames. Il comprenait que, par sa conduite savante[182] de la veille, il avait gâté toutes les belles apparences du jour précédent, et ne savait réellement à quel saint se vouer.[183]

Mme de Rênal répondit avec une indignation réelle, et nullement exagérée, à l'annonce impertinente que Julien osait lui faire. Il crut voir du mépris dans sa courte réponse. Il est sûr que dans cette réponse, prononcée fort bas, le mot *fi donc* avait paru. Sous prétexte de quelque chose à dire aux enfants, Julien alla dans leur chambre, et à son retour il se plaça à côté de Mme Derville et fort loin de Mme de Rênal. Il s'ôta ainsi toute possibilité de lui prendre la main. La conversation fut sérieuse, et Julien s'en tira fort bien, à quelques moments de silence près, pendant lesquels il se creusait la cervelle. Que [183a] ne puis-je inventer quelque belle manœuvre, se disait-il, pour forcer Mme de Rênal à me rendre ces marques de tendresse non équivoques qui me faisaient croire, il y a trois jours, qu'elle était à moi !

Julien était extrêmement déconcerté de l'état presque désespéré où il avait mis ses affaires. Rien cependant ne l'eût plus embarrassé que le succès.

Lorsqu'on se sépara à minuit, son pessimisme lui fit croire qu'il jouissait du mépris de Mme Derville, et que probablement il n'était guère mieux avec Mme de Rênal.

De fort mauvaise humeur et très humilié, Julien ne dormit point. Il était à mille lieues de l'idée de renoncer à toute feinte, à tout projet, et de vivre au jour le jour avec Mme de Rênal, en se contentant comme un enfant du bonheur qu'apporterait chaque journée.

Il se fatigua le cerveau à inventer des manœuvres savantes, un instant après, il les trouvait absurdes; il était en un mot fort malheureux, quand deux heures sonnèrent à l'horloge du château.

Ce bruit le réveilla comme le chant du coq réveilla saint Pierre.[184] Il se vit au moment de l'événement le plus pénible. Il n'avait plus songé à sa proposition impertinente depuis le moment où il l'avait faite; elle avait été si mal reçue !

Je lui ai dit que j'irais chez elle à deux heures, se dit-il en se levant, je puis être inexpérimenté et grossier comme il appartient au fils d'un paysan. Mme Derville me l'a fait assez entendre, mais du moins je ne serai pas faible.

Julien avait raison de s'applaudir de son courage, jamais il ne s'était imposé une contrainte plus pénible. En ouvrant sa porte, il était tellement tremblant que ses genoux se dérobaient sous lui, et il fut forcé de s'appuyer contre le mur.

Il était sans souliers. Il alla écouter à la porte de M. de Rênal, dont il put distinguer le ronflement. Il en fut désolé. Il n'y avait donc plus de prétexte pour ne pas aller chez elle. Mais, grand Dieu ! qu'y ferait-il ? Il n'avait aucun projet, et quand il en aurait eu,[185] il se sentait tellement troublé qu'il eût été hors d'état de les suivre.

Enfin, souffrant plus mille fois que s'il eût marché à la mort, il entra dans le petit corridor qui menait à la chambre de Mme de Rênal. Il ouvrit la porte d'une main tremblante et en faisant un bruit effroyable.

Il y avait de la lumière, une veilleuse brûlait sous la cheminée; il ne s'attendait pas à ce nouveau malheur. En le voyant entrer, Mme de Rênal se jeta vivement hors de son lit. Malheureux ! s'écria-t-elle. Il y eut un peu de désordre. Julien oublia ses vains projets et revint à son rôle naturel; ne pas plaire à une femme si charmante lui parut le plus grand des malheurs. Il ne répondit à ses reproches qu'en se jetant à ses pieds, en embrassant ses genoux. Comme elle lui parlait avec une extrême dureté, il fondit en larmes.

Quelques heures après, quand Julien sortit de la chambre de Mme de Rênal, on eût pu dire, en style de roman,[186] qu'il n'avait plus rien à désirer. En effet, il devait à l'amour qu'il avait inspiré et à l'impression imprévue qu'avaient produite sur lui des charmes séduisants, une victoire à laquelle ne l'eût pas conduit toute son adresse si maladroite.[187]

Mais, dans les moments les plus doux, victime d'un orgueil bizarre, il prétendit encore jouer le rôle d'un homme accoutumé à subjuguer des femmes: il fit des efforts d'attention incroyables pour gâter ce qu'il avait d'aimable. Au lieu d'être attentif aux transports qu'il faisait naître, et aux remords qui en relevaient la vivacité, l'idée du *devoir* ne cessa jamais d'être présente à ses yeux. Il craignait un remords affreux et un ridicule éternel, s'il s'écartait du modèle idéal qu'il se proposait de suivre. En un mot, ce qui faisait de Julien un être supérieur fut précisément ce qui l'empêcha de goûter le bonheur qui se plaçait sous ses pas. C'est une jeune fille de seize ans, qui a des couleurs charmantes, et qui, pour aller au bal, a la folie de mettre du rouge.

Mortellement effrayé de l'apparition de Julien, Mme de Rênal fut bientôt en proie aux plus cruelles alarmes. Les pleurs et le désespoir de Julien la troublaient vivement.

Même, quand elle n'eut plus rien à lui refuser, elle repoussait Julien loin d'elle, avec une indignation réelle, et ensuite se jetait dans ses bras. Aucun projet ne paraissait dans toute cette conduite. Elle se croyait damnée sans rémission, et cherchait à se cacher la vue de l'enfer en accablant Julien des plus vives caresses. En un mot, rien n'eût manqué au bonheur de notre héros, pas même une sensibilité brûlante dans la femme qu'il venait d'enlever, s'il eût su en jouir. Le départ de Julien ne fit point cesser les transports qui l'agitaient malgré elle, et ses combats avec les remords qui la déchiraient.

Mon Dieu ! être heureux, être aimé, n'est-ce que ça ? Telle fut la première pensée de Julien, en rentrant dans sa chambre. Il était dans cet état d'étonnement et de trouble inquiet où tombe l'âme qui vient d'obtenir ce qu'elle a longtemps désiré. Elle est habituée à désirer, ne trouve plus quoi désirer, et cependant n'a pas encore de souvenirs. Comme le soldat qui revient de la parade, Julien fut attentivement occupé à repasser tous les détails de sa conduite. — N'ai-je manqué à rien de ce que je me dois à moi-même ? Ai-je bien joué mon rôle ?

Et quel rôle ? celui d'un homme accoutumé à être brillant avec les femmes.

16. *Le Lendemain*

He turn'd his lip to hers, and with his hand
Call'd back the tangles of her wandering hair.
Don Juan, C. I, st. 170.

Heureusement, pour la gloire de Julien, Mme de Rênal avait été trop agitée, trop étonnée, pour apercevoir la sottise de l'homme qui en un moment était devenu tout au monde pour elle.

Comme elle l'engageait à se retirer, voyant poindre le jour:

— Oh ! mon Dieu, disait-elle, si mon mari a entendu du bruit, je suis perdue.

Julien, qui avait le temps de faire des phrases,[188] se souvint de celle-ci:

— Regretteriez-vous[189] la vie ?

— Ah ! beaucoup dans ce moment ! mais je ne regretterais pas[190] de vous avoir connu.

Julien trouva de sa dignité de rentrer exprès au grand jour et avec imprudence.

L'attention continue avec laquelle il étudiait ses moindres actions, dans la folle idée de paraître un homme d'expérience, n'eut qu'un avantage; lorsqu'il revit Mme de Rênal à déjeuner, sa conduite fut un chef-d'œuvre de prudence.

Pour elle, elle ne pouvait le regarder sans rougir jusqu'aux yeux, et ne pouvait vivre un instant sans le regarder; elle s'apercevait de son trouble, et ses efforts pour le cacher le redoublaient. Julien ne leva qu'une seule fois les yeux sur elle. D'abord, Mme de Rênal admira sa prudence. Bientôt, voyant que cet unique regard ne se répétait pas, elle fut alarmée: « Est-ce qu'il ne m'aimerait plus, se dit-elle; hélas ! je suis bien vieille pour lui; j'ai dix ans de plus que lui. »

En passant de la salle à manger au jardin, elle serra la main de Julien. Dans la surprise que lui causa une marque d'amour si extraordinaire, il la regarda avec passion, car elle lui avait semblé bien jolie au déjeuner, et, tout en baissant les yeux, il avait passé son temps à se détailler ses charmes. Ce regard consola Mme de Rênal; il ne lui ôta pas toutes ses inquiétudes; mais ses inquiétudes lui ôtaient presque tout à fait ses remords envers son mari.

Au déjeuner, ce mari ne s'était aperçu de rien; il n'en était pas de même de Mme Derville: elle crut Mme de Rênal sur le point de succomber. Pendant toute la journée, son amitié hardie et incisive ne lui épargna pas les demi-mots destinés à lui peindre, sous de hideuses couleurs, le danger qu'elle courait.

Mme de Rênal brûlait de se trouver seule avec Julien; elle voulait lui demander s'il l'aimait encore. Malgré la douceur inaltérable de son caractère, elle fut plusieurs fois sur le point de faire entendre à son amie combien elle était importune.

Le soir, au jardin, Mme Derville arrangea si bien les choses, qu'elle se trouva placée entre Mme de Rênal et Julien. Mme de Rênal, qui s'était fait une image délicieuse du plaisir de serrer la main de Julien et de la porter à ses lèvres, ne put pas même lui adresser un mot.

Ce contretemps augmenta son agitation. Elle était dévorée d'un remords. Elle avait tant grondé Julien de l'imprudence qu'il avait faite en venant chez elle la nuit précédente, qu'elle tremblait qu'il ne vînt pas celle-ci. Elle quitta le jardin de bonne heure, et alla s'établir dans sa chambre. Mais, ne tenant pas à [190a] son impatience, elle vint coller son oreille contre la porte de Julien. Malgré l'incertitude et la passion qui la dévoraient, elle n'osa point entrer. Cette action lui semblait la dernière des bassesses, car elle sert de texte à un dicton de province.

Les domestiques n'étaient pas tous couchés. La prudence l'obligea enfin à revenir chez elle. Deux heures d'attente furent deux siècles de tourments.

Mais Julien était trop fidèle à ce qu'il appelait le devoir, pour manquer à exécuter de point en point ce qu'il s'était prescrit.

Comme une heure sonnait, il s'échappa doucement de sa chambre, s'assura que le maître de la maison était profondément endormi, et parut chez Mme de Rênal. Ce jour-là, il trouva plus de bonheur auprès de son amie, car il songea moins constamment au rôle à jouer. Il eut des yeux pour voir et des oreilles pour entendre. Ce que Mme de Rênal lui dit de son âge contribua à lui donner quelque assurance.

— Hélas ! j'ai dix ans de plus que vous ! comment pouvez-vous m'aimer ! lui répétait-elle sans projet,[191] et parce que cette idée l'opprimait.

Julien ne concevait pas ce malheur, mais il vit qu'il était réel, et il oublia presque toute sa peur d'être ridicule.

La sotte idée d'être regardé comme un amant subalterne, à cause de sa naissance obscure, disparut aussi. A mesure que les transports de Julien rassuraient sa timide maîtresse, elle reprenait un peu de bonheur et la faculté de juger son amant. Heureusement, il n'eut presque pas, ce jour-là, cet air emprunté qui avait fait du rendez-vous de la veille une victoire, mais non pas un plaisir. Si elle se fût aperçue de son attention à jouer un rôle, cette triste découverte lui eût à jamais enlevé tout bonheur. Elle n'y eût pu voir autre chose qu'un triste effet de la disproportion des âges.

Quoique Mme de Rênal n'eût jamais pensé aux théories de l'amour, la différence d'âge est, après celle de fortune, un des grands lieux communs de la plaisanterie de province, toutes les fois qu'il est question d'amour.

En peu de jours, Julien, rendu à toute l'ardeur de son âge, fut éperdument amoureux.

Il faut convenir, se disait-il, qu'elle a une bonté d'âme angélique, et l'on n'est pas plus jolie.

Il avait perdu presque tout à fait l'idée du rôle à jouer. Dans un moment d'abandon, il lui avoua même toutes ses inquiétudes. Cette confidence porta à son comble la passion qu'il inspirait. Je n'ai donc point eu de rivale heureuse, se disait Mme de Rênal avec délices ! Elle osa l'interroger sur le portrait auquel il mettait tant d'intérêt; Julien lui jura que c'était celui d'un homme.

Quand il restait à Mme de Rênal assez de sang-froid pour réfléchir, elle ne revenait pas de son étonnement qu'un tel bonheur existât, et que jamais elle ne s'en fût doutée.

Ah ! se disait-elle, si j'avais connu Julien il y a dix ans, quand je pouvais encore passer pour jolie !

Julien était fort éloigné de ces pensées. Son amour était

encore de l'ambition; c'était de la joie de posséder, lui pauvre être malheureux et si méprisé, une femme aussi noble et aussi belle. Ses actes d'adoration, ses transports à la vue des charmes de son amie, finirent par la rassurer un peu sur la différence d'âge. Si elle eût possédé un peu de ce savoir-vivre dont une femme de trente ans jouit depuis longtemps dans les pays [192] plus civilisés, elle eût frémi pour la durée d'un amour qui ne semblait vivre que de surprise et de ravissement d'amour-propre.

Dans ses moments d'oubli d'ambition, Julien admirait avec transport jusqu'aux chapeaux, jusqu'aux robes de Mme de Rênal. Il ne pouvait se rassasier du plaisir de sentir leur parfum. Il ouvrait son armoire de [192a] glace et restait des heures entières admirant la beauté et l'arrangement de tout ce qu'il y trouvait. Son amie, appuyée sur lui, le regardait; lui, regardait ces bijoux, ces chiffons qui, la veille d'un mariage, emplissent une corbeille de noce.

J'aurais pu épouser un tel homme ! pensait quelquefois Mme de Rênal; quelle âme de feu ! quelle vie ravissante avec lui !

Pour Julien, jamais il ne s'était trouvé aussi près de ces terribles instruments de l'artillerie féminine. Il est impossible, se disait-il, qu'à Paris on ait quelque chose de plus beau ! Alors il ne trouvait point d'objection à son bonheur. Souvent la sincère admiration et les transports de sa maîtresse lui faisaient oublier la vaine théorie qui l'avait rendu si compassé et presque si ridicule dans les premiers moments de cette liaison. Il y eut des moments où, malgré ses habitudes d'hypocrisie, il trouvait une douceur extrême à avouer à cette grande dame qui l'admirait, son ignorance d'une foule de petits usages. Le rang de sa maîtresse semblait l'élever au-dessus de lui-même. Mme de Rênal, de son côté, trouvait la plus douce des voluptés morales à instruire ainsi, dans une foule de petites choses, ce jeune homme rempli de génie, et qui était regardé par tout le monde comme devant un jour aller si loin. Même le sous-préfet et M. Valenod ne pouvaient s'empêcher de l'admirer; ils lui en semblaient moins sots. Quant à Mme Derville, elle était bien loin d'avoir à exprimer les mêmes sentiments. Désespérée de ce qu'elle croyait deviner, et voyant que les sages avis devenaient odieux à une femme qui, à la lettre, avait perdu la tête, elle quitta Vergy sans donner une explication qu'on se garda de lui demander. Mme de Rênal en versa quelques larmes, et bientôt il lui sembla que sa félicité redoublait. Par ce départ elle se trouvait presque toute la journée tête à tête avec son amant.

Julien se livrait d'autant plus à la douce société de son amie, que, toutes les fois qu'il était trop longtemps seul avec lui-même, la fatale proposition de Fouqué venait encore l'agiter. Dans les premiers jours de cette vie nouvelle, il y eut des moments où lui, qui n'avait jamais aimé, qui n'avait jamais été aimé de personne, trouvait un si délicieux plaisir à être sincère, qu'il était sur le point d'avouer à Mme de Rênal l'ambition qui jusqu'alors avait été l'essence même de son existence. Il eût voulu pouvoir la consulter sur l'étrange tentation que lui donnait la proposition de Fouqué, mais un petit événement empêcha toute franchise.

17. Le Premier Adjoint[193]

O, how this spring of love resembleth
The uncertain glory of an April day;
Which now shows all the beauty of the sun
And by and by a cloud takes all away!

TWO GENTLEMEN OF VERONA.[194]

Un soir au coucher du soleil, assis auprès de son amie, au fond du verger, loin des importuns, il rêvait profondément. Des moments si doux, pensait-il, dureront-ils toujours ? Son âme était tout occupée de la difficulté de prendre un état, il déplorait ce grand accès de malheur[195] qui termine l'enfance et gâte les premières années de la jeunesse peu riche.

— Ah ! s'écria-t-il, que Napoléon était bien l'homme envoyé de Dieu pour les jeunes Français ! qui le remplacera ? que feront sans lui les malheureux, même plus riches que moi, qui ont juste les quelques écus qu'il faut pour se procurer une bonne éducation, et pas assez d'argent pour acheter un homme[196] à vingt ans et se pousser dans une carrière ! Quoi qu'on fasse, ajouta-t-il avec un profond soupir, ce souvenir fatal nous empêchera à jamais d'être heureux !

Il vit tout à coup Mme de Rênal froncer le sourcil, elle prit un air froid et dédaigneux; cette façon de penser lui semblait convenir à un domestique. Elevée dans l'idée qu'elle était fort riche, il lui semblait chose convenue que Julien l'était aussi. Elle l'aimait mille fois plus que la vie et ne faisait aucun cas de l'argent.

Julien était loin de deviner ces idées. Ce froncement de sourcil le rappela sur la terre. Il eut assez de présence d'esprit pour arranger sa phrase et faire entendre à la noble dame, assise si près de lui sur le banc de verdure, que les mots qu'il venait de répéter, il les avait entendus pendant son voyage chez son ami le marchand de bois. C'était le raisonnement des impies.

— Eh bien ! ne vous mêlez plus à ces gens-là, dit Mme de Rênal, gardant encore un peu de cet air glacial qui, tout à coup, avait succédé à l'expression de la plus vive tendresse.

Ce froncement de sourcil, ou plutôt le remords de son imprudence, fut le premier échec porté à l'illusion qui entraînait Julien. Il se dit: Elle est bonne et douce, son goût pour moi est vif, mais elle a été élevée dans le camp ennemi. Ils doivent surtout avoir peur de cette classe d'hommes de cœur qui, après une bonne éducation, n'a pas assez d'argent pour entrer dans une carrière. Que deviendraient-ils ces nobles, s'il nous était donné de les combattre à armes égales ! Moi, par exemple, maire de Verrières, bien intentionné, honnête comme l'est au fond M. de Rênal ! comme j'enlèverais le vicaire, M. Valenod et toutes leurs friponneries ! comme la justice triompherait dans Verrières ! Ce ne sont pas leurs talents qui me feraient obstacle. Ils tâtonnent sans cesse.

Le bonheur de Julien fut, ce jour-là, sur le point de devenir durable. Il manqua à notre héros d'oser être sincère. Il fallait avoir le courage de livrer bataille, mais *sur-le-champ;* Mme de Rênal avait été étonnée du mot de Julien, parce que les hommes de sa société répétaient que le retour de Robespierre était surtout possible à cause de ces jeunes gens des basses classes, trop bien élevés. L'air froid de Mme de Rênal dura assez longtemps, et sembla marqué à Julien. C'est que la crainte de lui avoir dit indirectement une chose désagréable succéda à sa répugnance pour le mauvais propos. Ce malheur se réfléchit vivement dans ses traits si purs et si naïfs quand elle était heureuse et loin des ennuyeux.

Julien n'osa plus rêver avec abandon. Plus calme et moins amoureux, il trouva qu'il était imprudent d'aller voir Mme de Rênal dans sa chambre. Il valait mieux qu'elle vînt chez lui; si un domestique l'apercevait courant dans la maison, vingt prétextes différents pouvaient expliquer cette démarche.

Mais cet arrangement avait aussi ses inconvénients. Julien avait reçu de Fouqué des livres que lui, élève en théologie, n'eût jamais pu demander à un libraire. Il n'osait les ouvrir que de nuit. Souvent il eût été bien aise de n'être pas interrompu par une visite, dont l'attente, la veille encore de la petite scène du verger, l'eût mis hors d'état de lire.

Il devait à Mme de Rênal de comprendre les livres d'une façon toute nouvelle. Il avait osé lui faire des questions sur une foule de petites choses, dont l'ignorance arrête tout court l'intelligence d'un jeune homme né hors de la société, quelque génie naturel qu'on veuille lui supposer.

Cette éducation de l'amour, donnée par une femme extrêmement ignorante, fut un bonheur. Julien arriva directement à voir la société telle qu'elle est aujourd'hui. Son esprit ne fut point offusqué par le récit de ce qu'elle a été autrefois, il y a deux mille ans, ou seulement il y a soixante ans, du temps de Voltaire et de Louis XV. A son inexprimable joie, un voile tomba de devant ses yeux, il comprit enfin les choses qui se passaient à Verrières.

Sur le premier plan parurent des intrigues très compliquées ourdies, depuis deux ans, auprès du préfet de Besançon. Elles étaient appuyées par des lettres venues de Paris, et écrites par ce qu'il y a de plus illustre. Il s'agissait de faire de M. de Moirod, c'était l'homme le plus dévot du pays, le premier, et non pas le second adjoint du maire de Verrières.

Il avait pour concurrent un fabricant fort riche, qu'il fallait absolument refouler à la place de second adjoint.

Julien comprit enfin les demi-mots qu'il avait surpris, quand la haute société du pays venait dîner chez M. de Rênal. Cette société privilégiée était profondément occupée de ce choix du premier adjoint, dont le reste de la ville et surtout les libéraux ne soupçonnaient pas même la possibilité. Ce qui en faisait l'importance, c'est qu'ainsi que chacun sait, le côté oriental de la grande rue de Verrières doit reculer [197] de plus de neuf pieds, car cette rue est devenue route royale.

Or, si M. de Moirod, qui avait trois maisons dans le cas de reculer, parvenait à être premier adjoint, et par la suite maire dans le cas où M. de Rênal serait nommé député, il fermerait les yeux, et l'on pourrait faire, aux maisons qui avancent sur la voie publique, de petites réparations imperceptibles, au moyen desquelles elles dureraient cent ans. Malgré la haute piété et la probité reconnues de M. de Moirod, on était sûr qu'il *serait coulant,* car il avait beaucoup d'enfants.[198] Parmi les maisons qui devaient reculer, neuf appartenaient à tout ce qu'il y a de mieux dans Verrières.

Aux yeux de Julien, cette intrigue était bien plus importante que l'histoire de la bataille de Fontenoy,[199] dont il voyait le nom pour la première fois dans un des livres que Fouqué lui avait envoyés. Il y avait des choses qui étonnaient Julien depuis cinq ans qu'il avait commencé à aller les soirs chez le curé. Mais la discrétion et l'humilité d'esprit étant les premières qualités d'un élève en théologie, il lui avait toujours été impossible de faire des questions.

Un jour, Mme de Rênal donnait un ordre au valet de chambre de son mari, l'ennemi de Julien.

— Mais, Madame, c'est aujourd'hui le dernier vendredi du mois, répondit cet homme d'un air singulier.

— Allez, dit Mme de Rênal.

— Eh bien ! dit Julien, il va se rendre dans ce magasin à foin, église autrefois, et récemment rendu au culte ;[200] mais pourquoi faire ? voilà un de ces mystères que je n'ai jamais pu pénétrer.

— C'est une institution fort salutaire, mais bien singulière, répondit Mme de Rênal; les femmes n'y sont point admises: tout ce que j'en sais, c'est que tout le monde s'y tutoie. Par exemple, ce domestique va y trouver M. Valenod, et cet homme si fier et si sot ne sera point fâché de s'entendre tutoyer par Saint-Jean, et lui répondra sur le même ton. Si vous tenez à savoir ce qu'on y fait, je demanderai des détails à M. de Maugiron et à M. Valenod. Nous payons vingt francs par domestique afin qu'un jour ils ne nous égorgent pas.

Le temps volait. Le souvenir des charmes de sa maîtresse distrayait Julien de sa noire ambition. La nécessité de ne pas lui parler de choses tristes et raisonnables, puisqu'ils étaient de partis contraires, ajoutait, sans qu'il s'en doutât, au bonheur qu'il lui devait et à l'empire qu'elle acquérait sur lui.

Dans les moments où la présence d'enfants trop intelligents les réduisait à ne parler que le langage de la froide raison, c'était avec une docilité parfaite que Julien, la regardant avec des yeux étincelants d'amour, écoutait ses explications du monde comme il va. Souvent au milieu du récit de quelque friponnerie savante, à l'occasion d'un chemin ou d'une fourniture, l'esprit de Mme de Rênal s'égarait tout à coup jusqu'au délire, Julien avait besoin de la gronder, elle se permettait avec lui les mêmes gestes intimes qu'avec ses enfants. C'est qu'il y avait des jours où elle avait l'illusion de l'aimer comme son enfant. Sans cesse n'avait-elle pas à répondre à ses questions naïves sur mille choses simples qu'un enfant bien né n'ignore pas à quinze ans? Un instant après, elle l'admirait comme son maître. Son génie allait jusqu'à l'effrayer; elle croyait apercevoir plus nettement chaque jour le grand homme futur dans ce jeune abbé. Elle le voyait pape, elle le voyait premier ministre comme Richelieu.[201]

— Vivrai-je assez pour te voir dans ta gloire? disait-elle à Julien, la place est faite pour un grand homme; la monarchie, la religion en ont besoin.

18. *Un Roi à Verrières*

N'êtes-vous bons qu'à jeter là comme un cadavre de peuple, sans âme, et dont les veines n'ont plus de sang?

DISC. DE L'ÉVÊQUE,
à la chapelle de Saint-Clément.[202]

Le trois septembre, à dix heures du soir, un gendarme réveilla tout Verrières en montant la grande rue au galop; il apportait la nouvelle que Sa Majesté le roi de*** arrivait le dimanche suivant, et l'on était au mardi. Le préfet autorisait, c'est-à-dire demandait la formation d'une garde d'honneur; il fallait déployer toute la pompe possible. Une estafette fut expédiée à Vergy. M. de Rênal arriva dans la nuit, et trouva toute la ville en émoi. Chacun avait ses prétentions; les moins affairés louaient des balcons pour voir l'entrée du roi.

Qui commandera la garde d'honneur? M. de Rênal vit tout de suite combien il importait, dans l'intérêt des maisons sujettes à reculer, que M. de Moirod eût ce commandement. Cela pouvait faire titre[203] pour la place de premier adjoint. Il n'y avait rien à dire à la dévotion[204] de M. de Moirod, elle était au-dessus de toute comparaison, mais jamais il n'avait monté à cheval. C'était un homme de trente-six ans, timide de toutes les façons, et qui craignait également les chutes et le ridicule.

Le maire le fit appeler dès les cinq heures du matin.

— Vous voyez, Monsieur, que je réclame vos avis, comme si déjà vous occupiez le poste auquel tous les honnêtes gens vous portent.[204a] Dans cette malheureuse ville les manufactures prospèrent, le parti libéral devient millionnaire, il aspire au pouvoir, il saura se faire des armes de tout. Consultons l'intérêt du roi, celui de la monarchie, et avant tout l'intérêt de notre sainte religion. A qui pensez-vous, Monsieur, que l'on puisse confier le commandement de la garde d'honneur ?

Malgré la peur horrible que lui faisait le cheval, M. de Moirod finit par accepter cet honneur comme un martyre. « Je saurai prendre un ton convenable », dit-il au maire. A peine restait-il le temps de faire arranger les uniformes qui sept ans auparavant avaient servi lors du passage d'un prince du sang.

A sept heures, Mme de Rênal arriva de Vergy avec Julien et les enfants. Elle trouva son salon rempli de dames libérales qui prêchaient l'union des partis,[205] et venaient la supplier d'engager son mari à accorder une place aux leurs dans la garde d'honneur. L'une d'elles prétendait que si son mari n'était pas élu, de chagrin il ferait banqueroute. Mme de Rênal renvoya bien vite tout ce monde. Elle paraissait fort occupée.

Julien fut étonné et encore plus fâché qu'elle lui fît un mystère de ce qui l'agitait. Je l'avais prévu, se disait-il avec amertume, son amour s'éclipse devant le bonheur de recevoir un roi dans sa maison. Tout ce tapage l'éblouit. Elle m'aimera de nouveau quand les idées de sa caste ne lui troubleront plus la cervelle.

Chose étonnante, il l'en aima davantage.

Les tapissiers[206] commençaient à remplir la maison, il épia longtemps en vain l'occasion de lui dire un mot. Enfin il la trouva qui sortait de sa chambre à lui, Julien, emportant un de ses habits. Ils étaient seuls. Il voulut lui parler. Elle s'enfuit en refusant de l'écouter. — Je suis bien sot d'aimer une telle femme, l'ambition la rend aussi folle que son mari.

Elle l'était davantage, un de ses grands désirs, qu'elle n'avait jamais avoué à Julien de peur de le choquer, était de le voir quitter, ne fût-ce que pour un jour, son triste habit noir. Avec une adresse vraiment admirable chez une femme si naturelle, elle obtint d'abord de M. de Moirod, et ensuite de M. le sous-préfet de Maugiron, que Julien serait nommé garde d'honneur de préférence à cinq ou six jeunes gens, fils de fabricants fort aisés, et dont deux au moins étaient d'une exemplaire piété. M. Valenod, qui comptait prêter sa calèche aux plus jolies femmes de la ville et faire admirer ses beaux normands, consentit à donner un de ses chevaux à Julien, l'être qu'il haïssait le plus. Mais tous les gardes d'honneur avaient à eux ou d'emprunt quelqu'un de ces beaux habits bleu de ciel avec deux épaulettes de colonel en argent, qui avaient brillé sept ans auparavant. Mme de Rênal voulait un habit neuf, et il ne lui restait que quatre jours pour envoyer à Besançon, et en faire revenir l'habit d'uniforme, les armes, le chapeau, etc., tout ce qui fait un garde d'honneur. Ce qu'il y a de plaisant, c'est qu'elle trouvait imprudent de faire faire l'habit de Julien à Verrières. Elle voulait le surprendre, lui et la ville.

Le travail des gardes d'honneur et de l'esprit public terminé, le maire eut à s'occuper d'une grande cérémonie religieuse, le roi de*** ne voulait pas passer à Verrières sans visiter la fameuse relique de saint Clément que l'on conserve à Bray-le-Haut, à une petite [207] lieue de la ville. On désirait un clergé nombreux, ce fut l'affaire la plus difficile à arranger; M. Maslon, le nouveau curé, voulait à tout prix éviter la présence de M. Chélan. En vain, M. de Rênal lui représentait qu'il y aurait imprudence. M. le marquis de La Mole, dont les ancêtres ont été si longtemps gouverneurs de la province,[208] avait été désigné pour accompagner le roi de***. Il connaissait depuis trente ans l'abbé Chélan. Il demanderait certainement de ses nouvelles en arrivant à Verrières, et s'il le trouvait disgracié, il était homme à aller le chercher dans la petite maison où il s'était retiré, accompagné de tout le cortège dont il pourrait disposer. Quel soufflet ! [209]

— Je suis déshonoré ici et à Besançon, répondait l'abbé Maslon, s'il paraît dans mon clergé. Un janséniste,[210] grand Dieu !

— Quoi que vous en puissiez dire, mon cher abbé, répliquait M. de Rênal, je n'exposerai pas l'administration de Verrières à recevoir un affront de M. de La Mole. Vous ne le connaissez pas, il pense bien [211] à la cour; mais ici, en province, c'est un mauvais plaisant satirique, moqueur, ne cherchant qu'à embarrasser les gens. Il est capable, uniquement pour s'amuser, de nous couvrir de ridicule aux yeux des libéraux.

Ce ne fut que dans la nuit du samedi au dimanche, après trois jours de pourparlers, que l'orgueil de l'abbé Maslon plia devant la peur du maire qui se changeait en courage. Il fallut écrire une lettre mielleuse à l'abbé Chélan, pour le prier d'assister à la cérémonie de la relique de Bray-le-Haut, si toutefois son grand âge et ses infirmités le lui permettaient. M. Chélan demanda et obtint une lettre d'invitation pour Julien qui devait l'accompagner en qualité de sous-diacre.

Dès le matin du dimanche, des milliers de paysans arrivant des montagnes voisines, inondèrent les rues de Verrières. Il faisait le plus beau soleil. Enfin, vers les trois heures, toute cette foule fut agitée, on apercevait un grand feu sur un rocher à deux lieues de Verrières. Ce signal annonçait que le roi venait d'entrer sur le territoire du département. Aussitôt le son de toutes les cloches et les décharges répétées d'un vieux canon espagnol appartenant à la ville marquèrent sa joie de ce grand événement. La moitié de la population monta sur les toits. Toutes les femmes étaient aux balcons. La garde d'honneur se mit en mouvement. On admirait les brillants uniformes, chacun reconnaissait un parent, un ami. On se moquait de la peur de M. de Moirod, dont à chaque instant la main prudente était prête à saisir l'arçon de sa selle. Mais une remarque fit oublier toutes les autres: le premier cavalier de la neuvième file était un fort joli garçon, très mince, que d'abord on ne reconnut pas. Bientôt un cri d'indignation chez les uns, chez d'autres le silence de l'étonnement annoncèrent une sensation générale. On reconnaissait dans ce jeune homme, montant un des chevaux normands de M. Valenod, le petit Sorel, fils du charpentier. Il n'y eut qu'un cri contre le maire, surtout parmi les libéraux. Quoi, parce que ce petit ouvrier déguisé en abbé était précepteur de ses marmots, il avait l'audace de le nommer garde d'honneur, au préjudice de MM. tels et tels, riches fabricants ! Ces messieurs, disait une dame banquière,[212] devraient bien faire une avanie à ce petit insolent, né dans la crotte. — Il est sournois et porte un sabre, répondait le voisin, il serait assez traître pour leur couper la figure.

Les propos de la société noble étaient plus dangereux. Les dames se demandaient si c'était du maire tout seul que provenait cette haute inconvenance. En général, on rendait justice à son mépris pour le défaut de naissance.

Pendant qu'il était l'occasion de tant de propos, Julien était le plus heureux des hommes. Naturellement hardi, il se tenait mieux à cheval que la plupart des jeunes gens de cette ville de montagnes. Il voyait dans les yeux des femmes qu'il était question de lui.

Ses épaulettes étaient plus brillantes, parce qu'elles étaient neuves. Son cheval se cabrait à chaque instant, il était au comble de la joie.

Son bonheur n'eut plus de bornes, lorsque, passant près du vieux rempart, le bruit de la petite pièce de canon fit sauter son cheval hors du rang. Par un grand hasard, il ne tomba pas, de ce moment il se sentit un héros. Il était officier d'ordonnance de Napoléon et chargeait une batterie.

Une personne était plus heureuse que lui. D'abord elle l'avait vu passer d'une des croisées de l'hôtel de ville; montant ensuite en calèche, et faisant rapidement un grand détour, elle arriva à temps pour frémir quand son cheval l'emporta hors du rang. Enfin, sa calèche sortant au grand galop, par une autre porte de la ville, elle parvint à rejoindre la route par où le roi devait passer, et put suivre la garde d'honneur à vingt pas de distance, au milieu d'une noble poussière.[213] Dix mille paysans crièrent: Vive le roi ! quand le maire eut l'honneur de haranguer Sa Majesté. Une heure après, lorsque, tous les discours écoutés, le roi allait entrer dans la ville, la petite pièce de canon se remit à tirer à coups précipités. Mais un accident s'ensuivit, non pour les canonniers qui avaient fait leurs preuves à Leipsick et à Montmirail,[214] mais pour le futur premier adjoint, M. de Moirod. Son cheval le déposa mollement dans l'unique bourbier qui fût sur la grande route, ce qui fit esclandre, parce qu'il fallut le tirer de là pour que la voiture du roi pût passer.

Sa Majesté descendit à la belle église neuve qui ce jour-là était parée de tous ses rideaux cramoisis. Le roi devait dîner, et aussitôt après remonter en voiture pour aller vénérer la célèbre relique de saint Clément. A peine le roi fut-il à l'église, que Julien galopa vers la maison de M. de Rênal. Là, il quitta en soupirant son bel habit bleu de ciel, son sabre, ses épaulettes, pour reprendre le petit habit noir râpé. Il remonta à cheval, et en quelques instants fut à Bray-le-Haut qui occupe le sommet d'une fort belle colline. L'enthousiasme multiplie ces paysans, pensa Julien. On ne peut se remuer à Verrières, et en voici plus de dix mille autour de cette antique abbaye. A moitié ruinée par le vandalisme révolutionnaire, elle avait été magnifiquement rétablie depuis la Restauration, et l'on commençait à parler de miracles. Julien rejoignit l'abbé Chélan qui le gronda fort, et lui remit une soutane et un surplis. Il s'habilla rapidement et suivit M. Chélan qui se rendait auprès du jeune évêque d'Agde.[215] C'était un neveu de M. de La Mole, récemment nommé, et qui avait été chargé de montrer la relique au roi. Mais l'on ne put trouver cet évêque.

Le clergé s'impatientait. Il attendait son chef dans le cloître sombre et gothique de l'ancienne abbaye. On avait réuni vingt-quatre curés pour figurer l'ancien chapitre de Bray-le-Haut, composé avant 1789 de vingt-quatre chanoines. Après avoir déploré pendant trois quarts d'heure la jeunesse de l'évêque, les curés pensèrent qu'il était convenable que M. le Doyen se retirât vers Monseigneur pour l'avertir que le roi allait arriver, et qu'il était instant de se rendre au chœur. Le grand âge de M. Chélan l'avait fait doyen; malgré l'humeur qu'il témoignait à Julien, il lui fit signe de le suivre. Julien portait fort bien son surplis. Au moyen de je ne sais quel procédé de toilette ecclésiastique, il avait rendu ses beaux cheveux bouclés très plats; mais, par un oubli qui redoubla la colère de M. Chélan, sous les longs plis de sa soutane on pouvait apercevoir les éperons du garde d'honneur.

Arrivés à l'appartement de l'évêque, de grands laquais bien chamarrés daignèrent à peine répondre au vieux curé que Monseigneur n'était pas visible. On se moqua de lui quand il voulut expliquer qu'en sa qualité de doyen du chapitre noble [216] de Bray-le-Haut, il avait le privilège d'être admis en tout temps auprès de l'évêque officiant.

L'humeur hautaine de Julien fut choquée de l'insolence des laquais. Il se mit à parcourir les dortoirs de l'antique abbaye, secouant toutes les portes qu'il rencontrait. Une fort petite céda à ses efforts, et il se trouva dans une cellule au milieu des valets de chambre de Monseigneur, en habits noirs et la chaîne au cou. A son air pressé ces messieurs le crurent mandé par l'évêque et le laissèrent passer. Il fit quelques pas et se trouva dans une immense salle gothique extrêmement sombre, et toute lambrissée de chêne noir; à l'exception d'une seule, les fenêtres en ogive avaient été murées avec des briques. La grossièreté de cette maçonnerie n'était déguisée par rien et faisait un triste contraste avec l'antique magnificence de la boiserie. Les deux grands côtés de cette salle célèbre parmi les antiquaires bourguignons, et que le duc Charles le Téméraire avait fait bâtir vers 1470 en expiation de quelque péché, étaient garnis de stalles de bois richement sculptées. On y voyait, figurés en bois de différentes couleurs, tous les mystères de l'Apocalypse.

Cette magnificence mélancolique, dégradée par la vue des briques nues et du plâtre encore tout blanc, toucha Julien. Il s'arrêta en silence. A l'autre extrémité de la salle, près de l'unique fenêtre par laquelle le jour pénétrait, il vit un miroir mobile en acajou. Un jeune homme, en robe violette et en surplis de dentelle, mais la tête nue, était arrêté à trois pas de la glace. Ce meuble semblait étrange en un tel lieu, et, sans doute, y avait été apporté de la ville. Julien trouva que le jeune homme avait l'air irrité; de la main droite il donnait gravement des bénédictions du côté du miroir.

Que peut signifier ceci ? pensa-t-il. Est-ce une cérémonie préparatoire qu'accomplit ce jeune prêtre ? C'est peut-être le secrétaire de l'évêque... il sera insolent comme les laquais... ma foi, n'importe, essayons.

Il avança et parcourut assez lentement la longueur de la salle, toujours la vue fixée vers l'unique fenêtre et regardant ce jeune homme qui continuait à donner des bénédictions exécutées lentement mais en nombre infini, et sans se reposer un instant.

A mesure qu'il approchait, il distinguait mieux son air fâché. La richesse du surplis garni de dentelle arrêta involontairement Julien à quelques pas du magnifique miroir.

Il est de mon devoir de parler, se dit-il enfin; mais la beauté de la salle l'avait ému, et il était froissé d'avance des mots durs qu'on allait lui adresser.

Le jeune homme le vit dans la psyché, se retourna, et quittant subitement l'air fâché, lui dit du ton le plus doux:

— Eh bien ! Monsieur, est-elle enfin arrangée ?

Julien resta stupéfait. Comme ce jeune homme se tournait vers lui, Julien vit la croix pectorale sur sa poitrine: c'était l'évêque d'Agde. Si jeune, pensa Julien; tout au plus six ou huit ans de plus que moi !...

Et il eut honte de ses éperons.

— Monseigneur, répondit-il timidement, je suis envoyé par le doyen du chapitre, M. Chélan.

— Ah ! il m'est fort recommandé, dit l'évêque d'un ton poli qui redoubla l'enchantement de Julien. Mais je vous demande pardon, Monsieur, je vous prenais pour la personne qui doit me rapporter ma mitre. On l'a mal emballée à Paris; la toile d'argent est horriblement gâtée dans le haut. Cela fera le plus vilain effet, ajouta le jeune évêque d'un air triste, et encore on me fait attendre !

— Monseigneur, je vais chercher la mitre, si Votre Grandeur le permet.

Les beaux yeux de Julien firent leur effet.

— Allez, Monsieur, répondit l'évêque avec une politesse charmante; il me la faut sur-le-champ. Je suis désolé de faire attendre Messieurs du chapitre.

Quand Julien fut arrivé au milieu de la salle, il se retourna vers l'évêque et le vit qui s'était remis à donner des bénédictions. Qu'est-ce que cela peut être ? se demanda Julien, sans doute c'est une préparation ecclésiastique nécessaire à la cérémonie qui va avoir lieu. Comme il arrivait dans la cellule où se tenaient les valets de chambre, il vit la mitre entre leurs mains. Ces messieurs, cédant malgré eux au regard impérieux de Julien, lui remirent la mitre de Monseigneur.

Il se sentit fier de la porter: en traversant la salle, il marchait lentement; il la tenait avec respect. Il trouva l'évêque assis devant la glace; mais, de temps à autre, sa main droite, quoique fatiguée, donnait encore la bénédiction. Julien l'aida à placer sa mitre. L'évêque secoua la tête.

— Ah ! elle tiendra, dit-il à Julien d'un air content. Voulez-vous vous éloigner un peu ?

Alors l'évêque alla fort vite au milieu de la pièce, puis se rapprochant du miroir à pas lents, il reprit l'air fâché, et donnait gravement des bénédictions.

Julien était immobile d'étonnement; il était tenté de comprendre, mais n'osait pas. L'évêque s'arrêta, et le regardant avec un air qui perdait rapidement de [216a] sa gravité:

— Que dites-vous de ma mitre, Monsieur, va-t-elle bien ?

— Fort bien, Monseigneur.

— Elle n'est pas trop en arrière ? cela aurait l'air un peu niais; mais il ne faut pas non plus la porter baissée sur les yeux comme un shako d'officier.

— Elle me semble aller fort bien.

— Le roi de*** est accoutumé à un clergé vénérable et sans doute fort grave. Je ne voudrais pas, à cause de mon âge surtout, avoir l'air trop léger.

Et l'évêque se mit de nouveau à marcher en donnant des bénédictions.

C'est clair, dit Julien, osant enfin comprendre, il s'exerce à donner la bénédiction.

Après quelques instants:

— Je suis prêt, dit l'évêque. Allez, Monsieur, avertir M. le doyen et Messieurs du chapitre.

Bientôt M. Chélan, suivi des deux curés les plus âgés, entra par une fort grande porte magnifiquement sculptée, et que Julien n'avait pas aperçue. Mais cette fois il resta à son rang, le dernier de tous, et ne put voir l'évêque que par-dessus les épaules des ecclésiastiques qui se pressaient en foule à cette porte.

L'évêque traversait lentement la salle; lorsqu'il fut arrivé sur le seuil les curés se formèrent en procession. Après un petit moment de désordre, la procession commença à marcher en entonnant un psaume. L'évêque s'avançait le dernier entre M. Chélan et un autre curé fort vieux. Julien se glissa tout à fait près de Monseigneur, comme attaché à l'abbé Chélan. On suivit les longs corridors de l'abbaye de Bray-le-Haut; malgré le soleil éclatant, ils étaient sombres et humides. On arriva enfin au portique du cloître. Julien était stupéfait d'admiration pour une si belle cérémonie. L'ambition réveillée par le jeune âge de l'évêque, la sensibilité et la politesse exquise de ce prélat se disputaient son cœur. Cette politesse était bien autre chose que celle de M. de Rênal, même dans ses bons jours. Plus on s'élève vers le premier rang de la société, se dit Julien, plus on trouve de ces manières charmantes.

On entrait dans l'église par une porte latérale; tout à coup un bruit épouvantable fit retentir ses voûtes antiques; Julien crut qu'elles s'écroulaient. C'était encore la petite pièce de canon; traînée par huit chevaux au galop, elle venait d'arriver; et à peine arrivée, mise en batterie par les canonniers de Leipsick, elle tirait cinq coups par minute, comme si les Prussiens eussent été devant elle.

Mais ce bruit admirable ne fit plus d'effet sur Julien, il ne songeait plus à Napoléon et à la gloire militaire. Si jeune, pensait-il, être évêque d'Agde ! mais où est Agde ? et combien cela rapporte-t-il ? deux ou trois cent mille francs peut-être.

Les laquais de Monseigneur parurent avec un dais magnifique, M. Chélan prit l'un des bâtons, mais dans le fait ce fut Julien qui le porta. L'évêque se plaça dessous. Réellement, il était parvenu à se donner l'air vieux; l'admiration de notre héros n'eut plus de bornes. Que ne fait-on pas avec de l'adresse ! pensa-t-il.

Le roi entra. Julien eut le bonheur de le voir de très près. L'évêque le harangua avec onction, et sans oublier une petite nuance de trouble [217] fort poli pour Sa Majesté.

Nous ne répéterons point la description des cérémonies de Bray-le-Haut; pendant quinze jours elles ont rempli les colonnes de tous les journaux du département. Julien apprit, par le discours de l'évêque, que le roi descendait de Charles le Téméraire.

Plus tard il entra dans les fonctions de Julien de vérifier les comptes de ce qu'avait coûté cette cérémonie. M. de La Mole, qui avait fait avoir un évêché à son neveu, avait voulu lui faire la galanterie de se charger de tous les frais. La seule cérémonie de Bray-le-Haut coûta trois mille huit cents francs.

Après le discours de l'évêque et la réponse du roi, Sa Majesté se plaça sous le dais, ensuite elle s'agenouilla fort dévotement sur un coussin près de l'autel. Le chœur était environné de stalles, et les stalles élevées de deux marches sur le pavé. C'était sur la dernière de ces marches que Julien était assis aux pieds de M. Chélan, à peu près comme un caudataire [217a] près de son cardinal, à la chapelle Sixtine, à Rome. Il y eut un *Te Deum,* des flots d'encens, des décharges infinies de mousqueterie et d'artillerie; les paysans étaient ivres de bonheur et de piété. Une telle journée défait l'ouvrage de cent numéros des journaux jacobins.

Julien était à six pas du roi, qui réellement priait avec abandon. Il remarqua, pour la première fois, un petit homme au regard spirituel [218] et qui portait un habit presque sans broderies. Mais il avait un cordon bleu [219] de ciel par-dessus cet habit fort simple. Il était plus près du roi que beaucoup d'autres seigneurs, dont les habits étaient tellement brodés d'or, que, suivant l'expression de Julien, on ne voyait pas le drap. Il apprit quelques moments après que c'était M. de La Mole. Il lui trouva l'air hautain et même insolent.

Ce marquis ne serait pas poli comme mon joli évêque, pensa-t-il. Ah ! l'état ecclésiastique rend doux et sage. Mais le roi est venu pour vénérer la relique, et je ne vois point de relique. Où sera saint Clément ?

Un petit clerc, son voisin, lui apprit que la vénérable relique était dans le haut de l'édifice dans une *chapelle ardente*.[220]

Qu'est-ce qu'une chapelle ardente ? se dit Julien.

Mais il ne voulut pas demander l'explication de ce mot. Son attention redoubla.

En cas de visite d'un prince souverain, l'étiquette veut que les chanoines n'accompagnent pas l'évêque. Mais en se mettant en marche pour la chapelle ardente, Monseigneur d'Agde appela l'abbé Chélan; Julien osa le suivre.

Après avoir monté un long escalier, on parvint à une porte extrêmement petite, mais dont le chambranle gothique était doré avec magnificence. Cet ouvrage avait l'air fait de la veille.

Devant la porte étaient réunies à genoux vingt-quatre jeunes filles, appartenant aux familles les plus distinguées de Verrières. Avant d'ouvrir la porte, l'évêque se mit à genoux au milieu de ces jeunes filles toutes jolies. Pendant qu'il priait à haute voix, elles semblaient ne pouvoir assez admirer ses belles dentelles, sa bonne grâce, sa figure si jeune et si douce. Ce spectacle fit perdre à notre héros ce qui lui restait de raison. En cet instant il se fût battu pour l'inquisition, et de bonne foi. La porte s'ouvrit tout à coup.

La petite chapelle parut comme embrasée de lumière. On apercevait sur l'autel plus de mille cierges divisés en huit rangs séparés entre eux par des bouquets de fleurs. L'odeur suave de l'encens le plus pur sortait en tourbillon de la porte du sanctuaire. La chapelle dorée à neuf était fort petite, mais très élevée. Julien remarqua qu'il y avait sur l'autel des cierges qui avaient plus de quinze pieds de haut. Les jeunes filles ne purent retenir un cri d'admiration. On n'avait admis dans le petit vestibule de la chapelle que les vingt-quatre jeunes filles, les deux curés et Julien.

Bientôt le roi arriva, suivi du seul M. de La Mole et de son grand chambellan. Les gardes eux-mêmes restèrent en dehors, à genoux, et présentant les armes.

Sa Majesté se précipita plutôt qu'elle ne se jeta sur le prie-Dieu. Ce fut alors seulement que Julien, collé contre la porte dorée, aperçut, par-dessous le bras nu d'une jeune fille, la charmante statue de saint Clément. Il était caché sous l'autel, en costume de jeune soldat romain. Il avait au cou une large blessure d'où le sang semblait couler, l'artiste s'était surpassé; ses yeux mourants, mais pleins de grâce, étaient à demi fermés. Une moustache naissante ornait cette bouche charmante, qui à demi fermée avait encore l'air de prier. A cette vue, la jeune fille voisine de Julien pleura à chaudes larmes, une de ses larmes tomba sur la main de Julien.

Après un instant de prières dans le plus profond silence, troublé seulement par le son lointain des cloches de tous les villages à dix lieues à la ronde, l'évêque d'Agde demanda au roi la permission de parler. Il finit un petit discours fort touchant par des paroles simples, mais dont l'effet n'en était que mieux assuré.

— N'oubliez jamais, jeunes chrétiennes, que vous avez vu l'un des plus grands rois de la terre à genoux devant les serviteurs de ce Dieu tout-puissant et terrible. Ces serviteurs faibles, persécutés, assassinés sur la terre, comme vous le voyez par la blessure encore sanglante de saint Clément, ils triomphent au ciel. N'est-ce pas, jeunes chrétiennes, vous vous souviendrez à jamais de ce jour? vous détesterez l'impie. A jamais vous serez fidèles à ce Dieu si grand, si terrible, mais si bon.

A ces mots, l'évêque se leva avec autorité.

— Vous me le promettez ? dit-il, en avançant le bras d'un air inspiré.

— Nous le promettons, dirent les jeunes filles, en fondant en larmes.

— Je reçois votre promesse au nom du Dieu terrible ! ajouta l'évêque d'une voix tonnante. Et la cérémonie fut terminée.

Le roi lui-même pleurait. Ce ne fut que longtemps après que Julien eut assez de sang-froid pour demander où étaient les os du saint envoyés de Rome à Philippe le Bon,[221] duc de Bourgogne. On lui apprit qu'ils étaient cachés dans la charmante figure de cire.

Sa Majesté daigna permettre aux demoiselles qui l'avaient accompagnée dans la chapelle de porter un ruban rouge sur lequel étaient brodés ces mots: HAINE A L'IMPIE, ADORATION PERPÉTUELLE.

M. de La Mole fit distribuer aux paysans dix mille bouteilles de vin. Le soir, à Verrières, les libéraux trouvèrent une raison pour illuminer cent fois mieux que les royalistes. Avant de partir, le roi fit une visite à M. de Moirod.[222]

19. *Penser fait souffrir*

Le grotesque des événements de tous les jours vous cache le vrai malheur des passions.

BARNAVE.

En replaçant les meubles ordinaires dans la chambre qu'avait occupée M. de La Mole, Julien trouva une feuille de papier très fort, pliée en quatre. Il lut au bas de la première page:

A S. E. M.[223] le marquis de La Mole, pair de France, chevalier des ordres du roi,[224] etc., etc.

C'était une pétition en grosse écriture de cuisinière.

« Monsieur le Marquis,

« J'ai eu toute ma vie des principes religieux. J'étais, dans Lyon, exposé aux bombes, lors du siège, en 93,[225] d'exécrable mémoire. Je communie; je vais tous les dimanches à la messe en l'église paroissiale. Je n'ai jamais manqué au devoir pascal,[226] même en 93, d'exécrable mémoire. Ma cuisinière, avant la révolution j'avais des gens, ma cuisinière fait maigre[227] le vendredi. Je jouis dans Verrières d'une considération générale, et j'ose dire méritée. Je marche sous le dais dans les processions, à côté de M. le curé et de M. le maire. Je porte, dans les grandes occasions, un gros cierge acheté à mes frais. De tout quoi les certificats sont à Paris au ministère des finances. Je demande à M. le marquis le bureau de loterie[228] de Verrières, qui ne peut manquer d'être bientôt vacant d'une manière ou d'autre, le titulaire étant fort malade, et d'ailleurs votant mal aux élections, etc.

« DE CHOLIN. »

En marge de cette pétition était une apostille signée *De Moirod,* et qui commençait par cette ligne:

« J'ai eu l'honneur de parler *yert*[229] du bon sujet qui fait cette demande », etc.

Ainsi, même cet imbécile de Cholin me montre le chemin qu'il faut suivre, se dit Julien.

Huit jours après le passage du roi de*** à Verrières, ce qui surnageait des innombrables mensonges, sottes interprétations, discussions ridicules, etc., etc., dont avaient été l'objet, successivement, le roi, l'évêque d'Agde, le marquis de La Mole, les dix mille bouteilles de vin, le pauvre tombé de Moirod qui, dans l'espoir d'une croix, ne sortit de chez lui qu'un mois après sa chute, ce fut l'indécence extrême d'avoir *bombardé* dans[230] la garde d'honneur Julien Sorel, fils d'un charpentier. Il fallait entendre, à ce sujet, les riches fabricants de toiles peintes, qui, soir et matin, s'enrouaient au café à prêcher l'égalité. Cette femme hautaine, Mme de Rênal, était l'auteur de cette abomination. La raison? les beaux yeux et les joues si fraîches du petit abbé Sorel la disaient de reste.

Peu après le retour à Vergy, Stanislas-Xavier, le plus jeune des enfants, prit la fièvre; tout à coup Mme de Rênal tomba dans des remords affreux. Pour la première fois elle se reprocha son amour d'une façon suivie; elle sembla comprendre, comme par miracle, dans quelle faute énorme elle s'était laissé entraîner. Quoique d'un caractère profondément religieux, jusqu'à ce moment, elle n'avait pas songé à la grandeur de son crime aux yeux de Dieu.

Jadis, au couvent du Sacré-Cœur, elle avait aimé Dieu avec passion; elle le craignit de même en cette circonstance. Les combats qui déchiraient son âme étaient d'autant plus affreux qu'il n'y avait rien de raisonnable dans sa peur. Julien éprouva que le moindre raisonnement l'irritait, loin de la calmer; elle y voyait le langage de l'enfer. Cependant, comme Julien aimait beaucoup lui-même le petit Stanislas, il était mieux venu à[231] lui parler de sa maladie: elle prit bientôt un caractère grave. Alors le remords continu ôta à Mme de Rênal jusqu'à la faculté de dormir; elle ne sortait point d'un silence farouche: si elle eût ouvert la bouche, c'eût été pour avouer son crime à Dieu et aux hommes.

— Je vous en conjure, lui disait Julien, dès qu'ils se trouvaient seuls, ne parlez à personne; que je sois le seul confident de vos peines. Si vous m'aimez encore, ne parlez pas: vos paroles ne peuvent ôter la fièvre à notre Stanislas.

Mais ses consolations ne produisaient aucun effet; il ne savait pas que Mme de Rênal s'était mis dans la tête que, pour apaiser la colère du Dieu jaloux, il fallait haïr Julien ou voir mourir son fils. C'était parce qu'elle sentait qu'elle ne pouvait haïr son amant qu'elle était si malheureuse.

— Fuyez-moi, dit-elle un jour à Julien; au nom de Dieu, quittez cette maison: c'est votre présence ici qui tue mon fils.

Dieu me punit, ajouta-t-elle à voix basse, il est juste; j'adore son équité; mon crime est affreux, et je vivais sans remords ! C'était le premier signe de l'abandon de [231a] Dieu: je dois être punie doublement.

Julien fut profondément touché. Il ne pouvait voir là ni hypocrisie, ni exagération. Elle croit tuer son fils en m'aimant, et cependant la malheureuse m'aime plus que son fils. Voilà, je n'en puis douter, le remords qui la tue; voilà de la grandeur dans les sentiments. Mais comment ai-je pu inspirer un tel amour, moi, si pauvre, si mal élevé, si ignorant, quelquefois si grossier dans mes façons ?

Une nuit, l'enfant fut au plus mal. Vers les deux heures du matin, M. de Rênal vint le voir. L'enfant, dévoré par la fièvre, était fort rouge et ne put reconnaître son père. Tout à coup Mme de Rênal se jeta aux pieds de son mari: Julien vit qu'elle allait tout dire et se perdre à jamais.

Par bonheur, ce mouvement singulier importuna M. de Rênal.

— Adieu ! adieu ! dit-il en s'en allant.

— Non, écoute-moi, s'écria sa femme à genoux devant lui, et cherchant à le retenir. Apprends toute la vérité. C'est moi qui tue mon fils. Je lui ai donné la vie et je la lui reprends. Le ciel me punit, aux yeux de Dieu, je suis coupable de meurtre. Il faut que je me perde et m'humilie moi-même; peut-être ce sacrifice apaisera le Seigneur.

Si M. de Rênal eût été un homme d'imagination, il savait [231b] tout.

— Idées romanesques, s'écria-t-il, en éloignant sa femme qui cherchait à embrasser ses genoux. Idées romanesques que[231c] tout cela ! Julien, faites appeler le médecin à la pointe du jour.

Et il retourna se coucher. Mme de Rênal tomba à genoux, à demi évanouie, en repoussant avec un mouvement convulsif Julien qui voulait la secourir.

Julien resta étonné.

Voilà donc l'adultère ! se dit-il ... Serait-il possible que ces prêtres si fourbes ... eussent raison ? Eux qui commettent tant de péchés auraient le privilège de connaître la vraie théorie du péché ? Quelle bizarrerie !...

Depuis vingt minutes que M. de Rênal s'était retiré, Julien voyait la femme qu'il aimait, la tête appuyée sur le petit lit de l'enfant, immobile et presque sans connaissance. Voilà une femme d'un génie supérieur réduite au comble du malheur, parce qu'elle m'a connu, se dit-il.

Les heures avancent rapidement. Que puis-je[231d] pour elle ? Il faut se décider. Il ne s'agit plus de moi ici. Que m'importent les hommes et leurs plates simagrées ? Que puis-je pour elle ?... la quitter ? Mais je la laisse seule en proie à la plus affreuse douleur. Cet automate de mari lui nuit plus qu'il ne lui sert. Il lui dira quelque mot dur, à force d'être grossier; elle peut devenir folle, se jeter par la fenêtre.

Si je la laisse, si je cesse de veiller sur elle, elle lui avouera tout. Et que sait-on, peut-être, malgré l'héritage qu'elle doit lui apporter, il fera un esclandre. Elle peut tout dire, grand Dieu ! à ce c...[232] d'abbé Maslon, qui prend prétexte de la maladie d'un enfant de six ans pour ne plus bouger de cette maison, et non sans dessein. Dans sa douleur et sa crainte de Dieu, elle oublie tout ce qu'elle sait de l'homme; elle ne voit que le prêtre.

— Va-t'en, lui dit tout à coup Mme de Rênal en ouvrant les yeux.

— Je donnerais mille fois ma vie pour savoir ce qui peut t'être le plus utile, répondit Julien: jamais je ne t'ai tant aimée, mon cher ange, ou plutôt, de cet instant seulement, je commence à t'adorer comme tu mérites de l'être. Que deviendrai-je loin de toi, et avec la conscience que tu es malheureuse par moi ! Mais qu'il ne soit pas question de mes souffrances. Je partirai, oui, mon amour. Mais, si je te quitte, si je cesse de veiller sur toi, de me trouver sans cesse entre toi et ton mari, tu lui dis tout, tu te perds. Songe que c'est avec ignominie qu'il te chassera de sa maison; tout Verrières, tout Besançon parleront de ce scandale. On te donnera tous les torts; jamais tu ne te relèveras de cette honte ...

— C'est ce que je demande, s'écria-t-elle, en se levant debout. Je souffrirai, tant mieux.

— Mais, par ce scandale abominable, tu feras aussi son malheur à lui !

— Mais je m'humilie moi-même, je me jette dans la fange; et, par là peut-être, je sauve mon fils. Cette humiliation, aux yeux de tous, c'est peut-être une pénitence publique ? Autant que ma faiblesse peut en juger, n'est-ce pas le plus grand sacrifice que je puisse faire à Dieu ?... Peut-être daignera-t-il prendre mon humiliation et me laisser mon fils ! Indique-moi un autre sacrifice plus pénible, et j'y cours.

— Laisse-moi me punir. Moi aussi, je suis coupable. Veux-tu que je me retire à la Trappe ? [233] L'austérité de cette vie peut apaiser ton Dieu ... Ah ! ciel ! que ne puis-je prendre pour moi la maladie de Stanislas ...

— Ah ! tu l'aimes, toi, dit Mme de Rênal, en se relevant et se jetant dans ses bras.

Au même instant, elle le repoussa avec horreur.

— Je te crois ! je te crois ! continua-t-elle, après s'être remise à genoux; ô mon unique ami ! ô pourquoi n'es-tu pas le père de Stanislas ! Alors ce ne serait pas un horrible péché de t'aimer mieux que ton fils.

— Veux-tu me permettre de rester, et que désormais je ne t'aime que comme un frère ? C'est la seule expiation raisonnable, elle peut apaiser la colère du Très-Haut.

— Et moi, s'écria-t-elle en se levant et prenant la tête de Julien entre ses deux mains, et la tenant devant ses yeux à distance, et moi, t'aimerai-je comme un frère ? Est-il en mon pouvoir de t'aimer comme un frère ?

Julien fondait en larmes.

— Je t'obéirai, dit-il en tombant à ses pieds, je t'obéirai, quoi que tu m'ordonnes; c'est tout ce qui me reste à faire. Mon esprit est frappé d'aveuglement; je ne vois aucun parti à prendre. Si je te quitte, tu dis tout à ton mari, tu te perds et lui avec.[233a] Jamais, après ce ridicule, il ne sera nommé député. Si je reste, tu me crois la cause de la mort de ton fils, et tu meurs de douleur. Veux-tu essayer de[234] l'effet de mon départ ? Si tu veux, je vais me punir de notre faute en te quittant pour huit jours. J'irai les passer dans la retraite où tu voudras. A l'abbaye de Bray-le-Haut, par exemple: mais jure-moi pendant mon absence de ne rien avouer à ton mari. Songe que je ne pourrai plus revenir si tu parles.

Elle promit, il partit, mais fut rappelé au bout de deux jours.

— Il m'est impossible sans toi de tenir mon serment. Je parlerai à mon mari, si tu n'es pas là constamment pour m'ordonner par tes regards de me taire. Chaque heure de cette vie abominable me semble durer une journée.

Enfin le ciel eut pitié de cette mère malheureuse. Peu à peu Stanislas ne fut plus en danger. Mais la glace[235] était brisée, sa raison avait connu l'étendue de son péché; elle ne put plus reprendre l'équilibre. Les remords restèrent, et ils furent ce qu'ils devaient être dans un cœur si sincère. Sa vie fut le ciel et l'enfer: l'enfer quand elle ne voyait pas Julien, le ciel quand elle était à ses pieds. Je ne me fais plus aucune illusion, lui disait-elle, même dans les moments où elle osait se livrer à tout son amour: je suis damnée, irrémissiblement damnée. Tu es jeune, tu as cédé à mes séductions, le ciel peut te pardonner; mais moi je suis damnée. Je le connais à un signe certain. J'ai peur: qui n'aurait pas peur devant la vue de l'enfer ? Mais au fond, je ne me repens point. Je commettrais de nouveau ma faute si elle était à commettre.[236] Que le ciel seulement ne me punisse pas dès ce monde et dans mes enfants, et j'aurai plus que je ne mérite. Mais toi, du moins, mon Julien, s'écriait-elle dans d'autres moments, es-tu heureux ? Trouves-tu que je t'aime assez ?

La méfiance et l'orgueil souffrant de Julien, qui avait surtout besoin d'un amour à sacrifices, ne tinrent pas devant la vue d'un sacrifice si grand, si indubitable et fait à chaque instant. Il adorait Mme de Rênal. Elle a beau être noble, et moi le fils d'un ouvrier, elle m'aime... Je ne suis pas auprès d'elle un valet de chambre chargé des fonctions d'amant. Cette crainte éloignée, Julien tomba dans toutes les folies de l'amour, dans ses incertitudes mortelles.

— Au moins, s'écriait-elle en voyant ses doutes sur son amour, que je te rende bien heureux pendant le peu de jours que nous avons à passer ensemble ! Hâtons-nous; demain peut-être je ne serai plus à toi. Si le ciel me frappe dans mes enfants, c'est en vain que je chercherai à ne vivre que pour t'aimer, à ne pas voir que c'est mon crime qui les tue. Je ne pourrai survivre à ce coup. Quand je le voudrais, je ne pourrais; je deviendrais folle.

— Ah ! si je pouvais prendre sur moi ton péché, comme tu m'offrais si généreusement de prendre la fièvre ardente de Stanislas !

Cette grande crise morale changea la nature du sentiment qui unissait Julien à sa maîtresse. Son amour ne fut plus seulement de l'admiration pour la beauté, l'orgueil de la posséder.

Leur bonheur était désormais d'une nature bien supérieure, la flamme qui les dévorait fut plus intense. Ils avaient des transports pleins de folie. Leur bonheur eût paru plus grand aux yeux du monde. Mais ils ne retrouvèrent plus la sérénité délicieuse, la félicité sans nuages, le bonheur facile des premières époques de leurs amours, quand la seule crainte de Mme de Rênal était de n'être pas assez aimée de Julien. Leur bonheur avait quelquefois la physionomie du crime.

Dans les moments les plus heureux et en apparence les plus tranquilles: — Ah ! grand Dieu ! je vois l'enfer, s'écriait tout à coup Mme de Rênal, en serrant la main de Julien d'un mouvement convulsif. Quels supplices horribles ! je les ai bien mérités. Elle le serrait, s'attachant à lui comme le lierre à la muraille.

Julien essayait en vain de calmer cette âme agitée. Elle lui prenait la main, qu'elle couvrait de baisers. Puis, retombée dans une rêverie sombre: L'enfer, disait-elle, l'enfer serait une grâce pour moi; j'aurais encore sur la terre quelques jours à passer avec lui,[237] mais l'enfer dès ce monde, la mort de mes enfants ... Cependant, à ce prix peut-être mon crime me serait pardonné ... Ah ! grand Dieu ! ne m'accordez point ma grâce à ce prix. Ces pauvres enfants ne vous ont point offensé; moi, moi, je suis la seule coupable: j'aime un homme qui n'est point mon mari.

Julien voyait ensuite Mme de Rênal arriver à des moments tranquilles en apparence. Elle cherchait à prendre sur elle, elle voulait ne pas empoisonner la vie de ce [238] qu'elle aimait.

Au milieu de ces alternatives d'amour, de remords et de plaisir, les journées passaient pour eux avec la rapidité de l'éclair. Julien perdit l'habitude de réfléchir.

Mlle Elisa alla suivre un petit procès qu'elle avait à Verrières. Elle trouva M. Valenod fort piqué contre Julien. Elle haïssait le précepteur, et lui en parlait souvent.

— Vous me perdriez, Monsieur, si je disais la vérité !... disait-elle un jour à M. Valenod. Les maîtres sont tous d'accord entre eux pour les choses importantes... On ne pardonne jamais certains aveux aux pauvres domestiques...

Après ces phrases d'usage, que l'impatiente curiosité de M. Valenod trouva l'art d'abréger, il apprit les choses les plus mortifiantes pour son amour-propre.

Cette femme, la plus distinguée du pays, que pendant six ans il avait environnée de tant de soins, et malheureusement au vu et au su de tout le monde; cette femme si fière, dont les dédains l'avaient tant de fois fait rougir, elle venait de prendre pour amant un petit ouvrier déguisé en précepteur. Et afin que rien ne manquât au dépit de M. le directeur du dépôt, Mme de Rênal adorait cet amant.

— Et, ajoutait la femme de chambre avec un soupir, M. Julien ne s'est point donné de peine pour faire cette conquête, il n'est point sorti pour Madame de sa froideur habituelle.

Elisa n'avait eu des certitudes qu'à la campagne, mais elle croyait que cette intrigue datait de bien plus loin.

— C'est sans doute pour cela, ajouta-t-elle avec dépit, que dans le temps [239] il a refusé de m'épouser. Et moi, imbécile, qui allais consulter Mme de Rênal, qui la priais de parler au précepteur.

Dès le même soir M. de Rênal reçut de la ville, avec son journal, une longue lettre anonyme qui lui apprenait dans le plus grand détail ce qui se passait chez lui. Julien le vit pâlir en lisant cette lettre écrite sur du papier bleuâtre et jeter sur lui des regards méchants. De [239a] toute la soirée le maire ne se remit point de son trouble, ce fut en vain que

Julien lui fit la cour en lui demandant des explications sur la généalogie des meilleures familles de la Bourgogne.

20. *Les Lettres anonymes*

Do not give dalliance
Too much the rein: the strongest oaths are straw
To the fire i' the blood.

TEMPEST.[240]

Comme on quittait le salon sur le minuit, Julien eut le temps de dire à son amie:

— Ne nous voyons pas ce soir, votre mari a des soupçons; je jurerais que cette grande lettre qu'il lisait en soupirant est une lettre anonyme.

Par bonheur, Julien se fermait à clef dans sa chambre. Mme de Rênal eut la folle idée que cet avertissement n'était qu'un prétexte pour ne pas la voir. Elle perdit la tête absolument, et à l'heure ordinaire vint à sa porte. Julien qui entendit du bruit dans le corridor souffla sa lampe à l'instant. On faisait des efforts pour ouvrir sa porte; était-ce Mme de Rênal, était-ce un mari jaloux ?

Le lendemain, de fort bonne heure, la cuisinière, qui protégeait Julien, lui apporta un livre sur la couverture duquel il lut ces mots en italien: *Guardate alla pagina* 130.[241]

Julien frémit de l'imprudence, chercha la page cent trente et y trouva attachée avec une épingle la lettre suivante écrite à la hâte, baignée de larmes et sans la moindre orthographe. Ordinairement Mme de Rênal la mettait fort bien,[242] il fut touché de ce détail et oublia un peu l'imprudence effroyable.

« Tu n'as pas voulu me recevoir cette nuit ? Il est des moments où je crois n'avoir jamais lu jusqu'au fond de ton âme. Tes regards m'effrayent. J'ai peur de toi. Grand Dieu ! ne m'aurais-tu jamais aimée ? En ce cas, que mon mari découvre nos amours, et qu'il m'enferme dans une éternelle prison, à la campagne, loin de mes enfants. Peut-être Dieu le veut ainsi. Je mourrai bientôt. Mais tu seras un monstre.

« Ne m'aimes-tu pas ? es-tu las de mes folies, de mes

remords, impie? Veux-tu me perdre? je t'en donne un moyen facile. Va, montre cette lettre dans tout Verrières, ou plutôt montre-la au seul M. Valenod. Dis-lui que je t'aime, mais non, ne prononce pas un tel blasphème, dis-lui que je t'adore, que la vie n'a commencé pour moi que le jour où je t'ai vu; que dans les moments les plus fous de ma jeunesse, je n'avais jamais même rêvé le bonheur que je te dois; que je t'ai sacrifié ma vie, que je te sacrifie mon âme. Tu sais que je te sacrifie bien plus.

« Mais se connaît-il en [243] sacrifices, cet homme ? Dis-lui, dis-lui pour l'irriter que je brave tous les méchants, et qu'il n'est plus au monde qu'un malheur pour moi, celui de voir changer le seul homme qui me retienne à la vie. Quel bonheur pour moi de la perdre, de l'offrir en sacrifice, et de ne plus craindre pour mes enfants !

« N'en doute pas, cher ami, s'il y a une lettre anonyme, elle vient de cet être odieux qui, pendant six ans, m'a poursuivie de sa grosse voix, du récit de ses sauts à cheval, de sa fatuité, et de l'énumération éternelle de tous ses avantages.

« Y a-t-il une lettre anonyme ? méchant, voilà ce que je voulais discuter avec toi; mais non, tu as bien fait. Te serrant dans mes bras, peut-être pour la dernière fois, jamais je n'aurais pu discuter froidement, comme je fais étant seule. De ce moment notre bonheur ne sera plus aussi facile. Sera-ce une contrariété pour vous ? Oui, les jours où vous n'aurez pas reçu de M. Fouqué quelque livre amusant. Le sacrifice est fait, demain, qu'il y ait ou qu'il n'y ait pas de lettre anonyme, moi aussi je dirai à mon mari que j'ai reçu une lettre anonyme, et qu'il faut à l'instant te faire un pont d'or, [244] trouver quelque prétexte honnête,[245] et sans délai te renvoyer à tes parents.

« Hélas ! cher ami, nous allons être séparés quinze jours, un mois peut-être ! Va, je te rends justice, tu souffriras autant que moi. Mais enfin, voilà le seul moyen de parer l'effet de cette lettre anonyme; ce n'est pas la première que mon mari ait reçue, et sur mon compte encore. Hélas ! combien j'en riais !

« Tout le but de ma conduite, c'est de faire penser à mon mari que la lettre vient de M. Valenod; je ne doute pas qu'il n'en soit [246] l'auteur. Si tu quittes la maison, ne manque pas d'aller t'établir à Verrières. Je ferai en sorte que mon mari ait l'idée d'y passer quinze jours, pour prouver aux sots qu'il n'y a pas de froid entre lui et moi. Une fois à Verrières, lie-toi d'amitié avec tout le monde, même avec les libéraux. Je sais que toutes ces dames te rechercheront.

« Ne va pas te fâcher avec M. Valenod, ni lui couper les oreilles, comme tu disais un jour; fais-lui au contraire toutes tes bonnes grâces. L'essentiel est que l'on croie à Verrières que tu vas entrer chez le Valenod, ou chez tout autre, pour l'éducation des enfants.

« Voilà ce que mon mari ne souffrira jamais. Dût-il s'y résoudre,[247] eh bien ! au moins tu habiteras Verrières, et je te verrai quelquefois. Mes enfants qui t'aiment tant iront te voir. Grand Dieu ! je sens que j'aime mieux mes enfants parce qu'ils t'aiment. Quel remords ! comment tout ceci finira-t-il ?... Je m'égare ... Enfin, tu comprends ta conduite; sois doux, poli, point méprisant avec ces grossiers personnages, je te le demande à genoux: ils vont être les arbitres de notre sort. Ne doute pas un instant que mon mari ne se conforme à ton égard à ce que lui prescrira *l'opinion publique*.

« C'est toi qui vas me fournir la lettre anonyme; arme-toi de patience et d'une paire de ciseaux.[248] Coupe dans un livre les mots que tu vas voir; colle-les ensuite avec de la colle à bouche,[249] sur la feuille de papier bleuâtre que je t'envoie; elle me vient de M. Valenod. Attends-toi à une perquisition chez toi; brûle les pages du livre que tu auras mutilé. Si tu ne trouve pas les mots tout faits, aie la patience de les former lettre à lettre. Pour épargner ta peine, j'ai fait la lettre anonyme trop courte. Hélas ! si tu ne m'aimes plus, comme je le crains, que la mienne doit te sembler longue ! »

Lettre anonyme

« Madame,

« Toutes vos petites menées sont connues; mais les personnes qui ont intérêt à les réprimer sont averties. Par un reste d'amitié pour vous, je vous engage à vous détacher totalement du petit paysan. Si vous êtes assez sage pour cela, votre mari croira que l'avis qu'il a reçu le trompe, et on lui laissera son erreur. Songez que j'ai votre secret; tremblez, malheureuse; il faut à cette heure *marcher droit* devant moi.

« Dès que tu auras fini de coller les mots qui composent cette lettre (y as-tu reconnu les façons de parler du directeur ?), sors dans la maison, je te rencontrerai.

« J'irai dans le village et reviendrai avec un visage troublé, je le serai en effet beaucoup. Grand Dieu ! qu'est-ce que je hasarde, et tout cela parce que tu *as cru deviner* une lettre anonyme. Enfin, avec un visage renversé, je donnerai à mon mari cette lettre qu'un inconnu m'aura remise. Toi, va te promener sur le chemin des grands bois avec les enfants, et ne reviens qu'à l'heure du dîner.

« Du haut des rochers tu peux voir la tour du Colombier. Si nos affaires vont bien, j'y placerai un mouchoir blanc; dans le cas contraire, il n'y aura rien.

« Ton cœur, ingrat, ne te fera-t-il pas trouver le moyen de me dire que tu m'aimes avant de partir pour cette promenade ? Quoi qu'il puisse arriver, sois sûr d'une chose: je ne survivrais pas d'un jour à notre séparation définitive. Ah ! mauvaise mère ! Ce sont deux mots vains que je viens d'écrire là, cher Julien. Je ne les sens pas; je ne puis songer qu'à toi en ce moment, je ne les ai écrits que pour ne pas être blâmée de toi. Maintenant que je me vois au moment de te perdre, à quoi bon dissimuler ? Oui ! que mon âme te semble atroce mais que je ne mente pas devant l'homme que j'adore ! Je n'ai déjà que trop trompé en ma vie. Va, je te pardonne si tu ne m'aimes pas. Je n'ai pas le temps de relire ma lettre. C'est peu de chose à mes yeux que de payer de la vie les jours heureux que je viens de passer dans tes bras. Tu sais qu'ils me coûteront davantage. »

21. Dialogue avec un maître

Alas, our frailty is the cause, not we:
For such as we are made of, such we be.
TWELFTH NIGHT.[250]

Ce fut avec un plaisir d'enfant que, pendant une heure, Julien assembla des mots. Comme il sortait de sa chambre, il rencontra ses élèves et leur mère; elle prit la lettre avec une simplicité et un courage dont le calme l'effraya.

— La colle à bouche est-elle assez séchée ? lui dit-elle.

Est-ce là cette femme que le remords rendait si folle ? pensa-t-il. Quels sont ses projets en ce moment ? Il était trop fier pour le lui demander; mais, jamais peut-être, elle ne lui avait plu davantage.

— Si ceci tourne mal, ajouta-t-elle avec le même sang-froid, on m'ôtera tout. Enterrez ce dépôt dans quelque endroit de la montagne; ce sera peut-être un jour ma seule ressource.

Elle lui remit un étui à verre, en maroquin rouge, rempli d'or et de quelques diamants.

— Partez maintenant, lui dit-elle.

Elle embrassa les enfants, et deux fois le plus jeune. Julien restait immobile. Elle le quitta d'un pas rapide et sans le regarder.

Depuis l'instant qu'il avait ouvert la lettre anonyme, l'existence de M. de Rênal avait été affreuse. Il n'avait pas été aussi agité depuis un duel qu'il avait failli avoir en 1816, et, pour lui rendre justice, alors la perspective[251] de recevoir une balle l'avait rendu moins malheureux. Il examinait la lettre dans tous les sens: N'est-ce pas là une écriture de femme ? se disait-il. En ce cas, quelle femme l'a écrite ? Il passait en revue toutes celles qu'il connaissait à Verrières, sans pouvoir fixer ses soupçons. Un homme aurait-il dicté cette lettre ? quel est cet homme ? Ici pareille incertitude; il était jalousé et sans doute haï de la plupart de ceux qu'il connaissait. Il faut consulter ma femme, se dit-il par habitude, en se levant du fauteuil où il était abîmé.

A peine levé, — grand Dieu ! dit-il en se frappant la tête, c'est d'elle surtout qu'il faut que je me méfie; elle est mon ennemie en ce moment. Et, de colère, les larmes lui vinrent aux yeux.

Par une juste compensation de la sécheresse de cœur qui fait toute la sagesse pratique de la province, les deux hommes que, dans ce moment M. de Rênal redoutait le plus, étaient ses deux amis les plus intimes.

Après ceux-là, j'ai dix amis peut-être, et il les passa en revue, estimant à mesure[252] le degré de consolation qu'il pourrait tirer de chacun. A tous ! à tous ! s'écria-t-il avec rage, mon affreuse aventure fera le plus extrême plaisir. Par bonheur, il se croyait fort envié, non sans raison. Outre sa superbe maison de la ville, que le roi de*** venait d'honorer à jamais en y couchant, il avait fort bien arrangé son château de Vergy. La façade était peinte en blanc, et les fenêtres garnies de beaux volets verts. Il fut un instant consolé par l'idée de cette magnificence. Le fait est que ce château était aperçu de trois ou quatre lieues de distance, au grand détriment de toutes les maisons de campagne ou soi-disant châteaux du voisinage, auxquels on avait laissé l'humble couleur grise donnée par le temps.

M. de Rênal pouvait compter sur les larmes et la pitié d'un de ses amis, le marguillier de la paroisse; mais c'était un imbécile qui pleurait de tout. Cet homme était cependant sa seule ressource.

Quel malheur est comparable au mien ! s'écria-t-il avec rage; quel isolement !

Est-il possible ! se disait cet homme vraiment à plaindre, est-il possible que, dans mon infortune, je n'aie pas un ami à qui demander conseil ? car ma raison s'égare, je le sens ! Ah ! Falcoz ! ah ! Ducros ! s'écria-t-il avec amertume. C'était les noms de deux amis d'enfance qu'il avait éloignés par ses hauteurs en 1814.[253] Ils n'étaient pas nobles, et il avait voulu changer le ton d'égalité sur lequel ils vivaient depuis l'enfance.

L'un d'eux, Falcoz, homme d'esprit[254] et de cœur, marchand de papier à Verrières, avait acheté une imprimerie dans le chef-lieu du département et entrepris un journal. La congrégation avait résolu de le ruiner : son journal avait été condamné, son brevet [255] d'imprimeur lui avait été retiré. Dans ces tristes circonstances, il essaya d'écrire à M. de Rênal pour la première fois depuis dix ans. Le maire de Verrières crut devoir répondre en vieux Romain: [256] « Si le ministre du roi me faisait l'honneur de me consulter je lui dirais : Ruinez sans pitié tous les imprimeurs de province, et mettez l'imprimerie en monopole comme le tabac. [257] » Cette lettre à un ami intime, que tout Verrières admira dans le temps, M. de Rênal s'en rappelait les termes avec horreur. Qui m'eût dit qu'avec mon rang, ma fortune, mes croix, je le regretterais un jour ? Ce fut dans ces transports de colère, tantôt contre lui-même, tantôt contre tout ce qui l'entourait, qu'il passa une nuit affreuse; mais, par bonheur, il n'eut pas l'idée d'épier sa femme.

Je suis accoutumé à Louise, se disait-il, elle sait toutes mes affaires; je serais libre de me marier demain que je ne trouverais pas [258] à la remplacer. Alors, il se complaisait dans l'idée que sa femme était innocente; cette façon de voir ne le mettait pas dans la nécessité de montrer du caractère et l'arrangeait [259] bien mieux; combien de femmes calomniées n'a-t-on pas vues !

Mais quoi ! s'écriait-il tout à coup en marchant d'un pas convulsif, souffrirai-je comme si j'étais un homme de rien, un va-nu-pieds, qu'elle se moque de moi avec son amant ! Faudra-t-il que tout Verrières fasse des gorges chaudes sur ma débonnaireté ? [260] Que n'a-t-on pas dit de Charmier (c'était un mari notoirement trompé du pays) ? Quand on le nomme, le sourire n'est-il pas sur toutes les lèvres ? Il est bon avocat, qui est-ce qui parle jamais de son talent pour la parole ? Ah ! Charmier ! dit-on, le Charmier de Bernard, on le désigne ainsi par le nom de l'homme qui fait son opprobre.

Grâce au ciel, disait M. de Rênal dans d'autres moments, je n'ai point de fille, et la façon dont je vais punir la mère ne nuira point à l'établissement de mes enfants; je puis surprendre ce petit paysan avec ma femme, et les tuer tous les deux; dans ce cas, le tragique de l'aventure en ôtera peut-être le ridicule. Cette idée lui sourit; il la suivit dans tous ses détails. Le Code pénal est pour moi, et, quoi qu'il arrive, notre congrégation et mes amis du jury me sauveront. Il examina son couteau de chasse, qui était fort tranchant; mais l'idée du sang lui fit peur.

Je puis rouer de coups ce précepteur insolent et le chasser; mais quel éclat dans Verrières et même dans tout le département ! Après la condamnation du journal de Falcoz, quand son rédacteur en chef sortit de prison, je contribuai à lui faire perdre sa place de six cents francs. On dit que cet écrivailleur ose se remontrer dans Besançon, il peut me tympaniser [260a] avec adresse, et de façon à ce qu'il soit impossible de l'amener devant les tribunaux. L'amener devant les tribunaux !... L'insolent insinuera de mille façons qu'il a dit vrai. Un homme bien né, qui tient son rang comme moi, est haï de tous les plébéiens. Je me verrai dans ces affreux journaux de Paris; ô mon Dieu ! quel abîme ! voir l'antique nom de Rênal plongé dans la fange du ridicule... Si je voyage jamais, il faudra changer de nom; quoi ! quitter ce nom qui fait ma gloire et ma force. Quel comble de misère ![261]

Si je ne tue pas ma femme, et que je la chasse avec ignominie, elle a sa tante à Besançon, qui lui donnera de la main à la main toute sa fortune. Ma femme ira vivre à Paris avec Julien; on le saura à Verrières, et je serai encore pris pour dupe. Cet homme malheureux s'aperçut alors, à la pâleur de sa lampe, que le jour commençait à paraître. Il alla chercher un peu d'air frais au jardin. En ce moment, il était presque résolu à ne point faire d'éclat, par cette idée surtout qu'un éclat comblerait de joie ses bons amis de Verrières.

La promenade au jardin le calma un peu. Non, s'écria-t-il, je ne me priverai point de ma femme, elle m'est trop utile. Il se figura avec horreur ce que serait sa maison sans sa femme; il n'avait pour toute parente que la marquise de R..., vieille, imbécile et méchante.

Une idée d'un grand sens lui apparut, mais l'exécution demandait une force de caractère bien supérieure au peu que le pauvre homme en avait. Si je garde ma femme, se dit-il, je me connais, un jour, dans un moment où elle m'impatientera, je lui reprocherai sa faute. Elle est fière, nous

nous brouillerons, et tout cela arrivera avant qu'elle n'ait hérité de sa tante. Alors, comme on se moquera de moi ! Ma femme aime ses enfants, tout finira par leur revenir. Mais moi, je serai la fable de Verrières. Quoi, diront-ils, il n'a pas su même se venger de sa femme ! Ne vaudrait-il pas mieux m'en tenir aux soupçons et ne rien vérifier ? Alors je me lie les mains, je ne puis par la suite lui rien reprocher.

Un instant après, M. de Rênal, repris par la vanité blessée, se rappelait laborieusement tous les moyens cités au billard du *Casino* ou *Cercle Noble* de Verrières, quand quelque beau parleur interrompt la poule [262] pour s'égayer aux dépens d'un mari trompé. Combien, en cet instant, ces plaisanteries lui paraissaient cruelles !

Dieu ! que ma femme n'est-elle [263] morte ! alors je serais inattaquable au ridicule. Que ne suis-je veuf ! j'irais passer six mois à Paris dans les meilleures sociétés. Après ce moment de bonheur donné par l'idée du veuvage, son imagination en revint aux moyens de s'assurer de la vérité. Répandrait-il à minuit, après que tout le monde serait couché, une légère couche de son devant la porte de la chambre de Julien: le lendemain matin, au jour, il verrait l'impression des pas.

Mais ce moyen ne vaut rien, s'écria-t-il tout à coup avec rage, cette coquine d'Elisa s'en apercevrait, et l'on saurait bientôt dans la maison que je suis jaloux.

Dans un autre conte fait au *Casino,* un mari s'était assuré de sa mésaventure en attachant avec un peu de cire un cheveu qui fermait comme un scellé la porte de sa femme et celle du galant.

Après tant d'heures d'incertitudes, ce moyen d'éclaircir son sort lui semblait décidément le meilleur, et il songeait à s'en servir, lorsqu'au détour d'une allée, il rencontra cette femme qu'il eût voulu voir morte.

Elle revenait du village. Elle était allée entendre la messe dans l'église de Vergy. Une tradition fort incertaine aux yeux du froid philosophe,[264] mais à laquelle elle ajoutait foi, prétend que la petite église dont on se sert aujourd'hui était la chapelle du château du sire de Vergy.[265] Cette idée obséda Mme de Rênal tout le temps qu'elle comptait passer à prier dans cette église. Elle se figurait sans cesse son mari tuant Julien à la chasse, comme par accident, et ensuite le soir lui faisant manger son cœur.

Mon sort, se dit-elle, dépend de ce qu'il va penser en m'écoutant. Après ce quart d'heure fatal, peut-être ne trouverai-je plus l'occasion de lui parler. Ce n'est pas un être sage et dirigé par la raison. Je pourrais alors,[265a] à l'aide de ma faible raison, prévoir ce qu'il fera ou dira. Lui décidera notre sort commun, il en a le pouvoir. Mais ce sort est dans mon habileté, dans l'art de diriger les idées de ce fantasque, que sa colère rend aveugle, et empêche de voir la moitié des choses. Grand Dieu ! il me faut du talent, du sang-froid, où les prendre ?

Elle retrouva le calme comme par enchantement en entrant au jardin et voyant de loin son mari. Ses cheveux et ses habits en désordre annonçaient qu'il n'avait pas dormi.

Elle lui remit une lettre décachetée mais repliée. Lui, sans l'ouvrir, regardait sa femme avec des yeux fous.

— Voici une abomination, lui dit-elle, qu'un homme de mauvaise mine, qui prétend vous connaître et vous devoir de la reconnaissance, m'a remise comme je passais derrière le jardin du notaire. J'exige une chose de vous, c'est que vous renvoyiez à ses parents, et sans délai, ce M. Julien. Mme de Rênal se hâta de dire ce mot, peut-être un peu avant le moment,[266] pour se débarrasser de l'affreuse perspective d'avoir à le dire.

Elle fut saisie de joie en voyant celle qu'elle causait à son mari. A la fixité du regard qu'il attachait sur elle, elle comprit que Julien avait deviné juste. Au lieu de s'affliger de ce malheur fort réel, quel génie, pensa-t-elle, quel tact parfait ! et dans un jeune homme encore sans aucune expérience ! A quoi n'arrivera-t-il pas par la suite ? Hélas ! alors ses succès feront qu'il m'oubliera.

Ce petit acte d'admiration pour l'homme qu'elle adorait la remit tout à fait de son trouble.

Elle s'applaudit de sa démarche. Je n'ai pas été indigne de Julien, se dit-elle, avec une douce et intime volupté.

Sans dire un mot, de peur de s'engager, M. de Rênal examinait la seconde lettre anonyme composée, si le lecteur s'en souvient, de mots imprimés collés sur un papier tirant sur le bleu. On se moque de moi de toutes les façons, se disait M. de Rênal accablé de fatigue.

Encore de nouvelles insultes à examiner, et toujours à cause de ma femme ! Il fut sur le point de l'accabler des injures les plus grossières, la perspective de l'héritage de Besançon l'arrêta à grande peine. Dévoré du besoin de s'en prendre à quelque chose, il chiffonna le papier de cette seconde lettre anonyme, et se mit à se promener à grands pas, il avait besoin de s'éloigner de sa femme. Quelques instants après, il revint auprès d'elle, et plus tranquille.

— Il s'agit de prendre un parti et de renvoyer Julien, lui dit-elle aussitôt; ce n'est après tout que le fils d'un ouvrier. Vous le dédommagerez par quelques écus, et d'ailleurs il est savant et trouvera facilement à se placer, par exemple chez M. Valenod ou chez le sous-préfet de Maugiron qui ont des enfants. Ainsi vous ne lui ferez point de tort...

— Vous parlez là comme une sotte que vous êtes, s'écria M. de Rênal d'une voix terrible. Quel bon sens peut-on espérer d'une femme ? Jamais vous ne prêtez attention à ce qui est raisonnable; comment sauriez-vous quelque chose ? votre nonchalance, votre paresse, ne vous donnent d'activité que pour la chasse aux papillons, êtres faibles [267] et que nous sommes malheureux d'avoir dans nos familles !...

Mme de Rênal le laissait dire, et il dit longtemps; *il passait sa colère,*[268] c'est le mot du pays.

— Monsieur, lui répondit-elle enfin, je parle comme une femme outragée dans son honneur, c'est-à-dire dans ce qu'elle a de plus précieux.

Mme de Rênal eut un sang-froid inaltérable pendant toute cette pénible conversation, de laquelle dépendait la possibilité de vivre encore sous le même toit avec Julien. Elle cherchait les idées qu'elle croyait les plus propres à guider la colère aveugle de son mari. Elle avait été insensible à toutes les réflexions injurieuses qu'il lui avait adressées, elle ne les écoutait pas, elle songeait alors à Julien. Sera-t-il content de moi ?

— Ce petit paysan que nous avons comblé de prévenances et même de cadeaux, peut être innocent, dit-elle enfin, mais il n'en est pas moins l'occasion du premier affront que je reçois ... Monsieur ! quand j'ai lu ce papier abominable, je me suis promis que lui ou moi sortirions de votre maison.

— Voulez-vous faire un esclandre pour me déshonorer et vous aussi ? Vous faites bouillir du lait [269] à bien des gens dans Verrières.

— Il est vrai, on envie généralement l'état de prospérité où la sagesse de votre administration a su placer vous, votre famille et la ville ... Eh bien ! je vais engager Julien à vous demander un congé pour aller passer un mois chez ce marchand de bois de la montagne, digne ami de ce petit ouvrier.

— Gardez-vous d'agir, reprit M. de Rênal avec assez de tranquillité. Ce que j'exige avant tout, c'est que vous ne lui parliez pas. Vous y mettriez de la colère et me brouilleriez avec lui, vous savez combien ce petit monsieur est sur l'œil.[270]

— Ce jeune homme n'a point de tact, reprit Mme de Rênal, il peut être savant, vous vous y connaissez, mais ce n'est au fond qu'un véritable paysan. Pour moi, je n'en ai jamais eu bonne idée depuis qu'il a refusé d'épouser Elisa, c'était une fortune assurée; et cela sous prétexte que quelquefois en secret, elle fait des visites à M. Valenod.

— Ah ! dit M. de Rênal, élevant le sourcil d'une façon démesurée, quoi, Julien vous a dit cela ?

— Non pas précisément; il m'a toujours parlé de la vocation qui l'appelle au saint ministère; mais croyez-moi, la première vocation pour ces petites gens, c'est d'avoir du pain. Il me faisait assez entendre qu'il n'ignorait pas ces visites secrètes.

— Et moi, moi, je les ignorais ! s'écria M. de Rênal reprenant toute sa fureur, et pesant sur les mots. Il se passe chez moi des choses que j'ignore ... Comment ! il y a eu quelque chose entre Elisa et Valenod ?

— Hé ! c'est de l'histoire ancienne, mon cher ami, dit Mme de Rênal en riant, et peut-être il ne s'est point passé de mal. C'était dans le temps que votre bon ami Valenod n'aurait pas été fâché que l'on pensât dans Verrières qu'il s'établissait entre lui et moi un petit amour tout platonique.

— J'ai eu cette idée une fois, s'écria M. de Rênal se

frappant la tête avec fureur et marchant de découvertes en découvertes, et vous ne m'en avez rien dit ?

— Fallait-il brouiller deux amis pour une petite bouffée de vanité de notre cher directeur ? Où est la femme de la société à laquelle il n'a pas adressé quelques lettres extrêmement spirituelles [271] et même un peu galantes ?

— Il vous aurait écrit ?

— Il écrit beaucoup.

— Montrez-moi ces lettres à l'instant, je l'ordonne; et M. de Rênal se grandit de six pieds.

— Je m'en garderai bien, lui répondit-on avec une douceur qui allait presque jusqu'à la nonchalance, je vous les montrerai un jour, quand vous serez plus sage.

— A l'instant même, morbleu ! s'écria M. de Rênal, ivre de colère, et cependant plus heureux qu'il ne l'avait été depuis douze heures.

— Me jurez-vous, dit Mme de Rênal fort gravement, de n'avoir jamais de querelle avec le directeur du dépôt au sujet de ces lettres ?

— Querelle ou non, je puis lui ôter les enfants trouvés; mais, continua-t-il avec fureur, je veux ces lettres à l'instant; où sont-elles ?

— Dans un tiroir de mon secrétaire; mais certes, je ne vous en donnerai pas la clef.

— Je saurai le briser, s'écria-t-il en courant vers la chambre de sa femme.

Il brisa, en effet, avec un pal de fer, un précieux secrétaire d'acajou ronceux venu de Paris, qu'il frottait souvent avec le pan de son habit, quand il croyait y apercevoir quelque tache.

Mme de Rênal avait monté en courant les cent vingt marches du colombier; elle attachait le coin d'un mouchoir blanc à l'un des barreaux de fer de la petite fenêtre. Elle était la plus heureuse des femmes. Les larmes aux yeux, elle regardait vers les grands bois de la montagne. Sans doute, se disait-elle, de dessous un de ces hêtres touffus, Julien épie ce signal heureux. Longtemps elle prêta l'oreille, ensuite elle maudit le bruit monotone des cigales et le chant des oiseaux. Sans ce bruit importun, un cri de joie, parti des grandes roches, aurait pu arriver jusqu'ici. Son œil avide dévorait cette pente immense de verdure sombre et unie comme un pré, que forme le sommet des arbres. Comment n'a-t-il pas l'esprit, se dit-elle tout attendrie, d'inventer quelque signal pour me dire que son bonheur est égal au mien ? Elle ne descendit du colombier que quand elle eut peur que son mari ne vînt l'y chercher.

Elle le trouva furieux. Il parcourait les phrases anodines de M. Valenod, peu accoutumées à être lues avec tant d'émotion.

Saisissant un moment où les exclamations de son mari lui laissaient la possibilité de se faire entendre:

— J'en reviens toujours à mon idée, dit Mme de Rênal, il convient que Julien fasse un voyage. Quelque talent qu'il ait pour le latin, ce n'est après tout qu'un paysan souvent grossier et manquant de tact; chaque jour, croyant être poli, il m'adresse des compliments exagérés et de mauvais goût, qu'il apprend par cœur dans quelque roman...

— Il n'en lit jamais, s'écria M. de Rênal; je m'en suis assuré. Croyez-vous que je sois un maître de maison aveugle et qui ignore ce qui se passe chez lui ? [272]

— Eh bien ! s'il ne lit nulle part ces compliments ridicules, il les invente, et c'est encore tant pis pour lui. Il aura parlé de moi sur ce ton dans Verrières ...; et, sans aller si loin, dit Mme de Rênal, avec l'air de faire une découverte, il aura parlé ainsi devant Elisa, c'est à peu près comme s'il eût parlé devant M. Valenod.

— Ah ! s'écria M. de Rênal en ébranlant la table et l'appartement par un des plus grands coups de poing qui aient jamais été donnés, la lettre anonyme imprimée et les lettres du Valenod sont écrites sur le même papier.

Enfin !... pensa Mme de Rênal; elle se montra atterrée de cette découverte, et sans avoir le courage d'ajouter un seul mot alla s'asseoir au loin sur le divan, au fond du salon.

La bataille était désormais gagnée; elle eut beaucoup à faire pour empêcher M. de Rênal d'aller parler à l'auteur supposé de la lettre anonyme.

— Comment ne sentez-vous pas que faire une scène, sans preuves suffisantes, à M. Valenod est la plus insigne des maladresses ? Vous êtes envié, Monsieur, à qui la faute ? à vos talents: votre sage administration, vos bâtisses pleines de goût, la dot que je vous ai apportée, et surtout l'héritage considérable que nous pouvons espérer de ma bonne tante, héritage dont on s'exagère infiniment l'importance, ont fait de vous le premier personnage de Verrières.

— Vous oubliez la naissance, dit M. de Rênal, en souriant un peu.

— Vous êtes l'un des gentilshommes les plus distingués de la province, reprit avec empressement Mme de Rênal; si le roi était libre et pouvait rendre justice à la naissance, vous figureriez sans doute à la chambre des pairs,[273] etc. Et c'est dans cette position magnifique que vous voulez donner à l'envie un fait à commenter ?

Parler à M. Valenod de sa lettre anonyme, c'est proclamer dans tout Verrières, que dis-je, dans Besançon, dans toute la province, que ce petit bourgeois, admis imprudemment peut-être à l'intimité *d'un Rênal,* a trouvé le moyen de l'offenser. Quand ces lettres que vous venez de surprendre prouveraient que j'ai répondu à l'amour de M. Valenod, vous devriez me tuer, je l'aurais mérité cent fois, mais non pas lui témoigner de la colère. Songez que tous vos voisins n'attendent qu'un prétexte pour se venger de votre supériorité; songez qu'en 1816 [274] vous avez contribué à certaines arrestations. Cet homme réfugié sur son toit...

— Je songe que vous n'avez ni égards, ni amitié pour moi, s'écria M. de Rênal avec toute l'amertume que réveillait un tel souvenir, et je n'ai pas été pair !...

— Je pense, mon ami, reprit en souriant Mme de Rênal, que je serai [275] plus riche que vous, que je suis votre compagne depuis douze ans, et qu'à tous ces titres je dois avoir voix au chapitre, et surtout dans l'affaire d'aujourd'hui. Si vous me préférez un M. Julien, ajouta-t-elle avec un dépit mal déguisé, je suis prête à aller passer un hiver chez ma tante.

Ce mot fut dit *avec bonheur.*[276] Il y avait une fermeté qui cherche à s'environner de politesse; il décida M. de Rênal. Mais, suivant l'habitude de la province, il parla encore pendant longtemps, revint sur tous les arguments; sa femme le laissait dire, il y avait encore de la colère dans son accent. Enfin, deux heures de bavardage inutile épuisèrent les forces d'un homme qui avait subi un accès de colère de toute une nuit. Il fixa la ligne de conduite qu'il allait suivre envers M. Valenod, Julien et même Elisa.

Une ou deux fois, durant cette grande scène, Mme de Rênal fut sur le point d'éprouver quelque sympathie pour le malheur fort réel de cet homme, qui pendant douze ans avait été son ami. Mais les vraies passions sont égoïstes. D'ailleurs elle attendait à chaque instant l'aveu de la lettre anonyme qu'il avait reçue la veille, et cet aveu ne vint point. Il manquait à la sûreté de Mme de Rênal de connaître les idées qu'on avait pu suggérer à l'homme duquel son sort dépendait. Car, en province, les maris sont maîtres de l'opinion. Un mari qui se plaint se couvre de ridicule, chose tous les jours moins dangereuse en France; mais sa femme, s'il ne lui donne pas d'argent, tombe à l'état d'ouvrière à quinze sols [277] par journée, et encore les bonnes âmes se font-elles un scrupule de l'employer.[278]

Une odalisque du sérail peut à toute force [279] aimer le sultan; il est tout-puissant, elle n'a aucun espoir de lui dérober son autorité par une suite de petites finesses.[280] La vengeance du maître est terrible, sanglante, mais militaire, généreuse: un coup de poignard finit tout. C'est à coups de mépris public qu'un mari tue sa femme au XIXe siècle; c'est en lui fermant tous les salons.

Le sentiment du danger fut vivement réveillé chez Mme de Rênal, à son retour chez elle; elle fut choquée du désordre où elle trouva sa chambre. Les serrures de tous ses jolis petits coffres avaient été brisées; plusieurs feuilles du parquet étaient soulevées. Il eût été sans pitié pour moi, se dit-elle ! Gâter ainsi ce parquet en bois de couleur, qu'il aime tant; quand un de ses enfants y entre avec des souliers humides, il devient rouge de colère. Le voilà gâté à jamais ! La vue de cette violence éloigna rapidement les derniers reproches qu'elle se faisait pour sa trop rapide victoire.

Un peu avant la cloche du dîner, Julien rentra avec les enfants. Au dessert, quand les domestiques se furent retirés, Mme de Rênal lui dit fort sèchement:

— Vous m'avez témoigné le désir d'aller passer une quinzaine de jours à Verrières, M. de Rênal veut bien vous accorder un congé. Vous pouvez partir quand bon vous semblera. Mais, pour que les enfants ne perdent pas leur temps, chaque jour on vous enverra leurs thèmes, que vous corrigerez.

— Certainement, ajouta M. de Rênal d'un ton fort aigre, je ne vous accorderai pas plus d'une semaine.

Julien trouva sur sa physionomie l'inquiétude d'un homme profondément tourmenté.

— Il ne s'est pas encore arrêté à un parti, dit-il à son amie, pendant un instant de solitude qu'ils eurent au salon.

Mme de Rênal lui conta rapidement tout ce qu'elle avait fait depuis le matin.

— A cette nuit les détails, ajouta-t-elle en riant.

Perversité de femme ! pensa Julien. Quel plaisir, quel instinct les portent à nous tromper.

— Je vous trouve à la fois éclairée et aveuglée par votre amour, lui dit-il avec quelque froideur; votre conduite d'aujourd'hui est admirable; mais y a-t-il de la prudence à essayer de nous voir ce soir ? Cette maison est pavée d'ennemis; songez à la haine passionnée qu'Elisa a pour moi.

— Cette haine ressemble beaucoup à de l'indifférence passionnée que vous auriez pour moi.

— Même indifférent, je dois vous sauver d'un péril où je vous ai plongée. Si le hasard veut que M. de Rênal parle à Elisa, d'un mot elle peut tout lui apprendre. Pourquoi ne se cacherait-il pas près de ma chambre bien armé ...

— Quoi ! pas même du courage ! dit Mme de Rênal, avec toute la hauteur d'une fille noble.

— Je ne m'abaisserai jamais à parler de mon courage, dit froidement Julien, c'est une bassesse. Que le monde juge sur les faits. Mais, ajouta-t-il en lui prenant la main, vous ne concevez pas combien je vous suis attaché, et quelle est ma joie de pouvoir prendre congé de vous avant cette cruelle absence.

22. Façons d'agir en 1830

La parole a été donnée à l'homme pour cacher sa pensée.

R. P. MALAGRIDA.[281]

A peine arrivé à Verrières, Julien se reprocha son injustice envers Mme de Rênal. Je l'aurais méprisée comme une femmelette, si, par faiblesse, elle avait manqué sa scène avec M. de Rênal! Elle s'en tire comme un diplomate, et je sympathise avec le vaincu qui est mon ennemi. Il y a dans mon fait petitesse bourgeoise; ma vanité est choquée, parce que M. de Rênal est un homme! illustre et vaste corporation à laquelle j'ai l'honneur d'appartenir; je ne suis qu'un sot.

M. Chélan avait refusé les logements que les libéraux les plus considérés du pays lui avaient offerts à l'envi, lorsque sa destitution le chassa du presbytère. Les deux chambres qu'il avait louées étaient encombrées par ses livres. Julien, voulant montrer à Verrières ce que c'était qu'un prêtre, alla prendre chez son père une douzaine de planches de sapin, qu'il porta lui-même sur le dos tout le long de la grande rue. Il emprunta des outils à un ancien camarade, et eut bientôt bâti une sorte de bibliothèque, dans laquelle il rangea les livres de M. Chélan.

— Je te croyais corrompu par la vanité du monde, lui disait le vieillard pleurant de joie; voilà qui rachète bien l'enfantillage de ce brillant uniforme de garde d'honneur qui t'a fait tant d'ennemis.

M. de Rênal avait ordonné à Julien de loger chez lui.[282] Personne ne soupçonna ce qui s'était passé. Le troisième jour après son arrivée, Julien vit monter jusque dans sa chambre un non moindre personnage que M. le sous-préfet de Maugiron. Ce ne fut qu'après deux grandes heures de bavardage insipide et de grandes jérémiades sur la méchanceté des hommes, sur le peu de probité des gens chargés de l'administration des deniers publics, sur les dangers de cette pauvre France, etc., etc., que Julien vit poindre enfin le sujet de la visite. On était déjà sur le palier de l'escalier, et le pauvre précepteur à demi disgracié reconduisait avec le respect convenable le futur préfet de quelque heureux département, quand il plut à celui-ci de s'occuper de la fortune de Julien, de louer sa modération en affaires d'intérêt,[283] etc., etc. Enfin M. de Maugiron le serrant dans ses bras de l'air le plus paterne, lui proposa de quitter M. de Rênal et d'entrer chez un fonctionnaire qui avait des enfants à *éduquer,*[284] et qui, comme le roi Philippe,[285] remercierait le ciel, non pas tant de les lui avoir donnés que de les avoir fait naître dans le voisinage de M. Julien. Leur précepteur jouirait de huit cents francs d'appointements payables non pas de mois en mois, ce qui n'est pas noble, dit M. de Maugiron, mais par quartier, et toujours d'avance.

C'était le tour de Julien, qui, depuis une heure et demie, attendait la parole avec ennui. Sa réponse fut parfaite, et surtout longue comme un mandement;[286] elle laissait tout entendre, et cependant ne disait rien nettement. On y eût trouvé à la fois du respect pour M. de Rênal, de la vénération pour le public de Verrières et de la reconnaissance pour l'illustre sous-préfet. Ce sous-préfet, étonné de trouver plus jésuite que lui, essaya vainement d'obtenir quelque chose de précis. Julien enchanté saisit l'occasion de s'exercer, et recommença sa réponse en d'autres termes. Jamais ministre éloquent, qui veut user la fin d'une séance où la Chambre a l'air de vouloir se réveiller,[287] n'a moins dit en plus de paroles. A peine M. de Maugiron sorti, Julien se mit à rire comme un fou. Pour profiter de sa verve jésuitique, il écrivit une lettre de neuf pages à M. de Rênal, dans laquelle il lui rendait compte de tout ce qu'on lui avait dit, et lui demandait humblement conseil. Ce coquin ne m'a pourtant pas dit le nom de la personne qui fait l'offre! Ce sera M. Valenod qui voit dans mon exil à Verrières l'effet de sa lettre anonyme.

Sa dépêche expédiée, Julien, content comme un chasseur qui, à six heures du matin, par un beau jour d'automne, débouche dans une plaine abondante en gibier, sortit pour aller demander conseil à M. Chélan. Mais avant d'arriver chez le bon curé, le ciel qui voulait lui ménager des jouissances jeta sous ses pas [287a] M. Valenod, auquel il ne cacha point que son cœur était déchiré; un pauvre garçon comme lui se devait tout entier à la vocation que le ciel avait placée dans son cœur, mais la vocation n'était pas tout dans ce bas monde.[287b] Pour travailler dignement à la vigne du Seigneur, et n'être pas tout à fait indigne de tant de savants collaborateurs, il fallait l'instruction; il fallait passer au séminaire de Besançon deux années bien dispendieuses; il devenait donc indispensable de faire des économies, ce qui était bien plus facile sur un traitement de huit cents francs payés par quartier, qu'avec six cents francs qu'on mangeait de mois en mois. D'un autre côté, le ciel, en le plaçant auprès des jeunes de Rênal, et surtout en lui inspirant pour eux un attachement spécial, ne semblait-il pas lui indiquer qu'il n'était pas à propos d'abandonner cette éducation pour une autre ?...

Julien atteignit à un tel degré de perfection dans ce genre d'éloquence, qui a remplacé la rapidité d'action de l'empire, qu'il finit par s'ennuyer lui-même par le son de ses paroles.

En rentrant, il trouva un valet de M. Valenod, en grande livrée, qui le cherchait dans toute la ville, avec un billet d'invitation à dîner pour le même jour.

Jamais Julien n'était allé chez cet homme; quelques jours seulement auparavant, il ne songeait qu'aux moyens de lui donner une volée de coups de bâton sans se faire une affaire en police correctionnelle.[288] Quoique le dîner ne fût indiqué que pour une heure, Julien trouva plus respectueux de se présenter dès midi et demi dans le cabinet de travail de M. le directeur du Dépôt. Il le trouva étalant son importance au milieu d'une foule de cartons.[289] Ses gros favoris noirs, son énorme quantité de cheveux, son bonnet grec [290] placé de travers sur le haut de la tête, sa pipe immense, ses pantoufles brodées, les grosses chaînes d'or croisées en tous sens sur sa poitrine, et tout cet appareil d'un financier de province, qui se croit homme à bonnes fortunes,[291] n'imposaient point à Julien; il n'en pensait que plus aux coups de bâton qu'il lui devait.

Il demanda l'honneur d'être présenté à Mme Valenod; elle était à sa toilette et ne pouvait recevoir. Par compensation, il eut l'avantage d'assister à celle de M. le directeur du dépôt. On passa ensuite chez Mme Vanelod, qui lui présenta ses enfants les larmes aux yeux. Cette dame, l'une des plus considérables de Verrières, avait une grosse figure d'homme, à laquelle elle avait mis du rouge pour cette grande cérémonie. Elle y déploya tout le pathos maternel.

Julien pensait à Mme de Rênal. Sa méfiance ne le laissait guère susceptible que de ce genre de souvenirs qui sont appelés par les contrastes,[291a] mais alors il en était saisi jusqu'à l'attendrissement. Cette disposition fut augmentée par l'aspect de la maison du directeur du dépôt. On la lui fit visiter. Tout y était magnifique et neuf, et on lui disait le prix de chaque meuble. Mais Julien y trouvait quelque chose d'ignoble et qui sentait l'argent volé. Jusqu'aux domestiques, tout le monde y avait l'air d'assurer sa contenance contre le mépris.[292]

Le percepteur des contributions,[293] l'homme des impositions indirectes,[294] l'officier de gendarmerie et deux ou trois autres fonctionnaires publics arrivèrent avec leurs femmes. Ils furent suivis de quelques libéraux riches. On annonça le dîner. Julien, déjà fort mal disposé, vint à penser que, de l'autre côté du mur de la salle à manger, se trouvaient de pauvres détenus, sur la portion de viande desquels on avait peut-être *grivelé*[295] pour acheter tout ce luxe de mauvais goût dont on voulait l'étourdir.

Ils ont faim peut-être en ce moment, se dit-il à lui-même; sa gorge se serra, il lui fut impossible de manger et presque de parler. Ce fut bien pis un quart d'heure après; on entendait de loin en loin quelques accents d'une chanson populaire, et, il faut l'avouer, un peu ignoble, que chantait l'un des reclus. M. Valenod regarda un de ses gens en grande livrée, qui disparut, et bientôt on n'entendit plus chanter. Dans ce moment, un valet offrait à Julien du vin du Rhin, dans un verre vert, et Mme. Valenod avait soin de lui faire observer que ce vin coûtait neuf francs la bouteille pris sur place.[296] Julien, tenant son verre vert, dit à M. Valenod:

— On ne chante plus cette vilaine chanson.

— Parbleu ! je le crois bien, répondit le directeur triomphant, j'ai fait imposer silence aux gueux.

Ce mot fut trop fort pour Julien; il avait les manières, mais non pas encore le cœur de son état. Malgré toute son hypocrisie si souvent exercée, il sentit une grosse larme couler le long de sa joue.

Il essaya de la cacher avec le verre vert, mais il lui fut absolument impossible de faire honneur au vin du Rhin. *L'empêcher de chanter!* se disait-il à lui-même, ô mon Dieu! et tu le souffres!

Par bonheur, personne ne remarqua son attendrissement de mauvais ton. Le percepteur des contributions avait entonné une chanson royaliste. Pendant le tapage du refrain, chanté en chœur: Voilà donc, se disait la conscience de Julien, la sale fortune à laquelle tu parviendras, et tu n'en jouiras qu'à cette condition et en pareille compagnie! Tu auras peut-être une place de vingt mille francs, mais il faudra que, pendant que tu te gorges de viandes, tu empêches de chanter le pauvre prisonnier; tu donneras à dîner avec l'argent que tu auras volé sur sa misérable pitance, et pendant ton dîner il sera encore plus malheureux! — O Napoléon! qu'il était doux de ton temps de monter à la fortune par les dangers d'une bataille; mais augmenter lâchement la douleur du misérable!

J'avoue que la faiblesse dont Julien fait preuve dans ce monologue me donne une pauvre opinion de lui. Il serait digne d'être le collègue de ces conspirateurs en gants jaunes, qui prétendent changer toute la manière d'être d'un grand pays, et ne veulent pas avoir à se reprocher la plus petite égratignure.[296a]

Julien fut violemment rappelé à son rôle. Ce n'était pas pour rêver et ne rien dire qu'on l'avait invité à dîner en si bonne compagnie.

Un fabricant de toiles peintes retiré, membre correspondant de l'académie de Besançon et de celle d'Uzès,[297] lui adressa la parole, d'un bout de la table à l'autre, pour lui demander si ce que l'on disait généralement de ses progrès étonnants dans l'étude du Nouveau Testament était vrai.

Un silence profond s'établit tout à coup; un Nouveau Testament latin se rencontra comme par enchantement dans les mains du savant membre de deux académies. Sur la réponse de Julien, une demi-phrase latine fut lue au hasard. Il récita: sa mémoire se trouva fidèle, et ce prodige fut admiré avec toute la bruyante énergie de la fin d'un dîner. Julien regardait la figure enluminée des dames; plusieurs n'étaient pas mal. Il avait distingué la femme du percepteur beau chanteur.

— J'ai honte, en vérité, de parler si longtemps latin devant ces dames, dit-il en la regardant. Si M. Rubigneau, c'était le membre des deux académies, a la bonté de lire au hasard une phrase latine, au lieu de répondre en suivant le texte latin, j'essaierai de le traduire impromptu.

Cette seconde épreuve mit le comble à sa gloire.

Il y avait là plusieurs libéraux riches, mais heureux pères d'enfants susceptibles d'obtenir des bourses, et en cette qualité subitement convertis depuis la dernière mission.[298] Malgré ce trait de fine politique, jamais M. de Rênal n'avait voulu les recevoir chez lui. Ces graves gens qui ne connaissaient Julien que de réputation et pour l'avoir vu à cheval le jour de l'entrée du roi de***, étaient ses plus bruyants admirateurs. Quand ces sots se lasseront-ils d'écouter ce style biblique, auquel ils ne comprennent rien ? pensait-il. Mais au contraire ce style les amusait par son étrangeté; ils en riaient. Mais Julien se lassa.

Il se leva gravement comme six heures sonnaient et parla d'un chapitre de la nouvelle théologie de Ligorio,[299] qu'il avait à apprendre pour le réciter le lendemain à M. Chélan. Car mon métier, ajouta-t-il agréablement, est de faire réciter des leçons et d'en réciter moi-même.

On rit beaucoup, on admira; tel est l'esprit à l'usage de [300] Verrières. Julien était déjà debout, tout le monde se leva malgré le décorum; tel est l'empire du génie. Mme. Valenod le retint encore un quart d'heure; il fallait bien qu'il entendît les enfants réciter leur catéchisme; ils firent les plus drôles de confusions,[301] dont lui seul s'aperçut. Il n'eut garde de les relever. Quelle ignorance des premiers principes de la religion ! pensait-il. Il saluait enfin et croyait pouvoir s'échapper; mais il fallut essuyer une fable de La Fontaine.[302]

— Cet auteur est bien immoral, dit Julien à Mme Valenod, certaine fable sur messire Jean Chouart [303] ose déverser le ridicule sur ce qu'il y a de plus vénérable. Il est vivement blâmé par les meilleurs commentateurs.

Julien reçut avant de sortir quatre ou cinq invitations à dîner. Ce jeune homme fait honneur au département, s'écriaient tous à la fois les convives fort égayés. Ils allèrent jusqu'à parler d'une pension votée sur les fonds communaux, pour le mettre à même de continuer ses études à Paris.

Pendant que cette idée imprudente faisait retentir la salle à manger, Julien avait gagné lestement la porte cochère. Ah ! canaille ! canaille ! s'écria-t-il à voix basse trois ou quatre fois de suite, en se donnant le plaisir de respirer l'air frais.

Il se trouvait tout aristocrate en ce moment, lui qui pendant longtemps avait été tellement choqué du sourire dédaigneux et de la supériorité hautaine qu'il découvrait au fond de toutes les politesses qu'on lui adressait chez M. de Rênal. Il ne put s'empêcher de sentir l'extrême différence. Oublions même, se disait-il en s'en allant, qu'il s'agit d'argent volé aux pauvres détenus, et encore qu'on empêche de chanter ! Jamais M. de Rênal s'avisa-t-il de dire à ses hôtes le prix de chaque bouteille de vin qu'il leur présente ? Et ce M. Valenod, dans l'énumération de ses propriétés, qui revient sans cesse, il ne peut parler de sa maison, de son domaine, etc., si sa femme est présente, sans dire *ta* maison, *ton* domaine.

Cette dame, apparemment si sensible au plaisir de la propriété, venait de faire une scène abominable, pendant le dîner, à un domestique qui avait cassé un verre à pied [304] et *dépareillé une de ses douzaines;* et ce domestique avait répondu avec la dernière insolence.

Quel ensemble ! se disait Julien; ils me donneraient la moitié de tout ce qu'ils volent, que je ne voudrais pas vivre avec eux. Un beau jour, je me trahirais; je ne pourrais retenir l'expression du dédain qu'ils m'inspirent.

Il fallut cependant, d'après les ordres de Mme de Rênal, assister à plusieurs dîners du même genre; Julien fut à la mode; on lui pardonnait son habit de garde d'honneur, ou plutôt cette imprudence était la cause véritable de ses succès. Bientôt, il ne fut plus question dans Verrières que de voir qui l'emporterait dans la lutte pour obtenir le savant jeune homme, de M. de Rênal, ou du directeur du dépôt.[305] Ces messieurs formaient avec M. Maslon un triumvirat, qui, depuis nombre d'années, tyrannisait la ville. On jalousait le maire, les libéraux avaient à s'en plaindre; mais après tout il était noble et fait pour la supériorité, tandis que le père de M. Valenod ne lui avait pas laissé six cents livres de rente. Il avait fallu passer pour lui de la pitié pour le mauvais habit vert pomme que tout le monde lui avait connu dans sa jeunesse, à l'envie pour ses chevaux normands, pour ses chaînes d'or, pour ses habits venus de Paris, pour toute sa prospérité actuelle.

Dans le flot de ce monde nouveau pour Julien, il crut découvrir un honnête homme; il était géomètre,[306] s'appelait Gros et passait pour jacobin. Julien, s'étant voué à ne jamais dire que des choses qui lui semblaient fausses à lui-même, fut obligé de s'en tenir au soupçon[307] à l'égard de M. Gros. Il recevait de Vergy de gros paquets de thèmes. On lui conseillait de voir souvent son père, il se conformait à cette triste nécessité. En un mot, il raccommodait assez bien sa réputation, lorsqu'un matin il fut bien surpris de se sentir réveiller par deux mains qui lui fermaient les yeux.

C'était Mme de Rênal, qui avait fait un voyage à la ville, et qui, montant les escaliers quatre à quatre et laissant ses enfants occupés d'un lapin favori qui était du voyage, était parvenue à la chambre de Julien, un instant avant eux. Ce moment fut délicieux, mais bien court: Mme de Rênal avait disparu quand les enfants arrivèrent avec le lapin, qu'ils voulaient montrer à leur ami. Julien fit bon accueil à tous, même au lapin. Il lui semblait retrouver sa famille; il sentit qu'il aimait ces enfants, qu'il se plaisait à jaser avec eux. Il était étonné de la douceur de leur voix, de la simplicité et de la noblesse de leurs petites façons; il avait besoin de laver son imagination de toutes les façons d'agir vulgaires, de toutes les pensées désagréables au milieu desquelles il respirait à Verrières. C'était toujours la crainte de manquer,[308] c'étaient toujours le luxe et la misère se prenant aux cheveux.[309] Les gens chez qui il dînait, à propos de leur rôti, faisaient des confidences humiliantes pour eux, et nauséabondes pour qui les entendait.

— Vous autres nobles, vous avez raison d'être fiers,

disait-il à Mme de Rênal. Et il lui racontait tous les dîners qu'il avait subis.

— Vous êtes donc à la mode ! Et elle riait de bon cœur en songeant au rouge que Mme Valenod se croyait obligée de mettre toutes les fois qu'elle attendait Julien. Je crois qu'elle a des projets sur votre cœur, ajoutait-elle.

Le déjeuner fut délicieux.[310] La présence des enfants, quoique gênante en apparence, dans le fait augmentait le bonheur commun. Ces pauvres enfants ne savaient comment témoigner leur joie de revoir Julien. Les domestiques n'avaient pas manqué de leur conter qu'on lui offrait deux cents francs de plus pour *éduquer* les petits Valenod.

Au milieu du déjeuner, Stanislas-Xavier, encore pâle de sa grande maladie, demanda tout à coup à sa mère combien valaient son couvert d'argent et le gobelet dans lequel il buvait.

— Pourquoi cela ?

— Je veux les vendre pour en donner le prix à M. Julien, et qu'il ne soit pas *dupe* en restant avec nous.

Julien l'embrassa, les larmes aux yeux. Sa mère pleurait tout à fait, pendant que Julien, qui avait pris Stanislas sur ses genoux, lui expliquait qu'il ne fallait pas se servir de ce mot *dupe,* qui, employé dans ce sens, était une façon de parler de laquais.[311] Voyant le plaisir qu'il faisait à Mme de Rênal, il chercha à expliquer, par des exemples pittoresques, qui amusaient les enfants, ce que c'était qu'être dupe.

— Je comprends, dit Stanislas, c'est le corbeau qui a la sottise de laisser tomber son fromage, que prend le renard, qui était un flatteur.[312]

Mme de Rênal, folle de joie, couvrait ses enfants de baisers, ce qui ne pouvait guère se faire sans s'appuyer un peu sur Julien.

Tout à coup la porte s'ouvrit; c'était M. de Rênal. Sa figure sévère et mécontente fit un étrange contraste avec la douce joie que sa présence chassait. Mme de Rênal pâlit; elle se sentait hors d'état de rien nier. Julien saisit la parole, et, parlant très haut, se mit à raconter à M. le maire le trait du gobelet d'argent que Stanislas voulait vendre. Il était sûr que cette histoire serait mal accueillie. D'abord M. de Rênal fronçait le sourcil par bonne habitude au seul nom d'argent. La mention de ce métal, disait-il, est toujours une préface à quelque mandat tiré sur ma bourse.

Mais ici il y avait plus qu'intérêt d'argent; il y avait augmentation de soupçons. L'air de bonheur qui animait sa famille en son absence n'était pas fait pour arranger les choses, auprès d'un homme dominé par une vanité aussi chatouilleuse. Comme sa femme lui vantait la manière remplie de grâce et d'esprit avec laquelle Julien donnait des idées nouvelles à ses élèves:

— Oui ! oui ! je le sais, il me rend odieux à mes enfants; il lui est bien aisé d'être pour eux cent fois plus aimable que moi qui, au fond, suis le maître. Tout tend dans ce siècle à jeter de l'odieux sur l'autorité *légitime.* Pauvre France !

Mme de Rênal ne s'arrêta point à examiner les nuances de l'accueil que lui faisait son mari. Elle venait d'entrevoir la possibilité de passer douze heures avec Julien. Elle avait une foule d'emplettes à faire à la ville, et déclara qu'elle voulait absolument aller dîner au cabaret; quoi que pût dire ou faire son mari, elle tint à son idée. Les enfants étaient ravis de ce seul mot *cabaret,* que prononce avec tant de plaisir la pruderie moderne.[313]

M. de Rênal laissa sa femme dans la première boutique de nouveautés[314] où elle entra, pour aller faire quelques visites. Il revint plus morose que le matin; il était convaincu que toute la ville s'occupait de lui et de Julien. A la vérité, personne ne lui avait encore laissé soupçonner la partie offensante des propos du public. Ceux qu'on avait redits à M. le maire avaient trait uniquement à savoir si Julien resterait chez lui avec six cents francs, ou accepterait les huit cents francs offerts par M. le directeur du dépôt.

Ce directeur, qui rencontra M. de Rênal dans le monde,[314a] lui *battit froid.* Cette conduite n'était pas sans habileté; il y a peu d'étourderie en province: les sensations y sont si rares, qu'on les coule à fond.[315]

M. Valenod était ce qu'on appelle, à cent lieues de Paris, un *faraud;* c'est une espèce d'un naturel effronté et grossier. Son existence triomphante, depuis 1815, avait renforcé ses belles dispositions.[316] Il régnait, pour ainsi dire, à Verrières, sous les ordres de M. de Rênal; mais beaucoup plus actif, ne rougissant de rien, se mêlant de tout, sans cesse allant, écrivant, parlant, oubliant les humiliations, n'ayant aucune prétention personnelle, il avait fini par balancer le crédit de son maire aux yeux du pouvoir ecclésiastique. M. Valenod avait dit en quelque sorte aux épiciers du pays: donnez-moi les deux plus sots d'entre vous; aux gens de loi: indiquez-moi les deux plus ignares; aux officiers de santé: désignez-moi les deux plus charlatans. Quand il avait eu rassemblé les plus effrontés de chaque métier, il leur avait dit: régnons ensemble.

Les façons de ces gens-là blessaient M. de Rênal. La grossièreté du Valenod n'était offensée de rien, pas même des démentis que le petit abbé Maslon ne lui épargnait pas en public.

Mais, au milieu de cette prospérité, M. Valenod avait besoin de se rassurer par de petites insolences de détail contre les grosses vérités qu'il sentait bien que tout le monde était en droit de lui adresser. Son activité avait redoublé depuis les craintes que lui avait laissées la visite de M. Appert, il avait fait trois voyages à Besançon; il écrivait plusieurs lettres chaque courrier; il en envoyait d'autres par des inconnus qui passaient chez lui à la tombée de la nuit. Il avait eu tort peut-être de faire destituer le vieux curé Chélan; car cette démarche vindicative l'avait fait regarder, par plusieurs dévotes de bonne naissance, comme un homme profondément méchant. D'ailleurs ce service rendu l'avait mis dans la dépendance absolue de M. le grand vicaire de Frilair, et il en recevait d'étranges commissions. Sa politique en était à ce point, lorsqu'il céda au plaisir d'écrire une lettre anonyme. Pour surcroît d'embarras, sa femme lui déclara qu'elle voulait avoir Julien chez elle; sa vanité s'en était coiffée.[317]

Dans cette position, M. Valenod prévoyait une scène décisive avec son ancien confédéré M. de Rênal. Celui-ci lui adressait des paroles dures, ce qui lui était assez égal; mais il pouvait écrire à Besançon, et même à Paris. Un cousin de quelque ministre pouvait tomber tout à coup à Verrières, et prendre le dépôt de mendicité. M. Valenod pensa à se rapprocher des libéraux: c'est pour cela que plusieurs étaient invités au dîner où Julien récita. Il aurait été puissamment soutenu contre le maire. Mais des élections pouvaient survenir, et il était trop évident que le dépôt et un mauvais vote étaient incompatibles. Le récit de cette politique, fort bien devinée par Mme de Rênal, avait été fait à Julien, pendant qu'il lui donnait le bras pour aller d'une boutique à l'autre, et peu à peu les avait entraînés au COURS DE DA FIDÉLITÉ, où ils passèrent plusieurs heures, presque aussi tranquilles qu'à Vergy.

Pendant ce temps, M. Valenod essayait d'éloigner une scène décisive avec son ancien patron, en prenant lui-même l'air audacieux envers lui. Ce jour-là, ce système réussit, mais augmenta l'humeur du maire.

Jamais la vanité aux prises avec tout ce que le petit amour de l'argent peut avoir de plus âpre et de plus mesquin n'ont mis [318] un homme dans un plus piètre état que celui où se trouvait M. de Rênal, en entrant au *cabaret*. Jamais, au contraire, ses enfants n'avaient été joyeux gais.[319] Ce contraste acheva de le piquer.

— Je suis de trop dans ma famille, à ce que je puis voir ! dit-il en entrant, d'un ton qu'il voulut rendre imposant.

Pour toute réponse, sa femme le prit à part et lui exprima la nécessité d'éloigner Julien. Les heures de bonheur qu'elle venait de trouver lui avaient rendu l'aisance et la fermeté nécessaires pour suivre le plan de conduite qu'elle méditait depuis quinze jours. Ce qui achevait de troubler de fond en comble le pauvre maire de Verrières, c'est qu'il savait que l'on plaisantait publiquement dans la ville sur son attachement pour l'*espèce*.[320] M. Valenod était généreux comme un voleur, et lui, il s'était conduit d'une manière plus prudente que brillante dans les cinq ou six dernières quêtes pour la confrérie de Saint-Joseph,[321] pour la congrégation de la Vierge, pour la congrégation du Saint-Sacrement, etc., etc.

Parmi les hobereaux de Verrières et des environs, adroitement classés sur le registre des frères collecteurs, d'après le montant de leurs offrandes, on avait vu plus d'une fois le nom de M. de Rênal occuper la dernière ligne. En vain disait-il que lui ne *gagnait rien*. Le clergé ne badine pas sur cet article.

23. *Les Chagrins d'un fonctionnaire*

Il piacere di alzar la testa tutto l'anno è ben pagato da certi quarti d'ora che bisogna passar.

CASTI.[322]

Mais laissons ce petit homme à ses petites craintes; pourquoi a-t-il pris dans sa maison un homme de cœur, tandis qu'il lui fallait l'âme d'un valet ? Que ne sait-il choisir ses gens ? La marche ordinaire du XIXe siècle est que, quand un être puissant et noble rencontre un homme de cœur, il le tue, l'exile, l'emprisonne ou l'humilie tellement, que l'autre a la sottise d'en mourir de douleur. Par hasard ici,[323] ce n'est pas encore l'homme de cœur qui souffre. Le grand malheur des petites villes de France [324] et des gouvernements par élections, comme celui de New-York, c'est de ne pas pouvoir oublier qu'il existe au monde des êtres comme M. de Rênal. Au milieu d'une ville de vingt mille habitants, ces hommes font l'opinion publique, et l'opinion publique est terrible dans un pays qui a la charte.[325] Un homme doué d'une âme noble, généreuse, et qui eût été votre ami, mais qui habite à cent lieues, juge de vous par l'opinion publique de votre ville, laquelle est faite par les sots que le hasard a fait naître nobles, riches et modérés. Malheur à qui se distingue !

Aussitôt après le dîner, on repartit pour Vergy; mais, dès le surlendemain, Julien vit revenir toute la famille à Verrières.

Une heure ne s'était pas écoulée, qu'à son grand étonnement, il découvrit que Mme de Rênal lui faisait mystère de quelque chose. Elle interrompait ses conversations avec son mari dès qu'il paraissait, et semblait presque désirer qu'il s'éloignât. Julien ne se fit pas donner deux fois cet avis. Il devint froid et réservé; Mme de Rênal s'en aperçut et ne chercha pas d'explications. Va-t-elle me donner un successeur ? pensa Julien. Avant-hier encore, si intime avec moi ! Mais on dit que c'est ainsi que ces grandes dames en agissent. C'est comme les rois, jamais plus de prévenances qu'au ministre qui, en rentrant chez lui, va trouver sa lettre de disgrâce.

Julien remarqua que dans ces conversations, qui cessaient brusquement à son approche, il était souvent question d'une grande maison appartenant à la commune de Verrières, vieille, mais vaste et commode, et située vis-à-vis de l'église, dans l'endroit le plus marchand de la ville. Que peut-il y avoir de commun entre cette maison et un nouvel amant ! se disait Julien. Dans son chagrin, il se répétait ces jolis vers de François Ier, qui lui semblaient nouveaux, parce qu'il n'y avait pas un mois que Mme de Rênal les lui avait appris. Alors, par combien de serments, par combien de caresses chacun de ces vers n'était-il pas démenti !

Souvent femme varie,
Bien fol qui s'y fie.[326]

M. de Rênal partit en poste pour Besançon. Ce voyage se décida en deux heures, il paraissait fort tourmenté. Au retour, il jeta un gros paquet couvert de papier gris sur la table.

— Voilà cette sotte affaire, dit-il à sa femme.

Une heure après, Julien vit l'afficheur qui emportait ce gros paquet; il le suivit avec empressement. Je vais savoir le secret au premier coin de rue.

Il attendait, impatient, derrière l'afficheur, qui, avec son gros pinceau, barbouillait le dos de l'affiche. A peine fut-elle en place, que la curiosité de Julien y vit l'annonce fort détaillée de la location aux enchères publiques de cette grande et vieille maison dont le nom revenait si souvent dans les conversations de M. de Rênal avec sa femme. L'adjudication du bail était annoncée pour le lendemain à deux heures, en la salle de la commune, à l'extinction du troisième feu.[327] Julien fut fort désappointé; il trouvait bien le délai [328] un peu court: comment tous les concurrents auraient-ils le temps d'être avertis ? Mais du reste, cette affiche, qui était datée de quinze jours auparavant et qu'il relut tout entière en trois endroits différents, ne lui apprenait rien.

Il alla visiter la maison à louer. Le portier ne le voyant pas approcher disait mystérieusement à un voisin:

— Bah ! bah ! peine perdue. M. Maslon lui a promis qu'il l'aura pour trois cents francs; et comme le maire regimbait, il a été mandé à l'évêché, par M. le grand vicaire de Frilair.

L'arrivée de Julien eut l'air de déranger beaucoup les deux amis, qui n'ajoutèrent plus un mot.

Julien ne manqua pas l'adjudication du bail. Il y avait foule dans une salle mal éclairée; mais tout le monde *se toisait* d'une façon singulière. Tous les yeux étaient fixés sur une table, où Julien aperçut, dans un plat d'étain, trois petits bouts de bougie allumés. L'huissier criait: *Trois cents francs, messieurs !*

— Trois cents francs ! c'est trop fort, dit un homme, à voix basse, à son voisin. Et Julien était entre eux deux. Elle en vaut plus de huit cents; je veux couvrir cette enchère.

— C'est cracher en l'air.[329] Que gagneras-tu à te mettre à dos M. Maslon, M. Valenod, l'évêque, son terrible grand vicaire de Frilair, et toute la clique.

— Trois cent vingt francs, dit l'autre en criant.

— Vilaine bête ! répliqua son voisin. Et voilà justement un espion du maire, ajouta-t-il en montrant Julien.

Julien se retourna vivement pour punir ce propos; mais les deux Francs-Comtois ne faisaient plus aucune attention à lui. Leur sang-froid lui rendit le sien. En ce moment, le dernier bout de bougie s'éteignit, et la voix traînante de l'huissier adjugeait la maison, pour neuf ans, à M. de Saint-Giraud, chef de bureau à la préfecture de***, et pour trois cent trente francs.

Dès que le maire fut sorti de la salle, les propos commencèrent.

— Voilà trente francs que l'imprudence de Grogeot vaut à la commune, disait l'un.

— Mais M. de Saint-Giraud, répondait-on, se vengera de Grogeot, il la sentira passer.[330]

— Quelle infamie ! disait un gros homme à la gauche de Julien: une maison dont j'aurais donné, moi, huit cents francs pour ma fabrique, et j'aurais fait un bon marché.

— Bah! lui répondait un jeune fabricant libéral, M. de Saint-Giraud n'est-il pas de la congrégation? ses quatre enfants n'ont-ils pas des bourses? Le pauvre homme![330a] Il faut que la commune de Verrières lui fasse un supplément de traitement de cinq cents francs, voilà tout.

— Et dire [330b] que le maire n'a pas pu l'empêcher! remarquait un troisième. Car il est ultra, lui, à la bonne heure; mais il ne vole pas.

— Il ne vole pas? reprit un autre; non, c'est pigeon qui vole.[331] Tout cela entre dans une grande bourse commune, et tout se partage au bout de l'an. Mais voilà ce petit Sorel; allons-nous-en.

Julien rentra de très mauvaise humeur; il trouva Mme de Rênal fort triste.

— Vous venez de l'adjudication? lui dit-elle.

— Oui, Madame, où j'ai eu l'honneur de passer pour l'espion de M. le maire.

— S'il m'avait cru, il eût fait un voyage.

A ce moment, M. de Rênal parut; il était fort sombre. Le dîner se passa sans mot dire. M. de Rênal ordonna à Julien de suivre les enfants à Vergy, le voyage fut triste. Mme de Rênal consolait son mari:

— Vous devriez y être accoutumé, mon ami.

Le soir, on était assis en silence autour du foyer domestique; le bruit du hêtre enflammé était la seule distraction. C'était un des moments de tristesse qui se rencontrent dans les familles les plus unies. Un des enfants s'écria joyeusement:

— On sonne! on sonne!

— Morbleu! si c'est M. de Saint-Giraud qui vient me relancer sous prétexte de remerciement, s'écria le maire, je lui dirai son fait; c'est trop fort. C'est au Valenod qu'il en aura l'obligation, et c'est moi qui suis compromis. Que dire, si ces maudits journaux jacobins vont s'emparer de cette anecdote, et faire de moi un M. Nonantecinq?[332]

Un fort bel homme, aux gros favoris noirs, entrait en ce moment à la suite du domestique.

— M. le maire, je suis il signor Geronimo. Voici une lettre que M. le chevalier de Beauvaisis, attaché à l'ambassade de Naples,[333] m'a remise pour vous à mon départ; il n'y a que neuf jours, ajouta le signor Geronimo, d'un air gai, en regardant Mme de Rênal. Le signor de Beauvaisis, votre cousin, et mon bon ami, Madame, dit que vous savez l'italien.

La bonne humeur du Napolitain changea cette triste soirée en une soirée fort gaie. Mme de Rênal voulut absolument lui donner à souper. Elle mit toute sa maison en mouvement; elle voulait à tout prix distraire Julien de la qualification d'espion que, deux fois dans cette journée, il avait entendu retentir à son oreille. Le signor Geronimo était un chanteur célèbre, homme de bonne compagnie,[334] et cependant fort gai, qualités qui, en France, ne sont guère plus compatibles. Il chanta après souper un petit duettino avec Mme de Rênal. Il fit des contes charmants. A une heure du matin les enfants se récrièrent, quand Julien leur proposa d'aller se coucher.

— Encore cette histoire, dit l'aîné.

— C'est la mienne, Signorino,[335] reprit le signor Geronimo. Il y a huit ans, j'étais comme vous un jeune élève du conservatoire de Naples, j'entends[336] j'avais votre âge; mais je n'avais pas l'honneur d'être le fils de l'illustre maire de la jolie ville de Verrières.

Ce mot fit soupirer M. de Rênal, il regarda sa femme.

— Le signor Zingarelli, continua le jeune chanteur, outrant un peu son accent qui faisait pouffer de rire les enfants, le signor Zingarelli était un maître excessivement sévère. Il n'est pas aimé au Conservatoire; mais il veut qu'on agisse toujours comme si on l'aimait. Je sortais le plus souvent que je pouvais; j'allais au petit théâtre de San-Carlino, où j'entendais une musique des dieux: mais ô ciel ! comment faire pour réunir les huit sous que coûte l'entrée du parterre ? Somme énorme, dit-il en regardant les enfants, et les enfants de rire.[337] Le signor Giovannone, directeur de San-Carlino,[338] m'entendit chanter. J'avais seize ans: Cet enfant, il est un trésor, dit-il.

— Veux-tu que je t'engage, mon cher ami ? vint-il me dire.

— Et combien me donnerez-vous ?

— Quarante ducats par mois. Messieurs, c'est cent soixante francs. Je crus voir les cieux ouverts.

— Mais comment, dis-je à Giovannone, obtenir que le sévère Zingarelli me laisse sortir ?

— *Lascia fare a me.*

— Laissez faire à moi ! s'écria l'aîné des enfants.

— Justement, mon jeune seigneur. Le signor Giovannone il me dit: Caro,[339] d'abord un petit bout d'engagement. Je signe: il me donne trois ducats. Jamais je n'avais vu tant d'argent. Ensuite, il me dit ce que je dois faire.

Le lendemain, je demande une audience au terrible signor Zingarelli. Son vieux valet de chambre me fait entrer.

— Que me veux-tu, mauvais sujet? dit Zingarelli.

— Maestro, lui fis-je, je me repens de mes fautes; jamais je ne sortirai du Conservatoire en passant par-dessus la grille de fer. Je vais redoubler d'application.

— Si je ne craignais pas de gâter la plus belle voix de basse que j'aie jamais entendue, je te mettrais en prison au pain et à l'eau pour quinze jours, polisson.

— Maestro, repris-je, je vais être le modèle de toute l'école, *credete a me.*[340] Mais je vous demande une grâce, si quelqu'un vient me demander pour chanter dehors, refusez-moi. De grâce, dites que vous ne pouvez pas.

— Et qui diable veux-tu qui demande un mauvais garnement tel que toi ? Est-ce que je permettrai jamais que tu quittes le Conservatoire ? Est-ce que tu veux te moquer de moi ? Décampe, décampe ! dit-il, en cherchant à me donner un coup de pied au c...[341] ou gare le pain sec et la prison.

Une heure après, le signor Giovannone arrive chez le directeur:

— Je viens vous demander de faire ma fortune, lui dit-il, accordez-moi Geronimo. Qu'il chante à mon théâtre, et cet hiver je marie ma fille.[342]

— Que veux-tu faire de ce mauvais sujet ? lui dit Zingarelli. Je ne veux pas; tu ne l'auras pas; et d'ailleurs, quand j'y consentirais, jamais il ne voudra quitter le Conservatoire; il vient de me le jurer.

— Si ce n'est que de sa volonté qu'il s'agit, dit gravement Giovannone en tirant de sa poche mon engagement, *carta canta !*[343] voici sa signature.

Aussitôt Zingarelli, furieux, se pend à sa sonnette: Qu'on chasse Geronimo du Conservatoire, cria-t-il, bouillant de colère. On me chassa donc, moi riant aux éclats. Le même soir, je chantai l'air *del Moltiplico.*[344] Polichinelle veut se marier et compte, sur ses doigts, les objets dont il aura besoin dans son ménage, et il s'embrouille à chaque instant dans ce calcul.

— Ah ! veuillez, Monsieur, nous chanter cet air, dit Mme de Rênal.

Geronimo chanta, et tout le monde pleurait à force de rire. Il signor Geronimo n'alla se coucher qu'à deux heures du matin, laissant cette famille enchantée de ses bonnes manières, de sa complaisance et de sa gaîté.

Le lendemain, M. et Mme de Rênal lui remirent les lettres dont il avait besoin à la cour de France.

Ainsi, partout de la fausseté, dit Julien. Voilà il signor Geronimo qui va à Londres avec soixante mille francs d'appointements. Sans le savoir-faire du directeur de San-Carlino, sa voix divine n'eût peut-être été connue et admirée que dix ans plus tard... Ma foi, j'aimerais mieux être un Geronimo qu'un Rênal. Il n'est pas si honoré dans la société, mais il n'a pas le chagrin de faire des adjudications comme celle d'aujourd'hui, et sa vie est gaie.

Une chose étonnait Julien: les semaines solitaires passées à Verrières, dans la maison de M. de Rênal, avaient été pour lui une époque de bonheur. Il n'avait rencontré le dégoût et les tristes pensées qu'aux dîners qu'on lui avait donnés; dans cette maison solitaire, ne pouvait-il pas lire, écrire, réfléchir sans être troublé ? A chaque instant, il n'était pas tiré de ses rêveries brillantes par la cruelle nécessité d'étudier les mouvements d'une âme basse, et encore afin de la tromper par des démarches ou des mots hypocrites.

Le bonheur serait-il si près de moi ?... La dépense[345] d'une telle vie est peu de chose; je puis à mon choix épouser Mlle Elisa, ou me faire l'associé de Fouqué... Mais le voyageur qui vient de gravir une montagne rapide s'assied au sommet, et trouve un plaisir parfait à se reposer. Serait-il heureux si on le forçait à se reposer toujours ?

L'esprit de Mme de Rênal était arrivé à des pensées

fatales. Malgré ses résolutions, elle avait avoué à Julien toute l'affaire de l'adjudication. Il me fera donc oublier tous mes serments, pensait-elle !

Elle eût sacrifié sa vie sans hésiter pour sauver celle de son mari, si elle l'eût vu en péril. C'était une de ses âmes nobles et romanesques, pour qui apercevoir la possibilité d'une action généreuse, et ne pas la faire, est la source d'un remords presque égal à celui du crime commis. Toutefois, il y avait des jours funestes où elle ne pouvait chasser l'image de l'excès de bonheur qu'elle goûterait si, devenant veuve tout à coup, elle pouvait épouser Julien.

Il aimait ses fils beaucoup plus que leur père; malgré sa justice sévère, il en était adoré. Elle sentait bien qu'épousant Julien, il fallait quitter ce Vergy dont les ombrages lui étaient si chers. Elle se voyait vivant à Paris, continuant à donner à ses fils cette éducation qui faisait l'admiration de tout le monde. Ses enfants, elle, Julien, tous étaient parfaitement heureux.

Etrange effet du mariage, tel que l'a fait le XIXe siècle ! L'ennui de la vie matrimoniale fait périr l'amour sûrement, quand l'amour a précédé le mariage. Et cependant, dirait un philosophe, il amène bientôt chez les gens assez riches pour ne pas travailler, l'ennui profond de toutes les jouissances tranquilles. Et ce n'est que les âmes sèches, parmi les femmes, qu'il ne prédispose pas à l'amour.

La réflexion du philosophe me fait excuser Mme de Rênal, mais on ne l'excusait pas à Verrières, et toute la ville, sans qu'elle s'en doutât, n'était occupée que du scandale de ses amours. A cause de cette grande affaire, cet automne-là on s'y ennuya moins que de coutume.

L'automne, une partie de l'hiver passèrent bien vite. Il fallut quitter les bois de Vergy. La bonne compagnie de Verrières commençait à s'indigner de ce que ses anathèmes faisaient si peu d'impression sur M. de Rênal. En moins de huit jours, des personnes graves qui se dédommagent de leur sérieux habituel par le plaisir de remplir ces sortes de missions, lui donnèrent les soupçons les plus cruels, mais en se servant des termes les plus mesurés.

M. Valenod, qui jouait serré,[346] avait placé Elisa dans une famille noble et fort considérée, où il y avait cinq femmes. Elisa craignant, disait-elle, de ne pas trouver de place pendant l'hiver, n'avait demandé à cette famille que les deux tiers à peu près de ce qu'elle recevait chez M. le maire. D'elle-même, cette fille avait eu l'excellente idée d'aller se confesser à l'ancien curé Chélan et en même temps au nouveau, afin de leur raconter à tous les deux le détail des amours de Julien.

Le lendemain de son arrivée, dès six heures du matin, l'abbé Chélan fit appeler Julien:

— Je ne vous demande rien, lui dit-il, je vous prie, et au besoin je vous ordonne de ne me rien dire, j'exige que sous trois jours vous partiez pour le séminaire de Besançon ou pour la demeure de votre ami Fouqué, qui est toujours disposé à vous faire un sort magnifique. J'ai tout prévu, tout arrangé, mais il faut partir, et ne pas revenir d'un an à Verrières.

Julien ne répondit point; il examinait si son honneur devait s'estimer offensé des soins que M. Chélan, qui après tout n'était pas son père, avait pris pour lui.

— Demain à pareille heure, j'aurai l'honneur de vous revoir, dit-il enfin au curé.

M. Chélan, qui comptait l'emporter de haute lutte [347] sur un si jeune homme, parla beaucoup. Enveloppé dans l'attitude et la physionomie la plus humble, Julien n'ouvrit pas la bouche.

Il sortit enfin, et courut prévenir Mme de Rênal, qu'il trouva au désespoir. Son mari venait de lui parler avec une certaine franchise. La faiblesse naturelle de son caractère s'appuyant sur la perspective de l'héritage de Besançon, l'avait décidé à la considérer comme parfaitement innocente. Il venait de lui avouer l'étrange état dans lequel il trouvait l'opinion publique de Verrières. Le public avait tort, il était égaré par des envieux, mais enfin que faire?

Mme de Rênal eut un instant l'illusion que Julien pourrait accepter les offres de M. Valenod et rester à Verrières. Mais ce n'était plus cette femme simple et timide de l'année précédente; sa fatale passion, ses remords l'avaient éclairée. Elle eut bientôt la douleur de se prouver à elle-même, tout en écoutant son mari, qu'une séparation au moins momentanée était devenue indispensable. Loin de moi, Julien va retomber dans ses projets d'ambition si naturels quand on n'a rien. Et moi, grand Dieu ! je suis si riche ! et si inutilement pour mon bonheur ! Il m'oubliera. Aimable comme il est, il sera aimé, il aimera. Ah ! malheureuse ... De quoi puis-je me plaindre ? Le ciel est juste, je n'ai pas eu le mérite de faire cesser le crime, il m'ôte le jugement. Il ne tenait qu'à moi de gagner Elisa à force d'argent, rien ne m'était plus facile. Je n'ai pas pris la peine de réfléchir un moment, les folles imaginations de l'amour absorbaient tout mon temps. Je péris.

Julien fut frappé d'une chose, en apprenant la terrible nouvelle du départ à Mme de Rênal, il ne trouva aucune objection égoïste. Elle faisait évidemment des efforts pour ne pas pleurer.

— Nous avons besoin de fermeté, mon ami.

Elle coupa une mèche de ses cheveux.

— Je ne sais pas ce que je ferai, lui dit-elle, mais si je meurs, promets-moi de ne jamais oublier mes enfants. De loin ou de près, tâche d'en faire d'honnêtes gens. S'il y a une nouvelle révolution, tous les nobles seront égorgés, leur père s'émigrera peut-être à cause de ce paysan tué sur un toit. Veille sur la famille ... Donne-moi ta main. Adieu, mon ami ! Ce sont ici les derniers moments. Ce grand sacrifice fait, j'espère qu'en public j'aurai le courage de penser à ma réputation.

Julien s'attendait à du désespoir. La simplicité de ces adieux le toucha.

— Non, je ne reçois pas ainsi vos adieux. Je partirai; ils le veulent; vous le voulez vous-même. Mais, trois jours après mon départ, je reviendrai vous voir de nuit.

L'existence de Mme de Rênal fut changée. Julien l'aimait donc bien puisque de lui-même il avait trouvé l'idée de la revoir ! Son affreuse douleur se changea en un des plus vifs mouvements de joie qu'elle eût éprouvés de sa vie. Tout lui devint facile. La certitude de revoir son ami ôtait à ces derniers moments tout ce qu'ils avaient de déchirant. Dès cet instant, la conduite, comme la physionomie de Mme de Rênal, fut noble, ferme et parfaitement convenable.

M. de Rênal rentra bientôt; il était hors de lui. Il parla

enfin à sa femme de la lettre anonyme reçue deux mois auparavant.

— Je veux la porter au Casino, montrer à tous qu'elle est de cet infâme Valenod, que j'ai pris à la besace [348] pour en faire un des plus riches bourgeois de Verrières. Je lui en ferai honte publiquement, et puis me battrai avec lui. Ceci est trop fort.

Je pourrais être veuve, grand Dieu! pensa Mme de Rênal. Mais presque au même instant, elle se dit: Si je n'empêche pas ce duel, comme certainement je le puis, je serai la meurtrière de mon mari.

Jamais elle n'avait ménagé sa vanité avec autant d'adresse. En moins de deux heures elle lui fit voir et toujours par des raisons trouvées par lui, qu'il fallait marquer plus d'amitié que jamais à M. Valenod, et même reprendre Elisa dans la maison. Mme de Rênal eut besoin de courage pour se décider à revoir cette fille, cause de tous ses malheurs. Mais cette idée venait de Julien.

Enfin, après avoir été mis trois ou quatre fois sur la voie, M. de Rênal arriva, tout seul, à l'idée financièrement bien pénible, que ce qu'il y aurait de plus désagréable pour lui, ce serait que Julien, au milieu de l'effervescence et des propos de tout Verrières, y restât comme précepteur des enfants de M. Valenod. L'intérêt évident de Julien était d'accepter les offres du directeur du dépôt de mendicité. Il importait au contraire à la gloire [349] de M. de Rênal que Julien quittât Verrières pour entrer au séminaire de Besançon ou à celui de Dijon.[350] Mais comment l'y décider, et ensuite comment y vivrait-il ?

M. de Rênal, voyant l'imminence du sacrifice d'argent, était plus au désespoir que sa femme. Pour elle, après cet entretien, elle était dans la position d'un homme de cœur qui, las de la vie, a pris une dose de *stramonium*;[351] il n'agit plus que par ressort,[352] pour ainsi dire, et ne porte plus d'intérêt à rien. Ainsi il arriva à Louis XIV mourant de dire: *Quand j'étais roi*. Parole admirable!

Le lendemain, dès le grand matin, M. de Rênal reçut une lettre anonyme. Celle-ci était du style le plus insultant. Les mots les plus grossiers applicables à sa position s'y voyaient à chaque ligne. C'était l'ouvrage de quelque envieux subalterne. Cette lettre le ramena à la pensée de se battre avec M. Valenod. Bientôt son courage alla jusqu'aux idées d'exécution immédiate. Il sortit seul, et alla chez l'armurier prendre des pistolets qu'il fit charger.

Au fait, se disait-il, l'administration sévère de l'empereur Napoléon reviendrait au monde, que moi je n'ai pas un sou de friponneries à me reprocher. J'ai tout au plus fermé les yeux, mais j'ai de bonnes lettres [353] dans mon bureau qui m'y autorisent.

Mme de Rênal fut effrayée de la colère froide de son mari, elle lui rappelait la fatale idée de veuvage qu'elle avait tant de peine à repousser. Elle s'enferma avec lui. Pendant plusieurs heures elle lui parla en vain, la nouvelle lettre anonyme le décidait. Enfin elle parvint à transformer le courage de donner un soufflet à M. Valenod en celui d'offrir six cents francs à Julien pour une année de sa pension dans un séminaire. M. de Rênal, maudissant mille fois le jour où il avait eu la fatale idée de prendre un précepteur chez lui, oublia la lettre anonyme.

Il se consola un peu par une idée qu'il ne dit pas à sa femme: avec de l'adresse, et en se prévalant des idées romanesques du jeune homme, il espérait l'engager, pour une somme moindre, à refuser les offres de M. Valenod.

Mme de Rênal eut bien plus de peine à prouver à Julien que, faisant aux convenances de son mari le sacrifice d'une place de huit cents francs, que lui offrait publiquement le directeur du dépôt, il pouvait sans honte accepter un dédommagement.

— Mais, disait toujours Julien, jamais je n'ai eu, même pour un instant, le projet d'accepter ces offres. Vous m'avez trop accoutumé à la vie élégante, la grossièreté de ces gens-là me tuerait.

La cruelle nécessité, avec sa main de fer, plia la volonté de Julien. Son orgueil lui offrait l'illusion de n'accepter que comme un prêt la somme offerte par le maire de Verrières, et de lui en faire un billet portant remboursement dans cinq ans avec intérêts.

Mme de Rênal avait toujours quelques milliers de francs cachés dans la petite grotte de la montagne.

Elle les lui offrit en tremblant, et sentant trop qu'elle serait refusée avec colère.

— Voulez-vous, lui dit Julien, rendre le souvenir de nos amours abominable ?

Enfin Julien quitta Verrières. M. de Rênal fut bien heureux; au moment fatal d'accepter de l'argent de lui, ce sacrifice se trouva trop fort pour Julien. Il refusa net. M. de Rênal lui sauta au cou les larmes aux yeux. Julien lui ayant demandé un certificat de bonne conduite, il ne trouva pas dans son enthousiasme de termes assez magnifiques pour exalter sa conduite. Notre héros avait cinq louis d'économies, et comptait demander une pareille somme à Fouqué.

Il était fort ému. Mais à une lieue de Verrières, où il laissait tant d'amour, il ne songea plus qu'au bonheur de voir une capitale, une grande ville de guerre comme Besançon.

Pendant cette courte absence de trois jours, Mme de Rênal fut trompée par une des plus cruelles déceptions de l'amour. Sa vie était passable, il y avait entre elle et l'extrême malheur, cette dernière entrevue qu'elle devait avoir avec Julien. Elle comptait les heures, les minutes qui l'en séparaient. Enfin pendant la nuit du troisième jour, elle entendit de loin le signal convenu. Après avoir traversé mille dangers, Julien parut devant elle.

De ce moment, elle n'eut plus qu'une pensée, c'est pour la dernière fois que je le vois. Loin de répondre aux empressements de son ami, elle fut comme un cadavre à peine animé. Si elle se forçait à lui dire qu'elle l'aimait, c'était d'un air gauche qui prouvait presque le contraire. Rien ne put la distraire de l'idée cruelle de séparation éternelle. Le méfiant Julien crut un instant être déjà oublié. Ses mots piqués dans ce sens ne furent accueillis que par de grosses larmes coulant en silence, et des serrements de main presque convulsifs.

— Mais, grand Dieu ! comment voulez-vous que je vous croie ? répondait Julien aux froides protestations de son amie; vous montreriez cent fois plus d'amitié sincère à Mme Derville, à une simple connaissance.

Mme de Rênal, pétrifiée, ne savait que répondre:

— Il est impossible d'être plus malheureuse ... J'espère que je vais mourir ... Je sens mon cœur se glacer ...

Telles furent les réponses les plus longues qu'il put en obtenir.

Quand l'approche du jour vint rendre le départ nécessaire, les larmes de Mme de Rênal cessèrent tout à fait. Elle le vit attacher une corde nouée à la fenêtre sans mot dire, sans lui rendre ses baisers. En vain Julien lui disait:

— Nous voici arrivés à l'état que vous avez tant souhaité. Désormais vous vivrez sans remords. A la moindre indisposition de vos enfants, vous ne les verrez plus dans la tombe.

— Je suis fâchée que vous ne puissiez pas embrasser Stanislas, lui dit-elle froidement.

Julien finit par être profondément frappé des embrassements sans chaleur de ce cadavre vivant; il ne put penser à autre chose pendant plusieurs lieues. Son âme était navrée, et avant de passer la montagne, tant qu'il put voir le clocher de l'église de Verrières, souvent il se retourna.

24. *Une Capitale*

> *Que de bruit, que de gens affairés ! que d'idées pour l'avenir dans une tête de vingt ans ! quelle distraction pour l'amour !*
>
> BARNAVE.

Enfin il aperçut, sur une montagne lointaine, des murs noirs; c'était la citadelle de Besançon. Quelle différence pour moi, dit-il en soupirant, si j'arrivais dans cette noble ville de guerre pour être sous-lieutenant dans un des régiments chargés de la défendre !

Besançon n'est pas seulement une des plus jolies villes de France, elle abonde en gens de cœur et d'esprit. Mais Julien n'était qu'un petit paysan et n'eut aucun moyen d'approcher les hommes distingués.

Il avait pris chez Fouqué un habit bourgeois, et c'est dans ce costume qu'il passa les ponts-levis. Plein de l'histoire du siège de 1674, il voulut voir, avant de s'enfermer au séminaire, les remparts et la citadelle. Deux ou trois fois il fut sur le point de se faire arrêter par les sentinelles; il pénétrait dans des endroits que le génie militaire interdit au public, afin de vendre pour douze ou quinze francs de foin tous les ans.[354]

La hauteur des murs, la profondeur des fossés, l'air terrible des canons l'avaient occupé pendant plusieurs heures, lorsqu'il passa devant le grand café, sur le boulevard. Il resta immobile d'admiration; il avait beau lire le mot café, écrit en gros caractères au-dessus des deux immenses portes, il ne pouvait en croire ses yeux. Il fit effort sur sa timidité; il osa entrer, et se trouva dans une salle longue de trente ou quarante pas, et dont le plafond est élevé de vingt pieds au moins. Ce jour-là, tout était enchantement pour lui.

Deux parties de billard étaient en train. Les garçons criaient les points; les joueurs couraient autour des billards encombrés de spectateurs. Des flots de fumée de tabac, s'élançant de la bouche de tous, les enveloppaient d'un nuage bleu. La haute stature de ces hommes, leurs épaules arrondies, leur démarche lourde, leurs énormes favoris, les longues redingotes qui les couvraient, tout attirait l'attention de Julien. Ces nobles enfants de l'antique Bisontium [355] ne parlaient qu'en criant; ils se donnaient les airs de guerriers terribles. Julien admirait immobile; il songeait à l'immensité et à la magnificence d'une grande capitale telle que Besançon. Il ne se sentait nullement le courage de demander une tasse de café à un de ces messieurs au regard hautain, qui criaient les points du billard.

Mais la demoiselle du comptoir avait remarqué la charmante figure de ce jeune bourgeois de campagne, qui, arrêté à trois pas du poêle, et son petit paquet sous le bras, considérait le buste du roi,[356] en beau plâtre blanc. Cette demoiselle, grande Franc-Comtoise, fort bien faite, et mise comme il le faut pour faire valoir un café, avait déjà dit deux fois, d'une petite voix qui cherchait à n'être entendue que de Julien: Monsieur! Monsieur! Julien rencontra de grands yeux bleus fort tendres, et vit que c'était à lui qu'on parlait.

Il s'approcha vivement du comptoir et de la jolie fille, comme il eût marché à l'ennemi. Dans ce grand mouvement, son paquet tomba.

Quelle pitié notre provincial ne va-t-il pas inspirer aux jeunes lycéens de Paris qui, à quinze ans, savent déjà entrer dans un café d'un air si distingué? Mais ces enfants, si bien stylés à quinze ans, à dix-huit tournent *au commun*. La timidité passionnée que l'on rencontre en province se surmonte quelquefois et alors elle enseigne à vouloir. En s'approchant de cette jeune fille si belle, qui daignait lui adresser la parole, il faut que je lui dise la vérité, pensa Julien, qui devenait courageux à force de timidité vaincue.

— Madame, je viens pour la première fois de ma vie à Besançon; je voudrais bien avoir, en payant, un pain et une tasse de café.

La demoiselle sourit un peu et puis rougit; elle craignait, pour ce joli jeune homme, l'attention ironique et les plaisanteries des joueurs de billard. Il serait effrayé et ne reparaîtrait plus.

— Placez-vous ici, près de moi, dit-elle en lui montrant

une table de marbre, presque tout à fait cachée par l'énorme comptoir d'acajou qui s'avance dans la salle.

La demoiselle se pencha en dehors du comptoir, ce qui lui donna l'occasion de déployer une taille superbe. Julien la remarqua; toutes ses idées changèrent. La belle demoiselle venait de placer devant lui une tasse, du sucre et un petit pain. Elle hésitait à appeler un garçon pour avoir du café, comprenant bien qu'à l'arrivée de ce garçon, son tête-à-tête avec Julien allait finir.

Julien, pensif, comparait cette beauté blonde et gaie à certains souvenirs qui l'agitaient souvent. L'idée de la passion dont il avait été l'objet lui ôta presque toute sa timidité. La belle demoiselle n'avait qu'un instant; elle lut dans les regards de Julien.

— Cette fumée de pipe vous fait tousser, venez déjeuner demain avant huit heures du matin: alors, je suis presque seule.

— Quel est votre nom ? dit Julien, avec le sourire caressant de la timidité heureuse.

— Amanda Binet.

— Permettez-vous que je vous envoie, dans une heure, un petit paquet gros comme celui-ci ?

La belle Amanda réfléchit un peu.

— Je suis surveillée: ce que vous me demandez peut me compromettre; cependant, je m'en vais écrire mon adresse sur une carte, que vous placerez sur votre paquet. Envoyez-le-moi hardiment.

— Je m'appelle Julien Sorel, dit le jeune homme; je n'ai ni parents, ni connaissance à Besançon.

— Ah, je comprends, dit-elle avec joie, vous venez pour l'Ecole de droit ?

— Hélas ! non, répondit Julien; on m'envoie au séminaire.

Le découragement le plus complet éteignit les traits d'Amanda; elle appela un garçon: elle avait du courage maintenant. Le garçon versa du café à Julien, sans le regarder.

Amanda recevait de l'argent au comptoir; Julien était fier d'avoir osé parler: on se disputa à l'un des billards. Les cris et les démentis des joueurs, retentissant dans cette salle immense, faisaient un tapage qui étonnait Julien. Amanda était rêveuse et baissait les yeux.

— Si vous voulez, Mademoiselle, lui dit-il tout à coup avec assurance, je dirai que je suis votre cousin.

Ce petit air d'autorité plut à Amanda. Ce n'est pas un jeune homme de rien, pensa-t-elle. Elle lui dit fort vite, sans le regarder, car son œil était occupé à voir si quelqu'un s'approchait du comptoir:

— Moi, je suis de Genlis, près de Dijon; dites que vous êtes aussi de Genlis, et cousin de ma mère.

— Je n'y manquerai pas.

— Tous les jeudis, à cinq heures, en été, MM. les séminaristes passent ici devant le café.

— Si vous pensez à moi, quand je passerai, ayez un bouquet de violettes à la main.

Amanda le regarda d'un air étonné; ce regard changea le courage de Julien en témérité; cependant il rougit beaucoup en lui disant:

— Je sens que je vous aime de l'amour le plus violent.

— Parlez donc plus bas, lui dit-elle d'un air effrayé.

Julien songeait à se rappeler les phrases d'un volume dépareillé de la *Nouvelle Héloïse,*[357] qu'il avait trouvé à Vergy. Sa mémoire le servit bien; depuis dix minutes, il récitait la *Nouvelle Héloïse* à Mlle Amanda, ravie, il était heureux dans sa bravoure, quand tout à coup la belle Franc-Comtoise prit un air glacial. Un de ses amants paraissait à la porte du café.

Il s'approcha du comptoir, en sifflant et marchant des épaules; il regarda Julien. A l'instant, l'imagination de celui-ci, toujours dans les extrêmes, ne fut remplie que d'idées de duel. Il pâlit beaucoup, éloigna sa tasse, prit une mine assurée, et regarda son rival fort attentivement. Comme ce rival baissait la tête en se versant familièrement un verre d'eau-de-vie sur le comptoir, d'un regard Amanda ordonna à Julien de baisser les yeux. Il obéit, et, pendant deux minutes, se tint immobile à sa place, pâle, résolu et ne songeant qu'à ce qui allait arriver; il était vraiment bien en cet instant. Le rival avait été étonné des yeux de Julien: son verre d'eau-de-vie avalé d'un trait, il dit un mot à Amanda, plaça ses deux mains dans les poches latérales de sa grosse redingote et s'approcha d'un billard en soufflant et regardant Julien. Celui-ci se leva transporté de colère; mais il ne savait comment s'y prendre pour être insolent. Il posa son petit paquet, et, de l'air le plus dandinant qu'il put, marcha vers le billard.

En vain la prudence lui disait: Mais avec un duel dès l'arrivée à Besançon, la carrière ecclésiastique est perdue.

— Qu'importe, il ne sera pas dit que je manque un insolent.

Amanda vit son courage; il faisait un joli contraste avec la naïveté de ses manières; en un instant, elle le préféra au grand jeune homme en redingote. Elle se leva, et, tout en ayant l'air de suivre de l'œil quelqu'un qui passait dans la rue, elle vint se placer rapidement entre lui et le billard:

— Gardez-vous de regarder de travers ce monsieur, c'est mon beau-frère.

— Que m'importe ? il m'a regardé.

— Voulez-vous me rendre malheureuse ? Sans doute, il vous a regardé, peut-être même il va venir vous parler. Je lui ai dit que vous êtes un parent de ma mère, et que vous arrivez de Genlis. Lui est Franc-Comtois et n'a jamais dépassé Dôle, sur la route de la Bourgogne; ainsi dites ce que vous voudrez, ne craignez rien.

Julien hésitait encore; elle ajouta bien vite, son imagination de dame de comptoir lui fournissant des mensonges en abondance:

— Sans doute, il vous a regardé, mais c'est au moment où il me demandait qui vous êtes; c'est un homme qui est *manant* avec tout le monde, il n'a pas voulu vous insulter.

L'œil de Julien suivait le prétendu beau-frère; il le vit acheter un numéro à la poule que l'on jouait au plus éloigné des deux billards. Julien entendit sa grosse voix qui criait d'un ton menaçant: *Je prends à faire !* [358] Il passa vivement derrière Mlle Amanda, et fit un pas vers le billard. Amanda le saisit par le bras:

— Venez me payer d'abord, lui dit-elle.

C'est juste, pensa Julien; elle a peur que je ne sorte sans payer. Amanda était aussi agitée que lui et fort rouge; elle lui rendit de la monnaie le plus lentement qu'elle put, tout en lui répétant à voix basse:

— Sortez à l'instant du café, ou je ne vous aime plus; et cependant je vous aime bien.

Julien sortit, en effet, mais lentement. N'est-il pas de mon devoir, se répétait-il, d'aller regarder à mon tour en soufflant ce grossier personnage? Cette incertitude le retint une heure, sur le boulevard, devant le café; il regardait si son homme sortait. Il ne parut pas, et Julien s'eloigna.

Il n'était à Besançon que depuis quelques heures et déjà il avait conquis un remords. Le vieux chirurgien-major lui avait donné autrefois, malgré sa goutte, quelques leçons d'escrime; telle était toute la science que Julien trouvait au service de sa colère. Mais cet embarras [359] n'eût rien été s'il eût su comment se fâcher autrement qu'en donnant un soufflet; [360] et, si l'on en venait aux coups de poings, son rival, homme énorme, l'eût battu et puis planté là.

Pour un pauvre diable comme moi, se dit Julien, sans protecteurs et sans argent, il n'y aura pas grande différence entre un séminaire et une prison; il faut que je dépose mes habits bourgeois dans quelque auberge, où je reprendrai mon habit noir. Si jamais je parviens à sortir du séminaire pour quelques heures, je pourrai fort bien, avec mes habits bourgeois, revoir Mlle Amanda. Ce raisonnement était beau; mais Julien, passant devant toutes les auberges, n'osait entrer dans aucune.

Enfin, comme il repassait devant l'hôtel des Ambassadeurs, ses yeux inquiets rencontrèrent ceux d'une grosse femme, encore assez jeune, haute en couleur, à l'air heureux et gai. Il s'approcha d'elle et lui raconta son histoire.

— Certainement, mon joli petit abbé, lui dit l'hôtesse des Ambassadeurs, je vous garderai vos habits bourgeois et même les ferai épousseter souvent. De ce temps-ci, il ne fait pas bon laisser un habit de drap sans le toucher. Elle prit une clef et le conduisit elle-même dans une chambre, en lui recommandant d'écrire la note de ce qu'il laissait.

— Bon Dieu! que vous avez bonne mine comme ça, M. l'abbé Sorel, lui dit la grosse femme, quand il descendit à la cuisine, je m'en vais vous faire servir un bon dîner; et, ajouta-t-elle à voix basse, il ne vous coûtera que vingt sols, au lieu de cinquante que tout le monde paye; car il faut bien ménager votre petit *boursicot.*[361]

— J'ai dix louis, répliqua Julien avec une certaine fierté.

— Ah ! bon Dieu, répondit la bonne hôtesse alarmée, ne parlez pas si haut; il y a bien des mauvais sujets dans Besançon. On vous volera cela en moins de rien. Surtout n'entrez jamais dans les cafés, ils sont remplis de mauvais sujets.

— Vraiment ! dit Julien, à qui ce mot donnait à penser.

— Ne venez jamais que chez moi, je vous ferai faire du café. Rappelez-vous que vous trouverez toujours ici une amie et un bon dîner à vingt sols; c'est parler ça,[362] j'espère. Allez vous mettre à table, je vais vous servir moi-même.

— Je ne saurais manger, lui dit Julien, je suis trop ému, je vais entrer au séminaire en sortant de chez vous.

La bonne femme ne le laissa partir qu'après avoir empli ses poches de provisions. Enfin Julien s'achemina vers le lieu terrible; l'hôtesse, de dessus sa porte,[363] lui en indiquait la route.

25. *Le Séminaire*

Trois cent trente-six dîners à 83 centimes, trois cent trente-six soupers à 38 centimes, du chocolat à qui de droit;[364] *combien y a-t-il à gagner sur la soumission ?*[365]

LE VALENOD de Besançon.

Il vit de loin la croix de fer doré sur la porte; il approcha lentement; ses jambes semblaient se dérober sous lui. Voilà donc cet enfer sur la terre, dont je ne pourrai sortir ! Enfin il se décida à sonner. Le bruit de la cloche retentit comme dans un lieu solitaire. Au bout de dix minutes, un homme pâle, vêtu de noir, vint lui ouvrir. Julien le regarda et aussitôt baissa les yeux. Ce portier avait une physionomie singulière. La pupille saillante et verte de ses yeux s'arrondissait comme celle d'un chat; les contours immobiles de ses paupières annonçaient l'impossibilité de toute sympathie: ses lèvres minces se développaient en demi-cercle sur des dents qui avançaient. Cependant cette physionomie ne montrait pas le crime, mais plutôt cette insensibilité parfaite, qui inspire bien plus de terreur à la jeunesse. Le seul sentiment que le regard rapide de Julien put deviner sur cette longue figure dévote fut un mépris profond pour tout ce dont on voudrait lui parler, et qui ne serait pas l'intérêt du ciel.

Julien releva les yeux avec effort, et d'une voix que le battement de cœur rendait tremblante, il expliqua qu'il désirait parler à M. Pirard, le directeur du séminaire. Sans dire une parole, l'homme noir lui fit signe de le suivre. Ils montèrent deux étages par un large escalier à rampe de bois, dont les marches déjetées penchaient tout à fait du côté opposé au mur, et semblaient prêtes à tomber. Une petite porte, surmontée d'une grande croix de cimetière en bois blanc peint en noir, fut ouverte avec difficulté, et le portier le fit entrer dans une chambre sombre et basse, dont les murs blanchis à la chaux étaient garnis de deux grands tableaux noircis par le temps. Là, Julien fut laissé seul; il était atterré, son cœur battait violemment; il eût été heureux d'oser pleurer. Un silence de mort régnait dans toute la maison.

Au bout d'un quart d'heure, qui lui parut une journée, le portier à figure sinistre reparut sur le pas d'une porte à l'autre extrémité de la chambre, et, sans daigner parler, lui fit signe d'avancer. Il entra dans une pièce encore plus grande que la première et fort mal éclairée. Les murs aussi étaient blanchis; mais il n'y avait pas de meubles. Seulement dans un coin près de la porte, Julien vit en passant un lit de bois blanc, deux chaises de paille, et un petit fauteuil en planches de sapin sans coussin. A l'autre extrémité de la chambre, près d'une petite fenêtre, à vitres jaunes, garnie de vases de fleurs tenus salement, il aperçut un homme assis devant une table, et couvert d'une soutane délabrée: il avait l'air en colère, et prenait l'un après l'autre une foule de petits carrés de papier qu'il rangeait sur sa table, après y avoir écrit quelques mots. Il ne s'apercevait pas de la présence de Julien. Celui-ci était immobile, debout vers le milieu de la chambre, là où l'avait laissé le portier, qui était ressorti en fermant la porte.

Dix minutes se passèrent ainsi; l'homme mal vêtu écrivait toujours. L'émotion et la terreur de Julien étaient telles, qu'il lui semblait être sur le point de tomber. Un philosophe eût dit, peut-être en se trompant: c'est la violente impression du laid sur une âme faite pour aimer ce qui est beau.

L'homme qui écrivait leva la tête; Julien ne s'en aperçut qu'au bout d'un moment, et même, après l'avoir vu, il restait encore immobile comme frappé à mort par le regard terrible dont il était l'objet. Les yeux troublés de Julien distinguaient à peine une figure longue et toute couverte de taches rouges, excepté sur le front, qui laissait voir une pâleur mortelle. Entre ces joues rouges et ce front blanc, brillaient deux petits yeux noirs faits pour effrayer le plus brave. Les vastes contours de ce front étaient marqués par des cheveux épais, plats et d'un noir de jais.

— Voulez-vous approcher, oui ou non? dit enfin cet homme avec impatience.

Julien s'avança d'un pas mal assuré, et enfin, prêt à tomber et pâle, comme de sa vie il ne l'avait été, il s'arrêta à trois pas de la petite table de bois blanc couverte de carrés de papier.

— Plus près, dit l'homme.

Julien s'avança encore en étendant la main, comme cherchant à s'appuyer sur quelque chose.

— Votre nom ?

— Julien Sorel.

— Vous avez bien tardé, lui dit-on, en attachant de nouveau sur lui un œil terrible.

Julien ne put supporter ce regard; étendant la main comme pour se soutenir, il tomba tout de son long sur le plancher.

L'homme sonna. Julien n'avait perdu que l'usage des yeux et la force de se mouvoir; il entendit des pas qui s'approchaient.

On le releva, on le plaça sur le petit fauteuil de bois blanc. Il entendit l'homme terrible qui disait au portier:

— Il tombe du haut mal [366] apparemment, il ne manquait plus que ça.

Quand Julien put ouvrir les yeux, l'homme à la figure rouge continuait à écrire; le portier avait disparu. Il faut avoir du courage, se dit notre héros, et surtout cacher ce que je sens: il éprouvait un violent mal de cœur;[366a] s'il m'arrive un accident, Dieu sait ce qu'on pensera de moi. Enfin l'homme cessa d'écrire, et regardant Julien de côté:

— Etes-vous en état de me répondre ?

— Oui, Monsieur, dit Julien, d'une voix affaiblie.

— Ah ! c'est heureux.

L'homme noir s'était levé à demi et cherchait avec impatience une lettre dans le tiroir de sa table de sapin qui s'ouvrit en criant. Il la trouva, s'assit lentement, et regardant de nouveau Julien, d'un air à lui arracher le peu de vie qui lui restait:

— Vous m'êtes recommandé par M. Chélan, c'était le meilleur curé du diocèse, homme vertueux s'il en fut, et mon ami depuis trente ans.

— Ah ! c'est à M. Pirard que j'ai l'honneur de parler, dit Julien d'une voix mourante.

— Apparemment, répliqua le directeur du séminaire, en le regardant avec humeur.

Il y eut un redoublement d'éclat dans ses petits yeux, suivi d'un mouvement involontaire des muscles des coins de la bouche. C'était la physionomie du tigre goûtant par avance le plaisir de dévorer sa proie.

— La lettre de Chélan est courte, dit-il, comme se parlant à lui-même. *Intelligenti pauca,*[367] par le temps qui court, on ne saurait écrire trop peu.[368] Il lut haut:

« Je vous adresse Julien Sorel, de cette paroisse, que j'ai baptisé il y aura vingt ans; fils d'un charpentier riche, mais qui ne lui donne rien. Julien sera un ouvrier remarquable dans la vigne du Seigneur. La mémoire, l'intelligence ne manquent point, il y a de la réflexion. Sa vocation sera-t-elle durable ? est-elle sincère ? »

— *Sincère!* répéta l'abbé Pirard d'un air étonné, et en regardant Julien; mais déjà le regard de l'abbé était moins dénué de toute humanité; *sincère!* répéta-t-il en baissant la voix et reprenant sa lecture:

« Je vous demande pour Julien Sorel une bourse; il la méritera en subissant les examens nécessaires. Je lui ai montré un peu de théologie, de cette ancienne et bonne théologie des Bossuet, des Arnault, des Fleury.[369] Si ce sujet ne vous convient pas, renvoyez-le-moi; le directeur du dépôt de mendicité, que vous connaissez bien, lui offre huit cents francs pour être précepteur de ses enfants. — Mon intérieur est tranquille, grâce à Dieu. Je m'accoutume au coup terrible. *Vale et me ama.*[370] »

L'abbé Pirard, ralentissant la voix comme il lisait la signature, prononça avec un soupir le mot *Chélan.*

— Il est tranquille, dit-il; en effet, sa vertu méritait cette récompense; Dieu puisse-t-il me l'accorder le cas échéant!

Il regarda le ciel et fit un signe de croix. A la vue de ce signe sacré, Julien sentit diminuer l'horreur profonde qui, depuis son entrée dans cette maison, l'avait glacé.

— J'ai ici trois cent vingt et un aspirants à l'état le plus saint, dit enfin l'abbé Pirard, d'un ton de voix sévère, mais non méchant; sept ou huit seulement me sont recommandés par des hommes tels que l'abbé Chélan; ainsi parmi les trois cent vingt et un, vous allez être le neuvième. Mais ma protection n'est ni faveur, ni faiblesse, elle est redoublement de soins et de sévérité contre les vices. Allez fermer cette porte à clef.

Julien fit un effort pour marcher et réussit à ne pas tomber. Il remarqua qu'une petite fenêtre, voisine de la porte d'entrée, donnait sur la campagne. Il regarda les arbres; cette vue lui fit du bien, comme s'il eût aperçu d'anciens amis.

— *Loquerisne linguam latinam?* (Parlez-vous latin), lui dit l'abbé Pirard, comme il revenait.

— *Ita, pater optime* (oui, mon excellent père), répondit Julien, revenant un peu à lui. Certainement, jamais homme au monde ne lui avait paru moins excellent que M. Pirard, depuis une demi-heure.

L'entretien continua en latin. L'expression des yeux de l'abbé s'adoucissait; Julien reprenait quelque sang-froid. Que je suis faible, pensa-t-il, de m'en laisser imposer par ces apparences de vertu! cet homme sera tout simplement un fripon comme M. Maslon; et Julien s'applaudit d'avoir caché presque tout son argent dans ses bottes.

L'abbé Pirard examina Julien sur la théologie, il fut surpris de l'étendue de son savoir. Son étonnement augmenta quand il l'interrogea en particulier sur les saintes Ecritures. Mais quand il arriva aux questions sur la doctrine des Pères, il s'aperçut que Julien ignorait presque jusqu'aux noms de saint Jérôme, de saint Augustin, de saint Bonaventure, de saint Basile, etc., etc.

Au fait, pensa l'abbé Pirard, voilà bien cette tendance fatale au protestantisme [371] que j'ai toujours reprochée à Chélan. Une connaissance approfondie et trop approfondie des saintes Ecritures.

(Julien venait de lui parler, sans être interrogé à ce sujet, du temps *véritable* [372] où avaient été écrits la Genèse, le Pentateuque, etc.)

A quoi mène ce raisonnement infini sur les saintes Ecritures, pensa l'abbé Pirard, si ce n'est à *l'examen personnel,* [373] c'est-à-dire au plus affreux protestantisme? Et à côté de cette science [374] imprudente, rien sur les Pères qui puisse compenser cette tendance.

Mais l'étonnement du directeur du séminaire n'eut plus de bornes, lorsque interrogeant Julien sur l'autorité du Pape, et s'attendant aux maximes de l'ancienne Eglise gallicane,[375] le jeune homme lui récita tout le livre de M. de Maistre.

Singulier homme que ce Chélan, pensa l'abbé Pirard; lui a-t-il montré ce livre pour lui apprendre à s'en moquer ?

Ce fut en vain qu'il interrogea Julien pour tâcher de deviner s'il croyait sérieusement à la doctrine de M. de Maistre. Le jeune homme ne répondait qu'avec sa mémoire. De ce moment, Julien fut réellement très bien, il sentait qu'il était maître de soi. Après un examen fort long, il lui sembla que la sévérité de M. Pirard envers lui n'était plus qu'affectée. En effet, sans les principes de gravité austère que, depuis quinze ans, il s'était imposés envers ses élèves en théologie, le directeur du séminaire eût embrassé Julien au nom de la logique, tant il trouvait de clarté, de précision et de netteté dans ses réponses.

Voilà un esprit hardi et sain, se disait-il, mais *corpus debile* (le corps est faible).

— Tombez-vous souvent ainsi ? dit-il à Julien en français et lui montrant du doigt le plancher.

— C'est la première fois de ma vie, la figure du portier m'avait glacé, ajouta Julien en rougissant comme un enfant.

L'abbé Pirard sourit presque.

— Voilà l'effet des vaines pompes du monde; vous êtes accoutumé apparemment à des visages riants, véritables théâtres de mensonge. La vérité est austère, Monsieur. Mais notre tâche ici-bas n'est-elle pas austère aussi ? Il faudra veiller à ce que votre conscience se tienne en garde contre cette faiblesse: *Trop de sensibilité aux vaines grâces de l'extérieur.*

Si vous ne m'étiez pas recommandé, dit l'abbé Pirard en reprenant la langue latine avec un plaisir marqué, si vous ne m'étiez pas recommandé par un homme tel que l'abbé Chélan, je vous parlerais le vain langage de ce monde auquel il paraît que vous êtes trop accoutumé. La bourse entière que vous sollicitez, vous dirais-je, est la chose du monde la plus difficile à obtenir. Mais l'abbé Chélan a mérité bien peu, par cinquante-six ans de travaux apostoliques, s'il ne peut disposer d'une bourse au séminaire.

Après ces mots, l'abbé Pirard recommanda à Julien de n'entrer dans aucune société ou congrégation secrète sans son consentement.

— Je vous en donne ma parole d'honneur, dit Julien avec l'épanouissement du cœur d'un honnête homme.

Le directeur du séminaire sourit pour la première fois.

— Ce mot n'est point de mise ici, lui dit-il, il rappelle trop le vain honneur des gens du monde qui les conduit à tant de fautes, et souvent à des crimes. Vous me devez la sainte obéissance en vertu du paragraphe dix-sept de la bulle *Unam Ecclesiam* de saint Pie V.[376] Je suis votre supérieur ecclésiastique. Dans cette maison, entendre, mon très cher fils, c'est obéir. Combien avez-vous d'argent ?

Nous y voici, se dit Julien, c'était pour cela qu'était le très cher fils.

— Trente-cinq francs, mon père.

— Ecrivez soigneusement l'emploi de cet argent; vous aurez à m'en rendre compte.

Cette pénible séance avait duré trois heures; Julien appela le portier.

— Allez installer Julien Sorel dans la cellule n° 103, dit l'abbé Pirard à cet homme.

Par une grande distinction, il accordait à Julien un logement séparé.

— Portez-y sa malle, ajouta-t-il.

Julien baissa les yeux et reconnut sa malle précisément en face de lui, il la regardait depuis trois heures, et ne l'avait pas reconnue.

En arrivant au n° 103, c'était une petite chambrette de huit pieds en carré, au dernier étage de la maison, Julien remarqua qu'elle donnait sur les remparts, et par delà on apercevait la jolie plaine que le Doubs sépare de la ville.

Quelle vue charmante ! s'écria Julien; en se parlant ainsi il ne sentait pas ce qu'exprimaient ces mots. Les sensations si violentes qu'il avait éprouvées depuis le peu de temps qu'il était à Besançon avaient entièrement épuisé ses forces. Il s'assit près de la fenêtre sur l'unique chaise de bois qui fût dans sa cellule, et tomba aussitôt dans un profond sommeil. Il n'entendit point la cloche du souper, ni celle du salut;[377] on l'avait oublié.

Quand les premiers rayons du soleil le réveillèrent le lendemain matin, il se trouva couché sur le plancher.

26. *Le Monde ou ce qui manque au riche*

Je suis seul sur la terre, personne ne daigne penser à moi. Tous ceux que je vois faire fortune ont une effronterie et une dureté de cœur que je ne me sens point. Ils me haïssent à cause de ma bonté facile. Ah ! bientôt je mourrai, soit de faim, soit du malheur de voir les hommes si durs.

YOUNG.[378]

Il se hâta de brosser son habit et de descendre, il était en retard. Un sous-maître le gronda sévèrement; au lieu de chercher à se justifier, Julien croisa les bras sur sa poitrine:

— *Peccavi, pater optime* (j'ai péché, j'avoue ma faute, ô mon père), dit-il d'un air contrit.

Ce début eut un grand succès. Les gens adroits parmi les séminaristes virent qu'ils avaient affaire à un homme qui n'en était pas aux éléments[379] du métier. L'heure de la récréation arriva. Julien se vit l'objet de la curiosité générale. Mais on ne trouva chez lui que réserve et silence. Suivant les maximes qu'il s'était faites, il considéra ses trois cent vingt et un camarades comme des ennemis; le plus dangereux de tous à ses yeux était l'abbé Pirard.

Peu de jours après, Julien eut à choisir un confesseur, on lui présenta une liste.

Eh ! bon Dieu ! pour qui me prend-on, se dit-il, croit-on que je ne comprenne pas *ce que parler veut dire ?*[380] et il choisit l'abbé Pirard.

Sans qu'il s'en doutât, cette démarche était décisive. Un petit séminariste tout jeune, natif de Verrières, et qui, dès le premier jour, s'était déclaré son ami, lui apprit que s'il eût choisi M. Castanède, le sous-directeur du séminaire, il eût peut-être agi avec plus de prudence.

— L'abbé Castanède est l'ennemi de M. Pirard qu'on soupçonne de jansénisme, ajouta le petit séminariste en se penchant vers son oreille.

Toutes les premières démarches de notre héros qui se croyait si prudent furent, comme le choix d'un confesseur, des étourderies. Egaré par toute la présomption d'un homme à imagination, il prenait ses intentions pour des faits, et se croyait un hypocrite consommé. Sa folie allait jusqu'à se reprocher ses succès dans cet art de la faiblesse.

Hélas ! c'est ma seule arme ! à une autre époque, se disait-il, c'est par des actions parlantes en face de l'ennemi que j'aurais *gagné mon pain.*

Julien, satisfait de sa conduite, regardait autour de lui; il trouvait partout l'apparence de la vertu la plus pure.

Huit ou dix séminaristes vivaient en odeur de sainteté, et avaient des visions comme sainte Thérèse et saint François lorsqu'il reçut les stigmates sur le mont *Vernia,*[381] dans l'Apennin. Mais c'était un grand secret, leurs amis le cachaient. Ces pauvres jeunes gens à visions étaient presque toujours à l'infirmerie. Une centaine d'autres réunissaient à une foi robuste une infatigable application. Ils travaillaient au point de se rendre malades, mais sans apprendre grand' chose. Deux ou trois se distinguaient par un talent réel, et, entre autres, un nommé Chazel; mais Julien se sentait de l'éloignement pour eux, et eux pour lui.

Le reste des trois cent vingt et un séminaristes ne se composait que d'êtres grossiers qui n'étaient pas bien sûrs de comprendre les mots latins qu'ils répétaient tout le long de la journée. Presque tous étaient des fils de paysans, et ils aimaient mieux gagner leur pain en récitant quelques mots latins qu'en piochant la terre. C'est d'après cette observation que, dès les premiers jours, Julien se promit de rapides succès. Dans tout service, il faut des gens intelligents, car enfin il y a un travail à faire, se disait-il. Sous Napoléon, j'eusse été sergent; parmi ces futurs curés, je serai grand vicaire.

Tous ces pauvres diables, ajoutait-il, manouvriers dès l'enfance, ont vécu, jusqu'à leur arrivée ici, de lait caillé et de pain noir. Dans leurs chaumières, ils ne mangeaient de la viande que cinq ou six fois par an. Semblables aux soldats romains qui trouvaient la guerre un temps de repos, ces grossiers paysans sont enchantés des délices du séminaire.

Julien ne lisait jamais dans leur œil morne que le besoin physique satisfait après le dîner, et le plaisir physique attendu avant le repas. Tels étaient les gens au milieu desquels il fallait se distinguer; mais ce que Julien ne savait pas, ce qu'on se gardait de lui dire, c'est que, être le premier dans les différents cours de dogme, d'histoire ecclésiastique, etc., etc., que l'on suit au séminaire, n'était à leurs yeux qu'un péché *splendide*. Depuis Voltaire, depuis le gouvernement des deux chambres,[382] qui n'est au fond que *méfiance et examen personnel,* et donne à l'esprit des peuples cette mauvaise habitude de *se méfier,* l'Eglise de France semble avoir compris que les livres sont ses vrais ennemis. C'est la soumission de cœur [383] qui est tout à ses yeux. Réussir dans les études, même sacrées, lui est suspect, et à bon droit. Qui [384] empêchera l'homme supérieur de passer de l'autre côté comme Sieyès ou Grégoire![385] L'Eglise tremblante s'attache au pape comme à la seule chance de salut. Le pape seul peut essayer de paralyser l'examen personnel, et, par les pieuses pompes des cérémonies de sa cour, faire impression sur l'esprit ennuyé et malade des gens du monde.

Julien, pénétrant à demi ces diverses vérités, que cependant toutes les paroles prononcées dans un séminaire tendent à démentir, tombait dans une mélancolie profonde. Il travaillait beaucoup, et réussissait rapidement à apprendre des choses très utiles à un prêtre, très fausses à ses yeux, et auxquelles il ne mettait aucun intérêt. Il croyait n'avoir rien autre chose à faire.

Suis-je donc oublié de toute la terre? pensait-il. Il ne savait pas que M. Pirard avait reçu et jeté au feu quelques lettres timbrées de Dijon, et où, malgré les formes du style le plus convenable, perçait la passion la plus vive. De grands remords semblaient combattre cet amour. Tant mieux, pensait l'abbé Pirard, ce n'est pas du moins une femme impie que ce jeune homme a aimée.

Un jour, l'abbé Pirard ouvrit une lettre qui semblait à demi effacée par les larmes, c'était un éternel adieu. Enfin, disait-on à Julien, le ciel m'a fait la grâce de haïr, non l'auteur de ma faute, il sera toujours ce que j'aurai de plus cher au monde, mais ma faute en elle-même. Le sacrifice est fait, mon ami. Ce n'est pas sans larmes, comme vous voyez. Le salut des êtres auxquels je me dois, et que vous avez tant aimés, l'emporte. Un Dieu juste, mais terrible, ne pourra plus se venger sur eux des crimes de leur mère. Adieu, Julien, soyez juste envers les hommes.

Cette fin de lettre était presque absolument illisible. On donnait une adresse à Dijon, et cependant on espérait que jamais Julien ne répondrait, ou que du moins il se servirait de paroles qu'une femme revenue à la vertu pourrait entendre sans rougir.

La mélancolie de Julien, aidée par la médiocre nourriture que fournissait au séminaire l'entrepreneur des dîners à 83 centimes, commençait à influer sur sa santé, lorsqu'un matin Fouqué parut tout à coup dans sa chambre.

— Enfin j'ai pu entrer. Je suis venu cinq fois à Besançon, sans reproche,[386] pour te voir. Toujours visage de bois. J'ai aposté quelqu'un à la porte du séminaire; pourquoi diable est-ce que tu ne sors jamais ?

— C'est une épreuve que je me suis imposée.

— Je te trouve bien changé. Enfin je te revois. Deux beaux écus de cinq francs [387] viennent de m'apprendre que je n'étais qu'un sot de ne pas les avoir offerts dès le premier voyage.

La conversation fut infinie entre les deux amis. Julien changea de couleur lorsque Fouqué lui dit:

— A propos, sais-tu ? la mère de tes élèves est tombée dans la plus haute dévotion.

Et il parlait de cet air dégagé qui fait une si singulière impression sur l'âme passionnée de laquelle on bouleverse, sans s'en douter, les plus chers intérêts.

— Oui, mon ami, dans la dévotion la plus exaltée. On dit qu'elle fait des pèlerinages. Mais, à la honte éternelle de l'abbé Maslon, qui a espionné si longtemps ce pauvre M. Chélan, Mme de Rênal n'a pas voulu de lui. Elle va se confesser à Dijon ou à Besançon.

— Elle vient à Besançon, dit Julien le front couvert de rougeur.

— Assez souvent, répondit Fouqué d'un air interrogatif.

— As-tu des *Constitutionnels* sur toi ?

— Que dis-tu ? répliqua Fouqué.

— Je te demande si tu as des *Constitutionnels* ? reprit Julien, du ton de voix le plus tranquille. Ils se vendent trente sous le numéro ici.

— Quoi ! même au séminaire, des libéraux ! s'écria Fouqué. Pauvre France ! ajouta-t-il en prenant la voix hypocrite et le ton doux de l'abbé Maslon.

Cette visite eût fait une profonde impression sur notre héros, si dès le lendemain, un mot que lui adressa ce petit séminariste de Verrières qui lui semblait si enfant, ne lui eût fait faire une importante découverte. Depuis qu'il était au séminaire, la conduite de Julien n'avait été qu'une suite de fausses démarches. Il se moqua de lui-même avec amertume.

A la vérité, les actions importantes de sa vie étaient savamment conduites; mais il ne soignait pas les détails, et les habiles au séminaire ne regardent qu'aux détails. Aussi,[387a] passait-il déjà parmi ses camarades pour un *esprit fort*. Il avait été trahi par une foule de petites actions.

A leurs yeux, il était convaincu [387b] de ce vice énorme, *il pensait, il jugeait par lui-même,* au lieu de suivre aveuglément *l'autorité* et l'exemple. L'abbé Pirard ne lui avait été d'aucun secours; il ne lui avait pas adressé une seule fois la parole hors du tribunal de la pénitence [388] où encore il écoutait plus qu'il ne parlait. Il en eût été bien autrement s'il eût choisi l'abbé Castanède.

Du moment que Julien se fut aperçu de sa folie, il ne s'ennuya plus. Il voulut connaître toute l'étendue du mal, et, à cet effet, sortit un peu de ce silence hautain et obstiné avec lequel il repoussait ses camarades. Ce fut alors qu'on se vengea de lui. Ses avances furent accueillies par un mépris qui alla jusqu'à la dérision. Il reconnut que, depuis son entrée au séminaire, il n'y avait pas eu une heure, surtout pendant les récréations, qui n'eût porté conséquence pour ou contre lui, qui n'eût augmenté le nombre de ses ennemis, ou ne lui eût concilié la bienveillance de quelque séminariste sincèrement vertueux ou un peu moins grossier que les autres. Le mal à réparer était immense, la tâche fort difficile. Désormais l'attention de Julien fut sans cesse sur ses gardes; il s'agissait de se dessiner un caractère tout nouveau.

Les mouvements de ses yeux, par exemple, lui donnèrent beaucoup de peine. Ce n'est pas sans raison qu'en ces lieux-là on les porte baissés. Quelle n'était pas ma présomption à Verrières ! se disait Julien, je croyais vivre; je me préparais seulement à la vie; me voici enfin dans le monde, tel que je le trouverai jusqu'à la fin de mon rôle, entouré de vrais ennemis. Quelle immense difficulté, ajoutait-il, que [389] cette hypocrisie de chaque minute ! c'est à faire pâlir les travaux d'Hercule. L'Hercule des temps modernes, c'est Sixte-Quint [390] trompant quinze années de suite, par sa modestie, quarante cardinaux qui l'avaient vu vif et hautain pendant toute sa jeunesse.

La science n'est donc rien ici ! se disait-il avec dépit; les progrès dans le dogme, dans l'histoire sacrée, etc., ne comptent qu'en apparence. Tout ce qu'on dit à ce sujet est destiné à faire tomber dans le piège les fous tels que moi. Hélas ! mon seul mérite consistait dans mes progrès rapides, dans ma façon de saisir ces balivernes. Est-ce qu'au fond ils les estimeraient [391] à leur vraie valeur ? les jugent-ils comme moi ? Et j'avais la sottise d'en être fier ! Ces premières places que j'obtiens toujours n'ont servi qu'à me donner des ennemis acharnés. Chazel, qui a plus de science que moi, jette toujours dans ses compositions quelque balourdise qui le fait reléguer à la cinquantième place; s'il obtient la première, c'est par distraction. Ah ! qu'un mot, un seul mot de M. Pirard m'eût été utile !

Du moment que Julien fut détrompé, les longs exercices de piété ascétique, tels que le chapelet cinq fois la semaine, les cantiques au Sacré-Cœur, etc., etc., qui lui semblaient si mortellement ennuyeux, devinrent ses moments d'action les plus intéressants. En réfléchissant sévèrement sur lui-même, et cherchant surtout à ne pas s'exagérer ses moyens, Julien n'aspira pas d'emblée, comme les séminaristes qui servaient de modèles aux autres, à faire à chaque instant des actions *significatives,* c'est-à-dire prouvant un genre de perfection chrétienne. Au séminaire, il est une façon de manger un œuf à la coque qui annonce les progrès faits dans la vie dévote.

Le lecteur, qui sourit peut-être, daignerait-il se souvenir de toutes les fautes que fit, en mangeant un œuf, l'abbé Delille[392] invité à déjeuner chez une grande dame de la cour de Louis XVI.

Julien chercha d'abord à arriver au *non culpa,*[393] c'est l'état du jeune séminariste dont la démarche, dont la façon de mouvoir les bras, les yeux, etc., n'indiquent à la vérité rien de mondain, mais ne montrent pas encore l'être absorbé par l'idée de l'autre vie et le *pur néant* de celle-ci.

Sans cesse Julien trouvait écrit[394] au charbon, sur les murs des corridors, des phrases telles que celle-ci: qu'est-ce que soixante ans d'épreuves, mis en balance avec une éternité de délices ou une éternité d'huile bouillante en enfer ? Il ne les méprisa plus; il comprit qu'il fallait les avoir sans cesse devant les yeux. Que ferai-je toute ma vie? se disait-il; je vendrai aux fidèles une place dans le ciel. Comment cette place leur sera-t-elle rendue visible ? par la différence de mon extérieur et de celui d'un laïc.

Après plusieurs mois d'application de tous les instants, Julien avait encore l'air de *penser.* Sa façon de remuer les yeux et de porter la bouche n'annonçait pas la foi implicite et prête à tout croire et à tout soutenir, même par le martyr.[395] C'était avec colère que Julien se voyait primé dans ce genre par les paysans les plus grossiers. Il y avait de bonnes raisons pour qu'ils n'eussent pas l'air penseur.[396]

Que de peine ne se donnait-il pas pour arriver à cette physionomie de foi fervente et aveugle, prête à tout croire et à tout souffrir, que l'on trouve si fréquemment dans les couvents[397] d'Italie, et dont, à nous autres laïcs, le Guerchin[398] a laissé de si parfaits modèles dans ses tableaux d'église.[399]

Les jours de grande fête, on donnait aux séminaristes des saucisses avec de la choucroute. Les voisins de table de Julien observèrent qu'il était insensible à ce bonheur; ce fut là un de ses premiers crimes. Ses camarades y virent un trait odieux de la plus sotte hypocrisie; rien ne lui fit plus d'ennemis. Voyez ce bourgeois, voyez ce dédaigneux, disaient-ils, qui fait semblant de mépriser la meilleure *pitance,*[400] des saucisses avec de la choucroute ! fi, le vilain ! l'orgueilleux ! le damné !

Hélas ! l'ignorance de ces jeunes paysans, mes camarades, est pour eux un avantage immense, s'écriait Julien dans ses moments de découragement. A leur arrivée au séminaire, le professeur n'a point à les délivrer de ce nombre effroyable d'idées mondaines que j'y apporte, et qu'ils lisent sur ma figure, quoi que je fasse.

Julien étudiait, avec une attention voisine de l'envie, les plus grossiers des petits paysans qui arrivaient au séminaire Au moment où on les dépouillait de leur veste de ratine pour leur faire endosser la robe noire, leur éducation se bornait à un respect immense et sans bornes pour l'argent *sec et liquide,*[401] comme on dit en Franche-Comté.

C'est la maniére sacramentelle et héroïque d'exprimer l'idée sublime d'*argent comptant.*

Le bonheur, pour ces séminaristes comme pour les héros des romans de Voltaire, consiste surtout à bien dîner. Julien découvrait chez presque tous un respect inné pour l'homme qui porte un habit de *drap fin.* Ce sentiment apprécie la *justice distributive,* telle que nous la donnent nos tribunaux, à sa valeur et même au-dessous de sa valeur. Que peut-on gagner, répétaient-ils souvent entre eux, à plaider contre un *gros ?*

C'est le mot des vallées du Jura, pour exprimer un homme riche. Qu'on juge de leur respect pour l'être le plus riche de tous: le gouvernement !

Ne pas sourire avec respect au seul nom de M. le préfet, passe, aux yeux des paysans de la Franche-Comté, pour une imprudence: or, l'imprudence chez le pauvre est rapidement punie par le manque de pain.

Après avoir été comme suffoqué dans les premiers temps par le sentiment du mépris, Julien finit par éprouver de la pitié: il était arrivé souvent aux pères de la plupart de ses camarades de rentrer le soir dans l'hiver à leur chaumière, et de n'y trouver ni pain, ni châtaignes, ni pommes de terre. Qu'y a-t-il donc d'étonnant, se disait Julien, si l'homme heureux, à leurs yeux, est d'abord celui qui vient de bien dîner, et ensuite celui qui possède un bon habit ! Mes camarades ont une vocation ferme, c'est-à-dire qu'ils voient dans l'état ecclésiastique une longue continuation de ce bonheur: bien dîner et avoir un habit chaud en hiver.

Il arriva à Julien d'entendre un jeune séminariste, doué d'imagination, dire à son compagnon:

— Pourquoi ne deviendrais-je pas pape comme Sixte-Quint, qui gardait les pourceaux ?

— On ne fait pape que des Italiens, répondit l'ami; mais pour sûr on tirera au sort parmi nous pour des places de grands vicaires, de chanoines, et peut-être d'évêques. M. P..., évêque de Châlons,[401a] est fils d'un tonnelier: c'est l'état de mon père.

Un jour, au milieu d'une leçon de dogme, l'abbé Pirard fit appeler Julien. Le pauvre jeune homme fut ravi de sortir de l'atmosphère physique et morale au milieu de laquelle il était plongé.

Julien trouva chez M. le directeur l'accueil qui l'avait tant effrayé le jour de son entrée au séminaire.

— Expliquez-moi ce qui est écrit sur cette carte à jouer, lui dit-il en le regardant de façon à le faire rentrer sous terre.

Julien lut:

« Amanda Binet, au café de la Girafe, avant huit heures. Dire que l'on est de Genlis, et le cousin de ma mère. »

Julien vit l'immensité du danger; la police de l'abbé Castanède lui avait volé cette adresse.

— Le jour où j'entrai ici, répondit-il en regardant le front de l'abbé Pirard, car il ne pouvait supporter son œil terrible, j'étais tremblant: M. Chélan m'avait dit que c'était un lieu plein de délations et de méchancetés de tous les genres; l'espionnage et la dénonciation entre camarades y sont encouragés. Le ciel le veut ainsi, pour montrer la vie telle qu'elle est, aux jeunes prêtres, et leur inspirer le dégoût du monde et de ses pompes.

— Et c'est à moi que vous faites des phrases, dit l'abbé Pirard furieux. Petit coquin !

— A Verrières, reprit froidement Julien, mes frères me battaient lorsqu'ils avaient sujet d'être jaloux de moi ...[402]

— Au fait ![402a] au fait ! s'écria M. Pirard, presque hors de lui.

Sans être le moins du monde intimidé, Julien reprit sa narration.

— Le jour de mon arrivée à Besançon, vers midi, j'avais faim, j'entrai dans un café. Mon cœur était rempli de répugnance pour un lieu si profane; mais je pensai que mon déjeuner me coûterait moins cher là qu'à l'auberge. Une dame, qui paraissait la maîtresse de la boutique, eut pitié de mon air novice. Besançon est rempli de mauvais sujets, me dit-elle, je crains pour vous, Monsieur. S'il vous arrivait quelque mauvaise affaire, ayez recours à moi, envoyez chez moi avant huit heures. Si les portiers du séminaire refusent de faire votre commission, dites que vous êtes mon cousin, et natif de Genlis ...

— Tout ce bavardage va être vérifié, s'écria l'abbé Pirard, qui, ne pouvant rester en place, se promenait dans la chambre.

Qu'on se rende dans sa cellule !

L'abbé suivit Julien et l'enferma à clef. Celui-ci se mit aussitôt à visiter sa malle, au fond de laquelle la fatale carte était précieusement cachée. Rien ne manquait dans la malle, mais il y avait plusieurs dérangements; cependant la clef ne le quittait jamais. Quel bonheur, se dit Julien, que, pendant le temps de mon aveuglement, je n'aie jamais accepté la permission de sortir, que M. Castanède m'offrait si souvent avec une bonté que je comprends maintenant. Peut-être j'aurais eu la faiblesse de changer d'habits et d'aller voir la belle Amanda, je me serais perdu. Quand on a désespéré de tirer parti du renseignement de cette manière, pour ne pas le perdre, on en a fait une dénonciation.

Deux heures après, le directeur le fit appeler.

— Vous n'avez pas menti, lui dit-il avec un regard moins sévère; mais garder une telle adresse est une imprudence dont vous ne pouvez concevoir la gravité. Malheureux enfant ! dans dix ans, peut-être, elle vous portera dommage.

27. Première Expérience de la vie

Le temps présent, grand Dieu ! c'est l'arche du Seigneur. Malheur à qui y touche.

DIDEROT.[403]

Le lecteur voudra bien nous permettre de donner très peu de faits clairs et précis sur cette époque de la vie de Julien. Ce n'est pas qu'ils nous manquent, bien au contraire; mais, peut-être ce qu'il vit au séminaire est-il trop noir pour le coloris modéré que l'on a cherché à conserver dans ces feuilles. Les contemporains qui souffrent de certaines choses ne peuvent s'en souvenir qu'avec une horreur qui paralyse tout autre plaisir, même celui de lire un conte.

Julien réussissait peu dans ses essais d'hypocrisie de gestes; il tomba dans des moments de dégoût et même de découragement complet. Il n'avait pas de succès, et encore dans une vilaine carrière. Le moindre secours extérieur eût suffi pour lui remettre le cœur, la difficulté à vaincre n'était pas bien grande; mais il était seul comme une barque abandonnée au milieu de l'océan. Et quand je réussirais, se disait-il; avoir toute une vie à passer en si mauvaise compagnie ! Des gloutons qui ne songent qu'à l'omelette au lard qu'ils dévoreront au dîner, ou des abbés Castanède, pour qui aucun crime n'est trop noir ! Ils parviendront au pouvoir; mais à quel prix, grand Dieu !

La volonté de l'homme est puissante, je le lis partout; mais suffit-elle pour surmonter un tel dégoût ? La tâche des grands hommes a été facile; quelque terrible que fût le danger, ils le trouvaient beau; et qui peut comprendre, excepté moi, la laideur de ce qui m'environne ?

Ce moment fut le plus éprouvant de sa vie. Il lui était si facile de s'engager dans un des beaux régiments en garnison à Besançon ! il pouvait se faire maître de latin; il lui fallait si peu pour sa subsistance ! mais alors plus de carrière, plus d'avenir pour son imagination: c'était mourir. Voici le détail d'une de ses tristes journées.

Ma présomption s'est si souvent applaudie de ce que j'étais différent des autres jeunes paysans! Eh bien, j'ai assez vécu pour voir que *différence engendre haine,* se disait-il un matin. Cette grande vérité venait de lui être montrée par une de ses plus piquantes irréussites. Il avait travaillé huit jours à plaire à un élève qui vivait en odeur de sainteté. Il se promenait avec lui dans la cour, écoutant avec soumission des sottises à dormir debout. Tout à coup le temps tourna à l'orage, le tonnerre gronda, et le saint élève s'écria, le repoussant d'une façon grossière:

— Ecoutez; chacun pour soi dans ce monde, je ne veux pas être brûlé par le tonnerre: Dieu peut vous foudroyer comme un impie, comme un Voltaire.

Les dents serrées de rage et les yeux ouverts vers le ciel sillonné par la foudre: je mériterais d'être submergé, si je m'endors pendant la tempête! s'écria Julien. Essayons la conquête de quelque autre cuistre.

Le cours d'histoire sacrée de l'abbé Castanède sonna. A ces jeunes paysans si effrayés du travail pénible et de la pauvreté de leurs pères, l'abbé Castanède enseignait ce jour-là que cet être si terrible à leurs yeux, le gouvernement, n'avait de pouvoir réel et légitime qu'en vertu de la délégation du vicaire de Dieu [404] sur la terre.

Rendez-vous dignes des bontés du pape par la sainteté de votre vie, par votre obéissance, soyez *comme un bâton entre ses mains,* ajoutait-il, et vous allez obtenir une place superbe où vous commanderez en chef, loin de tout contrôle; une place inamovible, dont le gouvernement paie le tiers des appointements, et les fidèles, formés par vos prédications, les deux autres tiers.

Au sortir de son cours, M. Castanède s'arrêta dans la cour.

— C'est bien d'un curé que l'on peut dire: tant vaut l'homme, tant vaut la place,[405] disait-il aux élèves qui faisaient cercle autour de lui. J'ai connu, moi qui vous parle, des paroisses de montagne dont le casuel [406] valait mieux que celui de bien des curés de ville. Il y avait autant d'argent, sans compter les chapons gras, les œufs, le beurre frais et mille agréments de détail; et là le curé est le premier sans contredit: point de bon repas où il ne soit invité, fêté, etc.

A peine M. Castanède fut-il remonté chez lui, que les élèves se divisèrent en groupes. Julien n'était d'aucun; on le laissait comme une brebis galeuse. Dans tous les groupes, il voyait un élève jeter un sol en l'air, et s'il devinait juste au jeu de croix ou pile, ses camarades en concluaient qu'il aurait bientôt une de ces cures à riche casuel.

Vinrent ensuite les anecdotes. Tel jeune prêtre, à peine ordonné depuis un an, ayant offert un lapin privé [407] à la servante d'un vieux curé, il avait obtenu d'être demandé pour vicaire, et, peu de mois après, car le curé était mort bien vite, l'avait remplacé dans la bonne cure. Tel autre avait réussi à se faire désigner pour successeur à la cure d'un gros bourg fort riche, en assistant à tous les repas du vieux curé paralytique, et lui découpant ses poulets avec grâce.

Les séminaristes, comme les jeunes gens dans toutes les carrières, s'exagèrent l'effet de ces petits moyens qui ont de l'extraordinaire et frappent l'imagination.

Il faut, se disait Julien, que je me fasse à ces conversations. Quand on ne parlait pas de saucisses et de bonnes cures, on s'entretenait de la partie mondaine des doctrines ecclésiastiques; des différends des évêques et des préfets, des maires et des curés. Julien voyait apparaître l'idée d'un second Dieu, mais d'un Dieu bien plus à craindre et bien plus puissant que l'autre; ce second Dieu était le pape. On se disait, mais en baissant la voix, et quand on était bien sûr de n'être pas entendu par M. Pirard, que si le pape ne se donne pas la peine de nommer tous les préfets et tous les maires de France, c'est qu'il a commis à ce soin le roi de France, en le nommant fils aîné de l'Eglise.

Ce fut vers ce temps que Julien crut pouvoir tirer parti pour sa considération du livre du *Pape*, par M. de Maistre. A vrai dire, il étonna ses camarades; mais ce fut encore un malheur. Il leur déplut en exposant mieux qu'eux-mêmes leurs propres opinions. M. Chélan avait été imprudent pour Julien comme il l'était pour lui-même. Après lui avoir donné l'habitude de raisonner juste et de ne pas se laisser payer de vaines paroles, il avait négligé de lui dire que, chez l'être peu considéré, cette habitude est un crime; car tout bon raisonnement offense.

Le bien dire de Julien lui fut donc un nouveau crime. Ses camarades, à force de songer à lui, parvinrent à exprimer d'un seul mot toute l'horreur qu'il leur inspirait: ils le surnommèrent MARTIN LUTHER; surtout, disaient-ils, à cause de cette infernale logique qui le rend si fier.

Plusieurs jeunes séminaristes avaient des couleurs plus fraîches et pouvaient passer pour plus jolis garçons que Julien; mais il avait les mains blanches et ne pouvait cacher certaines habitudes de propreté délicate. Cet avantage n'en était pas un dans la triste maison où le sort l'avait jeté. Les sales paysans au milieu desquels il vivait déclarèrent qu'il avait des mœurs fort relâchées. Nous craignons de fatiguer le lecteur du récit des mille infortunes de notre héros. Par exemple, les plus vigoureux de ses camarades voulurent prendre l'habitude de le battre; il fut obligé de s'armer d'un compas de fer et d'annoncer, mais par signes, qu'il en ferait usage. Les signes ne peuvent pas figurer, dans un rapport d'espion, aussi avantageusement que des paroles.

28. *Une Procession*

> *Tous les cœurs étaient émus. La présence de Dieu semblait descendue dans ces rues étroites et gothiques, tendues* [408] *de toutes parts, et bien sablées par les soins des fidèles.*
>
> YOUNG.

Julien avait beau se faire petit et sot, il ne pouvait plaire, il était trop différent. Cependant, se disait-il, tous ces professeurs sont gens très fins et choisis entre mille; comment n'aiment-ils pas mon humilité ? Un seul lui semblait abuser de sa complaisance à tout croire et à sembler dupe de tout. C'était l'abbé Chas-Bernard, directeur des cérémonies de la cathédrale, où, depuis quinze ans, on lui faisait espérer une place de chanoine; en attendant, il enseignait l'éloquence sacrée au séminaire. Dans le temps de son aveuglement, ce cours était un de ceux où Julien se trouvait le plus habituellement le premier. L'abbé Chas était parti de là pour lui témoigner de l'amitié, et, à la sortie de son cours, il le prenait volontiers sous le bras pour faire quelques tours de jardin.

Où veut-il en venir, se disait Julien ? Il voyait avec étonnement que, pendant des heures entières, l'abbé Chas lui parlait des ornements possédés par la cathédrale. Elle avait dix-sept chasubles galonnées, outre les ornements de deuil. On espérait beaucoup de la vieille présidente [409] de Rubempré; cette dame âgée de quatre-vingt-dix ans, conservait, depuis soixante-dix ans au moins, ses robes de noce, en superbes étoffes de Lyon, brochées d'or. Figurez-vous, mon ami, disait l'abbé Chas en s'arrêtant tout court et ouvrant de grands yeux, que ces étoffes se tiennent droites, tant il y a d'or. On croit généralement dans Besançon que, par le testament de la présidente, le *trésor* de la cathédrale sera augmenté de plus de dix chasubles, sans compter quatre ou cinq chapes pour les grandes fêtes. Je vais plus loin, ajoutait l'abbé Chas en baissant la voix, j'ai des raisons pour penser que la présidente nous laissera huit magnifiques flambeaux d'argent doré, que l'on suppose avoir été achetés en Italie, par le duc de Bourgogne, Charles le Téméraire, dont un de ses ancêtres fut le ministre favori.

Mais où cet homme veut-il en venir avec toute cette friperie, pensait Julien ? Cette préparation adroite dure depuis un siècle, et rien ne paraît. Il faut qu'il se méfie bien de moi ! Il est plus adroit que tous les autres, dont en quinze jours on devine si bien le but secret. Je comprends, l'ambition de celui-ci souffre depuis quinze ans !

Un soir, au milieu de la leçon d'armes,[410] Julien fut appelé chez l'abbé Pirard, qui lui dit:

— C'est demain la fête du *Corpus Domini* (la Fête-Dieu).[411] M. l'abbé Chas-Bernard a besoin de vous pour l'aider à orner la cathédrale, allez et obéissez.

L'abbé Pirard le rappela, et de l'air de la commisération, ajouta:

— C'est à vous de voir si vous voulez profiter de l'occasion pour vous écarter dans la ville.

— *Incedo per ignes,* répondit Julien (j'ai des ennemis cachés[412]).

Le lendemain, dès le grand matin, Julien se rendit à la cathédrale, les yeux baissés. L'aspect des rues et de l'activité qui commençait à régner dans la ville lui fit du bien. De toutes parts, on tendait le devant des maisons pour la procession. Tout le temps qu'il avait passé au séminaire ne lui sembla plus qu'un instant. Sa pensée était à Vergy et à cette jolie Amanda Binet qu'il pouvait rencontrer, car son café n'était pas bien éloigné. Il aperçut de loin l'abbé Chas-Bernard sur la porte de sa chère cathédrale; c'était un gros homme à face réjouie et à l'air ouvert. Ce jour-là il était triomphant: Je vous attendais, mon cher fils, s'écria-t-il, du plus loin qu'il vit Julien, soyez le bienvenu. La besogne de cette journée sera longue et rude, fortifions-nous par un premier déjeuner; le second viendra à dix heures pendant la grand'messe.

— Je désire, monsieur, lui dit Julien d'un air grave, n'être pas un instant seul: daignez remarquer, ajouta-t-il en lui montrant l'horloge au-dessus de leur tête, que j'arrive à cinq heures moins une minute.

— Ah ! ces petits méchants du séminaire vous font peur ! Vous êtes bien bon de penser à eux, dit l'abbé Chas; un chemin est-il moins beau parce qu'il y a des épines dans les haies qui le bordent ? Les voyageurs font route et laissent les épines méchantes se morfondre à leur place. Du reste, à l'ouvrage, mon cher ami, à l'ouvrage !

L'abbé Chas avait raison de dire que la besogne serait rude. Il y avait eu la veille une grande cérémonie funèbre à la cathédrale; l'on n'avait pu rien préparer; il fallait donc, en une seule matinée, revêtir tous les piliers gothiques qui forment les trois nefs d'une sorte d'habit de damas rouge qui monte à trente pieds de hauteur. M. l'évêque avait fait venir, par la malle-poste, quatre tapissiers de Paris, mais ces messieurs ne pouvaient suffire à tout, et loin d'encourager la maladresse de leurs camarades bisontins,[413] ils la redoublaient en se moquant d'eux.

Julien vit qu'il fallait monter à l'échelle lui-même, son agilité le servit bien. Il se chargea de diriger les tapissiers de la ville. L'abbé Chas enchanté le regardait voltiger d'échelle en échelle. Quand tous les piliers furent revêtus de damas, il fut question d'aller placer cinq énormes bouquets de plumes sur le grand baldaquin, au-dessus du maître-autel. Un riche couronnement de bois doré est soutenu par huit grandes colonnes torses en marbre d'Italie. Mais, pour arriver au centre du baldaquin, au-dessus du tabernacle, il fallait marcher sur une vieille corniche en bois, peut-être vermoulue et à quarante pieds d'élévation.

L'aspect de ce chemin ardu avait éteint la gaîté si brillante jusque-là des tapissiers parisiens; ils regardaient d'en bas, discutaient beaucoup et ne montaient pas. Julien se saisit des bouquets de plumes, et monta l'échelle en courant. Il les plaça fort bien sur l'ornement en forme de couronne, au centre du baldaquin. Comme il descendait de l'échelle, l'abbé Chas-Bernard le serra dans ses bras:

— *Optime*,[414] s'écria le bon prêtre, je conterai ça à Monseigneur.

Le déjeuner de dix heures fut très gai. Jamais l'abbé Chas n'avait vu son église si belle.

— Cher disciple, disait-il à Julien, ma mère était loueuse de chaises dans cette vénérable basilique, de sorte que j'ai été nourri [414a] dans ce grand édifice. La Terreur de Robespierre nous ruina; mais, à huit ans que j'avais alors, je servais déjà des messes en chambre,[415] et l'on me nourrissait le jour de la messe. Personne ne savait plier une chasuble mieux que moi, jamais les galons n'étaient coupés. Depuis le rétablissement du culte par Napoléon,[416] j'ai le bonheur de tout diriger dans cette vénérable métropole. Cinq fois par an, mes yeux la voient parée de ces ornements si beaux. Mais jamais elle n'a été si resplendissante, jamais les lés de damas n'ont été aussi bien attachés qu'aujourd'hui, aussi collants aux piliers.

— Enfin, il va me dire son secret, pensa Julien, le voilà qui me parle de lui; il y a épanchement. Mais rien d'imprudent ne fut dit par cet homme évidemment exalté. Et pourtant il a beaucoup travaillé, il est heureux, se dit Julien, le bon vin n'a pas été épargné. Quel homme ! quel exemple pour moi ! à lui le pompon.[417] (C'était un mauvais mot qu'il tenait du vieux chirurgien.)

Comme le *Sanctus* [418] de la grand'messe sonna, Julien voulut prendre un surplis pour suivre l'évêque à la superbe procession.

— Et les voleurs, mon ami, et les voleurs ! s'écria l'abbé Chas, vous n'y pensez pas. La procession va sortir; l'église restera déserte; nous veillerons, vous et moi. Nous serons bien heureux s'il ne nous manque qu'une couple d'aunes de ce beau galon qui environne le bas des piliers. C'est encore un don de Mme de Rubempré; il provient du fameux comte son bisaïeul; c'est de l'or pur, mon cher ami, ajouta l'abbé en lui parlant à l'oreille, et d'un air évidemment exalté, rien de faux ! Je vous charge de l'inspection de l'aile du nord, n'en sortez pas. Je garde pour moi l'aile du midi et la grand'nef. Attention aux confessionnaux; c'est de là que les espionnes des voleurs épient le moment où nous avons le dos tourné.

Comme il achevait de parler, onze heures trois quarts sonnèrent, aussitôt la grosse cloche se fit entendre. Elle sonnait à pleine volée; ces sons si pleins et si solennels émurent Julien. Son imagination n'était plus sur la terre.

L'odeur de l'encens et des feuilles [419] de roses jetées devant le saint sacrement, par les petits enfants déguisés en saint Jean,[420] acheva de l'exalter.

Les sons si graves [421] de cette cloche n'auraient dû réveiller chez Julien que l'idée du travail de vingt hommes payés à cinquante centimes et aidés peut-être par quinze ou vingt fidèles. Il eût dû penser à l'usure des cordes, à celle de la charpente, au danger de la cloche elle-même qui tombe tous les deux siècles, et réfléchir au moyen de diminuer le salaire des sonneurs, ou de les payer par quelque indulgence ou autre grâce tirée des trésors de l'Eglise, et qui n'aplatit pas sa bourse.[422]

Au lieu de ces sages réflexions, l'âme de Julien, exaltée par ces sons si mâles et si pleins, errait dans les espaces imaginaires. Jamais il ne fera ni un bon prêtre, ni un grand administrateur. Les âmes qui s'émeuvent ainsi sont bonnes tout au plus à produire un artiste. Ici éclate dans tout son jour la présomption de Julien. Cinquante, peut-être, des séminaristes ses camarades, rendus attentifs au réel de la vie par la haine publique et le jacobinisme qu'on leur montre en embuscade derrière chaque haie, en entendant la grosse cloche de la cathédrale, n'auraient songé qu'au salaire des sonneurs. Ils auraient examiné avec le génie de Barême [423] si le degré d'émotion du public valait l'argent qu'on donnait aux sonneurs. Si Julien eût voulu songer aux intérêts matériels de la cathédrale, son imagination, s'élançant au delà du but, aurait pensé à économiser quarante francs à la fabrique,[424] et laissé perdre l'occasion d'éviter une dépense de vingt-cinq centimes.

Tandis que, par le plus beau jour du monde, la procession parcourait lentement Besançon, et s'arrêtait aux brillants reposoirs élevés à l'envi par toutes les autorités, l'église était restée dans un profond silence. Une demi-obscurité, une agréable fraîcheur y régnaient; elle était encore embaumée par le parfum des fleurs et de l'encens.

Le silence, la solitude profonde, la fraîcheur des longues nefs rendaient plus douce la rêverie de Julien. Il ne craignait point d'être troublé par l'abbé Chas, occupé dans une autre partie de l'édifice. Son âme avait presque abandonné son enveloppe mortelle, qui se promenait à pas lents dans l'aile du nord confiée à sa surveillance. Il était d'autant plus tranquille, qu'il s'était assuré qu'il n'y avait dans les confessionnaux que quelques femmes pieuses; son œil regardait sans voir.

Cependant sa distraction fut à demi vaincue par l'aspect de deux femmes fort bien mises qui étaient à genoux, l'une dans un confessionnal, et l'autre, tout près de la première, sur une chaise. Il regardait sans voir; cependant, soit sentiment vague de ses devoirs, soit admiration pour la mise noble et simple de ces dames, il remarqua qu'il n'y avait pas de prêtre dans ce confessionnal. Il est singulier, pensa-t-il, que ces belles dames ne soient pas à genoux devant quelque reposoir, si elles sont dévotes; ou placées avantageusement au premier rang de quelque balcon, si elles sont du monde. Comme cette robe est bien prise ! quelle grâce ! Il ralentit le pas pour chercher à les voir.

Celle qui était à genoux dans le confessionnal détourna un peu la tête en entendant le bruit des pas de Julien au milieu de ce grand silence. Tout à coup elle jeta un petit cri, et se trouva mal.

En perdant ses forces, cette dame à genoux tomba en arrière; son amie, qui était près d'elle, s'élança pour la secourir. En même temps Julien vit les épaules de la dame qui tombait en arrière. Un collier de grosses perles fines en torsade, de lui bien connu, frappa ses regards. Que devint-il en reconnaissant la chevelure de Mme de Rênal ! c'était elle. La dame qui cherchait à lui soutenir la tête et à l'empêcher de tomber tout à fait, était Mme Derville. Julien, hors de lui, s'élança; la chute de Mme de Rênal eût peut-être entraîné son amie, si Julien ne les eût soutenues. Il vit la tête de Mme de Rênal pâle, absolument privée de sentiment, flottant sur son épaule. Il aida Mme Derville à placer cette tête charmante sur l'appui d'une chaise de paille; il était à genoux.

Mme Derville se retourna et le reconnut:

— Fuyez, Monsieur, fuyez ! lui dit-elle avec l'accent de la plus vive colère. Que surtout elle ne vous revoie pas. Votre vue doit en effet lui faire horreur, elle était si heureuse avant vous ! Votre procédé est atroce. Fuyez; éloignez-vous, s'il vous reste quelque pudeur.

Ce mot fut dit avec tant d'autorité, et Julien était si faible dans ce moment, qu'il s'éloigna. Elle m'a toujours haï, se dit-il en pensant à Mme Derville.

Au même instant, le chant nasillard des premiers prêtres de la procession retentit dans l'église; elle rentrait. L'abbé Chas-Bernard appela plusieurs fois Julien, qui d'abord ne l'entendit pas: il vint enfin le prendre par le bras derrière un pilier où Julien s'était réfugié à demi mort. Il voulait le présenter à l'évêque.

— Vous vous trouvez mal, mon enfant, lui dit l'abbé en le voyant si pâle et presque hors d'état de marcher; vous avez trop travaillé. L'abbé lui donna le bras. Venez, asseyez-vous sur ce petit banc du donneur d'eau bénite, derrière moi; je vous cacherai. Ils étaient alors à côté de la grande porte. Tranquillisez-vous, nous avons encore vingt bonnes minutes avant que Monseigneur ne paraisse. Tâchez de vous remettre; quand il passera, je vous soulèverai, car je suis fort et vigoureux, malgré mon âge.

Mais quand l'évêque passa, Julien était tellement tremblant, que l'abbé Chas renonça à l'idée de le présenter.

— Ne vous affligez pas trop, lui dit-il, je retrouverai une occasion.

Le soir, il fit porter à la chapelle du séminaire dix livres de cierges économisés, dit-il, par les soins de Julien, et la rapidité avec laquelle il avait fait éteindre. Rien de moins vrai. Le pauvre garçon était éteint lui-même; il n'avait pas eu une idée depuis la vue de Mme de Rênal.

29. *Le Premier Avancement*

Il a connu son siècle, il a connu son département, et il est riche.

LE PRÉCURSEUR.[425]

Julien n'était pas encore revenu de la rêverie profonde où l'avait plongé l'événement de la cathédrale, lorsqu'un matin le sévère abbé Pirard le fit appeler.

— Voilà M. l'abbé Chas-Bernard qui m'écrit en votre faveur. Je suis assez content de l'ensemble de votre conduite. Vous êtes extrêmement imprudent et même étourdi, sans qu'il y paraisse; cependant, jusqu'ici le cœur est bon et même généreux; l'esprit est supérieur. Au total, je vois en vous une étincelle qu'il ne faut pas négliger.

Après quinze ans de travaux, je suis sur le point de sortir de cette maison: mon crime est d'avoir laissé les séminaristes à leur libre arbitre, et de n'avoir ni protégé, ni desservi cette société secrète dont vous m'avez parlé au tribunal de la pénitence. Avant de partir, je veux faire quelque chose pour vous; j'aurais agi deux mois plus tôt, car vous le méritez, sans la dénonciation fondée sur l'adresse d'Amanda Binet, trouvée chez vous. Je vous fais répétiteur pour le Nouveau et l'Ancien Testament.

Julien transporté de reconnaissance, eut bien l'idée de se jeter à genoux et de remercier Dieu; mais il céda à un mouvement plus vrai. Il s'approcha de l'abbé Pirard et lui prit la main, qu'il porta à ses lèvres.

— Qu'est ceci ? s'écria le directeur d'un air fâché; mais les yeux de Julien en disaient encore plus que son action.

L'abbé Pirard le regarda avec étonnement, tel qu'un homme qui, depuis longues années, a perdu l'habitude de rencontrer des émotions délicates. Cette attention trahit le directeur; sa voix s'altéra.

— Eh bien ! oui, mon enfant, je te suis attaché. Le ciel sait que c'est bien malgré moi. Je devrais être juste, et n'avoir ni haine, ni amour pour personne. Ta carrière sera pénible. Je vois en toi quelque chose qui offense le vulgaire. La jalousie et la calomnie te poursuivront. En quelque lieu que la Providence te place, tes compagnons ne te verront jamais sans te haïr; et s'ils feignent de t'aimer ce sera pour te trahir plus sûrement. A cela il n'y a qu'un remède: n'aie recours qu'à Dieu, qui t'a donné, pour te punir de ta présomption, cette nécessité d'être haï; que ta conduite soit pure; c'est la seule ressource que je te voie. Si tu tiens à la vérité d'une étreinte invincible, tôt ou tard tes ennemis seront confondus.

Il y avait si longtemps que Julien n'avait entendu une voix amie, qu'il faut lui pardonner une faiblesse; il fondit en larmes. L'abbé Pirard lui ouvrit les bras; ce moment fut bien doux pour tous les deux.

Julien était fou de joie; cet avancement était le premier qu'il obtenait; les avantages étaient immenses. Pour les concevoir, il faut avoir été condamné à passer des mois entiers sans un instant de solitude, et dans un contact immédiat avec des camarades pour le moins importuns, et la plupart intolérables. Leurs cris seuls eussent suffi pour porter le désordre dans une organisation délicate. La joie bruyante de ces paysans bien nourris et bien vêtus ne savait jouir d'elle-même, ne se croyait entière que lorsqu'ils criaient de toute la force de leurs poumons.

Maintenant, Julien dînait seul, ou à peu près, une heure plus tard que les autres séminaristes. Il avait une clef du jardin et pouvait s'y promener aux heures où il est désert.

A son grand étonnement, Julien s'aperçut qu'on le haïssait moins; il s'attendait, au contraire, à un redoublement de haine. Ce désir secret qu'on ne lui adressât pas la parole, qui était trop évident et lui valait tant d'ennemis, ne fut plus une marque de hauteur ridicule. Aux yeux des êtres grossiers qui l'entouraient, ce fut un juste sentiment de sa dignité. La haine diminua sensiblement, surtout parmi les plus jeunes de ses camarades devenus ses élèves, et qu'il traitait avec beaucoup de politesse. Peu à peu il eut même des partisans; il devint de mauvais ton de l'appeler Martin Luther.

Mais à quoi bon nommer ses amis, ses ennemis ? Tout cela est laid, et d'autant plus laid que le dessein est plus vrai.[426] Ce sont cependant là les seuls professeurs de morale qu'ait le peuple, et sans eux que deviendrait-il ? Le journal pourra-t-il jamais remplacer le curé ?

Depuis la nouvelle dignité de Julien, le directeur du séminaire affecta de ne lui parler jamais sans témoins. Il y avait dans cette conduite prudence pour le maître, comme pour le disciple; mais il y avait surtout *épreuve*. Le principe invariable du sévère janséniste Pirard était: Un homme a-t-il du mérite à vos yeux ? mettez obstacle à tout ce qu'il désire, à tout ce qu'il entreprend. Si le mérite est réel, il saura bien renverser ou tourner les obstacles.

C'était le temps de la chasse. Fouqué eut l'idée d'envoyer au séminaire un cerf et un sanglier de la part des parents de Julien. Les animaux morts furent déposés dans le passage, entre la cuisine et le réfectoire. Ce fut là que tous les séminaristes les virent en allant dîner. Ce fut un grand objet de curiosité. Le sanglier, tout mort qu'il était, faisait peur aux plus jeunes; ils touchaient ses défenses. On ne parla d'autre chose pendant huit jours.

Ce don, qui classait la famille de Julien dans la partie de la société qu'il faut respecter, porta un coup mortel à l'envie. Il fut une supériorité consacrée par la fortune. Chazel et les plus distingués des séminaristes lui firent des avances, et se seraient presque plaints à lui de ce qu'il ne les avait pas avertis de la fortune de ses parents, et les avait ainsi exposés à manquer de respect à l'argent.

Il y eut une conscription dont Julien fut exempté en sa qualité de séminariste. Cette circonstance l'émut profondément. Voilà donc passé à jamais l'instant où, vingt ans plus tôt, une vie héroïque eût commencé pour moi !

Il se promenait seul dans le jardin du séminaire, il entendit parler entre eux des maçons qui travaillaient au mur de clôture.

— Eh bien ! y faut[427] partir, vl'à une nouvelle conscription.

— Dans le temps *de l'autre*,[428] à la bonne heure ! un maçon y devenait officer, y devenait général, on a vu ça.

— Va-t'en voir maintenant ! il n'y a que les gueux qui partent. Celui qui a *de quoi*[429] reste au pays.

— Qui est né misérable, reste misérable, et v'là.

— Ah çà, est-ce bien vrai ce qu'ils disent, que l'autre est mort ? reprit un troisième maçon.

— Ce sont les gros qui disent ça, vois-tu ! l'autre leur faisait peur.

— Quelle différence, comme l'ouvrage allait de son temps ! Et dire qu'il a été trahi par ses maréchaux ! Faut-y être traître !

Cette conversation consola un peu Julien. En s'éloignant, il répétait avec un soupir:

Le seul roi dont le peuple ait gardé la mémoire ! [430]

Le temps des examens arriva. Julien répondit d'une façon brillante; il vit que Chazel lui-même cherchait à montrer tout son savoir.

Le premier jour, les examinateurs nommés par le fameux grand vicaire de Frilair furent très contrariés de devoir toujours porter le premier, ou tout au plus le second, sur leur liste, ce Julien Sorel, qui leur était signalé comme le benjamin de l'abbé Pirard. Il y eut des paris au séminaire, que, dans la liste de l'examen général, Julien aurait le numéro premier, ce qui emportait l'honneur de dîner chez Monseigneur l'évêque. Mais à la fin d'une séance, où il avait été question des Pères de l'Eglise, un examinateur adroit, après avoir interrogé Julien sur saint Jérôme, et sa passion pour Cicéron, vint à parler d'Horace, de Virgile et des autres auteurs profanes. A l'insu de ses camarades, Julien avait appris par cœur un grand nombre de passages de ces auteurs. Entraîné par ses succès, il oublia le lieu où il était, et, sur la demande réitérée de l'examinateur, récita et paraphrasa avec feu plusieurs odes d'Horace. Après l'avoir laissé s'enferrer pendant vingt minutes, tout à coup l'examinateur changea de visage et lui reprocha avec aigreur le temps qu'il avait perdu à ces études profanes, et les idées inutiles ou criminelles qu'il s'était mises dans la tête.

— Je suis un sot, Monsieur, et vous avez raison, dit Julien d'un air modeste, en reconnaissant le stratagème adroit dont il était victime.

Cette ruse de l'examinateur fut trouvée sale, même au séminaire, ce qui n'empêcha pas M. l'abbé de Frilair, cet homme adroit qui avait organisé si savamment le réseau de la congrégation bisontine, et dont les dépêches à Paris faisaient trembler juges, préfet, et jusqu'aux officiers généraux de la garnison, de placer de sa main puissante, le numéro 198 à côté du nom de Julien. Il avait de la joie à mortifier ainsi son ennemi, le janséniste Pirard.

Depuis dix ans, sa grande affaire était de lui enlever la direction du séminaire. Cet abbé, suivant pour lui-même le plan de conduite qu'il avait indiqué à Julien, était sincère, pieux, sans intrigues, attaché à ses devoirs. Mais le ciel, dans sa [430a] colère, lui avait donné ce tempérament bilieux, fait pour sentir profondément les injures et la haine. Aucun des outrages qu'on lui adressait n'était perdu pour cette âme ardente. Il eût cent fois donné sa démission, mais il se croyait utile dans le poste où la Providence l'avait placé. J'empêche les progrès du jésuitisme et de l'idolâtrie, se disait-il.

A l'époque des examens, il y avait deux mois peut-être qu'il n'avait parlé à Julien, et cependant il fut malade pendant huit jours, quand, en recevant la lettre officielle annonçant le résultat du concours, il vit le numéro 198 placé à côté du nom de cet élève qu'il regardait comme la gloire de sa maison. La seule consolation pour ce caractère sévère fut de concentrer sur Julien tous ses moyens de surveillance. Ce fut avec ravissement qu'il ne découvrit en lui ni colère, ni projet de vengeance, ni découragement.

Quelques semaines après, Julien tressaillit en recevant une lettre; elle portait le timbre de Paris. Enfin, pensa-t-il, Mme de Rênal se souvient de ses promesses. Un monsieur qui signait Paul Sorel, et qui se disait son parent, lui envoyait une lettre de change de cinq cents francs. On ajoutait que si Julien continuait à étudier avec succès les bons auteurs latins, une somme pareille lui serait adressée chaque année.

C'est elle, c'est sa bonté ! se dit Julien attendri, elle veut me consoler; mais pourquoi pas une seule parole d'amitié ?

Il se trompait sur cette lettre, Mme de Rênal, dirigée par son amie Mme Derville, était tout entière à ses remords profonds. Malgré elle, elle pensait souvent à l'être singulier dont la rencontre avait bouleversé son existence, mais se fût bien gardée de lui écrire.

Si nous parlions le langage du séminaire, nous pourrions reconnaître un miracle dans cet envoi de cinq cents francs, et dire que c'était de M. de Frilair lui-même, que le ciel se servait pour faire ce don à Julien.

Douze années auparavant, M. l'abbé de Frilair était arrivé à Besançon, avec un portemanteau [431] des plus exigus, lequel, suivant la chronique,[432] contenait toute sa fortune. Il se trouvait maintenant l'un des plus riches propriétaires du département. Dans le cours de ses prospérités, il avait acheté la moitié d'une terre, dont l'autre partie échut par héritage à M. de La Mole. De là un grand procès entre ces personnages.

Malgré sa brillante existence à Paris, et les emplois qu'il avait à la cour, M. le marquis de La Mole sentit qu'il était dangereux de lutter à Besançon contre un grand vicaire qui passait pour faire et défaire les préfets. Au lieu de solliciter une gratification de cinquante mille francs, déguisée sous un nom quelconque admis par le budget,[433] et d'abandonner à l'abbé de Frilair ce chétif procès de cinquante mille francs, le marquis se piqua. Il croyait avoir raison: belle raison![434]

Or, s'il est permis de le dire: quel est le juge qui n'a pas un fils ou du moins un cousin à pousser dans le monde?

Pour éclairer les plus aveugles, huit jours après le premier arrêt qu'il obtint, M. l'abbé de Frilair prit le carrosse de Monseigneur l'évêque, et alla lui-même porter la croix de la Légion d'honneur à son avocat. M. de La Mole un peu étourdi de la contenance de sa partie adverse, et sentant faiblir ses avocats, demanda des conseils à l'abbé Chélan, qui le mit en relation avec M. Pirard.

Ces relations avaient duré plusieurs années à l'époque de notre histoire. L'abbé Pirard porta son caractère passionné dans cette affaire. Voyant sans cesse les avocats du marquis, il étudia sa cause, et la trouvant juste, il devint ouvertement le solliciteur [435] du marquis de La Mole contre le tout-puissant grand vicaire. Celui-ci fut outré de l'insolence, et de la part d'un petit janséniste encore!

Voyez ce que c'est que cette noblesse de cour qui se prétend si puissante! disait, à ses intimes, l'abbé de Frilair. M. de La Mole n'a pas seulement [436] envoyé une misérable croix à son agent à Besançon, et va le laisser platement destituer. Cependant, m'écrit-on, ce noble pair ne laisse pas passer de semaine sans aller étaler son cordon bleu dans le salon du garde des sceaux,[437] quel qu'il soit.

Malgré toute l'activité de l'abbé Pirard, et quoique M. de la Mole fût toujours au mieux avec le ministre de la justice et surtout avec ses bureaux, tout ce qu'il avait pu faire, après six années de soins, avait été de ne pas perdre absolument son procès.

Sans cesse en correspondance avec l'abbé Pirard, pour une affaire qu'ils suivaient tous les deux avec passion, le marquis finit par goûter le genre d'esprit de l'abbé. Peu à peu, malgré l'immense distance des positions sociales, leur correspondance prit le ton de l'amitié. L'abbé Pirard disait au marquis qu'on voulait l'obliger, à force d'avanies, à donner sa démission. Dans la colère que lui inspira le stratagème infâme, suivant lui, employé contre Julien, il conta son histoire au marquis.

Quoique fort riche, ce grand seigneur n'était point avare. De la vie, il n'avait pu faire accepter à l'abbé Pirard même le remboursement des frais de poste occasionnés par le procès. Il saisit l'idée d'envoyer cinq cents francs à son élève favori.

M. de La Mole se donna la peine d'écrire lui-même la lettre d'envoi. Cela le fit penser à l'abbé.

Un jour, celui-ci reçut un petit billet qui, pour affaire pressante, l'engageait à passer, sans délai, dans une auberge du faubourg de Besançon. Il y trouva l'intendant de M. de La Mole.

— M. le marquis m'a chargé de vous amener sa calèche, lui dit cet homme. Il espère qu'après avoir lu cette lettre, il vous conviendra de partir pour Paris, dans quatre ou cinq jours. Je vais employer le temps que vous voudrez bien m'indiquer à parcourir les terres de M. le marquis, en Franche-Comté. Après quoi, le jour qui vous conviendra, nous partirons pour Paris.

La lettre était courte:

« Débarrassez-vous, mon cher monsieur, de toutes les tracasseries de province, venez respirer un air tranquille, à Paris. Je vous envoie ma voiture, qui a l'ordre d'attendre votre détermination, pendant quatre jours. Je vous attendrai moi-même, à Paris, jusqu'à mardi. Il ne me faut qu'un oui, de votre part, monsieur, pour accepter, en votre nom, une des meilleures cures des environs de Paris. Le plus riche de vos futurs paroissiens ne vous a jamais vu, mais vous est dévoué plus que vous ne pouvez le croire, c'est le marquis de La Mole. ».

Sans s'en douter, le sévère abbé Pirard aimait ce séminaire, peuplé de ses ennemis, et auquel, depuis quinze ans, il consacrait toutes ses pensées. La lettre de M. de La Mole fut pour lui comme l'apparition du chirurgien chargé de faire une opération cruelle et nécessaire. Sa destitution était certaine. Il donna rendez-vous à l'intendant à trois jours de là.

Pendant quarante-huit heures, il eut la fièvre d'incertitude. Enfin, il écrivit à M. de La Mole, et composa, pour Monseigneur l'évêque, une lettre, chef-d'œuvre de style ecclésiastique, mais un peu longue. Il eût été difficile de trouver des phrases plus irréprochables et respirant un respect plus sincère. Et toutefois, cette lettre, destinée à donner une heure difficile à M. de Frilair, vis-à-vis de son patron, articulait tous les sujets de plaintes graves, et descendait jusqu'aux petites tracasseries sales qui, après avoir été endurées, avec résignation, pendant six ans, forçaient l'abbé Pirard à quitter le diocèse.

On lui volait son bois dans son bûcher, on empoisonnait son chien, etc., etc.

Cette lettre finie, il fit réveiller Julien qui, à huit heures du soir, dormait déjà, ainsi que tous les séminaristes.

— Vous savez où est l'évêché ? lui dit-il en beau style latin; portez cette lettre à Monseigneur. Je ne vous dissimulerai point que je vous envoie au milieu des loups. Soyez tout yeux et tout oreilles. Point de mensonges dans vos réponses; mais songez que qui[438] vous interroge éprouverait peut-être une joie véritable à pouvoir vous nuire. Je suis bien aise, mon enfant, de vous donner cette expérience avant de vous quitter, car je ne vous le cache point, la lettre que vous portez est ma démission.

Julien resta immobile, il aimait l'abbé Pirard. La prudence avait beau lui dire:

Après le départ de cet honnête homme, le parti du *Sacré-Cœur* va me dégrader et peut-être me chasser.

Il ne pouvait penser à lui.[439] Ce qui l'embarrassait, c'était une phrase qu'il voulait arranger d'une manière polie, et réellement il ne s'en trouvait pas l'esprit.

— Eh bien, mon ami, ne partez-vous pas ?

— C'est qu'on dit, Monsieur, dit timidement Julien, que pendant votre longue administration, vous n'avez rien mis de côté. J'ai six cents francs.

Les larmes l'empêchèrent de continuer.

— *Cela aussi sera marqué,*[440] dit froidement l'ex-directeur du séminaire. Allez à l'évêché, il se fait tard.

Le hasard voulut que ce soir-là, M. l'abbé de Frilair fût de service dans le salon de l'évêché; Monseigneur dînait à la préfecture. Ce fut donc à M. de Frilair lui-même que Julien remit la lettre, mais il ne le connaissait pas.

Julien vit, avec étonnement, cet abbé ouvrir hardiment la lettre adressée à l'évêque. La belle figure du grand vicaire exprima bientôt une surprise mêlée de vif plaisir, et redoubla de gravité. Pendant qu'il lisait, Julien, frappé de sa bonne mine, eut le temps de l'examiner. Cette figure eût eu plus de gravité, sans la finesse extrême qui apparaissait dans certains traits, et qui fût allée jusqu'à dénoter la fausseté, si le possesseur de ce beau visage eût cessé un instant de s'en occuper. Le nez, très avancé, formait une seule ligne parfaitement droite, et donnait, par malheur, à un profil, fort distingué d'ailleurs, une ressemblance irrémédiable avec la physionomie d'un renard. Du reste, cet abbé qui paraissait si occupé de la démission de M. Pirard, était mis avec une élégance qui plut beaucoup à Julien, et qu'il n'avait jamais vue à aucun prêtre.

Julien ne sut que plus tard quel était le talent spécial de l'abbé de Frilair. Il savait amuser son évêque, vieillard aimable, fait pour le séjour de Paris, et qui regardait Besançon comme un exil. Cet évêque avait une fort mauvaise vue, et aimait passionnément le poisson. L'abbé de Friliar ôtait les arêtes du poisson qu'on servait à Monseigneur.

Julien regardait en silence l'abbé qui relisait la demission, lorsque tout à coup la porte s'ouvrit avec fracas. Un laquais, richement vêtu, passa rapidement. Julien n'eut que le temps de se retourner vers la porte; il aperçut un petit vieillard portant une croix pectorale. Il se prosterna: l'évêque lui adressa un sourire de bonté et passa. Le bel abbé le suivit, et Julien resta seul dans le salon dont il put à loisir admirer la magnificence pieuse.

L'évêque de Besançon, homme d'esprit éprouvé, mais non pas éteint par les longues misères de l'émigration,[441] avait plus de soixante-quinze ans, et s'inquiétait infiniment peu de ce qui arriverait dans dix ans.

— Quel est ce séminariste au regard fin, que je crois avoir vu en passant ? dit l'évêque. Ne doivent-ils pas, suivant mon règlement, être couchés à l'heure qu'il est ?

— Celui-ci est fort éveillé,[441a] je vous jure, Monseigneur, et il apporte une grande nouvelle: c'est la démission du seul janséniste qui restât dans votre diocèse. Ce terrible abbé Pirard comprend enfin ce que parler veut dire.

— Eh bien! dit l'évêque en riant, je vous défie de le remplacer par un homme qui le vaille. Et pour vous montrer tout le prix de cet homme, je l'invite à dîner pour demain.

Le grand vicaire voulut glisser quelques mots sur le choix du successeur. Le prélat, peu disposé à parler d'affaires, lui dit:

— Avant de faire entrer cet autre, sachons un peu comment celuici s'en va. Faites-moi venir ce séminariste, la vérité est dans la bouche des enfants.[442]

Julien fut appelé: je vais me trouver au milieu de deux inquisiteurs, pensa-t-il. Jamais il ne s'était senti plus de courage.

Au moment où il entra, deux grands valets de chambre, mieux mis que M. Valenod lui-même, déshabillaient Monseigneur. Ce prélat, avant d'en venir à M. Pirard, crut devoir interroger Julien sur ses études. Il parla un peu de dogme, et fut étonné. Bientôt il en vint aux humanités, à Virgile, à Horace, à Cicéron. Ces noms-là, pensa Julien, m'ont valu mon numéro 198. Je n'ai rien à perdre, essayons de briller. Il réussit; le prélat, excellent humaniste lui-même, fut enchanté.

Au dîner de la préfecture, une jeune fille, justement célèbre, avait récité le poème de la Madeleine.[443] Il était en train de parler littérature, et oublia bien vite l'abbé Pirard et toutes les affaires, pour discuter, avec le séminariste, la question de savoir si Horace était riche ou pauvre. Le prélat cita plusieurs odes, mais quelquefois sa mémoire était paresseuse, et sur-le-champ Julien récitait l'ode tout entière, d'un air modeste; ce qui frappa l'évêque fut que Julien ne sortait point du ton de la conversation; il disait ses vingt ou trente vers latins, comme il eût parlé de ce qui se passait dans son séminaire. On parla longtemps de Virgile, de Cicéron. Enfin le prélat ne put s'empêcher de faire compliment au jeune séminariste.

— Il est impossible d'avoir fait de meilleures études.

— Monseigneur, dit Julien, votre séminaire peut vous offrir cent-quatre-vingt-dix-sept sujets bien moins indignes de votre haute approbation.

— Comment cela ? dit le prélat étonné de ce chiffre.

— Je puis appuyer d'une preuve officielle ce que j'ai l'honneur de dire devant Monseigneur.

A l'examen annuel du séminaire, répondant précisément sur les matières qui me valent, dans ce moment, l'approbation de Monseigneur, j'ai obtenu le numéro 198.

— Ah ! c'est le benjamin de l'abbé Pirard, s'écria l'évêque en riant et regardant M. de Frilair; nous aurions dû nous y attendre; mais c'est de bonne guerre. N'est-ce pas, mon ami, ajouta-t-il en s'adressant à Julien, qu'on vous a fait réveiller pour vous envoyer ici ?

— Oui, Monseigneur. Je ne suis sorti seul du séminaire qu'une seule fois en ma vie, pour aller aider M. l'abbé Chas-Bernard à orner la cathédrale, le jour de la Fête-Dieu.

— *Optime,* dit l'évêque; quoi, c'est vous qui avez fait preuve de tant de courage, en plaçant les bouquets de plumes sur le baldaquin ? Ils me font frémir chaque année; je crains toujours qu'ils ne me coûtent la vie d'un homme. Mon ami, vous irez loin; mais je ne veux pas arrêter votre carrière, qui sera brillante, en vous faisant mourir de faim.

Et sur l'ordre de l'évêque, on apporta des biscuits et du vin de Malaga, auxquels Julien fit honneur, et encore plus l'abbé de Frilair, qui savait que son évêque aimait à voir manger gaiement et de bon appétit.

Le prélat, de plus en plus content de la fin de sa soirée,

parla un instant d'histoire ecclésiastique. Il vit que Julien ne comprenait pas. Le prélat passa à l'état moral de l'empire romain, sous les empereurs du siècle de Constantin.[444] La fin du paganisme était accompagnée de cet état d'inquiétude et de doute qui, au XIXe siècle, désole les esprits tristes et ennuyés. Monseigneur remarqua que Julien ignorait presque jusqu'au nom de Tacite.[445]

Julien répondit avec candeur,[446] à l'étonnement du prélat, que cet auteur ne se trouvait pas dans la bibliothèque du séminaire.

— J'en suis vraiment bien aise, dit l'évêque gaiement. Vous me tirez d'embarras: depuis dix minutes, je cherche le moyen de vous remercier de la soirée aimable que vous m'avez procurée, et certes d'une manière bien imprévue. Je ne m'attendais pas à trouver un docteur dans un élève de mon séminaire. Quoique le don ne soit pas trop canonique,[447] je veux vous donner un Tacite.

Le prélat se fit apporter huit volumes supérieurement reliés, et voulut écrire lui-même, sur le titre[448] du premier, un compliment latin pour Julien Sorel. L'évêque se piquait de belle latinité; il finit par lui dire, d'un ton sérieux, qui tranchait tout à fait avec celui du reste de la conversation:

— Jeune homme, *si vous êtes sage,* vous aurez un jour la meilleure cure de mon diocèse, et pas à cent lieues[449] de mon palais épiscopal; mais il faut *être sage.*

Julien, chargé de ses volumes, sortit de l'évêché, fort étonné, comme minuit sonnait.

Monseigneur ne lui avait pas dit un mot de l'abbé Pirard. Julien était surtout étonné de l'extrême politesse de l'évêque. Il n'avait pas l'idée d'une telle urbanité de formes, réunie à un air de dignité aussi naturel. Julien fut surtout frappé du contraste en revoyant le sombre abbé Pirard qui l'attendait en s'impatientant.

— *Quid tibi dixerunt?* (Que vous ont-ils dit?) lui cria-t-il d'une voix forte, du plus loin qu'il l'aperçut.

Julien s'embrouillant un peu à traduire en latin les discours de l'évêque:

— Parlez français, et répétez les propres paroles de Monseigneur, sans y ajouter rien, ni rien retrancher, dit l'ex-directeur du séminaire, avec son ton dur et ses manières profondément inélégantes.

— Quel étrange cadeau de la part d'un évêque, à un jeune séminariste ! disait-il en feuilletant le superbe *Tacite*, dont la tranche dorée avait l'air de lui faire horreur.

Deux heures sonnaient, lorsque après un compte rendu fort détaillé, il permit à son élève favori de regagner sa chambre.

— Laissez-moi le premier volume de votre Tacite, où est le compliment de Monseigneur l'évêque, lui dit-il. Cette ligne latine sera votre paratonnerre dans cette maison, après mon départ.

Erit tibi, fili mi, successor meus tanquam leo quaerens quem devoret. (Car pour toi, mon fils, mon successeur sera comme un lion furieux, et qui cherche à dévorer.)

Le lendemain matin, Julien trouva quelque chose d'étrange dans la manière dont ses camarades lui parlaient. Il n'en fut que plus réservé. Voilà, pensa-t-il, l'effet de la démission de M. Pirard. Elle est connue de toute la maison, et je passe pour son favori. Il doit y avoir de l'insulte dans ces façons; mais il ne pouvait l'y voir. Il y avait, au contraire, absence de haine dans les yeux de tous ceux qu'il rencontrait le long des dortoirs: Que veut dire ceci ? c'est un piège sans doute, jouons serré. Enfin le petit séminariste de Verrières lui dit en riant: *Cornelii Taciti opera omnia* (Œuvres complètes de Tacite).

A ce mot, qui fut entendu, tous comme à l'envi firent compliment à Julien, non seulement sur le magnifique cadeau qu'il avait reçu de Monseigneur, mais aussi de la conversation de deux heures dont il avait été honoré. On savait jusqu'aux plus petits détails. De ce moment, il n'y eut plus d'envie; on lui fit la cour bassement: l'abbé Castanède, qui, la veille encore, était de la dernière insolence envers lui, vint le prendre par le bras et l'invita à déjeuner.

Par une fatalité du caractère de Julien, l'insolence de ces êtres grossiers lui avait fait beaucoup de peine; leur bassesse lui causa du dégoût et aucun plaisir.

Vers midi, l'abbé Pirard quitta ses élèves non sans leur adresser une allocution sévère. « Voulez-vous les honneurs du monde, leur dit-il, tous les avantages sociaux, le plaisir de commander, celui de se moquer des lois et d'être insolent impunément envers tous ? ou bien voulez-vous votre salut éternel ? les moins avancés d'entre vous n'ont qu'à ouvrir les yeux pour distinguer les deux routes. »

A peine fut-il sorti que les dévots du *Sacré-Cœur de Jésus* allèrent entonner un *Te Deum* dans la chapelle. Personne au séminaire ne prit au sérieux l'allocution de l'ex-directeur. Il a beaucoup d'humeur de sa destitution, disait-on de toutes parts; pas un seul séminariste n'eut la simplicité de croire à la démission volontaire d'une place qui donnait tant de relations avec de gros fournisseurs.[450]

L'abbé Pirard alla s'établir dans la plus belle auberge de Besançon; et sous prétexte d'affaires qu'il n'avait pas, voulut y passer deux jours.

L'évêque l'avait invité à dîner; et pour plaisanter son grand vicaire de Frilair, cherchait à le faire briller. On était au dessert, lorsqu'arriva de Paris l'étrange nouvelle que l'abbé Pirard était nommé à la magnifique cure de N..., à quatre lieues de la capitale. Le bon prélat l'en félicita sincèrement. Il vit dans toute cette affaire un *bien joué*[451] qui le mit de bonne humeur et lui donna la plus haute opinion des talents de l'abbé. Il lui donna un certificat latin magnifique, et imposa silence à l'abbé de Frilair, qui se permettait des remontrances.

Le soir, Monseigneur porta son admiration chez la marquise de Rubempré. Ce fut une grande nouvelle pour la haute société de Besançon; on se perdait en conjectures sur cette faveur extraordinaire. On voyait déjà l'abbé Pirard, évêque. Les plus fins crurent M. de La Mole ministre, et se permirent ce jour-là de sourire des airs impérieux que M. l'abbé de Frilair portait dans le monde.

Le lendemain matin, on suivait presque l'abbé Pirard dans les rues, et les marchands venaient sur la porte de leurs boutiques, lorsqu'il alla solliciter les juges du marquis. Pour la première fois, il en fut reçu avec politesse. Le sévère janséniste, indigné de tout ce qu'il voyait, fit un long travail avec les avocats qu'il avait choisis pour le marquis de La Mole, et partit pour Paris. Il eut la faiblesse de dire à deux ou trois amis de collège, qui l'accompagnaient jusqu'à la calèche dont ils admirèrent les armoiries, qu'après avoir administré le séminaire pendant quinze ans, il quittait Besançon avec cinq cent vingt francs d'économies. Ces amis l'embrassèrent en pleurant, et se dirent entre eux: le bon abbé eût pu s'épargner ce mensonge, il est aussi par trop[452] ridicule.

Le vulgaire, aveuglé par l'amour de l'argent, n'était pas fait pour comprendre que c'était dans sa sincérité que l'abbé Pirard avait trouvé la force nécessaire pour lutter seul pendant six ans contre Marie Alacoque,[453] le Sacré-Cœur de Jésus, les jésuites et son évêque.

30. *Un Ambitieux*

Il n'y a plus qu'une seule noblesse, c'est le titre de duc; marquis est ridicule, au mot duc on tourne la tête.

EDINBURGH REVIEW.[454]

Le marquis de La Mole reçut l'abbé Pirard sans aucune de ces petites façons de grand seigneur, si polies, mais si impertinentes pour qui les comprend. C'eût été du temps perdu, et le marquis était assez avant dans les grandes affaires pour n'avoir point de temps à perdre.

Depuis six mois, il intriguait pour faire accepter à la fois au roi et à la nation un certain ministère, qui, par reconnaissance, le ferait duc.

Le marquis demandait en vain, depuis longues années, à son avocat de Besançon, un travail clair et précis sur ses procès de Franche-Comté. Comment l'avocat célèbre les lui eût-il expliqués, s'il ne les comprenait pas lui-même?

Le petit carré de papier, que lui remit l'abbé, expliquait tout.

— Mon cher abbé, lui dit le marquis, après avoir expédié en moins de cinq minutes toutes les formules de politesse et d'interrogation sur les choses personnelles, mon cher abbé, au milieu de ma prétendue prospérité, il me manque du temps pour m'occuper sérieusement de deux petites choses assez importantes pourtant: ma famille et mes affaires. Je soigne en grand la fortune de ma maison, je puis la porter loin; je soigne mes plaisirs, et c'est ce qui doit passer avant tout, du moins à mes yeux, ajouta-t-il en surprenant de l'étonnement dans ceux de l'abbé Pirard. Quoique homme de sens, l'abbé était émerveillé de voir un vieillard parler si franchement de ses plaisirs.

Le travail existe sans doute à Paris, continua le grand seigneur, mais perché au cinquième étage, et dès que je me rapproche d'un homme, il prend un appartement au second, et sa femme prend un jour;[455] par conséquent plus de travail, plus d'efforts que [456] pour être ou paraître un homme du monde. C'est là leur unique affaire dès qu'ils ont du pain.

Pour mes procès, exactement parlant, et encore pour chaque procès pris à part, j'ai des avocats qui se tuent; il m'en est mort un de la poitrine, avant-hier. Mais, pour mes affaires en général, croiriez-vous, monsieur, que, depuis trois ans, j'ai renoncé à trouver un homme qui, pendant qu'il écrit pour moi, daigne songer un peu sérieusement à ce qu'il fait ? Au reste, tout ceci n'est qu'une préface.

Je vous estime, et j'oserais ajouter, quoique vous voyant pour la première fois, je vous aime. Voulez-vous être mon secrétaire, avec huit mille francs d'appointements ou bien avec le double ? J'y gagnerai encore, je vous jure; et je fais mon affaire de vous conserver votre belle cure, pour le jour où nous ne nous conviendrons plus.

L'abbé refusa; mais vers la fin de la conversation, le véritable embarras où il voyait le marquis lui suggéra une idée.

— J'ai laissé au fond de mon séminaire un pauvre jeune homme, qui, si je ne me trompe, va y être rudement persécuté. S'il n'était qu'un simple religieux, il serait déjà *in pace*.[457]

Jusqu'ici ce jeune homme ne sait que le latin et l'Ecriture sainte; mais il n'est pas impossible qu'un jour il déploie de grands talents soit pour la prédication, soit pour la direction des âmes. J'ignore ce qu'il fera; mais il a le feu sacré,[458] il peut aller loin. Je comptais le donner à notre évêque, si jamais il nous en était venu un qui eût un peu de votre manière de voir les hommes et les affaires.

— D'où sort votre jeune homme ? dit le marquis.

— On le dit fils d'un charpentier de nos montagnes, mais je le croirais plutôt fils naturel de quelque homme riche. Je lui ai vu recevoir une lettre anonyme ou pseudonyme avec une lettre de change de cinq cents francs.

— Ah ! c'est Julien Sorel, dit le marquis.

— D'où savez-vous son nom ? dit l'abbé étonné; et comme il rougissait de sa question:[459]

— C'est ce que je ne vous dirai pas, répondit le marquis.

— Eh bien ! reprit l'abbé, vous pourriez essayer d'en faire votre secrétaire, il a de l'énergie, de la raison; en un mot, c'est un essai à tenter.

— Pourquoi pas ? dit le marquis; mais serait-ce un homme à se laisser graisser la patte par le préfet de police ou par tout autre pour faire l'espion chez moi ? Voilà toute mon objection.

D'après les assurances favorables de l'abbé Pirard, le marquis prit un billet de mille francs:

— Envoyez ce viatique à Julien Sorel; faites-le-moi venir.

— On voit bien, dit l'abbé Pirard, que vous habitez Paris. Vous ne connaissez pas la tyrannie qui pèse sur nous autres pauvres provinciaux, et en particulier sur les prêtres non amis des jésuites. On ne voudra pas laisser partir Julien Sorel, on saura se couvrir des prétextes les plus habiles, on me répondra qu'il est malade, la poste aura perdu les lettres, etc., etc.

— Je prendrai un de ces jours une lettre du ministre à l'évêque, dit le marquis.

— J'oubliais une précaution, dit l'abbé: ce jeune homme quoique né bien bas a le cœur haut,[460] il ne sera d'aucune utilité si l'on effarouche son orgueil; vous le rendriez stupide.

— Ceci me plaît, dit le marquis, j'en ferai le camarade de mon fils, cela suffira-t-il ?

Quelque temps après, Julien reçut une lettre d'une écriture inconnue et portant le timbre de Châlons,[461] il y trouva un mandat sur un marchand de Besançon, et l'avis de se rendre à Paris sans délai. La lettre était signée d'un nom supposé, mais en l'ouvrant Julien avait tressailli: une feuille d'arbre était tombée à ses pieds; c'était le signe dont il était convenu avec l'abbé Pirard.

Moins d'une heure après, Julien fut appelé à l'évêché où il se vit accueillir avec une bonté toute paternelle. Tout en citant Horace, Monseigneur lui fit, sur les hautes destinées qui l'attendaient à Paris, des compliments fort adroits et qui, pour remercîments, attendaient des explications. Julien ne put rien dire, d'abord parce qu'il ne savait rien, et Monseigneur prit beaucoup de considération pour lui. Un des petits prêtres de l'évêché écrivit au maire qui se hâta d'apporter lui-même un passe-port [462] signé, mais où l'on avait laissé en blanc le nom du voyageur.

Le soir avant minuit, Julien était chez Fouqué, dont l'esprit sage fut plus étonné que charmé de l'avenir qui semblait attendre son ami.

— Cela finira pour toi, dit cet électeur libéral, par une place du gouvernement, qui t'obligera à quelque démarche qui sera vilipendée dans les journaux. C'est par ta honte que j'aurai de tes nouvelles. Rappelle-toi, que, même financièrement parlant, il vaut mieux gagner cent louis dans un bon commerce de bois, dont on est le maître, que de recevoir quatre mille francs d'un gouvernement, fût-il celui du roi Salomon.

Julien ne vit dans tout cela que la petitesse d'esprit d'un bourgeois de campagne. Il allait enfin paraître sur le théâtre des grandes choses. Le bonheur d'aller à Paris, qu'il se figurait peuplé de gens d'esprit fort intrigants, fort hypocrites, mais aussi polis que l'évêque de Besançon et que l'évêque d'Agde, éclipsait tout à ses yeux. Il se représenta à son ami, comme privé de son libre arbitre par la lettre de l'abbé Pirard.

Le lendemain vers midi, il arriva dans Verrières le plus heureux des hommes; il comptait revoir Mme de Rênal. Il alla d'abord chez son premier protecteur, le bon abbé Chélan. Il trouva une réception sévère.

— Croyez-vous m'avoir quelque obligation? lui dit M. Chélan, sans répondre à son salut. Vous allez déjeuner avec moi, pendant ce temps on ira vous louer un autre cheval, et vous quitterez Verrières, *sans y voir personne.*

— Entendre c'est obéir, répondit Julien avec une mine de séminaire; et il ne fut plus question que de théologie et de belle latinité.

Il monta à cheval, fit une lieue, après quoi apercevant un bois, et personne pour l'y voir entrer, il s'y enfonça. Au coucher du soleil il renvoya le cheval. Plus tard, il entra chez un paysan, qui consentit à lui vendre une échelle et à le suivre en la portant jusqu'au petit bois qui domine le COURS DE LA FIDÉLITÉ, à Verrières.

— Je suis [463] un pauvre conscrit réfractaire ... ou un contrebandier, dit le paysan en prenant congé de lui, mais qu'importe ! mon échelle est bien payée, et moi-même je ne suis pas sans avoir passé quelques *mouvements* de montre [464] en ma vie.

La nuit était fort noire. Vers une heure du matin, Julien, chargé de son échelle, entra dans Verrières. Il descendit le plus tôt qu'il put dans le lit du torrent, qui traverse les magnifiques jardins de M. de Rênal à une profondeur de dix pieds, et contenu entre deux murs. Julien monta facilement avec l'échelle. Quel accueil me feront les chiens de garde ? pensait-il. Toute la question est là. Les chiens aboyèrent, et s'avancèrent au galop sur lui; mais il siffla doucement, et ils vinrent le caresser.

Remontant alors de terrasse en terrasse, quoique toutes les grilles fussent fermées, il lui fut facile d'arriver jusque sous la fenêtre de la chambre à coucher de Mme de Rênal, qui, du côté du jardin, n'est élevée que de huit ou dix pieds au-dessus du sol.

Il y avait aux volets une petite ouverture en forme de cœur, que Julien connaissait bien. A son grand chagrin, cette petite ouverture n'était pas éclairée par la lumière intérieure d'une veilleuse.

Grand Dieu ! se dit-il; cette nuit, cette chambre n'est pas occupée par Mme de Rênal ! Où sera-t-elle couchée ? La famille est à Verrières, puisque j'ai trouvé les chiens; mais je puis rencontrer dans cette chambre, sans veilleuse, M. de Rênal lui-même ou un étranger, et alors quel esclandre !

Le plus prudent était de se retirer; mais ce parti fit horreur à Julien. Si c'est un étranger, je me sauverai à toutes jambes, abandonnant mon échelle; mais si c'est elle, quelle réception m'attend ? Elle est tombée dans le repentir et dans la plus haute piété, je n'en puis douter; mais enfin, elle a encore quelque souvenir de moi, puisqu'elle vient de m'écrire. Cette raison le décida.

Le cœur tremblant, mais cependant résolu à périr ou à la voir, il jeta de petits cailloux contre le volet; point de réponse. Il appuya son échelle à côté de la fenêtre, et frappa lui-même contre le volet, d'abord doucement, puis plus fort. Quelque obscurité qu'il fasse, on peut me tirer un coup de fusil, pensa

Julien. Cette idée réduisit l'entreprise folle à une question de bravoure.

Cette chambre est inhabitée [464a] cette nuit, pensa-t-il, ou quelle que soit la personne qui y couche, elle est éveillée maintenant. Ainsi plus rien à ménager envers elle; il faut seulement tâcher de n'être pas entendu par les personnes qui couchent dans les autres chambres.

Il descendit, plaça son échelle contre un des volets, remonta, et passant la main dans l'ouverture en forme de cœur, il eut le bonheur de trouver assez vite le fil de fer attaché au crochet qui fermait le volet. Il tira ce fil de fer; ce fut avec une joie inexprimable qu'il sentit que ce volet n'était plus retenu et cédait à son effort. Il faut l'ouvrir petit à petit, et faire reconnaître ma voix. Il ouvrit le volet assez pour passer la tête, et en répétant à voix basse: *C'est un ami.*

Il s'assura, en prêtant l'oreille, que rien ne troublait le silence profond de la chambre. Mais décidément, il n'y avait point de veilleuse, même à demi éteinte, dans la cheminée; c'était un bien mauvais signe.

Gare le coup de fusil ! Il réfléchit un peu; puis, avec le doigt, il osa frapper contre la vitre; pas de réponse; il frappa plus fort. Quand je devrais casser la vitre, il faut en finir. Comme il frappait, très fort, il crut entrevoir, au milieu de l'extrême obscurité, comme une ombre blanche qui traversait la chambre. Enfin, il n'y eut plus de doute, il vit une ombre qui semblait s'avancer avec une extrême lenteur. Tout à coup il vit une joue qui s'appuyait à la vitre contre laquelle était son œil.

Il tressaillit, et s'éloigna un peu. Mais la nuit était tellement noire, que, même à cette distance, il ne put distinguer si c'était Mme de Rênal. Il craignait un premier cri d'alarme; il entendait les chiens rôder et gronder à demi autour du pied de son échelle. C'est moi, répétait-il assez haut, un ami. Pas de réponse; le fantôme blanc avait disparu. Daignez m'ouvrir, il faut que je vous parle, je suis trop malheureux ! et il frappait de façon à briser la vitre.

Un petit bruit sec se fit entendre; l'espagnolette de la fenêtre cédait; il poussa la croisée et sauta légèrement dans la chambre.

Le fantôme blanc s'éloignait; il lui prit les bras; c'était

une femme. Toutes ses idées de courage s'évanouirent. Si c'est elle, que va-t-elle dire ? Que devint-il, quand il comprit à un petit cri que c'était Mme de Rênal ?

Il la serra dans ses bras; elle tremblait, et avait à peine la force de le repousser.

— Malheureux ! que faites-vous ?

A peine si sa voix convulsive pouvait articuler ces mots. Julien y vit l'indignation la plus vraie.

— Je viens vous voir après quatorze mois d'une cruelle séparation.

— Sortez, quittez-moi à l'instant. Ah ! M. Chélan, pourquoi m'avoir empêchée de lui écrire ? j'aurais prévenu cette horreur. Elle le repoussa avec une force vraiment extraordinaire. Je me repens de mon crime; le ciel a daigné m'éclairer, répétait-elle d'une voix entrecoupée. Sortez ! fuyez !

— Après quatorze mois de malheur, je ne vous quitterai certainement pas sans vous avoir parlé. Je veux savoir tout ce que vous avez fait. Ah ! Je vous ai assez aimée pour mériter cette confidence... je veux tout savoir.

Malgré Mme de Rênal, ce ton d'autorité avait de l'empire sur son cœur.

Julien, qui la tenait serrée avec passion, et résistait à ses efforts pour se dégager, cessa de la presser dans ses bras. Ce mouvement rassura un peu Mme de Rênal.

— Je vais retirer l'échelle, dit-il, pour qu'elle ne nous compromette pas si quelque domestique, éveillé par le bruit, fait une ronde.

— Ah ! sortez, sortez au contraire, lui dit-on avec une véritable colère. Que m'importent les hommes ? C'est Dieu qui voit l'affreuse scène que vous me faites et qui m'en punira. Vous abusez lâchement des sentiments que j'eus pour vous, mais que je n'ai plus. Entendez-vous, M. Julien ?

Il retirait l'échelle fort lentement pour ne pas faire de bruit.

— Ton mari est-il à la ville ? lui dit-il, non pour la braver,[464b] mais emporté par l'ancienne habitude.

— Ne me parlez pas ainsi, de grâce, ou j'appelle mon mari. Je ne suis déjà que trop coupable de ne vous avoir pas chassé, quoi qu'il pût en arriver. J'ai pitié de vous, lui dit-elle, cherchant à blesser son orgueil qu'elle connaissait si irritable.

Ce refus de tutoiement, cette façon brusque de briser un lien si tendre, et sur lequel il comptait encore, portèrent jusqu'au délire le transport d'amour de Julien.

— Quoi ! est-il possible que vous ne m'aimiez plus ! lui dit-il avec un de ces accents du cœur, si difficiles à écouter de sang-froid.

Elle ne répondit pas; pour lui, il pleurait amèrement.

Réellement, il n'avait plus la force de parler.

— Ainsi je suis complètement oublié du seul être qui m'ait jamais aimé ! A quoi bon vivre désormais ? Tout son courage l'avait quitté dès qu'il n'avait plus eu à craindre le danger de rencontrer un homme; tout avait disparu de son cœur, hors l'amour.

Il pleura longtemps en silence. Il prit sa main, elle voulut la retirer; et cependant, après quelques mouvements presque convulsifs, elle la lui laissa. L'obscurité était extrême; ils se trouvaient l'un et l'autre assis sur le lit de Mme de Rênal.

Quelle différence avec ce qui était il y a quatorze mois ! pensa Julien; et ses larmes redoublèrent. Ainsi l'absence détruit sûrement tous les sentiments de l'homme !

— Daignez me dire ce qui vous est arrivé, dit enfin Julien embarrassé de son silence et d'une voix coupée par les larmes.

— Sans doute, répondit Mme de Rênal d'une voix dure, et dont l'accent avait quelque chose de sec et de reprochant pour Julien, mes égarements étaient connus dans la ville, lors de votre départ. Il y avait eu tant d'imprudence dans vos démarches ! Quelque temps après, alors j'étais au désespoir, le respectable M. Chélan vint me voir. Ce fut en vain que, pendant longtemps, il voulut obtenir un aveu. Un jour, il eut l'idée de me conduire dans cette église de Dijon, où j'ai fait ma première communion. Là, il osa parler le premier ... Mme de Rênal fut interrompue par ses larmes. Quel moment de honte ! J'avouai tout. Cet homme si bon daigna ne point m'accabler du poids de son indignation: il s'affligea avec moi. Dans ce temps-là, je vous écrivais tous les jours des lettres que je n'osais vous envoyer; je les cachais soigneusement, et quand j'étais trop malheureuse, je m'enfermais dans ma chambre et relisais mes lettres.

Enfin, M. Chélan obtint que je les lui remettrais ... Quelques-unes, écrites avec un peu plus de prudence, vous avaient été envoyées; vous ne me répondiez point.

— Jamais, je te jure, je n'ai reçu aucune lettre de toi au séminaire.

— Grand Dieu, qui les aura interceptées ?

— Juge de ma douleur, avant le jour où je te vis à la cathédrale, je ne savais si tu vivais encore.

— Dieu me fit la grâce de comprendre combien je péchais envers lui, envers mes enfants, envers mon mari, reprit Mme de Rênal. Il ne m'a jamais aimée comme je croyais alors que vous m'aimiez ...

Julien se précipita dans ses bras, réellement sans projet et hors de lui. Mais Mme de Rênal le repoussa, et continuant avec assez de fermeté:

— Mon respectable ami, M. Chélan me fit comprendre qu'en épousant M. de Rênal, je lui avais engagé toutes mes affections, même celles que je ne connaissais pas, et que je n'avais jamais éprouvées avant une liaison fatale ... Depuis le grand sacrifice de ces lettres, qui m'étaient si chères, ma vie s'est écoulée sinon heureusement, du moins avec assez de tranquillité. Ne la troublez point; soyez un ami pour moi ... le meilleur de mes amis. Julien couvrit ses mains de baisers; elle sentit qu'il pleurait encore. Ne pleurez point, vous me faites tant de peine ... Dites-moi à votre tour ce que vous avez fait. Julien ne pouvait parler. Je veux savoir votre genre de vie au séminaire, répéta-t-elle, puis vous vous en irez.

Sans penser à ce qu'il racontait, Julien parla des intrigues, et des jalousies sans nombre qu'il avait d'abord rencontrées, puis de sa vie plus tranquille depuis qu'il avait été nommé répétiteur.

Ce fut alors, ajouta-t-il, qu'après un long silence, qui sans doute était destiné à me faire comprendre ce que je vois trop aujourd'hui, que vous ne m'aimiez plus et que j'étais devenu indifférent pour vous ... Mme de Rênal serra ses mains. Ce fut alors que vous m'envoyâtes une somme de cinq cents francs.

— Jamais, dit Mme de Rênal.

— C'était une lettre timbrée de Paris et signée Paul Sorel, afin de déjouer tous les soupçons.

Il s'éleva une petite discussion sur l'origine possible de cette lettre. La position morale changea. Sans le savoir, Mme de Rênal et Julien avaient quitté le ton solennel; ils étaient revenus à celui d'une tendre amitié. Ils ne se voyaient point, tant l'obscurité était profonde, mais le son de la voix disait tout. Julien passa le bras autour de la taille de son amie; ce mouvement avait bien des dangers. Elle essaya d'éloigner le bras de Julien, qui, avec assez d'habileté, attira son attention dans ce moment par une circonstance intéressante de son récit. Ce bras fut comme oublié et resta dans la position qu'il occupait.

Après bien des conjectures sur l'origine de la lettre aux cinq cents francs, Julien avait repris son récit; il devenait un peu plus maître de lui en parlant de sa vie passée, qui, auprès [464c] de ce qui lui arrivait en cet instant, l'intéressait si peu. Son attention se fixa tout entière sur la manière dont allait finir sa visite. Vous allez sortir, lui disait-on toujours, de temps en temps, et avec un accent bref.[464d]

Quelle honte pour moi si je suis éconduit! ce sera un remords à empoisonner toute ma vie, se disait-il, jamais elle ne m'écrira. Dieu sait quand je reviendrai en ce pays! De ce moment, tout ce qu'il y avait de céleste dans la position de Julien disparut rapidement de son cœur. Assis à côté d'une femme qu'il adorait, la serrant presque dans ses bras, dans cette chambre où il avait été si heureux, au milieu d'une obscurité profonde, distinguant fort bien que depuis un moment elle pleurait, sentant, au mouvement de sa poitrine, qu'elle avait des sanglots, il eut le malheur de devenir un froid politique, presque aussi calculant et aussi froid que lorsque, dans la cour du séminaire, il se voyait en butte à quelque mauvaise plaisanterie de la part d'un de ses camarades plus fort que lui. Julien faisait durer son récit, et parlait de la vie malheureuse qu'il avait menée depuis son départ de Verrières. Ainsi, se disait Mme de Rênal, après un an d'absence, privé presque entièrement de marques de souvenir, tandis que moi je l'oubliais, il n'était occupé que des jours heureux qu'il avait trouvés à Vergy. Ses sanglots redoublaient. Julien vit le succès de son récit. Il comprit qu'il fallait tenter la dernière ressource: il arriva brusquement à la lettre qu'il venait de recevoir de Paris.

— J'ai pris congé de Monseigneur l'évêque.

— Quoi, vous ne retournez pas à Besançon ! vous nous quittez pour toujours ?

— Oui, répondit Julien d'un ton résolu; oui, j'abandonne un pays où je suis oublié même de ce que j'ai le plus aimé en ma vie, et je le quitte pour ne jamais le revoir. Je vais à Paris ...

— Tu vas à Paris ! s'écria assez haut Mme de Rênal.

Sa voix était presque étouffée par les larmes, et montrait tout l'excès de son trouble. Julien avait besoin de cet encouragement: il allait tenter une démarche qui pouvait tout décider contre lui; et avant cette exclamation, n'y voyant point,[465] il ignorait absolument l'effet qu'il parvenait à produire. Il n'hésita plus; la crainte du remords lui donnait tout empire sur lui-même; il ajouta froidement en se levant:

— Oui, madame, je vous quitte pour toujours, soyez heureuse; adieu.

Il fit quelques pas vers la fenêtre; déjà il l'ouvrait. Mme de Rênal s'élança vers lui et se précipita dans ses bras.

Ainsi, après trois heures de dialogue, Julien obtint ce qu'il avait désiré avec tant de passion pendant les deux premières. Un peu plus tôt arrivés, le retour aux sentiments tendres, l'éclipse des remords chez Mme de Rênal eussent été un bonheur divin; ainsi obtenus avec art, ce ne fut plus qu'un plaisir. Julien voulut absolument, contre les instances de son amie, allumer la veilleuse.

— Veux-tu donc, lui disait-il, qu'il ne me reste aucun souvenir de t'avoir vue ? L'amour qui est sans doute dans ces yeux charmants sera donc perdu pour moi ? la blancheur de cette jolie main me sera donc invisible ? Songe que je te quitte pour bien longtemps peut-être !

Mme de Rênal n'avait rien à refuser à cette idée qui la faisait fondre en larmes. Mais l'aube commençait à dessiner vivement les contours des sapins sur la montagne à l'orient de Verrières. Au lieu de s'en aller, Julien ivre de volupté demanda à Mme de Rênal de passer toute la journée caché dans sa chambre, et de ne partir que la nuit suivante.

— Et pourquoi pas ? répondit-elle. Cette fatale rechute m'ôte toute estime pour moi, et fait à jamais mon malheur, et elle le pressait contre son cœur. Mon mari n'est plus le même, il a des soupçons; il croit que je l'ai mené [465a] dans toute cette affaire, et se montre fort piqué contre moi. S'il entend le moindre bruit je suis perdue, il me chassera comme une malheureuse que je suis.

— Ah ! voilà une phrase de M. Chélan, dit Julien; tu ne m'aurais pas parlé ainsi avant ce cruel départ pour le séminaire; tu m'aimais alors !

Julien fut récompensé du sang-froid qu'il avait mis dans ce mot: il vit son amie oublier rapidement le danger que la présence de son mari lui faisait courir, pour songer au danger bien plus grand de voir Julien douter de son amour. Le jour croissait rapidement et éclairait vivement la chambre; Julien retrouva toutes les voluptés de l'orgueil, lorsqu'il put revoir dans ses bras et presque à ses pieds, cette femme charmante, la seule qu'il eût aimée et qui, peu d'heures auparavant, était tout entière à la crainte d'un Dieu terrible et à l'amour de ses devoirs. Des résolutions fortifiées par un an de constance n'avaient pu tenir devant son courage.

Bientôt on entendit du bruit dans la maison; une chose à laquelle elle n'avait pas songé vint troubler Mme de Rênal.

— Cette méchante Elisa va entrer dans la chambre, que faire de cette énorme échelle? dit-elle à son ami; où la cacher? Je vais la porter au grenier, s'écria-t-elle tout à coup, avec une sorte d'enjouement.

— Mais il faut passer dans la chambre du domestique, dit Julien étonné.

— Je laisserai l'échelle dans le corridor, j'appellerai le domestique et lui donnerai une commission.

— Songe à préparer un mot pour le cas où le domestique passant devant l'échelle, dans le corridor, la remarquera.

— Oui, mon ange, dit Mme de Rênal en lui donnant un baiser. Toi, songe à te cacher bien vite sous le lit, si pendant mon absence, Elisa entre ici.

Julien fut étonné de cette gaîté soudaine. Ainsi, pensa-t-il, l'approche d'un danger matériel, loin de la troubler, lui rend sa gaîté, parce qu'elle oublie ses remords ! Femme vraiment supérieure ! ah ! voilà un cœur dans lequel il est glorieux de régner ! Julien était ravi.

Mme de Rênal prit l'échelle; elle était évidemment trop pesante pour elle. Julien allait à son secours; il admirait cette taille élégante et qui était si loin d'annoncer de la force, lorsque tout à coup, sans aide, elle saisit l'échelle, et l'enleva comme elle eût fait une chaise. Elle la porta rapidement dans le corridor du troisième étage où elle la coucha le long du mur. Elle appela le domestique, et pour lui laisser le temps de s'habiller, monta au colombier. Cinq minutes après, à son retour dans le corridor, elle ne trouva plus l'échelle. Qu'était-elle devenue ? Si Julien eût été hors de la maison, ce danger ne l'eût guère touchée. Mais, dans ce moment, si son mari voyait cette échelle ! cet incident pouvait être abominable. Mme de Rênal courait partout. Enfin elle découvrit cette échelle sous le toit où le domestique l'avait portée et même cachée. Cette circonstance était singulière, autrefois elle l'eût alarmée.

Que m'importe, pensa-t-elle, ce qui peut arriver dans vingt-quatre heures, quand Julien sera parti ? tout ne sera-t-il pas alors pour moi horreur et remords ?

Elle avait comme une idée vague de devoir quitter la vie, mais qu'importe ! Après une séparation qu'elle avait crue éternelle, il lui était rendu, elle le revoyait, et ce qu'il avait fait pour parvenir jusqu'à elle montrait tant d'amour !

En racontant l'événement de l'échelle à Julien:

— Que répondrai-je à mon mari, lui dit-elle, si le domestique lui conte qu'il a trouvé cette échelle ? Elle rêva un instant; il leur faudra vingt-quatre heures pour découvrir le paysan qui te l'a vendue; et se jetant dans les bras de Julien, en le serrant d'un mouvement convulsif: Ah ! mourir, mourir ainsi ! s'écriait-elle en le couvrant de baisers; mais il ne faut pas que tu meures de faim, dit-elle en riant.

Viens; d'abord je vais te cacher dans la chambre de Mme Derville, qui reste toujours fermée à clef. Elle alla veiller à l'extrémité du corridor, et Julien passa en courant. Garde-toi d'ouvrir, si l'on frappe, lui dit-elle, en l'enfermant à clef; dans tous les cas, ce ne serait qu'une plaisanterie des enfants en jouant entre eux.

— Fais-les venir dans le jardin, sous la fenêtre, dit Julien, que j'aie le plaisir de les voir, fais-les parler.

— Oui, oui, lui cria Mme de Rênal en s'éloignant.

Elle revint bientôt avec des oranges, des biscuits, une bouteille de vin de Malaga; il lui avait été impossible de voler du pain.

— Que fait ton mari ? dit Julien.

— Il écrit des projets de marchés avec des paysans.

Mais huit heures avaient sonné, on faisait beaucoup de bruit dans la maison. Si l'on n'eût pas vu Mme de Rênal, on l'eût cherchée partout; elle fut obligée de le quitter. Bientôt elle revint, contre toute prudence, lui apportant une tasse de café; elle tremblait qu'il ne mourût de faim. Après le déjeûner, elle réussit à amener les enfants sous la fenêtre de la chambre de Mme Derville. Il les trouva fort grandis, mais ils avaient pris l'air commun, ou bien ses idées avaient changé.

Mme de Rênal leur parla de Julien. L'aîné répondit avec amitié et regrets pour l'ancien précepteur; mais il se trouva que les cadets l'avaient presque oublié.

M. de Rênal ne sortit pas ce matin-là; il montait et descendait sans cesse dans la maison, occupé à faire des marchés avec des paysans, auxquels il vendait sa récolte de pommes de terre. Jusqu'au dîner, Mme de Rênal n'eut pas un instant à donner à son prisonnier. Le dîner sonné et servi, elle eut l'idée de voler pour lui une assiette de soupe chaude. Comme elle approchait sans bruit de la porte de la chambre qu'il occupait, portant cette assiette avec précaution, elle se trouva face à face avec le domestique qui avait caché l'échelle le matin. Dans ce moment, il s'avançait aussi sans bruit dans le corridor et comme écoutant. Probablement Julien avait marché avec imprudence. Le domestique s'éloigna un peu confus. Mme de Rênal entra hardiment chez Julien; cette rencontre le fit frémir.

— Tu as peur, lui dit-elle; moi, je braverais tous les dangers du monde et sans sourciller. Je ne crains qu'une chose, c'est le moment où je serai seule après ton départ; et elle le quitta en courant.

— Ah ! se dit Julien exalté, le remords est le seul danger que redoute cette âme sublime !

Enfin le soir vint. M. de Rênal alla au Casino.

Sa femme avait annoncé une migraine affreuse, elle se retira chez elle, se hâta de renvoyer Elisa, et se releva bien vite pour aller ouvrir à Julien.

Il se trouva que réellement il mourait de faim. Mme de Rênal alla à l'office chercher du pain. Julien entendit un grand cri. Mme de Rênal revint, et lui raconta qu'entrant dans l'office [465b] sans lumière, s'approchant d'un buffet où l'on serrait le pain, et étendant la main, elle avait touché un bras de femme. C'était Elisa qui avait jeté le cri entendu par Julien.

— Que faisait-elle là ?

— Elle volait quelques sucreries, ou bien elle nous épiait, dit Mme de Rênal avec une indifférence complète. Mais heureusement j'ai trouvé un pâté et un gros pain.

— Qu'y a-t-il donc là ? dit Julien, en lui montrant les poches de son tablier.

Mme de Rênal avait oublié que, depuis le dîner, elles étaient remplies de pain.

Julien la serra dans ses bras avec la plus vive passion; jamais elle ne lui avait semblé si belle. Même à Paris, se disait-il confusément, je ne pourrai rencontrer un plus grand caractère. Elle avait toute la gaucherie d'une femme peu accoutumée à ces sortes de soins, et en même temps le vrai courage d'un être qui ne craint que les dangers d'un autre ordre [466] et bien autrement terribles.

Pendant que Julien soupait de grand appétit, et que son amie le plaisantait sur la simplicité de ce repas, car elle avait horreur de parler sérieusement, la porte de la chambre fut tout à coup secouée avec force. C'était M. de Rênal.

— Pourquoi t'es-tu enfermée ? lui criait-il.

Julien n'eut que le temps de se glisser sous le canapé.

— Quoi ! vous êtes tout habillée, dit M. de Rênal en entrant; vous soupez, et vous avez fermé votre porte à clef.

Les jours ordinaires, cette question, faite avec toute la sécheresse conjugale, eût troublé Mme de Rênal, mais elle sentait que son mari n'avait qu'à se baisser un peu pour apercevoir Julien; car M. de Rênal s'était jeté sur la chaise que Julien occupait un moment auparavant vis-à-vis le canapé.

La migraine servit d'excuse à tout. Pendant qu'à son tour son mari lui contait longuement les incidents de la poule qu'il avait gagnée au billard du Casino, une poule de dix-neuf francs ma foi ! ajoutait-il, elle aperçut sur une chaise, à trois pas devant eux, le chapeau de Julien. Son sang-froid redoubla, elle se mit à se déshabiller, et, dans un certain moment, passant rapidement derrière son mari, jeta une robe sur la chaise au chapeau.

M. de Rênal partit enfin. Ella pria Julien de recommencer le récit de sa vie au séminaire; hier je ne l'écoutais pas, je ne songeais, pendant que tu parlais, qu'à obtenir de moi de te renvoyer.

Elle était l'imprudence même. Ils parlaient très haut; et il pouvait être deux heures du matin, quand ils furent interrompus par un coup violent à la porte. C'était encore M. de Rênal.

— Ouvrez-moi bien vite, il y a des voleurs dans la maison ! disait-il, Saint-Jean a trouvé leur échelle ce matin.

— Voici la fin de tout, s'écria Mme de Rênal, en se jetant dans les bras de Julien. Il va nous tuer tous les deux, il ne croit pas aux voleurs; je vais mourir dans tes bras, plus heureuse à ma mort que je ne le fus de la vie. Elle ne répondait nullement à son mari qui se fâchait, elle embrassait Julien avec passion.

— Sauve la mère de Stanislas, lui dit-il avec le regard du commandement. Je vais sauter dans la cour par la fenêtre du cabinet,[467] et me sauver [467a] dans le jardin, les chiens m'ont reconnu. Fais un paquet de mes habits, et jette-le dans le jardin aussitôt que tu le pourras. En attendant, laisse enfoncer la porte. Surtout, point d'aveux, je le défends, il vaut mieux qu'il ait des soupçons que des certitudes.

— Tu vas te tuer en sautant ! fut sa seule réponse et sa seule inquiétude.

Elle alla avec lui à la fenêtre du cabinet; elle prit ensuite le temps de cacher ses habits. Elle ouvrit enfin à son mari bouillant de colère. Il regarda dans la chambre, dans le cabinet, sans mot dire, et disparut. Les habits de Julien lui furent jetés, il les saisit, et courut rapidement vers le bas du jardin du côté du Doubs.

Comme il courait, il entendit siffler une balle, et aussitôt le bruit d'un coup de fusil.

Ce n'est pas M. de Rênal, pensa-t-il, il tire trop mal pour cela. Les chiens couraient en silence à ses côtés, un second coup cassa apparemment la patte à un chien, car il se mit à pousser des cris lamentables. Julien sauta le mur d'une terrasse, fit à couvert une cinquantaine de pas, et se remit à fuir dans une autre direction. Il entendit des voix qui s'appelaient, et vit distinctement le domestique, son ennemi, tirer un coup de fusil; un fermier vint aussi tirailler de l'autre côté du jardin, mais déjà Julien avait gagné la rive du Doubs où il s'habillait.

Une heure après, il était à une lieue de Verrières, sur la route de Genève; si l'on a des soupçons, pensa Julien, c'est sur la route de Paris qu'on me cherchera.

FIN DU LIVRE I.

Livre ii.

Elle n'est pas jolie, elle n'a point de rouge.
SAINTE-BEUVE.[468]

1. Les Plaisirs de la campagne

O rus quando ego te aspiciam!
VIRGILE.[469]

Monsieur vient sans doute attendre la malle-poste de Paris? lui dit le maître d'une auberge où il s'arrêta pour déjeuner.

— Celle d'aujourd'hui ou celle de demain, peu m'importe, dit Julien.

La malle-poste arriva comme il faisait l'indifférent. Il y avait deux places libres.

— Quoi! c'est toi, mon pauvre Falcoz, dit le voyageur qui arrivait du côté de Genève à celui qui montait en voiture en même temps que Julien.

— Je te croyais établi aux environs de Lyon, dit Falcoz, dans une délicieuse vallée près du Rhône?

— Joliment établi. Je fuis.

— Comment! tu fuis? toi, Saint-Giraud, avec cette mine sage, tu as commis quelque crime? dit Falcoz en riant.

— Ma foi, autant vaudrait. Je fuis l'abominable vie que l'on mène en province. J'aime la fraîcheur des bois et la tranquillité champêtre, comme tu sais; tu m'as souvent accusé d'être romanesque. Je ne voulais de la vie entendre parler politique, et la politique me chasse.

— Mais de quel parti es-tu?

— D'aucun, et c'est ce qui me perd. Voici toute ma politique: J'aime la musique, la peinture; un bon livre est un événement pour moi; je vais avoir quarante-quatre ans. Que me reste-t-il à vivre? Quinze, vingt, trente ans tout au plus ? Eh bien ! je tiens que dans trente ans, les ministres seront un peu plus adroits, mais tout aussi honnêtes gens que ceux d'aujourd'hui. L'histoire d'Angleterre me sert de miroir pour notre avenir. Toujours il se trouvera un roi qui voudra augmenter sa prérogative; toujours l'ambition de devenir député, la gloire et les centaines de mille francs gagnés par Mirabeau [470] empêcheront de dormir les gens riches de la province: ils appelleront cela être libéral et aimer le peuple. Toujours l'envie de devenir pair ou gentilhomme de la chambre galopera [471] les ultras. Sur le vaisseau de l'Etat, tout le monde voudra s'occuper de la manœuvre, car elle est bien payée. N'y aura-t-il donc jamais une pauvre petite place pour le simple passager ?

— Au fait,[472] au fait, qui doit être fort plaisant avec ton caractère tranquille. Sont-ce les dernières élections qui te chassent de ta province ?

— Mon mal vient de plus loin.[473] J'avais, il y a quatre ans, quarante ans, et cinq cent mille francs, j'ai quatre ans de plus aujourd'hui, et probablement cinquante mille francs de moins, que je vais perdre sur la vente de mon château de Monfleury, près du Rhône, position superbe.

A Paris, j'étais las de cette comédie perpétuelle, à laquelle oblige ce que vous appelez la civilisation du XIXe siècle. J'avais soif de bonhomie et de simplicité. J'achète une terre dans les montagnes près du Rhône, rien d'aussi beau sous le ciel.

Le vicaire du village et les hobereaux du voisinage me font la cour pendant six mois; je leur donne à dîner; j'ai quitté Paris, leur dis-je, pour de ma vie ne parler ni n'entendre parler politique. Comme vous le voyez, je ne suis abonné à aucun journal. Moins le facteur de la poste m'apporte de lettres, plus je suis content.

Ce n'était pas le compte du vicaire; bientôt je suis en butte à mille demandes indiscrètes, tracasseries, etc. Je voulais donner deux ou trois cents francs par an aux pauvres, on me les demande pour des associations pieuses: celle de Saint-Joseph, celle de la Vierge, etc., je refuse: alors on me fait cent insultes. J'ai la bêtise d'en être piqué. Je ne puis plus sortir le matin pour aller jouir de la beauté de nos montagnes, sans trouver quelque ennui qui me tire de mes rêveries, et me rappelle désagréablement les hommes et leur méchanceté. Aux processions des Rogations,[474] par exemple, dont le chant me plaît (c'est probablement une mélodie grecque), on ne bénit plus mes champs, parce que, dit le vicaire, ils appartiennent à un impie. La vache d'une vieille paysanne dévote meurt, elle dit que c'est à cause du voisinage d'un étang qui appartient à moi impie, philosophe venant de Paris, et huit jours après je trouve tous mes poissons le ventre en l'air empoisonnés avec de la chaux. La tracasserie m'environne sous toutes les formes. Le juge de paix, honnête homme, mais qui craint pour sa place, me donne toujours tort. La paix des champs est pour moi un enfer. Une fois que l'on m'a vu abandonné par le vicaire, chef de la congrégation du village, et non soutenu par le capitaine en retraite, chef des libéraux, tous me sont tombés dessus, jusqu'au maçon que je faisais vivre depuis un an, jusqu'au charron qui voulait me friponner[475] impunément en raccommodant mes charrues.

Afin d'avoir un appui et de gagner pourtant quelques-uns de mes procès, je me fais libéral; mais, comme tu dis, ces diables d'élections arrivent, on me demande ma voix...

— Pour un inconnu ?

— Pas du tout, pour un homme que je ne connais que trop. Je refuse, imprudence affreuse ! dès ce moment, me voilà aussi les libéraux sur les bras, ma position devient intolérable. Je crois que s'il fût venu dans la tête au vicaire de m'accuser d'avoir assassiné ma servante, il y aurait eu vingt témoins des deux partis, qui auraient juré avoir vu commettre le crime.

— Tu veux vivre à la campagne sans servir les passions de tes voisins, sans même écouter leurs bavardages. Quelle faute !...

— Enfin elle est réparée. Monfleury est en vente, je perds cinquante mille francs, s'il le faut, mais je suis tout joyeux, je quitte cet enfer d'hypocrisie et de tracasseries. Je vais chercher la solitude et la paix champêtre au seul lieu où elles existent en France, dans un quatrième étage, donnant sur les Champs-Elysées. Et encore j'en suis à délibérer, si je ne commencerai pas ma carrière politique, dans le quartier du Roule, par rendre le pain bénit[476] à la paroisse.

— Tout cela ne te fût pas arrivé sous Bonaparte, dit Falcoz avec des yeux brillants de courroux et de regret.

— A la bonne heure, mais pourquoi n'a-t-il pas su se tenir en place, ton Bonaparte? tout ce dont je souffre aujourd'hui c'est lui qui l'a fait.

Ici l'attention de Julien redoubla. Il avait compris du premier mot que le bonapartiste Falcoz était l'ancien ami d'enfance de M. de Rênal, par lui répudié en 1816, et le philosophe Saint-Giraud devait être frère de ce chef de bureau à la préfecture de..., qui savait se faire adjuger à bon compte les maisons des communes.

— Et tout cela c'est ton Bonaparte qui l'a fait, continuait Saint-Giraud. Un honnête homme, inoffensif s'il en fut, avec quarante ans et cinq cent mille francs, ne peut pas s'établir en province et y trouver la paix; ses prêtres et ses nobles l'en chassent.

— Ah! ne dis pas de mal de lui, s'écria Falcoz, jamais la France n'a été si haut dans l'estime des peuples que pendant les treize ans qu'il a régné. Alors, il y avait de la grandeur dans tout ce qu'on faisait.

— Ton empereur, que le diable emporte,[476a] reprit l'homme de quarante-quatre ans, n'a été grand que sur ses champs de bataille, et lorsqu'il a rétabli les finances vers 1802.[477] Que veut dire toute sa conduite depuis? Avec ses chambellans, sa pompe et ses réceptions aux Tuileries, il a donné une nouvelle édition de toutes les niaiseries monarchiques. Elle était corrigée,[478] elle eût pu passer encore un siècle ou deux. Les nobles et les prêtres ont voulu revenir à l'ancienne, mais ils n'ont pas la main de fer qu'il faut pour la débiter au public.

— Voilà bien le langage d'un ancien imprimeur!

— Qui me chasse de ma terre? continua l'imprimeur en colère. Les prêtres, que Napoléon a rappelés par son concordat,[479] au lieu de les traiter comme l'Etat traite les médecins, les avocats, les astronomes, de ne voir en eux que des citoyens, sans s'inquiéter de l'industrie par laquelle ils cherchent à gagner leur vie. Y aurait-il aujourd'hui des gentilshommes insolents, si ton Bonaparte n'eût fait des barons et des comtes? Non, la mode en était passée. Après les prêtres, ce sont les petits nobles campagnards qui m'ont donné le plus d'humeur, et m'ont forcé à me faire libéral.

La conversation fut infinie, ce texte va occuper la France encore un demi-siècle. Comme Saint-Giraud répétait toujours qu'il était impossible de vivre en province, Julien proposa timidement l'exemple de M. de Rênal.

— Parbleu, jeune homme, vous êtes bon ! [480] s'écria Falcoz ; il s'est fait marteau pour n'être pas enclume,[481] et un terrible marteau encore. Mais je le vois débordé par le Valenod. Connaissez-vous ce coquin-là ? voilà le véritable. Que dira votre M. de Rênal lorsqu'il se verra destitué un de ces quatre matins, et le Valenod mis à sa place ?

— Il restera tête à tête avec ses crimes, dit Saint-Giraud. Vous connaissez donc Verrières, jeune homme ? Eh bien ! Bonaparte, que le ciel confonde, lui et ses friperies monarchiques a rendu possible le règne des Rênal et des Chélan, qui a amené le règne des Valenod et des Maslon.

Cette conversation d'une sombre politique étonnait Julien, et le distrayait de ses rêveries voluptueuses.

Il fut peu sensible au premier aspect de Paris, aperçu dans le lointain. Les châteaux en Espagne sur son sort à venir avaient à lutter avec le souvenir encore présent des vingt-quatre heures qu'il venait de passer à Verrières. Il se jurait de ne jamais abandonner les enfants de son amie, et de tout quitter pour les protéger si les impertinences des prêtres nous donnent la république et les persécutions contre les nobles.

Que serait-il arrivé la nuit de son arrivée à Verrières, si, au moment où il appuyait son échelle contre la croisée de la chambre à coucher de Mme de Rênal, il avait trouvé cette chambre occupée par un étranger, ou par M. de Rênal ?

Mais aussi quelles délices les deux premières heures, quand son amie voulait sincèrement le renvoyer et qu'il plaidait sa cause, assis auprès d'elle dans l'obscurité ! Une âme comme celle de Julien est suivie par de tels souvenirs durant toute une vie. Le reste de l'entrevue se confondait déjà avec les premières époques de leurs amours, quatorze mois auparavant.

Julien fut réveillé de sa rêverie profonde, parce que la voiture s'arrêta. On venait d'entrer dans la cour des postes, rue J.-J. Rousseau.[481a] — Je veux aller à la Malmaison,[482] dit-il à un cabriolet qui s'approcha.

— A cette heure, monsieur, et pourquoi faire ?

— Que vous importe! marchez.

Toute vraie passion ne songe qu'à elle. C'est pourquoi, ce me semble, les passions sont si ridicules à Paris, où le voisin prétend toujours qu'on pense [483] beaucoup à lui. Je me garderai de raconter les transports de Julien à la Malmaison. Il pleura. Quoi ! [484] malgré les vilains murs blancs construits cette année, et qui coupent ce parc en morceaux ? — Oui, monsieur: pour Julien, comme pour la postérité, il n'y avait rien entre Arcole, Sainte-Hélène et la Malmaison.[485]

Le soir, Julien hésita beaucoup avant d'entrer au spectacle, il avait des idées étranges sur ce lieu de perdition.

Une profonde méfiance l'empêcha d'admirer le Paris vivant, il n'était touché que des monuments laissés par son héros.

Me voici donc dans le centre de l'intrigue et de l'hypocrisie ! Ici règnent les protecteurs de l'abbé de Frilair.

Le soir du troisième jour, la curiosité l'emporta sur le projet de tout voir avant de se présenter à l'abbé Pirard. Cet abbé lui expliqua, d'un ton froid, le genre de vie qui l'attendait chez M. de La Mole.

Si au bout de quelques mois vous n'êtes pas utile, vous rentrerez au séminaire, mais par la bonne porte. Vous allez loger chez le marquis, l'un des plus grands seigneurs de France. Vous porterez l'habit noir, mais comme un homme qui est en deuil, et non pas comme un ecclésiastique. J'exige que, trois fois la semaine, vous suiviez vos études en théologie dans un séminaire, où je vous ferai présenter. Chaque jour, à midi, vous vous établirez dans la bibliothèque du marquis, qui compte vous employer à faire des lettres pour des procès et d'autres affaires. Le marquis écrit, en deux mots, en marge de chaque lettre qu'il reçoit, le genre de réponse qu'il faut y faire. J'ai prétendu qu'au bout de trois mois, vous seriez en état de faire ces réponses, de façon que, sur douze que vous présenterez à la signature du marquis, il puisse en signer huit ou neuf. Le soir, à huit heures, vous mettrez son bureau en ordre, et à dix vous serez libre.

Il se peut, continua l'abbé Pirard, que quelque vieille

dame ou quelque homme au ton doux vous fasse entrevoir des avantages immenses, ou tout grossièrement vous offre de l'or pour lui montrer les lettres reçues par le marquis...

— Ah ! monsieur ! s'écria Julien rougissant.

— Il est singulier, dit l'abbé avec un sourire amer, que, pauvre comme vous l'êtes, et après une année de séminaire, il vous reste encore de ces indignations vertueuses. Il faut que vous ayez été bien aveugle !

Serait-ce la force du sang ? [485a] se dit l'abbé à demi-voix et comme se parlant à soi-même. Ce qu'il y a de singulier, ajouta-t-il en regardant Julien, c'est que le marquis vous connaît... Je ne sais comment. Il vous donne, pour commencer, cent louis d'appointements. C'est un homme qui n'agit que par caprice, c'est là son défaut; il luttera [486] d'enfantillages avec vous. S'il est content, vos appointements pourront s'élever par la suite jusqu'à huit mille francs.

Mais vous sentez bien, reprit l'abbé d'un ton aigre, qu'il ne vous donne pas tout cet argent pour vos beaux yeux. Il s'agit d'être utile. A votre place, moi, je parlerais très peu, et surtout je ne parlerais jamais de ce que j'ignore.

Ah ! dit l'abbé, j'ai pris des informations pour vous; j'oubliais la famille de M. de La Mole. Il a deux enfants, une fille et un fils de dix-neuf ans, élégant par excellence, espèce de fou, qui ne sait jamais à midi ce qu'il fera à deux heures. Il a de l'esprit, de la bravoure; il a fait la guerre d'Espagne.[487] Le marquis espère, je ne sais pourquoi, que vous deviendrez l'ami du jeune comte Norbert. J'ai dit que vous étiez un grand latiniste, peut-être compte-t-il que vous apprendrez à son fils quelques phrases toutes faites, sur Cicéron et Virgile.

A votre place, je ne me laisserais jamais plaisanter par ce beau jeune homme; et, avant de céder à ses avances parfaitement polies, mais un peu gâtées par l'ironie, je me les ferais répéter plus d'une fois.

Je ne vous cacherai pas que le jeune comte de La Mole doit vous mépriser d'abord, parce que vous n'êtes qu'un petit bourgeois. Son aïeul [487a] à lui était de la cour, et eut l'honneur d'avoir la tête tranchée en place de Grève,[488] le 26 avril 1574, pour une intrigue politique.[489] Vous, vous êtes le fils d'un charpentier de Verrières, et de plus, aux gages de son père. Pesez bien ces différences, et étudiez l'histoire de cette famille dans Moreri;[490] tous les flatteurs qui dînent chez eux y font de temps en temps ce qu'ils appellent des allusions délicates.

Prenez garde à la façon dont vous répondrez aux plaisanteries de M. le comte Norbert de La Mole, chef d'escadron [491] de hussards et futur pair de France, et ne venez pas me faire des doléances par la suite.

— Il me semble, dit Julien en rougissant beaucoup, que je ne devrais pas même répondre à un homme qui me méprise.

— Vous n'avez pas l'idée de ce mépris-là; il ne se montrera que par des compliments exagérés. Si vous étiez un sot, vous pourriez vous y laisser prendre; si vous vouliez faire fortune, vous devriez vous y laisser prendre.

— Le jour où tout cela ne me conviendra plus, dit Julien, passerai-je pour un ingrat, si je retourne à ma petite cellule n° 103 ?

— Sans doute, répondit l'abbé, tous les complaisants de la maison vous calomnieront, mais je paraîtrai moi. *Adsum qui feci.*[492] Je dirai que c'est de moi que vient cette résolution.

Julien était navré du ton amer et presque méchant qu'il remarquait chez M. Pirard; ce ton gâtait tout à fait sa dernière réponse.

Le fait est que l'abbé se faisait un scrupule de conscience [493] d'aimer Julien, et c'est avec une sorte de terreur religieuse qu'il se mêlait aussi directement du sort d'un autre.

— Vous verrez encore, ajouta-t-il avec la même mauvaise grâce, et comme accomplissant un devoir pénible, vous verrez Mme la marquise de La Mole. C'est une grande femme blonde, dévote, hautaine, parfaitement polie, et encore plus insignifiante. Elle est fille du vieux duc de Chaulnes, si connu par ses préjugés nobiliaires. Cette grande dame est une sorte d'abrégé, en haut relief, de ce qui fait au fond le caractère des femmes de son rang. Elle ne cache pas, elle, qu'avoir eu des ancêtres qui soient allés aux croisades est le seul avantage qu'elle estime. L'argent ne vient que longtemps après: cela vous étonne ? Nous ne sommes plus en province, mon ami.

Vous verrez dans son salon plusieurs grands seigneurs

parler de nos princes avec un ton de légèreté singulier. Pour Mme de La Mole, elle baisse la voix par respect toutes les fois qu'elle nomme un prince et surtout une princesse. Je ne vous conseillerais pas de dire devant elle que Philippe II ou Henri VIII [494] furent des monstres. Ils ont été ROIS, ce qui leur donne des droits imprescriptibles aux respects de tous et surtout aux respects d'êtres sans naissance, tels que vous et moi. Cependant, ajouta M. Pirard, nous sommes prêtres, car elle vous prendra pour tel; à ce titre, elle nous considère comme des valets de chambre nécessaires à son salut.

— Monsieur, dit Julien, il me semble que je ne serai pas longtemps à Paris.

— A la bonne heure; mais remarquez qu'il n'y a de fortune, pour un homme de notre robe, que par les grands seigneurs. Avec ce je ne sais quoi d'indéfinissable, du moins pour moi, qu'il y a dans votre caractère, si vous ne faites pas fortune vous serez persécuté; il n'y a pas de moyen terme pour vous. Ne vous abusez pas. Les hommes voient qu'ils ne vous font pas plaisir en vous adressant la parole; dans un pays social comme celui-ci, vous êtes voué au malheur, si vous n'arrivez pas aux respects.[494a]

Que seriez-vous devenu à Besançon, sans ce caprice du marquis de La Mole? Un jour, vous comprendrez toute la singularité de ce qu'il fait pour vous, et, si vous n'êtes pas un monstre, vous aurez pour lui et sa famille une éternelle reconnaissance. Que de pauvres abbés, plus savants que vous, ont vécu des années à Paris, avec les quinze sous de leur messe et les dix sous de leurs arguments en Sorbonne!...[495] Rappelez-vous ce que je vous contais, l'hiver dernier, des premières années de ce mauvais sujet de cardinal Dubois.[496] Votre orgueil se croirait-il, par hasard, plus de talent que lui?

Moi, par exemple, homme tranquille et médiocre, je comptais mourir dans mon séminaire; j'ai eu l'enfantillage de m'y attacher. Eh bien! j'allais être destitué quand j'ai donné ma démission. Savez-vous quelle était ma fortune? J'avais cinq cent vingt francs de capital, ni plus ni moins; pas un ami, à peine deux ou trois connaissances. M. de La Mole, que je n'avais jamais vu, m'a tiré de ce mauvais pas; il n'a eu qu'un mot à dire, et l'on m'a donné une cure dont tous les paroissiens sont des gens aisés, au-dessus des vices grossiers, et le revenu me fait honte, tant il est peu proportionné à mon travail. Je ne vous ai parlé aussi longtemps que pour mettre un peu de plomb dans cette tête.

Encore un mot: j'ai le malheur d'être irascible; il est possible que vous et moi nous cessions de nous parler.

Si les hauteurs de la marquise, ou les mauvaises plaisanteries de son fils, vous rendent cette maison décidément insupportable, je vous conseille de finir vos études dans quelque séminaire à trente lieues de Paris, et plutôt au nord qu'au midi. Il y a au nord plus de civilisation et moins d'injustices; et, ajouta-t-il en baissant la voix, il faut que je l'avoue, le voisinage des journaux de Paris fait peur aux petits tyrans.

Si nous continuons à trouver du plaisir à nous voir, et que la maison du marquis ne vous convienne pas, je vous offre la place de mon vicaire, et je partagerai par moitié avec vous ce que rend cette cure. Je vous dois cela et plus encore, ajouta-t-il en interrompant les remerciements de Julien, pour l'offre singulière que vous m'avez faite à Besançon. Si au lieu de cinq cent vingt francs, je n'avais rien eu, vous m'eussiez sauvé.

L'abbé avait perdu son ton de voix cruel. A sa grande honte, Julien se sentit les larmes aux yeux; il mourait d'envie de se jeter dans les bras de son ami: il ne put s'empêcher de lui dire, de l'air le plus mâle qu'il put affecter:

— J'ai été haï de mon père depuis le berceau; c'était un de mes grands malheurs; mais je ne me plaindrai plus du hasard, j'ai retrouvé un père en vous, monsieur.

— C'est bon, c'est bon, dit l'abbé embarrassé; puis rencontrant fort à propos un mot de directeur de séminaire: il ne faut jamais dire le hasard, mon enfant, dites toujours la Providence.

Le fiacre s'arrêta; le cocher souleva le marteau de bronze d'une porte immense: c'était l'HOTEL DE LA MOLE; et, pour que les passants ne pussent en douter, ces mots se lisaient sur un marbre noir au-dessus de la porte.

Cette affectation déplut à Julien. Ils ont tant de peur des jacobins! Ils voient un Robespierre et sa charrette [497] derrière chaque haie; ils en sont souvent à mourir de rire,[498] et ils affichent ainsi leur maison pour que la canaille la reconnaisse en cas d'émeute, et la pille. Il communiqua sa pensée à l'abbé Pirard.

— Ah ! pauvre enfant, vous serez bientôt mon vicaire. Quelle épouvantable idée vous est venue là !

— Je ne trouve rien de si simple, dit Julien.

La gravité du portier et surtout la propreté de la cour l'avaient frappé d'admiration. Il faisait un beau soleil.

— Quelle architecture magnifique ! dit-il à son ami.

Il s'agissait d'un de ces hôtels à façade si plate du faubourg Saint-Germain,[499] bâtis vers le temps de la mort de Voltaire.[500] Jamais la mode et le beau n'ont été si loin l'un de l'autre.

2. *Entrée dans le monde*

> *Souvenir ridicule et touchant: le premier salon où à dix-huit ans l'on a paru seul et sans appui! le regard d'une femme suffisait pour m'intimider. Plus je voulais plaire, plus je devenais gauche. Je me faisais de tout les idées les plus fausses; ou je me livrais sans motifs, ou je voyais dans un homme un ennemi parce qu'il m'avait regardé d'un air grave. Mais alors, au milieu des affreux malheurs de ma timidité, qu'un beau jour était beau!*
>
> KANT.[501]

Julien s'arrêtait ébahi au milieu de la cour.

— Ayez donc l'air raisonnable, dit l'abbé Pirard; il vous vient des idées horribles, et puis vous n'êtes qu'un enfant! Où est le *nil mirari* d'Horace? (Jamais d'enthousiasme.) Songez que ce peuple de laquais, vous voyant établi ici, va chercher à se moquer de vous; ils verront en vous un égal, mis injustement au-dessus d'eux. Sous les dehors de la bonhomie, des bons conseils, du désir de vous guider, ils vont essayer de vous faire tomber dans quelque grosse balourdise.

— Je les en défie, dit Julien en se mordant la lèvre, et il reprit toute sa méfiance.

Les salons que ces messieurs traversèrent au premier étage, avant d'arriver au cabinet [502] du marquis, vous eussent semblé, ô mon lecteur, aussi tristes que magnifiques. On vous les donnerait tels qu'ils sont, que vous refuseriez de les habiter; c'est la patrie du bâillement et du raisonnement triste. Ils redoublèrent l'enchantement de Julien. Comment peut-on être malheureux, pensait-il, quand on habite un séjour aussi splendide!

Enfin, ces messieurs arrivèrent à la plus laide des pièces de ce superbe appartement: à peine s'il y faisait jour; là, se trouva un petit homme maigre, à l'œil vif et en perruque blonde. L'abbé se retourna vers Julien et le présenta. C'était le marquis. Julien eut beaucoup de peine à le reconnaître, tant il lui trouva l'air poli. Ce n'était plus le grand seigneur, à mine si altière, de l'abbaye de Bray-le-Haut. Il sembla à Julien que sa perruque avait beaucoup trop de cheveux. A l'aide de cette sensation, il ne fut point du tout intimidé. Le descendant de l'ami de Henri III [503] lui parut d'abord avoir une tournure assez mesquine. Il était fort maigre et s'agitait beaucoup. Mais il remarqua bientôt que le marquis avait une politesse encore plus agréable à l'interlocuteur que celle de l'évêque de Besançon lui-même. L'audience ne dura pas trois minutes. En sortant, l'abbé dit à Julien:

— Vous avez regardé le marquis, comme vous eussiez fait un tableau. Je ne suis pas un grand grec [504] dans ce que ces gens-ci appellent la politesse, bientôt vous en saurez plus que moi; mais enfin la hardiesse de votre regard m'a semblé peu polie.

On était remonté en fiacre; le cocher arrêta près du boulevard; l'abbé introduisit Julien dans une suite de grands salons. Julien remarqua qu'il n'y avait pas de meubles. Il regardait une magnifique pendule dorée, représentant un sujet très indécent selon lui, lorsqu'un monsieur fort élégant s'approcha d'un air riant. Julien fit un demi-salut.[505]

Le monsieur sourit et lui mit la main sur l'épaule. Julien tressaillit et fit un saut en arrière. Il rougit de colère. L'abbé Pirard, malgré sa gravité, rit aux larmes. Le monsieur était un tailleur.

Je vous rends votre liberté pour deux jours, lui dit l'abbé en sortant; c'est alors seulement que vous pourrez être présenté à Mme de La Mole. Un autre vous garderait comme une jeune fille, en ces premiers moments de votre séjour dans cette nouvelle Babylone. Perdez-vous tout de suite, si vous avez à vous perdre, et je serai délivré de la faiblesse que j'ai de penser à vous. Après-demain matin, ce tailleur vous portera deux habits; vous donnerez cinq francs au garçon qui vous les essaiera.[506] Du reste, ne faites pas connaître le son de votre voix à ces Parisiens-là. Si vous dites un mot, ils trouveront le secret de se moquer de vous.[507] C'est leur talent. Après-demain soyez chez moi à midi... Allez, perdez-vous... J'oubliais, allez commander des bottes, des chemises, un chapeau aux adresses que voici.

Julien regardait l'écriture de ces adresses.

— C'est la main du marquis, dit l'abbé; c'est un homme actif qui prévoit tout, et qui aime mieux faire que commander. Il vous prend auprès de lui pour que vous lui épargniez ce genre de peines. Aurez-vous assez d'esprit pour bien exécuter toutes les choses que cet homme vif vous indiquera à demi-mot ? C'est ce que montrera l'avenir: gare à vous !

Julien entra sans dire un seul mot chez les ouvriers indiqués par les adresses; il remarqua qu'il en [508] était reçu avec respect, et le bottier, en écrivant son nom sur son registre, mit M. Julien de Sorel.[509]

Au cimetière du Père-Lachaise,[510] un monsieur fort obligeant, et encore plus libéral [511] dans ses propos, s'offrit pour indiquer à Julien le tombeau du maréchal Ney,[512] qu'une politique savante prive de l'honneur d'une épitaphe. Mais en se séparant de ce libéral, qui, les larmes aux yeux, le serrait presque dans ses bras, Julien n'avait plus de montre. Ce fut riche de cette expérience que le surlendemain, à midi, il se présenta à l'abbé Pirard, qui le regarda beaucoup.

— Vous allez peut-être devenir un fat, lui dit l'abbé d'un air sévère. Julien avait l'air d'un fort jeune homme, en grand deuil; il était à la vérité très bien, mais le bon abbé était trop provincial lui-même pour voir que Julien avait encore cette démarche des épaules qui en province est à la fois élégance et importance.[513] En voyant Julien, le marquis jugea ses grâces d'une manière si différente de celle du bon abbé, qu'il lui dit:

— Auriez-vous quelque objection à ce que M. Sorel prît des leçons de danse ?

L'abbé resta pétrifié.

— Non, répondit-il enfin, Julien n'est pas prêtre.

Le marquis montant deux à deux les marches d'un petit escalier dérobé, alla lui-même installer notre héros dans une jolie mansarde qui donnait sur l'immense jardin de l'hôtel. Il lui demanda combien il avait pris de chemises chez la lingère.

— Deux, répondit Julien, intimidé de voir un si grand seigneur descendre à ces détails.

— Fort bien, reprit le marquis d'un air sérieux et avec un certain ton impératif et bref, qui donna à penser à Julien, fort bien ! Prenez encore vingt-deux chemises. Voici le premier quartier de vos appointements.

En descendant de la mansarde, le marquis appela un homme âgé: Arsène, lui dit-il, vous servirez M. Sorel. Peu de minutes après, Julien se trouva seul dans une bibliothèque magnifique; ce moment fut délicieux. Pour n'être pas surpris dans son émotion, il alla se cacher dans un petit coin sombre; de là il contemplait avec ravissement le dos brillant des livres: Je pourrai lire tout cela, se disait-il. Et comment me déplairais-je ici ? M. de Rênal se serait cru déshonoré [514] à jamais de la centième partie de ce que le marquis de La Mole vient de faire pour moi.

Mais, voyons les copies à faire. Cet ouvrage terminé, Julien osa s'approcher des livres; il faillit devenir fou de joie en trouvant une édition de Voltaire.[515] Il courut ouvrir la porte de la bibliothèque pour n'être pas surpris. Il se donna ensuite le plaisir d'ouvrir chacun des quatre-vingts volumes. Ils étaient reliés magnifiquement, c'était le chef-d'œuvre du meilleur ouvrier de Londres. Il n'en fallait pas tant pour porter au comble l'admiration de Julien.

Une heure après, le marquis entra, regarda les copies, et remarqua avec étonnement que Julien écrivait *cela* avec deux ll, *cella*.[516] Tout ce que l'abbé m'a dit de sa science serait-il tout simplement un conte ! Le marquis, fort découragé, lui dit avec douceur:

— Vous n'êtes pas sûr de votre orthographe ?

— Il est vrai, dit Julien, sans songer le moins du monde au tort qu'il se faisait; il était attendri des bontés du marquis, qui lui rappelait [517] le ton rogue de M. de Rênal.

C'est du temps perdu que toute cette expérience de [518] petit abbé franc-comtois, pensa le marquis; mais j'avais un si grand besoin d'un homme sûr !

— Cela ne s'écrit qu'avec une *l*, lui dit le marquis; quand vos copies seront terminées, cherchez dans le dictionnaire les mots de l'orthographe desquels vous ne serez pas sûr.

A six heures, le marquis le fit demander, il regarda avec une peine évidente les bottes de Julien: j'ai un tort à me reprocher, je ne vous ai pas dit que tous les jours à cinq heures et demie, il faut vous habiller.

Julien le regardait sans comprendre.

— Je veux dire mettre des bas. Arsène vous en fera souvenir; aujourd'hui je ferai vos excuses.

En achevant ces mots, M. de La Mole faisait passer Julien dans un salon resplendissant de dorures. Dans les occasions semblables, M. de Rênal ne manquait jamais de doubler le pas pour avoir l'avantage de passer le premier à la porte. La petite vanité de son ancien patron fit que Julien marcha sur les pieds du marquis, et lui fit beaucoup de mal à cause de sa goutte. — Ah ! il est balourd par-dessus le marché, se dit celui-ci. Il le présenta à une femme de haute taille et d'un aspect imposant. C'était la marquise. Julien lui trouva l'air impertinent, un peu comme Mme de Maugiron, la sous-préfète de l'arrondissement de Verrières, quand elle assistait au dîner de la Saint-Charles.[519] Un peu troublé de l'extrême magnificence du salon, Julien n'entendit pas ce que disait M. de La Mole. La marquise daigna à peine le regarder. Il y avait quelques hommes parmi lesquels Julien reconnut avec un plaisir indicible le jeune évêque d'Agde, qui avait daigné lui parler quelques mois auparavant à la cérémonie de Bray-le-Haut. Ce jeune prélat fut effrayé sans doute des yeux tendres que fixait sur lui la timidité de Julien, et ne se soucia point de reconnaître ce provincial.

Les hommes réunis dans ce salon semblèrent à Julien avoir quelque chose de triste et de contraint; on parle bas à Paris, et l'on n'exagère pas les petites choses.

Un joli jeune homme, avec des moustaches, très pâle et très élancé, entra vers les six heures et demie; il avait une tête fort petite.

— Vous vous ferez toujours attendre, dit la marquise, à laquelle il baisait la main.

Julien comprit que c'était le comte de La Mole. Il le trouva charmant dès le premier abord.

Est-il possible, se dit-il, que ce soit là l'homme dont les plaisanteries offensantes doivent me chasser de cette maison !

A force d'examiner le comte Norbert, Julien remarqua qu'il était en bottes et en éperons; et moi je dois être en souliers, apparemment comme inférieur. On se mit à table. Julien entendit la marquise qui disait un mot sévère, en élevant un peu la voix. Presque en même temps il aperçut une jeune personne, extrêmement blonde et fort bien faite, qui vint s'asseoir vis-à-vis de lui. Elle ne lui plut point; cependant en la regardant attentivement, il pensa qu'il n'avais jamais vu des yeux aussi beaux; mais ils annonçaient une grande froideur d'âme. Par la suite, Julien trouva qu'ils avaient l'expression de l'ennui qui examine, mais qui se souvient de l'obligation d'être imposant. Mme de Rênal avait cependant de bien beaux yeux, se disait-il, le monde lui en faisait compliment; mais ils n'avaient rien de commun avec ceux-ci. Julien n'avait pas assez d'usage pour distinguer que c'était du feu de la saillic que brillaient de temps en temps les yeux de Mlle Mathilde, c'est ainsi qu'il l'entendit nommer. Quand les yeux de Mme de Rênal s'animaient, c'était du feu des passions, ou par l'effet d'une indignation généreuse au récit de quelque action méchante. Vers la fin du repas, Julien trouva un mot pour exprimer le genre de beauté des yeux de Mlle de La Mole: ils sont scintillants, se dit-il. Du reste, elle ressemblait cruellement à sa mère, qui lui déplaisait de plus en plus, et il cessa de la regarder. En revanche, le comte Norbert lui semblait admirable de tous points. Julien était tellement séduit, qu'il n'eut pas l'idée d'en être jaloux et de le haïr, parce qu'il était plus riche et plus noble que lui.

Julien trouva que le marquis avait l'air de s'ennuyer.

Vers le second service, il dit à son fils:

— Norbert, je te demande tes bontés pour M. Julien Sorel que je viens de prendre à mon état-major, et dont je prétends faire un homme, si *cella* se peut.

— C'est mon secrétaire, dit le marquis à son voisin, et il écrit *cela* avec deux *ll*.

Tout le monde regarda Julien, qui fit une inclination de tête un peu trop marquée à Norbert; mais en général on fut content de son regard.

Il fallait que le marquis eût parlé du genre d'éducation que Julien avait reçue, car un des convives l'attaqua sur Horace: c'est précisément en parlant d'Horace que j'ai réussi auprès de l'évêque de Besançon, se dit Julien, apparemment qu'ils ne connaissent que cet auteur. A partir de cet instant, il fut maître de lui. Ce mouvement fut rendu facile, parce qu'il venait de décider que Mlle de La Mole ne serait jamais une femme à ses yeux. Depuis le séminaire, il mettait les hommes au pis, et se laissait difficilement intimider par eux. Il eût joui de tout son sang-froid, si la salle à manger eût été meublée avec moins de magnificence. C'était, dans le fait, deux glaces de huit pieds de haut chacune, et dans lesquelles il regardait quelquefois son interlocuteur en parlant d'Horace, qui lui imposaient encore. Ses phrases n'étaient pas trop longues pour un provincial. Il avait de beaux yeux, dont la timidité tremblante ou heureuse, quand il avait bien répondu, redoublait l'éclat. Il fut trouvé agréable. Cette sorte d'examen jetait un peu d'intérêt dans un dîner grave. Le marquis engagea par un signe l'interlocuteur de Julien à le pousser vivement. Serait-il possible qu'il sût quelque chose, pensait-il !

Julien répondit en inventant ses idées, et perdit assez de sa timidité pour montrer, non pas de l'esprit, chose impossible à qui ne sait pas la langue dont on se sert à Paris, mais il eut des idées nouvelles quoique présentées sans grâce ni à propos et l'on vit qu'il savait parfaitement le latin.

L'adversaire de Julien était un académicien des Inscriptions,[520] qui, par hasard, savait le latin; il trouva en Julien un très bon humaniste, n'eut plus la crainte de le faire rougir, et chercha réellement à l'embarrasser. Dans la chaleur du combat, Julien oublia enfin l'ameublement magnifique de la salle à manger, il en vint à exposer sur les poètes latins des idées que l'interlocuteur n'avait lues nulle part. En honnête homme il en fit honneur au jeune secrétaire. Par bonheur, on entama une discussion sur la question de savoir si Horace a été pauvre ou riche: [521] un homme aimable, voluptueux et insouciant, faisant des vers pour s'amuser, comme Chapelle, l'ami de Molière et de La Fontaine; ou un pauvre diable de poète lauréat suivant la cour et faisant des odes pour le jour de naissance du roi, comme Southey, l'accusateur de lord Byron. On parla de l'état de la société sous Auguste et sous George IV; aux deux époques l'aristocratie était toute-puissante; mais à Rome, elle se voyait arracher le pouvoir par Mécène, qui n'était que simple chevalier; et en Angleterre elle avait réduit George IV à peu près à l'état d'un doge de Venise.[522] Cette discussion sembla tirer le marquis de l'état de torpeur où l'ennui le plongeait au commencement du dîner.

Julien ne comprenait rien à tous les noms modernes, comme Southey, lord Byron, George IV, qu'il entendait prononcer pour la première fois. Mais il n'échappa à personne que toutes les fois qu'il était question de faits passés à Rome, et dont la connaissance pouvait se déduire des œuvres d'Horace, de Martial, de Tacite, etc., il avait une incontestable supériorité. Julien s'empara sans façon de plusieurs idées qu'il avait apprises de l'évêque de Besançon, dans la fameuse discussion qu'il avait eue avec ce prélat; ce ne furent pas les moins goûtées.

Lorsque l'on fut las de parler de poètes, la marquise, qui se faisait une loi d'admirer tout ce qui amusait son mari, daigna regarder Julien. Les manières gauches de ce jeune abbé cachent peut-être un homme instruit, dit à la marquise l'académicien qui se trouvait près d'elle; et Julien en entendit quelque chose. Les phrases toutes faites convenaient assez à l'esprit de la maîtresse de la maison; elle adopta celle-ci sur Julien, et se sut bon gré d'avoir engagé l'académicien à dîner. Il amuse M. de La Mole, pensait-elle.

3. Les Premiers Pas

Cette immense vallée remplie de lumières éclatantes et de tant de milliers d'hommes éblouit ma vue. Pas un ne me connaît, tous me sont supérieurs. Ma tête se perd.

Poemi dell' av. REINA.[523]

Le lendemain de fort bonne heure, Julien faisait des copies de lettres dans la bibliothèque, lorsque Mlle Mathilde y entra par une petite porte de dégagement, fort bien cachée avec des dos de livres. Pendant que Julien admirait cette invention, Mlle Mathilde paraissait fort étonnée et assez contrariée de le rencontrer là. Julien lui trouva en papillotes l'air dur, hautain et presque masculin. Mlle de La Mole avait le secret de voler des livres dans la bibliothèque de son père, sans qu'il y parût. La présence de Julien rendait inutile sa course de ce matin, ce qui la contraria d'autant plus, qu'elle venait chercher le second volume de *la Princesse de Babylone* de Voltaire, digne complément d'une éducation éminemment monarchique et religieuse, chef-d'œuvre du Sacré-Cœur ! [524] Cette pauvre fille, à dix-neuf ans, avait déjà besoin du piquant de l'esprit pour s'intéresser à un roman.[525]

Le comte Norbert parut dans la bibliothèque vers les trois heures; il venait étudier un journal, pour pouvoir parler politique le soir, et fut bien aise de rencontrer Julien, dont il avait oublié l'existence. Il fut parfait pour lui; il lui offrit de monter à cheval.

— Mon père nous donne congé jusqu'au dîner.

Julien comprit ce *nous* [526] et le trouva charmant.

— Mon Dieu, monsieur le comte, dit Julien, s'il s'agissait d'abattre un arbre de quatre-vingts pieds de haut, de l'équarrir et d'en faire des planches, je m'en tirerais bien, j'ose le dire; mais monter à cheval, cela ne m'est pas arrivé six fois en ma vie.

— Eh bien, ce sera la septième, dit Norbert.

Au fond, Julien se rappelait l'entrée du roi de***, à Verrières, et croyait monter à cheval supérieurement. Mais, en revenant du bois de Boulogne, au beau milieu de la rue du Bac,[527] il tomba, en voulant éviter brusquement un cabriolet, et se couvrit de boue. Bien lui prit d'avoir deux habits. Au dîner, le marquis voulant lui adresser la parole, lui demanda des nouvelles de sa promenade; Norbert se hâta de répondre en termes généraux.

— Monsieur le comte est plein de bontés pour moi, reprit Julien, je l'en remercie, et j'en sens tout le prix. Il a daigné me faire donner le cheval le plus doux et le plus joli; mais enfin il ne pouvait pas m'y attacher, et faute de cette précaution, je suis tombé au beau milieu de cette rue si longue, près du pont.

Mlle Mathilde essaya en vain de dissimuler un éclat de rire, ensuite son indiscrétion demanda des détails. Julien s'en tira avec beaucoup de simplicité; il eut de la grâce sans le savoir.

— J'augure bien de ce petit prêtre, dit le marquis à l'académicien; un provincial simple en pareille occurrence! C'est ce qui ne s'est jamais vu et ne se verra plus; et encore il raconte son malheur devant des *dames!*

Julien mit tellement les auditeurs à leur aise sur son infortune, qu'à la fin du dîner, lorsque la conversation générale eut pris un autre cours, Mlle Mathilde faisait des questions à son frère sur les détails de l'événement malheureux. Ses questions se prolongeant, et Julien rencontrant ses yeux plusieurs fois, il osa répondre directement, quoiqu'il ne fût pas interrogé, et tous trois finirent par rire, comme auraient pu faire trois jeunes habitants d'un village au fond d'un bois.

Le lendemain, Julien assista à deux cours de théologie, et revint ensuite transcrire une vingtaine de lettres. Il trouva établi près de lui, dans la bibliothèque, un jeune homme mis avec beaucoup de soin, mais la tournure était mesquine et la physionomie celle de l'envie.

Le marquis entra.

— Que faites-vous ici, monsieur Tanbeau? dit-il au nouveau venu d'un ton sévère.

— Je croyais ..., reprit le jeune homme en souriant bassement.

— Non, monsieur, vous *ne croyiez pas*. Ceci est un essai, mais il est malheureux.

Le jeune Tanbeau se leva furieux et disparut. C'était un neveu de l'académicien, ami de Mme de La Mole, il se destinait aux lettres. L'académicien avait obtenu que le marquis le prendrait pour secrétaire. Tanbeau, qui travaillait dans une chambre écartée, ayant su la faveur dont Julien était l'objet, voulut la partager, et le matin il était venu établir son écritoire dans la bibliothèque.

A quatre heures, Julien osa, après un peu d'hésitation, paraître chez le comte Norbert. Celui-ci allait monter à cheval, et fut embarrassé, car il était parfaitement poli.

— Je pense, dit-il à Julien, que bientôt vous irez au manège; et après quelques semaines, je serai ravi de monter à cheval avec vous.

— Je voulais avoir l'honneur de vous remercier des bontés que vous avez eues pour moi; croyez, monsieur, ajouta Julien d'un air fort sérieux, que je sens tout ce que je vous dois. Si votre cheval n'est pas blessé par suite de ma maladresse d'hier, et s'il est libre, je désirerais le monter ce matin.

— Ma foi, mon cher Sorel, à vos risques et périls. Supposez que je vous ai fait toutes les objections que réclame la prudence; le fait est qu'il est quatre heures, nous n'avons pas de temps à perdre.

Une fois qu'il fut à cheval:

— Que faut-il faire pour ne pas tomber? dit Julien au jeune comte.

— Bien des choses, répondit Norbert en riant aux éclats: par exemple, tenir le corps en arrière.

Julien prit le grand trot. On était sur la place Louis XVI.[528]

— Ah! jeune téméraire, dit Norbert, il y a trop de voitures, et encore menées par des imprudents! Une fois par terre, leurs tilburys vont vous passer sur le corps; ils n'iront pas risquer de gâter la bouche de leur cheval en l'arrêtant tout court.

Vingt fois Norbert vit Julien sur le point de tomber;

main enfin la promenade finit sans accident. En rentrant, le jeune comte dit à sa sœur:

— Je vous présente un hardi casse-cou.

A dîner, parlant à son père, d'un bout de la table à l'autre, il rendit justice à la hardiesse de Julien; c'était tout ce qu'on pouvait louer dans sa façon de monter à cheval. Le jeune comte avait entendu le matin les gens qui pansaient les chevaux dans la cour prendre texte de [529] la chute de Julien pour se moquer de lui outrageusement.

Malgré tant de bonté, Julien se sentit bientôt parfaitement isolé au milieu de cette famille. Tous les usages lui semblaient singuliers, et il manquait à tous. Ses bévues faisaient la joie des valets de chambre.

L'abbé Pirard était parti pour sa cure. Si Julien est un faible roseau,[530] qu'il périsse; si c'est un homme de cœur, qu'il se tire d'affaire tout seul, pensait-il.

4. L'Hôtel de La Mole

Que fait-il ici! s'y plairait-il? penserait-il y plaire?
RONSARD.[531]

Si tout semblait étrange à Julien, dans le noble salon de l'hôtel de La Mole, ce jeune homme, pâle et vêtu de noir, semblait à son tour fort singulier aux personnes qui daignaient le remarquer. Mme de La Mole proposa à son mari de l'envoyer en mission les jours où l'on avait à dîner certains personnages.

— J'ai envie de pousser l'expérience jusqu'au bout, répondit le marquis. L'abbé Pirard prétend que nous avons tort de briser l'amour-propre des gens que nous admettons auprès de nous. *On ne s'appuie que sur ce qui résiste, etc.* Celui-ci n'est inconvenant que par sa figure inconnue, c'est du reste un sourd-muet.

Pour que je puisse m'y reconnaître, il faut, se dit Julien, que j'écrive les noms et un mot sur le caractère des personnages que je vois arriver dans ce salon.

Il plaça en première ligne cinq ou six amis de la maison, qui lui faisaient la cour à tout hasard, le croyant protégé par un caprice du marquis. C'étaient de pauvres hères, plus ou moins plats; mais il faut le dire à la louange de cette classe d'hommes telle qu'on la trouve aujourd'hui dans les salons de l'aristocratie, ils n'étaient pas plats également pour tous. Tel d'entre eux se fût laissé malmener par le marquis, qui se fût révolté contre un mot dur à lui adressé par Mme de La Mole.

Il y avait trop de fierté et trop d'ennui au fond du caractère des maîtres de la maison; ils étaient trop accoutumés à outrager pour se désennuyer, pour qu'ils pussent espérer de vrais amis. Mais, excepté les jours de pluie, et dans les moments d'ennui féroce, qui étaient rares, on les trouvait toujours d'une politesse parfaite.

Si les cinq ou six complaisants qui témoignaient une

amitié si paternelle à Julien eussent déserté l'hôtel de La Mole, la marquise eût été exposée à de grands moments de solitude; et, aux yeux des femmes de ce rang, la solitude est affreuse: c'est l'emblème de la *disgrâce.*

Le marquis était parfait pour sa femme; il veillait à ce que son salon fût suffisamment garni; non pas de pairs, il trouvait ses nouveaux collègues pas assez nobles pour venir chez lui comme amis, pas assez amusants pour y être admis comme subalternes.

Ce ne fut que bien plus tard que Julien pénétra ces secrets. La politique dirigeante [531a] qui fait l'entretien des maisons bourgeoises n'est abordée dans celles de la classe du marquis que dans les instants de détresse.

Tel est encore, même dans ce siècle ennuyé, l'empire de la nécessité de s'amuser que même les jours de dîners, à peine le marquis avait-il quitté le salon, que tout le monde s'enfuyait. Pourvu qu'on ne plaisantât ni de Dieu, ni des prêtres, ni du roi, ni des gens en place, ni des artistes protégés par la cour, ni de tout ce qui est établi; pourvu qu'on ne dît du bien ni de Béranger,[532] ni des journaux de l'opposition, ni de Voltaire, ni de Rousseau, ni de tout ce qui se permet un peu de franc-parler; pourvu surtout qu'on ne parlât jamais politique, on pouvait librement raisonner de tout.[533]

Il n'y a pas de cent mille écus de rente ni de cordon bleu qui puissent lutter contre une telle charte de salon. La moindre idée vive semblait une grossièreté. Malgré le bon ton, la politesse parfaite, l'envie d'être agréable, l'ennui se lisait sur tous les fronts. Les jeunes gens qui venaient rendre des devoirs,[534] ayant peur de parler de quelque chose qui fît soupçonner une pensée, ou de trahir quelque lecture prohibée, se taisaient après quelques mots bien élégants sur Rossini [535] et le temps qu'il faisait.

Julien observa que la conversation était ordinairement maintenue vivante par deux vicomtes et cinq barons que M. de La Mole avait connus dans l'émigration. Ces messieurs jouissaient de six à huit mille livres de rente; quatre tenaient pour *La Quotidienne,* et trois pour la *Gazette de France.*[536] L'un d'eux avait tous les jours à raconter quelque anecdote du Château où le mot *admirable* n'était pas épargné. Julien remarqua qu'il avait cinq croix, les autres n'en avaient en général que trois.

En revanche, on voyait dans l'antichambre dix laquais en livrée, et toute la soirée on avait des glaces ou du thé tous les quarts d'heure; et, sur le minuit, une espèce de souper avec du vin de Champagne.

C'était la raison qui quelquefois faisait rester Julien jusqu'à la fin; du reste, il ne comprenait presque pas que l'on pût écouter sérieusement la conversation ordinaire de ce salon, si magnifiquement doré. Quelquefois, il regardait les interlocuteurs, pour voir si eux-mêmes ne se moquaient pas de ce qu'ils disaient. Mon M. de Maistre, que je sais par cœur, a dit [537] cent fois mieux, pensait-il, et encore est-il bien ennuyeux.

Julien n'était pas le seul à s'apercevoir de l'asphyxie morale. Les uns se consolaient en prenant force glaces; les autres par le plaisir de dire tout le reste de la soirée: je sors de l'hôtel de La Mole, où j'ai su que la Russie, etc.

Julien apprit, d'un des complaisants, qu'il n'y avait pas encore six mois que Mme de La Mole avait récompensé une assiduité de plus de vingt années en faisant préfet le pauvre baron Le Bourguignon, sous-préfet depuis la Restauration.[538]

Ce grand événement avait retrempé le zèle de tous ces messieurs; ils se seraient fâchés de bien peu de chose auparavant, ils ne se fâchèrent plus de rien. Rarement, le manque d'égards était direct, mais Julien avait déjà surpris à table deux ou trois petits dialogues brefs, entre le marquis et sa femme, cruels pour ceux qui étaient placés auprès d'eux. Ces nobles personnages ne dissimulaient pas le mépris sincère pour tout ce qui n'était pas issu de gens *montant dans les carrosses du roi.* Julien observa que le mot *croisade* [539] était le seul qui donnât à leur figure l'expression du sérieux profond, mêlé de respect. Le respect ordinaire avait toujours une nuance de complaisance.

Au milieu de cette magnificence et de cet ennui, Julien ne s'intéressait à rien qu'à M. de La Mole; il l'entendit avec plaisir protester un jour qu'il n'était pour rien dans l'avancement de ce pauvre Le Bourguignon. C'était une attention pour la marquise: Julien savait la vérité par l'abbé Pirard.

Un matin que l'abbé travaillait avec Julien, dans la bibliothèque du marquis, à l'éternel procès de Frilair:

— Monsieur, dit Julien tout à coup, dîner tous les jours avec Mme la marquise, est-ce un de mes devoirs, ou est-ce une bonté que l'on a pour moi ?

— C'est un honneur insigne ! reprit l'abbé, scandalisé. Jamais M. N... l'académicien, qui, depuis quinze ans, fait une cour assidue, n'a pu l'obtenir pour son neveu M. Tanbeau.

— C'est pour moi, monsieur, la partie la plus pénible de mon emploi. Je m'ennuyais moins au séminaire. Je vois bâiller quelquefois jusqu'à Mlle de La Mole, qui pourtant doit être accoutumée à l'amabilité des amis de la maison. J'ai peur de m'endormir. De grâce, obtenez-moi la permission d'aller dîner à quarante sous dans quelque auberge obscure.

L'abbé, véritable parvenu, était fort sensible à l'honneur de dîner avec un grand seigneur. Pendant qu'il s'efforçait de faire comprendre ce sentiment par Julien, un bruit léger leur fit tourner la tête. Julien vit Mlle de La Mole qui écoutait. Il rougit. Elle était venue chercher un livre et avait tout entendu; elle prit quelque considération pour Julien. Celui-là n'est pas né à genoux, pensa-t-elle, comme ce vieil abbé. Dieu ! qu'il est laid.

A dîner, Julien n'osait pas regarder Mlle de La Mole, mais elle eut la bonté de lui adresser la parole. Ce jour-là, on attendait beaucoup de monde, elle l'engagea à rester. Les jeunes filles de Paris n'aiment guère les gens d'un certain âge,[540] surtout quand ils sont mis sans soin. Julien n'avait pas eu besoin de beaucoup de sagacité pour s'apercevoir que les collègues de M. le Bourguignon, restés dans le salon, avaient l'honneur d'être l'objet ordinaire des plaisanteries de Mlle de La Mole. Ce jour-là, qu'il y eût ou non de l'affectation de sa part, elle fut cruelle pour les ennuyeux.

Mlle de La Mole était le centre d'un petit groupe qui se formait presque tous les soirs derrière l'immense bergère de la marquise. Là, se trouvaient le marquis de Croisenois, le comte de Caylus, le vicomte de Luz et deux ou trois autres jeunes officiers, amis de Norbert ou de sa sœur.

Ces messieurs s'asseyaient sur un grand canapé bleu. A l'extrémité du canapé, opposée à celle qu'occupait la brillante Mathilde, Julien était placé silencieusement sur une petite chaise de paille assez basse. Ce poste modeste était envié par tous les complaisants; Norbert y maintenait décemment le jeune secrétaire de son père, en lui adressant la parole ou en le nommant une ou deux fois par soirée. Ce jour-là, Mlle. de La Mole lui demanda quelle pouvait être la hauteur de la montagne sur laquelle est placée la citadelle de Besançon. Jamais Julien ne put dire si cette montagne était plus ou moins haute que Montmartre. Souvent il riait de grand cœur de ce qu'on disait dans ce petit groupe; mais il se sentait incapable de rien inventer de semblable. C'était comme une langue étrangère qu'il eût comprise, mais qu'il n'eût pu parler.

Les amis de Mathilde étaient ce jour-là en hostilité continue avec les gens qui arrivaient dans ce vaste salon. Les amis de la maison eurent d'abord la préférence, comme étant mieux connus. On peut juger si Julien était attentif; tout l'intéressait, et le fond des choses et la manière d'en plaisanter.

— Ah ! voici M. Descoulis, dit Mathilde, il n'a plus de perruque; est-ce qu'il voudrait arriver à la préfecture par le génie ? Il étale ce front chauve qu'il dit rempli de hautes pensées.

— C'est un homme qui connaît toute la terre, dit le marquis de Croisenois; il vient aussi chez mon oncle le cardinal. Il est capable de cultiver un mensonge auprès de chacun de ses amis, pendant des années de suite, et il a deux ou trois cents amis. Il sait alimenter l'amitié, c'est son talent. Tel que vous le voyez, il est déjà crotté, à la porte d'un de ses amis, dès les sept heures du matin, en hiver.

Il se brouille de temps en temps, et il écrit sept ou huit lettres pour la brouillerie. Puis il se réconcilie, et il a sept ou huit lettres pour les transports d'amitié. Mais c'est dans l'épanchement franc et sincère de l'honnête homme qui ne garde rien sur le cœur, qu'il brille le plus. Cette manœuvre paraît, quand il a quelque service à demander. Un des grands vicaires de mon oncle est admirable quand il raconte la vie de M. Descoulis depuis la Restauration.[540a] Je vous l'amènerai.

— Bah ! je ne croirais pas à ces propos; c'est jalousie de métier[541] entre petites gens, dit le comte de Caylus.

— M. Descoulis aura un nom dans l'histoire, reprit le marquis; il a fait la Restauration avec l'abbé de Pradt et MM. de Talleyrand et Pozzo di Borgo.[542]

— Cet homme a manié des millions, dit Norbert, et je ne conçois pas qu'il vienne ici embourser les épigrammes de mon père, souvent abominables. Combien avez-vous trahi de fois vos amis, mon cher Descoulis ? lui criait-il l'autre jour, d'un bout de la table à l'autre.

— Mais est-il vrai qu'il ait trahi ? dit Mlle de La Mole. Qui n'a pas trahi ?

— Quoi ! dit le comte de Caylus à Norbert, vous avez chez vous M. Sainclair, ce fameux libéral; et que diable vient-il y faire ? Il faut que je l'approche, que je lui parle, que je me fasse parler;[543] on dit qu'il a tant d'esprit.

— Mais comment ta mère va-t-elle le recevoir ? dit M. de Croisenois. Il a des idées si extravagantes, si généreuses, si indépendantes ...

— Voyez, dit Mlle de La Mole, voilà l'homme indépendant, qui salue jusqu'à terre M. Descoulis, et qui saisit sa main. J'ai presque cru qu'il allait la porter à ses lèvres.

— Il faut que Descoulis soit mieux avec le pouvoir que nous ne le croyons, reprit M. de Croisenois.

— Sainclair vient ici pour être de l'Académie,[544] dit Norbert; voyez comme il salue le baron L..., Croisenois.

— Il serait moins bas de se mettre à genoux, reprit M. de Luz.

— Mon cher Sorel, dit Norbert, vous qui avez de l'esprit, mais qui arrivez de vos montagnes, tâchez de ne jamais saluer comme fait ce grand poète, fût-ce Dieu le père.

— Ah ! voici l'homme d'esprit par excellence, M. le baron Bâton, dit Mlle de La Mole, imitant un peu la voix du laquais qui venait de l'annoncer.

— Je crois que même vos gens se moquent de lui. Quel nom, baron Bâton ! dit M. de Caylus.

— Que fait le nom ? nous disait-il l'autre jour, reprit Mathilde. Figurez-vous le duc de Bouillon annoncé pour la première fois; il ne manque au public, à mon égard, qu'un peu d'habitude ...[545]

Julien quitta le voisinage du canapé. Peu sensible encore aux charmantes finesses d'une moquerie légère, pour rire d'une plaisanterie, il prétendait qu'elle fût fondée en raison. Il ne voyait, dans les propos de ces jeunes gens, que le ton de dénigrement général, et en était choqué. Sa pruderie provinciale ou anglaise allait jusqu'à y voir de l'envie, en quoi assurément il se trompait.

Le comte Norbert, se disait-il, à qui j'ai vu faire trois brouillons pour une lettre de vingt lignes à son colonel, serait bien heureux s'il avait écrit de sa vie une page comme celles de M. Sainclair.

Passant inaperçu à cause de son peu d'importance, Julien s'approcha successivement de plusieurs groupes; il suivait de loin le baron Bâton et voulait l'entendre. Cet homme de tant d'esprit avait l'air inquiet, et Julien ne le vit se remettre un peu que lorsqu'il eut trouvé trois ou quatre phrases piquantes. Il sembla à Julien que ce genre d'esprit avait besoin d'espace.[546]

Le baron ne pouvait pas dire des mots; il lui fallait au moins quatre phrases de six lignes chacune pour être brillant.

— *Cet homme disserte, il ne cause pas*, disait quelqu'un derrière Julien. Il se retourna et rougit de plaisir quand il entendit nommer le comte Chalvet. C'est l'homme le plus fin du siècle. Julien avait souvent trouvé son nom dans le *Mémorial de Sainte-Hélène* et dans les morceaux d'histoire dictés par Napoléon. Le comte Chalvet était bref dans sa parole; ses traits[547] étaient des éclairs, justes, vifs, profonds. S'il parlait d'une affaire, sur-le-champ on voyait la discussion faire un pas. Il y portait des faits, c'était plaisir de l'entendre. Du reste, en politique, il était cynique effronté.

— Je suis indépendant, moi, disait-il à un monsieur portant trois plaques,[548] et dont apparemment il se moquait. Pourquoi veut-on que je sois aujourd'hui de la même opinion qu'il y a six semaines? En ce cas, mon opinion serait mon tyran.

Quatre jeunes gens graves, qui l'entouraient, firent la

mine; ces messieurs n'aiment pas le genre plaisant. Le comte vit qu'il était allé trop loin. Heureusement il aperçut l'honnête M. Balland, tartufe d'honnêteté.[549] Le comte se mit à lui parler: on se rapprocha, on comprit que le pauvre Balland allait être immolé. A force de morale et de moralité,[550] quoique horriblement laid, et après des premiers pas dans le monde difficiles à raconter, M. Balland a épousé une femme fort riche, qui est morte; ensuite une seconde femme fort riche, que l'on ne voit point dans le monde. Il jouit en toute humilité de soixante mille livres de rente, et a lui-même des flatteurs. Le comte Chalvet lui parla de tout cela et sans pitié. Il y eut bientôt autour d'eux un cercle de trente personnes. Tout le monde souriait, même les jeunes gens graves, l'espoir du siècle.[551]

Pourquoi vient-il chez M. de La Mole, où il est le plastron évidemment ? pensa Julien. Il se rapprocha de l'abbé Pirard, pour le lui demander.

M. Balland s'esquiva.

— Bon ! dit Norbert, voilà un des espions de mon père parti; il ne reste plus que le petit boiteux Napier.

Serait-ce là le mot de l'énigme ? pensa Julien. Mais, en ce cas, pourquoi le marquis reçoit-il M. Balland ?

Le sévère abbé Pirard faisait la mine dans un coin du salon, en entendant les laquais annoncer.

— C'est donc une caverne,[552] disait-il comme Basile,[553] je ne vois arriver que des gens tarés.

C'est que le sévère abbé ne connaissait pas ce qui tient à [554] la haute société. Mais, par ses amis les jansénistes, il avait des notions fort exactes sur ces hommes qui n'arrivent dans les salons que par leur extrême finesse au service de tous les partis, ou leur fortune scandaleuse. Pendant quelques minutes, ce soir-là, il répondit d'abondance de cœur [555] aux questions empressées de Julien, puis s'arrêta tout court, désolé d'avoir toujours du mal à dire de tout le monde, et se l'imputant à péché. Bilieux, janséniste, et croyant au devoir de la charité chrétienne, sa vie dans le monde était un combat.

— Quelle figure a cet abbé Pirard ! disait Mlle de La Mole, comme Julien se rapprochait du canapé.

Julien se sentit irrité, mais pourtant elle avait raison.

M. Pirard était sans contredit le plus honnête homme du salon, mais sa figure couperosée, qui s'agitait des bourrèlements de sa conscience, le rendait hideux en ce moment. Croyez après cela aux physionomies, pensa Julien; c'est dans le moment où la délicatesse de l'abbé Pirard se reproche quelque peccadille, qu'il a l'air atroce; tandis que sur la figure de ce Napier, espion connu de tous, on lit un bonheur pur et tranquille. L'abbé Pirard avait fait cependant de grandes concessions à son parti,[556] il avait pris un domestique, il était fort bien vêtu.

Julien remarqua quelque chose de singulier dans le salon: c'était un mouvement de tous les yeux vers la porte et un demi-silence subit. Le laquais annonçait le fameux baron de Tolly, sur lequel les élections venaient de fixer tous les regards. Julien s'avança et le vit fort bien. Le baron présidait un collège:[557] il eut l'idée lumineuse d'escamoter les petits carrés de papier portant les votes d'un des partis. Mais, pour qu'il y eût compensation, il les remplaçait à mesure par d'autres petits morceaux de papier portant un nom qui lui était agréable. Cette manœuvre décisive fut aperçue par quelques électeurs qui s'empressèrent de faire compliment[558] au baron de Tolly. Le bonhomme était encore pâle de cette grande affaire. Des esprits mal faits avaient prononcé le mot de galères.[559] M. de La Mole le reçut froidement. Le pauvre baron s'échappa.

— S'il nous quitte si vite, c'est pour aller chez M. Comte,[560] dit le comte Chalvet; et l'on rit.

Au milieu de quelques grands seigneurs muets, et des intrigants, la plupart tarés, mais tous gens d'esprit, qui, ce soir-là, abordaient[561] successivement dans le salon de M. de La Mole (on parlait de lui pour un ministère), le petit Tanbeau faisait ses premières armes. S'il n'avait pas encore la finesse des aperçus, il s'en dédommageait, comme on va voir, par l'énergie des paroles.

— Pourquoi ne pas condamner cet homme à dix ans de prison? disait-il au moment où Julien approcha de son groupe; c'est dans un fond de basse-fosse qu'il faut confiner les reptiles; on doit les faire mourir à l'ombre, autrement leur venin s'exalte et devient plus dangereux. A quoi bon le condamner à mille écus d'amende? Il est pauvre, soit, tant mieux; mais son parti payera pour lui. Il fallait cinq cents francs d'amende et dix ans de basse-fosse.

Eh bon Dieu ! quel est donc le monstre dont on parle ? pensa Julien, qui admirait le ton véhément et les gestes saccadés de son collègue. La petite figure maigre et tirée du neveu favori de l'académicien était hideuse en ce moment. Julien apprit bientôt qu'il s'agissait du plus grand poète de l'époque.[562]

— Ah, monstre ! s'écria Julien à demi haut, et des larmes généreuses vinrent mouiller ses yeux. Ah, petit gueux ! pensa-t-il, je te revaudrai ce propos.

Voilà pourtant, pensa-t-il, les enfants perdus[563] du parti dont le marquis est un des chefs ! Et cet homme illustre qu'il calomnie, que de croix, que de sinécures n'eût-il pas accumulées, s'il se fût vendu, je ne dis pas au plat ministère de M. de Nerval, mais à quelqu'un de ces ministres passablement honnêtes que nous avons vus se succéder ?

L'abbé Pirard fit signe de loin à Julien; M. de La Mole venait de lui dire un mot. Mais quand Julien, qui dans ce moment écoutait, les yeux baissés, les gémissements d'un évêque, fut libre enfin, et put approcher de son ami, il le trouva accaparé par cet abominable petit Tanbeau. Ce petit monstre l'exécrait comme la source de la faveur de Julien, et venait lui faire la cour.

Quand la mort nous délivrera-t-elle de cette vieille pourriture ? C'était dans ces termes, d'une énergie biblique, que le petit homme de lettres parlait en ce moment du respectable lord Holland.[564] Son mérite était de savoir très bien la biographie des hommes vivants, et il venait de faire une revue rapide de tous les hommes qui pouvaient aspirer à quelque influence sous le règne du nouveau roi d'Angleterre.[565]

L'abbé Pirard passa dans un salon voisin; Julien le suivit:

— Le marquis n'aime pas les écrivailleurs, je vous en avertis; c'est sa seule antipathie. Sachez le latin, le grec, si vous pouvez, l'histoire des Egyptiens, des Perses, etc., il vous honorera et vous protégera comme un savant. Mais n'allez pas écrire une page en français, et surtout sur des matières graves et au-dessus de votre position dans le monde, il vous appellerait écrivailleur, et vous prendrait en guignon.[566] Comment, habitant l'hôtel d'un grand seigneur, ne savez-vous pas le mot du duc de Castries sur d'Alembert[567] et Rousseau: Cela veut raisonner de tout, et n'a pas mille écus de rente.

Tout se sait, pensa Julien, ici comme au séminaire! Il avait écrit huit ou dix pages assez emphatiques: c'était une sorte d'éloge historique du vieux chirurgien-major qui, disait-il, l'avait fait homme. Et ce petit cahier, se dit Julien, a toujours été fermé[567a] à clef! Il monta chez lui, brûla son manuscrit, et revint au salon. Les coquins brillants l'avaient quitté, il ne restait que les hommes à plaques.

Autour de la table, que les gens venaient d'apporter toute servie, se trouvaient sept à huit femmes fort nobles, fort dévotes, fort affectées, âgées de trente à trente-cinq ans. La brillante maréchale de Fervaques entra en faisant des excuses sur l'heure tardive. Il était plus de minuit; elle alla prendre place auprès de la marquise. Julien fut profondément ému; elle avait les yeux et le regard de Mme de Rênal.

Le groupe de Mlle de La Mole était encore peuplé. Elle était occupée avec ses amis à se moquer du malheureux comte de Thaler. C'était le fils unique de ce fameux juif, célèbre par les richesses qu'il avait acquises en prêtant de l'argent aux rois pour faire la guerre aux peuples. Le juif venait de mourir laissant à son fils cent mille écus de rente par mois, et un nom, hélas, trop connu! Cette position singulière eût exigé de la simplicité dans le caractère, ou beaucoup de force de volonté.

Malheureusement, le comte n'était qu'un bon homme garni de toutes sortes de prétentions qui lui étaient inspirées par ses flatteurs.

M. de Caylus prétendait qu'on lui avait donné la volonté de demander en mariage Mlle de La Mole (à laquelle le marquis de Croisenois, qui devait être duc avec cent mille livres de rente, faisait la cour).

— Ah! ne l'accusez pas d'avoir une volonté, disait piteusement Norbert.

Ce qui manquait peut-être le plus à ce pauvre comte de Thaler, c'était la faculté de vouloir. Par ce côté de son caractère, il eût été digne d'être roi. Prenant sans cesse conseil de tout le monde, il n'avait le courage de suivre aucun avis jusqu'au bout.

Sa physionomie eût suffi à elle seule, disait Mlle de La Mole, pour lui inspirer une joie éternelle. C'était un mélange singulier d'inquiétude et de désappointement; mais de temps à autre on y distinguait fort bien des bouffées d'importance et de ce ton tranchant que doit avoir l'homme le plus riche de France, quand surtout il est assez bien fait de sa personne et n'a pas encore trente-six ans. Il est timidement insolent, disait M. de Croisenois. Le comte de Caylus, Norbert et deux ou trois jeunes gens à moustaches le persiflèrent tant qu'ils voulurent, sans qu'il s'en doutât, et enfin, le renvoyèrent comme une heure sonnait:

— Sont-ce vos fameux chevaux arabes qui vous attendent à la porte par le temps qu'il fait ? lui dit Norbert.

— Non; c'est un nouvel attelage bien moins cher, répondit M. de Thaler. Le cheval de gauche me coûte cinq mille francs, et celui de droite ne vaut que cent louis; mais je vous prie de croire qu'on ne l'attelle que de nuit. C'est que son trot est parfaitement semblable à celui de l'autre.

La réflexion de Norbert fit penser au comte qu'il était décent pour un homme comme lui d'avoir la passion des chevaux, et qu'il ne fallait pas laisser mouiller les siens. Il partit, et ces messieurs sortirent un instant après en se moquant de lui.

Ainsi, pensait Julien en les entendant rire dans l'escalier, il m'a été donné de voir l'autre extrême de ma situation ! Je n'ai pas vingt louis de rente, et je me suis trouvé côte à côte avec un homme qui a vingt louis de rente par heure, et l'on se moquait de lui... Une telle vue guérit de l'envie.

5. *La Sensibilité et une grande dame dévote*

Une idée un peu vive y a l'air d'une grossièreté, tant on y est accoutumé aux mots sans relief. Malheur à qui invente en parlant!

FAUBLAS.[568]

Après plusieurs mois d'épreuves, voici où en était Julien le jour où l'intendant de la maison lui remit le troisième quartier de ses appointements. M. de La Mole l'avait chargé de suivre l'administration de ses terres en Bretagne et en Normandie. Julien y faisait de fréquents voyages. Il était chargé, en chef, de la correspondance relative au fameux procès avec l'abbé de Frilair. M. Pirard l'avait instruit.

Sur les courtes notes que le marquis griffonnait en marge des papiers de tout genre qui lui étaient adressés, Julien composait des lettres qui presque toutes étaient signées.[569]

A l'école de théologie, ses professeurs se plaignaient de son peu d'assiduité, mais ne l'en regardaient pas moins comme un de leurs élèves les plus distingués. Ces différents travaux, saisis avec toute l'ardeur de l'ambition souffrante, avaient bien vite enlevé à Julien les fraîches couleurs qu'il avait apportées de la province. Sa pâleur était un mérite aux yeux des jeunes séminaristes ses camarades; il les trouvait beaucoup moins méchants, beaucoup moins à genoux devant un écu que ceux de Besançon; eux le croyaient attaqué de la poitrine.[570] Le marquis lui avait donné un cheval.

Craignant d'être rencontré dans ses courses à cheval, Julien leur avait dit que cet exercice lui était prescrit par les médecins. L'abbé Pirard l'avait mené dans plusieurs sociétés de jansénistes. Julien fut étonné; l'idée de la religion était invinciblement liée dans son esprit à celle d'hypocrisie et d'espoir de gagner de l'argent. Il admira ces hommes pieux et sévères qui ne songent pas au budget.[570a] Plusieurs jansénistes l'avaient pris en amitié et lui donnaient des conseils. Un monde nouveau s'ouvrait devant lui. Il connut chez les jansénistes un comte Altamira qui avait près de six pieds de haut, libéral condamné à mort dans son pays, et dévot. Cet étrange contraste, la dévotion et l'amour de la liberté, le frappa.

Julien était en froid avec le jeune comte. Norbert avait trouvé qu'il répondait trop vivement aux plaisanteries de quelques-uns de ses amis. Julien, ayant manqué une ou deux fois aux convenances, s'était prescrit de ne jamais adresser la parole à Mlle Mathilde. On était toujours parfaitement poli à son égard à l'hôtel de La Mole; mais il se sentait déchu. Son bon sens de province expliquait cet effet par le proverbe vulgaire, *tout beau tout nouveau.*[571]

Peut-être était-il un peu plus clairvoyant que les premiers jours, ou bien le premier enchantement produit par l'urbanité parisienne était passé.

Dès qu'il cessait de travailler, il était en proie à un ennui mortel; c'est l'effet desséchant de la politesse admirable, mais si mesurée, si parfaitement graduée suivant les positions, qui distingue la haute société. Un cœur un peu sensible voit l'artifice.

Sans doute, on peut reprocher à la province un ton commun ou peu poli; mais on se passionne un peu en vous répondant. Jamais à l'hôtel de La Mole l'amour-propre de Julien n'était blessé; mais souvent, à la fin de la journée, il se sentait l'envie de pleurer. En province, un garçon de café prend intérêt à vous, s'il vous arrive un accident en entrant dans son café; mais si cet accident offre quelque chose de désagréable pour l'amour-propre, en vous plaignant, il répétera dix fois le mot qui vous torture. A Paris, on a l'attention de se cacher pour rire, mais vous êtes toujours un étranger.

Nous passons sous silence une foule de petites aventures qui eussent donné des ridicules à Julien, s'il n'eût pas été en quelque sorte au-dessous du ridicule.[572] Une sensibilité folle lui faisait commettre des milliers de gaucheries. Tous ses plaisirs étaient de précaution: il tirait le pistolet tous les jours, il était un des bons élèves des plus fameux maîtres d'armes. Dès qu'il pouvait disposer d'un instant, au lieu de l'employer à lire comme autrefois, il courait au manège et demandait les chevaux les plus vicieux. Dans les promenades avec le maître du manège, il était presque régulièrement jeté par terre.

Le marquis le trouvait commode à cause de son travail obstiné, de son silence, de son intelligence, et peu à peu, lui confia la suite de toutes les affaires un peu difficiles à débrouiller. Dans les moments où sa haute ambition lui laissait quelque relâche, le marquis faisait des affaires avec sagacité; à portée de savoir des nouvelles, il jouait à la rente [573] avec bonheur. Il achetait des maisons, des bois; mais il prenait facilement de l'humeur. Il donnait des centaines de louis et plaidait [574] pour des centaines de francs. Les hommes riches qui ont le cœur haut [575] cherchent dans les affaires de l'amusement et non des résultats. Le marquis avait besoin d'un chef d'état-major qui mît un ordre clair et facile à saisir dans toutes ses affaires d'argent.

Mme de La Mole, quoique d'un caractère si mesuré, se moquait quelquefois de Julien. L'*imprévu*, produit par la sensibilité, est l'horreur des grandes dames; c'est l'antipode des convenances. Deux ou trois fois le marquis prit son parti: [576] S'il est ridicule dans votre salon, il triomphe dans son bureau. Julien, de son côté, crut saisir le secret de la marquise. Elle daignait s'intéresser à tout dès qu'on annonçait le baron de La Joumate. C'était un être froid, à physionomie impassible. Il était petit, mince, laid, fort bien mis, passait sa vie au Château, et, en général, ne disait rien su rien. Telle était sa façon de penser. [577] Mme de La Mole eût été passionnément heureuse, pour la première fois de sa vie, si elle eût pu en faire le mari de sa fille.

6. *Manière de prononcer*

Leur haute mission est de juger avec calme les petits événements de la vie journalière des peuples. Leur sagesse doit prévenir les grandes colères pour les petites causes, ou pour des événements que la voix de la renommée transfigure en les portant au loin.

GRATIUS.[578]

Pour un nouveau débarqué, qui, par hauteur, ne faisait jamais de questions, Julien ne tomba pas dans de trop grandes sottises. Un jour, poussé dans un café de la rue Saint-Honoré par une averse soudaine, un grand homme en redingote de castorine,[579] étonné de son regard sombre, le regarda à son tour, absolument comme jadis à Besançon, l'amant de Mlle Amanda.

Julien s'était reproché trop souvent d'avoir laissé passer cette première insulte, pour souffrir ce regard. Il en demanda l'explication. L'homme en redingote lui adressa aussitôt les plus sales injures: tout ce qui était dans le café les entoura; les passants s'arrêtaient devant la porte. Par une précaution de provincial, Julien portait toujours des petits pistolets; sa main les serrait dans sa poche d'un mouvement convulsif. Cependant il fut sage, et se borna à répéter à son homme de minute en minute: *Monsieur, votre adresse ? je vous méprise.*

La constance avec laquelle il s'attachait à ces six mots finit par frapper la foule.

Dame ! il faut que l'autre qui parle tout seul lui donne son adresse. L'homme à la redingote, entendant cette décision souvent répétée, jeta au nez de Julien cinq ou six cartes. Aucune heureusement ne l'atteignit au visage, il s'était promis de ne faire usage de ses pistolets que dans le cas où il serait touché. L'homme s'en alla, non sans se retourner de temps en temps pour le menacer du poing et lui adresser des injures.

Julien se trouva baigné de sueur. Ainsi il est au pouvoir du dernier des hommes de m'émouvoir à ce point! se disait-il avec rage. Comment tuer cette sensibilité si humiliante?

Où prendre un témoin? [580] il n'avait pas un ami. Il avait eu plusieurs connaissances; mais toutes, régulièrement, au bout de six semaines de relations, s'éloignaient de lui. Je suis insociable, et m'en voilà cruellement puni, pensa-t-il. Enfin, il eut l'idée de chercher un ancien lieutenant du 96e [581] nommé Liévin, pauvre diable avec qui il faisait souvent des armes. Julien fut sincère avec lui.

— Je veux bien être votre témoin, dit Liévin, mais à une condition: si vous ne blessez pas votre homme, vous vous battrez avec moi, séance tenante.

— Convenu, dit Julien enchanté, et ils allèrent chercher M. C. de Beauvoisis à l'adresse indiquée par ses billets, au fond du faubourg Saint-Germain.

Il était sept heures du matin. Ce ne fut qu'en se faisant annoncer chez lui que Julien pensa que ce pouvait bien être le jeune parent de Mme de Rênal, employé jadis à l'ambassade de Rome ou de Naples, et qui avait donné une lettre de recommandation au chanteur Geronimo.

Julien avait remis à un grand valet de chambre une des cartes jetées la veille, et une des siennes.

On le fit attendre, lui et son témoin, trois grands quarts d'heure; enfin ils furent introduits dans un appartement admirable d'élégance. Ils trouvèrent un grand jeune homme, mis comme une poupée; ses traits offraient la perfection et l'insignifiance de la beauté grecque. Sa tête, remarquablement étroite, portait une pyramide de cheveux du plus beau blond. Ils étaient frisés avec beaucoup de soin, pas un cheveu ne dépassait l'autre. C'est pour se faire friser ainsi, pensa le lieutenant du 96e, que ce maudit fat nous a fait attendre. La robe de chambre bariolée, le pantalon du matin, tout, jusqu'aux pantoufles brodées, était correct et merveilleusement soigné. Sa physionomie, noble et vide, annonçait des idées convenables et rares: [582] l'idéal de l'homme aimable, l'horreur de l'imprévu et de la plaisanterie, beaucoup de gravité.

Julien, auquel son lieutenant du 96e avait expliqué que se faire attendre si longtemps, après lui avoir jeté grossièrement sa carte à la figure, était une offense de plus, entra brusquement chez M. de Beauvoisis. Il avait l'intention d'être insolent, mais il aurait bien voulu en même temps être de bon ton.

Il fut si frappé de la douceur des manières de M. de Beauvoisis, de son air à la fois compassé, important et content de soi, de l'élégance admirable de ce qui l'entourait, qu'il perdit en un clin d'œil toute idée d'être insolent. Ce n'était pas son homme de la veille. Son étonnement fut tel de rencontrer un être aussi distingué au lieu du grossier personnage rencontré au café, qu'il ne put trouver une seule parole. Il présenta une des cartes qu'on lui avait jetées.

— C'est mon nom, dit l'homme à la mode, auquel l'habit noir de Julien, dès sept heures du matin, inspirait assez peu de considération; mais je ne comprends pas, d'honneur ...[583]

La manière de prononcer ces derniers mots rendit à Julien une partie de son humeur.

— Je viens pour me battre avec vous, monsieur, et il expliqua d'un trait toute l'affaire.

M. Charles de Beauvoisis, après y avoir mûrement pensé, était assez content de la coupe de l'habit noir de Julien. Il est de Staub,[584] c'est clair, se disait-il en l'écoutant parler; ce gilet est de bon goût, ces bottes sont bien; mais, d'un autre côté, cet habit noir dès le grand matin !... Ce sera pour mieux échapper à la balle, se dit le chevalier de Beauvoisis.

Dès qu'il se fut donné cette explication, il revint à une politesse parfaite, et presque d'égal à égal envers Julien. Le colloque fut assez long, l'affaire était délicate; mais enfin Julien ne put se refuser à l'évidence. Le jeune homme si bien né qu'il avait devant lui n'offrait aucun point de ressemblance avec le grossier personnage qui, la veille, l'avait insulté.

Julien éprouvait une invincible répugnance à s'en aller,

il faisait durer l'explication. Il observait la suffisance [584a] du chevalier de Beauvoisis, c'est ainsi qu'il s'était nommé en parlant de lui, choqué de ce que Julien l'appelait tout simplement monsieur.

Il admirait sa gravité, mêlée d'une certaine fatuité modeste, mais qui ne l'abandonnait pas un seul instant. Il était étonné de sa manière singulière de remuer la langue en prononçant les mots... Mais enfin, dans tous cela; il n'y avait pas la plus petite raison de lui chercher querelle.

Le jeune diplomate offrait de se battre avec beaucoup de grâce, mais l'ex-lieutenant du 96e, assis depuis une heure, les jambes écartées, les mains sur les cuisses, et les coudes en dehors, décida que son ami M. Sorel n'était point fait pour chercher une querelle d'Allemand à un homme, parce qu'on avait volé à cet homme ses billets de visite.

Julien sortait de fort mauvaise humeur. La voiture du chevalier de Beauvoisis l'attendait dans la cour, devant le perron; par hasard, Julien leva les yeux et reconnut son homme de la veille dans le cocher.

Le voir, le tirer par sa grande jaquette, le faire tomber de son siège et l'accabler de coups de cravache ne fut que l'affaire d'un instant. Deux laquais voulurent défendre leur camarade; Julien reçut des coups de poing: au même instant il arma un de ses petits pistolets et le tira sur eux; ils prirent la fuite. Tout cela fut l'affaire d'une minute.

Le chevalier de Beauvoisis descendait l'escalier avec la gravité la plus plaisante, répétant avec sa prononciation de grand seigneur: Qu'est ça? qu'est ça? Il était évidemment fort curieux, mais l'importance diplomatique ne lui permettait pas de marquer plus d'intérêt. Quand il sut de quoi il s'agissait, la hauteur le disputa encore dans ses traits [585] au sang-froid légèrement badin qui ne doit jamais quitter une figure de diplomate.

Le lieutenant du 96e comprit que M. de Beauvoisis avait envie de se battre: il voulut diplomatiquement aussi conserver à son ami les avantages de l'initiative. — Pour le coup, s'écria-t-il, il y a là matière à duel! — Je le croirais assez, reprit le diplomate.

— Je chasse ce coquin, dit-il à ses laquais; qu'un autre monte. On ouvrit la portière de la voiture: le chevalier voulut absolument en faire les honneurs à Julien et à son témoin. On alla chercher un ami de M. de Beauvoisis, qui indiqua une place tranquille. La conversation en allant fut vraiment bien. Il n'y avait de singulier que le diplomate en robe de chambre.

Ces messieurs, quoique très nobles, pensa Julien, ne sont point ennuyeux comme les personnes qui viennent dîner chez M. de La Mole; et je vois pourquoi, ajouta-t-il un instant après, ils se permettent d'être indécents. On parlait des danseuses que le public avait distinguées dans un ballet donné la veille. Ces messieurs faisaient allusion à des anecdotes piquantes que Julien et son témoin, le lieutenant du 96e, ignoraient absolument. Julien n'eut point la sottise de prétendre les savoir; il avoua de bonne grâce son ignorance. Cette franchise plut à l'ami du chevalier; il lui raconta ces anecdotes dans les plus grands détails, et fort bien.

Une chose étonna infiniment Julien. Un reposoir que l'on construisait au milieu de la rue, pour la procession de la Fête-Dieu, arrêta un instant la voiture. Ces messieurs se permirent plusieurs plaisanteries; le curé, suivant eux, était fils d'un archevêque. Jamais chez le marquis de La Mole, qui voulait être duc, on n'eût osé prononcer un tel mot.

Le duel fut fini en un instant: Julien eut une balle dans le bras; on le lui serra avec des mouchoirs; on les mouilla avec de l'eau-de-vie, et le chevalier de Beauvoisis pria Julien très poliment de lui permettre de le reconduire chez lui, dans la même voiture qui l'avait amené. Quand Julien indiqua l'hôtel de La Mole, il y eut échange de regards entre le jeune diplomate et son ami. Le fiacre de Julien était là, mais il trouvait la conversation de ces messieurs infiniment plus amusante que celle du bon lieutenant du 96e.

Mon Dieu ! un duel, n'est-ce que ça ! pensait Julien. Que je suis heureux d'avoir retrouvé ce cocher! Quel serait mon malheur, si j'avais dû supporter encore cette injure dans un café ! La conversation amusante n'avait presque pas été interrompue. Julien comprit alors que l'affectation diplomatique est bonne à quelque chose.

L'ennui n'est donc point inhérent, se disait-il, à une conversation entre gens de haute naissance ! Ceux-ci plaisantent de la procession de la Fête-Dieu, ils osent raconter et avec détails pittoresques des anecdotes fort scabreuses. Il ne leur manque absolument que le raisonnement sur la chose politique, et ce manque-là est plus que compensé par la grâce de leur ton et la parfaite justesse de leurs expressions. Julien se sentait une vive inclination pour eux. Que je serais heureux de les voir souvent !

A peine se fut-on quitté, que le chevalier de Beauvoisis courut aux informations: elles ne furent pas brillantes.

Il était fort curieux de connaître son homme; pouvait-il décemment lui faire une visite ? Le peu de renseignements qu'il put obtenir n'étaient pas d'une nature encourageante.

— Tout cela est affreux ! dit-il à son témoin. Il est impossible que j'avoue m'être battu avec un simple secrétaire de M. de La Mole, et encore parce que mon cocher m'a volé mes cartes de visite.

— Il est sûr qu'il y aurait dans tout cela possibilité de ridicule.

Le soir même, le chevalier de Beauvoisis et son ami dirent partout que ce M. Sorel, d'ailleurs un jeune homme parfait, était fils naturel d'un ami intime du marquis de La Mole. Ce fait passa sans difficulté. Une fois qu'il fut établi, le jeune diplomate et son ami daignèrent faire quelques visites à Julien, pendant les quinze jours qu'il passa dans sa chambre. Julien leur avoua qu'il n'était allé qu'une fois en sa vie à l'Opéra.

— Cela est épouvantable, lui dit-on, on ne va que là; il faut que votre première sortie soit pour le *Comte Ory*.[586]

A l'Opéra, le chevalier de Beauvoisis le présenta au fameux chanteur Geronimo, qui avait alors un immense succès.

Julien faisait presque la cour au chevalier; ce mélange de respect pour soi-même, d'importance mystérieuse et de fatuité de jeune homme l'enchantait. Par exemple le chevalier bégayait un peu parce qu'il avait l'honneur de voir souvent un grand seigneur qui avait ce défaut. Jamais Julien n'avait trouvé réunis dans un seul être le ridicule qui amuse et la perfection des manières qu'un pauvre provincial doit chercher à imiter.

On le voyait à l'Opéra avec le chevalier de Beauvoisis; cette liaison fit prononcer son nom.

— Eh bien ! lui dit un jour M. de La Mole, vous voilà donc le fils naturel d'un riche gentilhomme de Franche-Comté, mon ami intime ?

Le marquis coupa la parole à Julien, qui voulait protester qu'il n'avait contribué en aucune façon à accréditer ce bruit.

— M. de Beauvoisis n'a pas voulu s'être battu contre le fils d'un charpentier.

— Je le sais, je le sais, dit M. de La Mole; c'est à moi maintenant de donner de la consistance à ce récit, qui me convient. Mais j'ai une grâce à vous demander, et qui ne vous coûtera qu'une petite demi-heure de votre temps: tous les jours d'Opéra, à onze heures et demie, allez assister dans le vestibule à la sortie du beau monde. Je vous vois encore quelquefois des façons de province, il faudrait vous en défaire; d'ailleurs il n'est pas mal de connaître, au moins de vue, de grands personnages auprès desquels je puis un jour vous donner quelque mission. Passez au bureau de location pour vous faire reconnaître; on vous a donné les entrées.

7. *Une Attaque de goutte*

Et j'eus de l'avancement, non pour mon mérite, mais parce que mon maître avait la goutte.

BERTOLOTTI.[587]

Le lecteur est peut-être surpris de ce ton libre et presque amical; nous avons oublié de dire que depuis six semaines le marquis était retenu chez lui par une attaque de goutte.

Mlle de La Mole et sa mère étaient à Hyères,[588] auprès de la mère de la marquise. Le comte Norbert ne voyait son père que des instants; ils étaient fort bien l'un pour[588a] l'autre, mais n'avaient rien à se dire. M. de La Mole, réduit à Julien, fut étonné de lui trouver des idées. Il se faisait lire les journaux. Bientôt le jeune secrétaire fut en état de choisir les passages intéressants. Il y avait un journal nouveau que le marquis abhorrait; il avait juré de ne le jamais lire, et chaque jour en parlait. Julien riait. Le marquis, irrité contre le temps présent, se fit lire Tite-Live;[589] la traduction improvisée sur le texte latin l'amusait.

Un jour le marquis dit avec ce ton de politesse excessive qui souvent impatientait Julien:

— Permettez, mon cher Sorel, que je vous fasse cadeau d'un habit bleu: quand il vous conviendra de le prendre et de venir chez moi, vous serez, à mes yeux, le frère cadet du comte de Chaulnes,[590] c'est-à-dire le fils de mon ami le vieux duc.

Julien ne comprenait pas trop de quoi il s'agissait; le soir même il essaya une visite en habit bleu. Le marquis le traita comme un égal. Julien avait un cœur digne de sentir la vraie politesse, mais il n'avait pas d'idée des nuances. Il eût juré, avant cette fantaisie du marquis, qu'il était impossible d'être reçu par lui avec plus d'égards. Quel admirable talent ! se dit Julien; quand il se leva pour sortir, le marquis lui fit des excuses de ne pouvoir l'accompagner à cause de sa goutte.

Cette idée singulière occupa Julien: se moquerait-il de moi ? pensa-t-il. Il alla demander conseil à l'abbé Pirard, qui, moins poli que le marquis, ne lui répondit qu'en sifflant et parlant d'autre chose. Le lendemain matin Julien se présenta au marquis, en habit noir, avec son portefeuille et ses lettres à signer. Il en fut reçu à l'ancienne manière. Le soir en habit bleu, ce fut un ton tout différent et absolument aussi poli que la veille.

— Puisque vous ne vous ennuyez pas trop dans les visites que vous avez la bonté de faire à un pauvre vieillard malade, lui dit le marquis, il faudrait lui parler de tous les petits incidents de votre vie, mais franchement et sans songer à autre chose qu'à raconter clairement et d'une façon amusante. Car il faut s'amuser, continua le marquis; il n'y a que cela de réel dans la vie. Un homme ne peut pas me sauver la vie à la guerre tous les jours, ou me faire tous les jours cadeau d'un million; mais si j'avais Rivarol,[591] ici, auprès de ma chaise longue, tous les jours il m'ôterait une heure de souffrances et d'ennui. Je l'ai beaucoup connu à Hambourg, pendant l'émigration.

Et le marquis conta à Julien les anecdotes de Rivarol avec les Hambourgeois qui s'associaient quatre pour comprendre un bon mot.[592]

M. de La Mole, réduit à la société de ce petit abbé, voulut l'émoustiller. Il piqua d'honneur l'orgueil de Julien. Puisqu'on lui demandait la vérité, Julien résolut de tout dire; mais en taisant deux choses: son admiration fanatique pour un nom [593] qui donnait de l'humeur au marquis, et la parfaite incrédulité qui n'allait pas trop bien à un futur curé. Sa petite affaire avec le chevalier de Beauvoisis arriva fort à propos. Le marquis rit aux larmes de la scène dans le café de la rue Saint-Honoré, avec le cocher qui l'accablait d'injures sales. Ce fut l'époque d'une franchise parfaite dans les relations entre le maître et le protégé.

M. de La Mole s'intéressa à ce caractère singulier. Dans les commencements, il caressait les ridicules de Julien, afin d'en jouir; bientôt il trouva plus d'intérêt à corriger tout doucement les fausses manières de voir de ce jeune homme.

Les autres provinciaux qui arrivent à Paris admirent tout, pensait le marquis; celui-ci hait tout. Ils ont trop d'affectation, lui n'en a pas assez, et les sots le prennent pour un sot.

L'attaque de goutte fut prolongée par les grands froids de l'été [594] et dura plusieurs mois.

On s'attache bien à un bel épagneul, se disait le marquis, pourquoi ai-je tant de honte de m'attacher à ce petit abbé ? il est original. Je le traite comme un fils; eh bien ! où est l'inconvénient ? [595] Cette fantaisie, si elle dure, me coûtera un diamant de cinq cents louis dans mon testament.

Une fois que le marquis eut compris le caractère ferme de son protégé, chaque jour il le chargeait de quelque nouvelle affaire.

Julien remarqua avec effroi qu'il arrivait à ce grand seigneur de lui donner des décisions contradictoires sur le même objet.

Ceci pouvait le compromettre gravement. Julien ne travailla plus avec lui sans apporter un registre sur lequel il écrivait les décisions, et le marquis les paraphait. Julien avait pris un commis qui transcrivait les décisions relatives à chaque affaire sur un registre particulier. Ce registre recevait aussi la copie de toutes les lettres.

Cette idée sembla d'abord le comble du ridicule et de l'ennui. Mais, en moins de deux mois, le marquis en sentit les avantages. Julien lui proposa de prendre un commis sortant de chez un banquier, et qui tiendrait en partie double le compte de toutes les recettes et de toutes les dépenses des terres que Julien était chargé d'administrer.

Ces mesures éclaircirent tellement aux yeux du marquis ses propres affaires, qu'il put se donner le plaisir d'entreprendre deux ou trois nouvelles spéculations sans le secours de son prête-nom qui le volait.

— Prenez trois mille francs pour vous, dit-il un jour à son jeune ministre.

— Monsieur, ma conduite peut être calomniée.

— Que vous faut-il donc ? reprit le marquis avec humeur.

— Que vous veuilliez bien prendre un arrêté et l'écrire de votre main sur le registre; cet arrêté me donnera une somme de trois mille francs. Au reste, c'est M. l'abbé

Pirard qui a eu l'idée de toute cette comptabilité. Le marquis, avec la mine ennuyée du marquis de Moncade écoutant les comptes de M. Poisson, son intendant,[596] écrivit la décision.

Le soir, lorsque Julien paraissait en habit bleu, il n'était jamais question d'affaires. Les bontés du marquis étaient si flatteuses pour l'amour-propre toujours souffrant de notre héros, que bientôt, malgré lui, il éprouva une sorte d'attachement pour ce vieillard aimable. Ce n'est pas que Julien fût sensible, comme on l'entend à Paris; mais ce n'était pas un monstre, et personne, depuis la mort du vieux chirurgien-major, ne lui avait parlé avec tant de bonté. Il remarquait avec étonnement que le marquis avait pour son amour-propre des ménagements de politesse qu'il n'avait jamais trouvés chez le vieux chirurgien. Il comprit enfin que le chirurgien était plus fier de sa croix que le marquis de son cordon bleu. Le père du marquis était un grand seigneur.[597]

Un jour, à la fin d'une audience du matin, en habit noir et pour les affaires, Julien amusa le marquis, qui le retint deux heures, et voulut absolument lui donner quelques billets de banque que son prête-nom venait de lui apporter de la Bourse.

— J'espère, monsieur le marquis, ne pas m'écarter du profond respect que je vous dois en vous suppliant de me permettre un mot.

— Parlez, mon ami.

— Que monsieur le marquis daigne souffrir que je refuse ce don. Ce n'est pas à l'homme en habit noir qu'il est adressé, et il gâterait tout à fait les façons que l'on a la bonté de tolérer chez l'homme en habit bleu. Il salua avec beaucoup de respect, et sortit sans regarder.

Ce trait amusa le marquis. Il le conta le soir à l'abbé Pirard.

— Il faut que je vous avoue enfin une chose, mon cher abbé. Je connais la naissance de Julien, et je vous autorise à ne pas me garder le secret sur cette confidence.

Son procédé de ce matin est noble, pensa le marquis, et moi je l'anoblis.

Quelque temps après, le marquis put enfin sortir.

— Allez passer deux mois à Londres, dit-il à Julien. Les courriers extraordinaires et autres vous porteront les lettres reçues par moi avec mes notes. Vous ferez les réponses et me les renverrez en mettant chaque lettre dans sa réponse. J'ai calculé que le retard ne sera que de cinq jours.

En courant la poste sur la route de Calais,[598] Julien s'étonnait de la futilité des prétendues affaires pour lesquelles on l'envoyait.

Nous ne dirons point avec quel sentiment de haine et presque d'horreur il toucha le sol anglais. On connaît sa folle passion pour Bonaparte. Il voyait dans chaque officier un sir Hudson Lowe, dans chaque grand seigneur un lord Bathurst, ordonnant les infamies de Sainte-Hélène et en recevant la récompense par dix années de ministère.[599]

A Londres, il connut enfin la haute fatuité. Il s'était lié avec de jeunes seigneurs russes qui l'initièrent.

— Vous êtes prédestiné, mon cher Sorel, lui disaient-ils, vous avez naturellement cette mine froide et *à mille lieues de la sensation présente,* que nous cherchons tant à nous donner.

— Vous n'avez pas compris votre siècle, lui disait le prince Korasoff: *faites toujours le contraire de ce qu'on attend de vous.* Voilà, d'honneur, la seule religion de l'époque. Ne soyez ni fou, ni affecté, car alors on attendrait de vous des folies et des affectations, et le précepte ne serait plus accompli.

Julien se couvrit de gloire un jour dans le salon du duc de Fitz-Folke, qui l'avait engagé à dîner, ainsi que le prince Korasoff. On attendit pendant une heure. La façon dont Julien se conduisit au milieu des vingt personnes qui attendaient est encore citée parmi les jeunes secrétaires d'ambassade à Londres. Sa mine fut impayable.

Il voulut voir, malgré les dandys ses amis, le célèbre Philippe Vane, le seul philosophe que l'Angleterre ait eu depuis Loke.[600] Il le trouva achevant sa septième année de prison. L'aristocratie ne badine pas en ce pays-ci, pensa Julien: de plus, Vane est déshonoré, vilipendé, etc.

Julien le trouva gaillard; la rage de l'aristocratie le désennuyait. Voilà, se dit Julien en sortant de prison, le seul homme gai que j'aie vu en Angleterre.

L'idée la plus utile aux tyrans est celle de Dieu, lui avait dit Vane...

Nous supprimons le reste du système comme *cynique.*

A son retour: — Quelle idée amusante m'apportez-vous d'Angleterre? lui dit M. de La Mole... Il se taisait.[601] — Quelle idée apportez-vous, amusante ou non? reprit le marquis vivement.

— Primo, dit Julien, l'Anglais le plus sage est fou une heure par jour; il est visité par le démon du suicide, qui est le dieu du pays.

2° L'esprit et le génie perdent vingt-cinq pour cent de leur valeur, en débarquant en Angleterre.

3° Rien au monde n'est beau, admirable, attendrissant comme les paysages anglais.

— A mon tour, dit le marquis:

Primo, pourquoi allez-vous dire, au bal chez l'ambassadeur de Russie, qu'il y a en France trois cent mille jeunes gens de vingt-cinq ans qui désirent passionnément la guerre? croyez-vous que cela soit obligeant pour les rois?[602]

— On ne sait comment faire en parlant à nos grands diplomates, dit Julien. Ils ont la manie d'ouvrir des discussions sérieuses. Si l'on s'en tient aux lieux communs des journaux, on passe pour un sot. Si l'on se permet quelque chose de vrai et de neuf, ils sont étonnés, ne savent que répondre, et le lendemain, à sept heures, ils vous font dire par le premier secrétaire d'ambassade qu'on a été inconvenant.

— Pas mal, dit le marquis en riant. Au reste, je parie, monsieur l'homme profond, que vous n'avez pas deviné ce que vous êtes allé faire en Angleterre.

— Pardonnez-moi, reprit Julien; j'y ai été pour dîner une fois la semaine chez l'ambassadeur du roi, qui est le plus poli des hommes.

— Vous êtes allé chercher la croix que voilà, lui dit le marquis. Je ne veux pas vous faire quitter votre habit noir, et je suis accoutumé au ton plus amusant que j'ai pris avec l'homme portant l'habit bleu. Jusqu'à nouvel ordre, entendez bien ceci: quand je verrai cette croix, vous serez le fils cadet de mon ami le duc de Chaulnes,[603] qui, sans s'en douter, est depuis six mois employé dans la diplomatie.

Remarquez, ajouta le marquis, d'un air fort sérieux, et coupant court aux actions de grâces,[604] que je ne veux point vous sortir de votre état. C'est toujours une faute et un malheur pour le protecteur comme pour le protégé. Quand mes procès vous ennuieront, ou que vous ne me conviendrez plus, je demanderai pour vous une bonne cure, comme celle de notre ami l'abbé Pirard, et *rien de plus,* ajouta le marquis d'un ton fort sec.

Cette croix mit à l'aise l'orgueil de Julien; il parla beaucoup plus. Il se crut moins souvent offensé et pris de mire[605] par ces propos, susceptibles de quelque explication peu polie, et qui, dans une conversation animée, peuvent échapper à tout le monde.

Cette croix lui valut une singulière visite; ce fut celle de M. le baron de Valenod, qui venait à Paris remercier le ministère de sa baronnie et s'entendre avec lui. Il allait être nommé maire de Verrières en remplacement de M. de Rênal.

Julien rit bien, intérieurement, quand M. de Valenod lui fit entendre qu'on venait de découvrir que M. de Rênal était un jacobin. Le fait est que, dans une réélection qui se préparait, le nouveau baron était le candidat du ministère, et au grand collège du département, à la vérité fort ultra, c'était M. de Rênal qui était porté par [606] les libéraux.

Ce fut en vain que Julien essaya de savoir quelque chose de Mme de Rênal; le baron parut se souvenir de leur ancienne rivalité, et fut impénétrable. Il finit par demander à Julien la voix de son père dans les élections qui allaient avoir lieu. Julien promit d'écrire.

— Vous devriez, monsieur le chevalier,[607] me présenter à M. le marquis de La Mole.

En effet, *je le devrais,* pensa Julien; mais un tel coquin !...

— En vérité, répondit-il, je suis un trop petit garçon à l'hôtel de La Mole pour prendre sur moi de présenter.

Julien disait tout au marquis: le soir il lui conta le prétention du Valenod, ainsi que ses faits et gestes depuis 1814.

— Non seulement, reprit M. de La Mole, d'un air fort sérieux, vous me présenterez demain le nouveau baron, mais je l'invite à dîner pour après-demain. Ce sera un de nos nouveaux préfets.

— En ce cas, reprit Julien froidement, je demande la place de directeur du dépôt de mendicité pour mon père.

— A la bonne heure, dit le marquis en reprenant l'air gai; accordé; je m'attendais à des moralités. Vous vous formez.

M. de Valenod apprit par[608] Julien que le titulaire du bureau de loterie de Verrières venait de mourir: Julien trouva plaisant de donner cette place à M. de Cholin, ce vieil imbécile dont jadis il avait ramassé la pétition dans la chambre de M. de La Mole. Le marquis rit de bien bon cœur de la pétition que Julien récita en lui faisant signer la lettre qui demandait cette place au ministre des finances.

A peine M. de Cholin nommé, Julien apprit que cette place avait été demandée par la députation du département pour M. Gros, le célèbre géomètre: cet homme généreux n'avait que quatorze cents francs de rente, et chaque année prêtait six cents francs au titulaire qui venait de mourir, pour l'aider à élever sa famille.

Julien fut étonné de ce qu'il avait fait. Ce n'est rien, se dit-il, il faudra en venir à bien d'autres injustices, si je veux parvenir et encore savoir les cacher, sous de belles paroles sentimentales: pauvre M. Gros! C'est lui qui méritait la croix, c'est moi qui l'ai, et je dois agir dans le sens du gouvernement qui me la donne.

8. *Quelle est la Décoration qui distingue?*

Ton eau ne me rafraîchit pas, dit le génie altéré.[609] *— C'est pourtant le puits le plus frais de tout le Diar-Békir.*

PELLICO.[610]

Un jour Julien revenait de la charmante terre de Villequier,[611] sur les bords de la Seine, que M. de La Mole voyait avec intérêt, parce que, de toutes les siennes, c'était la seule qui eût appartenu au célèbre Boniface de La Mole. Il trouva à l'hôtel la marquise et sa fille, qui arrivaient d'Hyères.

Julien était un dandy maintenant, et comprenait l'art de vivre à Paris. Il fut d'une froideur parfaite envers Mlle de La Mole. Il parut n'avoir gardé aucun souvenir des temps où elle lui demandait si gaiement des détails sur sa manière de tomber de cheval.

Mlle de La Mole le trouva grandi et pâli. Sa taille, sa tournure n'avaient plus rien du provincial; il n'en était pas ainsi de sa conversation: on y remarquait encore trop de sérieux, trop de positif. Malgré ces qualités raisonnables, grâce à son orgueil elle n'avait rien de subalterne; on sentait seulement qu'il regardait encore trop de choses comme importantes. Mais on voyait qu'il était homme à soutenir son dire.

— Il manque de légèreté, mais non pas d'esprit, dit Mlle de La Mole à son père, en plaisantant avec lui sur la croix qu'il avait donnée à Julien. Mon frère vous l'a demandée pendant dix-huit mois, et c'est un La Mole !...

— Oui; mais Julien a de l'imprévu, c'est ce qui n'est jamais arrivé au La Mole dont vous me parlez.

On annonça M. le duc de Retz.

Mathilde se sentit saisie d'un bâillement irrésistible; elle reconnaissait les antiques dorures et les anciens habitués du salon paternel. Elle se faisait une image parfaitement ennuyeuse de la vie qu'elle allait reprendre à Paris. Et cependant à Hyères elle regrettait Paris.

Et pourtant j'ai dix-neuf ans ! pensait-elle: c'est l'âge du bonheur, disent tous ces nigauds à tranches dorées.[612] Elle regardait huit ou dix volumes de poésies nouvelles, accumulés, pendant le voyage de Provence, sur la console du salon. Elle avait le malheur d'avoir plus d'esprit que MM. de Croisenois, de Caylus, de Luz, et ses autres amis. Elle se figurait tout ce qu'ils allaient lui dire sur le beau ciel de la Provence, la poésie, le midi, etc., etc.

Ces yeux si beaux, où respirait l'ennui le plus profond, et, pis encore, le désespoir de trouver le plaisir, s'arrêtèrent sur Julien. Du moins, il n'était pas exactement comme un autre.

— Monsieur Sorel, dit-elle avec cette voix vive, brève, et qui n'a rien de féminin, qu'emploient les jeunes femmes de la haute classe, monsieur Sorel, venez-vous ce soir au bal de M. de Retz ?

— Mademoiselle, je n'ai pas eu l'honneur d'être présenté à M. le duc. (On eût dit que ces mots et ce titre écorchaient la bouche du provincial orgueilleux.)

— Il a chargé mon frère de vous amener chez lui; et, si vous y étiez venu, vous m'auriez donné des détails sur la terre de Villequier; il est question d'y aller au printemps. Je voudrais savoir si le château est logeable, et si les environs sont aussi jolis qu'on le dit. Il y a tant de réputations usurpées ! [613]

Julien ne répondait pas.

— Venez au bal avec mon frère, ajouta-t-elle d'un ton fort sec.

Julien salua avec respect. Ainsi, même au milieu du bal, je dois des comptes à tous les membres de la famille. Ne suis-je pas payé comme homme d'affaires ? Sa mauvaise humeur ajouta: Dieu sait encore si ce que je dirai à la fille ne contrariera pas les projets du père, du frère, de la mère ! C'est une véritable cour de prince souverain. Il faudrait y être d'une nullité parfaite, et cependant ne donner à personne le droit de se plaindre.

Que cette grande fille me déplaît ! pensa-t-il en regardant marcher Mlle de La Mole, que sa mère avait appelée pour la présenter à plusieurs femmes de ses amies. Elle outre toutes les modes, sa robe lui tombe des épaules... elle est encore plus pâle qu'avant son voyage... Quels cheveux sans couleur, à force d'être blonds ! On dirait que le jour passe à travers. Que de hauteur dans cette façon de saluer, dans ce regard ! quels gestes de reine !

Mlle de La Mole venait d'appeler son frère, au moment où il quittait le salon.

Le comte Norbert s'approcha de Julien :

— Mon cher Sorel, lui dit-il, où voulez-vous que je vous prenne à minuit pour le bal de M. de Retz ? Il m'a chargé expressément de vous amener.

— Je sais bien à qui je dois tant de bontés, répondit Julien, en saluant jusqu'à terre.

Sa mauvaise humeur, ne pouvant rien trouver à reprendre au ton de politesse et même d'intérêt avec lequel Norbert lui avait parlé, se mit à s'exercer sur la réponse que lui, Julien, avait faite à ce mot obligeant. Il y trouvait une nuance de bassesse.[614]

Le soir, en arrivant au bal, il fut frappé de la magnificence de l'hôtel de Retz. La cour d'entrée était couverte d'une immense tente de coutil cramoisi avec des étoiles en or: rien de plus élégant. Au-dessous de cette tente, la cour était transformée en un bois d'orangers et de lauriers-roses en fleurs. Comme on avait eu soin d'enterrer suffisamment les vases, les lauriers et les orangers avaient l'air de sortir de terre. Le chemin que parcouraient les voitures était sablé.

Cet ensemble parut extraordinaire à notre provincial. Il n'avait pas l'idée d'une telle magnificence; en un instant son imagination émue fut à mille lieues de la mauvaise humeur. Dans la voiture, en venant au bal, Norbert était heureux, et lui voyait tout en noir; à peine entrés dans la cour, les rôles changèrent.

Norbert n'était sensible qu'à quelques détails, qui, au milieu de tant de magnificence, n'avaient pu être soignés. Il évaluait la dépense de chaque chose, et, à mesure qu'il arrivait à un total élevé, Julien remarqua qu'il s'en montrait presque jaloux et prenait de l'humeur.

Pour lui, il arriva séduit, admirant, et presque timide à

force d'émotion, dans le premier des salons où l'on dansait. On se pressait à la porte du second, et la foule était si grande, qu'il lui fut impossible d'avancer. La décoration de ce second salon représentait l'Alhambra de Grenade.

— C'est la reine du bal, il faut en convenir, disait un jeune homme à moustaches, dont l'épaule entrait dans la poitrine de Julien.

— Mlle Fourmont, qui tout l'hiver a été la plus jolie, lui répondait son voisin, s'aperçoit qu'elle descend à la seconde place: vois son air singulier.

— Vraiment elle met toutes voiles dehors pour plaire. Vois, vois ce sourire gracieux au moment où elle figure seule dans cette contredanse. C'est, d'honneur, impayable.

— Mlle. de La Mole a l'air d'être maîtresse du plaisir que lui fait son triomphe, dont elle s'aperçoit fort bien. On dirait qu'elle craint de plaire à qui lui parle.

— Très bien ! Voilà l'art de séduire.

Julien faisait de vains efforts pour apercevoir cette femme séduisante; sept ou huit hommes plus grands que lui l'empêchaient de la voir.

— Il y a bien de la coquetterie dans cette retenue si noble, reprit le jeune homme à moustaches.

— Et ces grands yeux bleus qui s'abaissent si lentement au moment où l'on dirait qu'ils sont sur le point de se trahir, reprit le voisin. Ma foi, rien de plus habile.

— Vois comme auprès d'elle la belle Fourmont a l'air commun, dit un troisième.

— Cet air de retenue veut dire: que d'amabilité je déploierais pour vous, si vous étiez l'homme digne de moi !

— Et qui peut être digne de la sublime Mathilde ? dit le premier: quelque prince souverain, beau, spirituel, bien fait, un héros à la guerre, et âgé de vingt ans tout au plus.

— Le fils naturel de l'empereur de Russie ... auquel, en faveur de ce mariage, on ferait une souveraineté ... ou tout simplement le comte de Thaler, avec son air de paysan habillé ...

La porte fut dégagée, Julien put entrer.

Puisqu'elle passe pour si remarquable aux yeux de ces poupées, elle vaut la peine que je l'étudie, pensa-t-il. Je comprendrai quelle est la perfection pour ces gens-là.

Comme il la cherchait des yeux, Mathilde le regarda. Mon devoir m'appelle, se dit Julien; mais il n'y avait plus d'humeur que dans son expression. La curiosité le faisait avancer avec un plaisir que la robe fort basse des [614a] épaules de Mathilde augmenta bien vite, à la vérité d'une manière peu flatteuse pour son amour-propre. Sa beauté a de la jeunesse, pensa-t-il. Cinq ou six jeunes gens, parmi lesquels Julien reconnut ceux qu'il avait entendus à la porte, étaient entre elle et lui.

— Vous, monsieur, qui avez été ici tout l'hiver, lui dit-elle, n'est-il pas vrai que ce bal est le plus joli de la saison?

Il ne répondit pas.

— Ce quadrille de Coulon [615] me semble admirable; et ces dames le dansent d'une façon parfaite. Les jeunes gens se retournèrent pour voir quel était l'homme heureux dont on voulait absolument avoir une réponse. Elle ne fut pas encourageante.

— Je ne saurais être un bon juge, mademoiselle: je passe ma vie à écrire: c'est le premier bal de cette magnificence que j'aie vu.

Les jeunes gens à moustaches furent scandalisés.

— Vous êtes un sage, monsieur Sorel, reprit-on avec un intérêt plus marqué; vous voyez tous ces bals, toutes ces fêtes, comme un philosophe, comme J.-J. Rousseau. Ces folies vous étonnent sans vous séduire.

Un mot venait d'éteindre l'imagination de Julien et de chasser de son cœur toute illusion.[616] Sa bouche prit l'expression d'un dédain un peu exagéré peut-être.

— J.-J. Rousseau, répondit-il, n'est à mes yeux qu'un sot, lorsqu'il s'avise de juger le grand monde; il ne le comprenait pas, et y portait le cœur d'un laquais parvenu.

— Il a fait le *Contrat Social,*[617] dit Mathilde du ton de la vénération.

— Tout en prêchant la république et le renversement des dignités monarchiques, ce parvenu est ivre de bonheur, si un duc change la direction de sa promenade après dîner pour accompagner un de ses amis.

— Ah! oui, le duc de Luxembourg à Montmorency accompagne un M. Coindet du côté de Paris ...,[618] reprit Mlle de La Mole avec le plaisir et l'abandon de la première jouissance de pédanterie. Elle était ivre de son savoir, à peu près comme l'académicien qui découvrait l'existence du roi Feretrius.[619] L'œil de Julien resta pénétrant et sévère. Mathilde avait eu un moment d'enthousiasme; la froideur de son partner la déconcerta profondément. Elle fut d'autant plus étonnée, que c'était elle qui avait coutume de produire cet effet-là sur les autres.

Dans ce moment, le marquis de Croisenois s'avançait avec empressement vers Mlle de La Mole. Il fut un instant à trois pas d'elle, sans pouvoir pénétrer à cause de la foule. Il la regardait en souriant de l'obstacle. La jeune marquise de Rouvray était près de lui, c'était une cousine de Mathilde. Elle donnait le bras à son mari, qui ne l'était que depuis quinze jours. Le marquis de Rouvray, fort jeune aussi, avait tout l'amour niais qui prend un homme qui, faisant un mariage de convenance uniquement arrangé par les notaires, trouve une personne parfaitement belle. M. de Rouvray allait être duc à la mort d'un oncle fort âgé.

Pendant que le marquis de Croisenois, ne pouvant percer la foule, regardait Mathilde d'un air riant, elle arrêtait ses grands yeux, d'un bleu céleste, sur lui et ses voisins. Quoi de plus plat, se dit-elle, que tout ce groupe ! Voilà Croisenois qui prétend m'épouser; il est doux, poli, il a des manières parfaites comme M. de Rouvray. Sans l'ennui qu'ils donnent, ces messieurs seraient fort aimables. Lui aussi me suivra au bal avec cet air borné et content. Un an après le mariage, ma voiture, mes chevaux, mes robes, mon château à vingt lieues de Paris, tout cela sera aussi bien que possible, tout à fait ce qu'il faut pour faire périr d'envie une parvenue, une comtesse de Roiville par exemple; et après ?...

Mathilde s'ennuyait en espoir.[620] Le marquis de Croisenois parvint à l'approcher, et lui parlait, mais elle rêvait sans l'écouter. Le bruit de ses paroles se confondait pour elle avec le bourdonnement du bal. Elle suivait machinalement de l'œil Julien, qui s'était éloigné d'un air respectueux, mais fier et mécontent. Elle aperçut dans un coin, loin de la foule circulante, le comte Altamira, condamné à mort dans son pays, que le lecteur connaît déjà. Sous Louis XIV, une de ses parentes avait épousé un prince de Conti;[621] ce souvenir le protégeait un peu contre la police de la congrégation.

Je ne vois que la condamnation à mort qui distingue un homme, pensa Mathilde: c'est la seule chose qui ne s'achète pas.

Ah ! c'est un bon mot que je viens de me dire ! Quel dommage qu'il ne soit pas venu de façon à m'en faire honneur ! Mathilde avait trop de goût pour amener dans la conversation un bon mot fait d'avance; mais elle avait aussi trop de vanité pour ne pas être enchantée d'elle-même. Un air de bonheur remplaça dans ses traits l'apparence de l'ennui. Le marquis de Croisenois, qui lui parlait toujours, crut entrevoir le succès, et redoubla de faconde.

Qu'est-ce qu'un méchant pourrait objecter à mon bon mot ? se dit Mathilde. Je répondrais au critique: un titre de baron, de vicomte, cela s'achète; une croix, cela se donne; mon frère vient de l'avoir, qu'a-t-il fait ? Un grade, cela s'obtient. Dix ans de garnison, ou un parent ministre de la guerre, et l'on est chef d'escadron comme Norbert. Une grande fortune !... c'est encore ce qu'il y a de plus difficile et par conséquent de plus méritoire. Voilà qui est drôle ! c'est le contraire de tout ce que disent les livres ... Eh bien ! pour la fortune, on épouse la fille de M. Rothschild.[622]

Réellement mon mot a de la profondeur. La condamnation à mort est encore la seule chose que l'on ne se soit pas avisé de solliciter.

— Connaissez-vous le comte Altamira ? dit-elle à M. de Croisenois.

Elle avait l'air de revenir de si loin, et cette question avait si peu de rapport avec tout ce que le pauvre marquis lui disait depuis cinq minutes, que son amabilité en fut déconcertée. C'était pourtant un homme d'esprit et fort renommé comme tel.

Mathilde a de la singularité, pensa-t-il; c'est un inconvénient, mais elle [622a] donne une si belle position sociale à son mari ! Je ne sais comment fait ce marquis de La Mole; il est lié avec ce qu'il y a de mieux dans tous les partis; c'est un homme qui ne peut sombrer. Et d'ailleurs, cette singularité de Mathilde peut passer pour du génie. Avec une haute naissance et beaucoup de fortune, le génie n'est point un ridicule, et alors quelle distinction ! Elle a si bien d'ailleurs, quand elle veut, ce mélange d'esprit, de caractère et d'à-propos, qui fait l'amabilité parfaite... Comme il est difficile de faire bien deux choses à la fois, le marquis répondait à Mathilde d'un air vide, et comme récitant une leçon.

— Qui ne connaît ce pauvre Altamira? Et il lui faisait l'histoire de sa conspiration manquée, ridicule, absurde.

— Très absurde! dit Mathilde, comme se parlant à elle-même, mais il a agi. Je veux voir un homme; amenez-le-moi, dit-elle au marquis très choqué.

Le comte Altamira était un des admirateurs les plus déclarés de l'air hautain et presque impertinent de Mlle de La Mole; elle était suivant lui l'une des plus belles personnes de Paris.

— Comme elle serait belle sur un trône! dit-il à M. de Croisenois; et il se laissa amener sans difficulté.

Il ne manque pas de gens dans le monde qui veulent établir que rien n'est de mauvais ton comme une conspiration, cela sent le jacobin. Et quoi de plus laid que le jacobin sans succès?

Le regard de Mathilde se moquait du libéralisme d'Altamira avec M. de Croisenois, mais elle l'écoutait avec plaisir.

Un conspirateur au bal, c'est un joli contraste, pensait-elle. Elle trouvait à celui-ci, avec ses moustaches noires, la figure du lion quand il se repose; mais elle s'aperçut bientôt que son esprit n'avait qu'une attitude: *l'utilité, l'admiration pour l'utilité.*

Excepté ce qui pouvait donner à son pays le gouvernement des deux Chambres,[623] le jeune comte trouvait que rien n'était digne de son attention. Il quitta avec plaisir Mathilde, la plus séduisante personne du bal, parce qu'il vit entrer un général péruvien.

Désespérant de l'Europe, le pauvre Altamira en était réduit à penser que, quand les États de l'Amérique méridionale seront forts et puissants, ils pourront rendre à l'Europe la liberté que Mirabeau leur a envoyée.[624]

Un tourbillon de jeunes gens à moustaches s'était approché de Mathilde. Elle avait bien vu qu'Altamira n'était pas séduit, et se trouvait piquée de son départ; elle voyait son œil noir briller en parlant au général péruvien. Mlle de La Mole regardait les jeunes Français avec ce sérieux profond qu'aucune de ses rivales ne pouvait imiter. Lequel d'entre eux, pensait-elle, pourrait se faire condamner à mort, en lui supposant même toutes les chances favorables ? [625]

Ce regard singulier flattait ceux qui avaient peu d'esprit, mais inquiétait les autres. Ils redoutaient l'explosion de quelque mot piquant et de réponse difficile.[626]

Une haute naissance donne cent qualités dont l'absence m'offenserait: je le vois par l'exemple de Julien, pensait Mathilde; mais elle étiole ces qualités de l'âme qui font condamner à mort.

En ce moment quelqu'un disait près d'elle: Ce comte Altamira est le second fils du prince de San Nazaro-Pimentel, c'est un Pimentel qui tenta de sauver Conradin,[627] décapité en 1268. C'est l'une des plus nobles familles de Naples.

Voilà, se dit Mathilde, qui prouve joliment ma maxime: La haute naissance ôte la force de caractère sans laquelle on ne se fait point condamner à mort ! [628] Je suis donc prédestinée à déraisonner ce soir. Puisque je ne suis qu'une femme comme une autre, eh bien ! il faut danser. Elle céda aux instances du marquis de Croisenois, qui depuis une heure sollicitait une galope.[629] Pour se distraire de son malheur en philosophie, Mathilde voulut être parfaitement séduisante, M. de Croisenois fut ravi.

Mais ni la danse, ni le désir de plaire à l'un des plus jolis hommes de la cour, rien ne put distraire Mathilde. Il était impossible d'avoir plus de succès. Elle était la reine du bal, elle le [630] voyait, mais avec froideur.

Quelle vie effacée je vais passer avec un être tel que Croisenois ! se disait-elle, comme il la ramenait à sa place une heure après... Où est le plaisir pour moi, ajouta-t-elle tristement, si, après six mois d'absence, je ne le trouve pas au milieu d'un bal qui fait l'envie de toutes les femmes de Paris ? Et encore, j'y suis environnée des hommages d'une société que je ne puis pas imaginer mieux composée. Il n'y a ici de bourgeois que quelques pairs [631] et un ou deux Julien peut-être. Et cependant, ajoutait-elle avec une tristesse croissante, quels avantages le sort ne m'a-t-il pas donnés: illustration,[632] fortune, jeunesse ! hélas ! tout, excepté le bonheur.

Les plus douteux de mes avantages sont encore ceux dont ils m'ont parlé toute la soirée. L'esprit, j'y crois, car je leur fais peur évidemment à tous. S'ils osent aborder un sujet sérieux, au bout de cinq minutes de conversation ils arrivent tout hors d'haleine, et comme faisant une grande découverte à une chose que je leur répète depuis une heure. Je suis belle, j'ai cet avantage pour lequel Mme de Staël[633] eût tout sacrifié, et pourtant il est de fait que je meurs d'ennui. Y a-t-il une raison pour que je m'ennuie moins quand j'aurai changé mon nom pour celui du marquis de Croisenois ?

Mais, mon Dieu ! ajouta-t-elle presque avec l'envie de pleurer, n'est-ce pas un homme parfait ? C'est le chef-d'œuvre de l'éducation de ce siècle; on ne peut le regarder sans qu'il trouve une chose aimable, et même spirituelle à vous dire; il est brave ... Mais ce Sorel est singulier, se dit-elle, et son œil quittait l'air morne pour l'air fâché. Je l'ai averti que j'avais à lui parler, et il ne daigne pas reparaître !

9. Le Bal

> *Le luxe des toilettes, l'éclat des bougies, les parfums: tant de jolis bras, de belles épaules; des bouquets, des airs de Rossini qui enlèvent, des peintures de Ciceri!* [634] *Je suis hors de moi!*
>
> Voyages d'Uzeri.

Vous avez de l'humeur, lui dit la marquise de La Mole; je vous en avertis, c'est de mauvaise grâce au bal.

— Je ne me sens que mal à la tête, répondit Mathilde d'un air dédaigneux, il fait trop chaud ici.

A ce moment, comme pour justifier Mlle de La Mole, le vieux baron de Tolly se trouva mal et tomba; on fut obligé de l'emporter. On parla d'apoplexie, ce fut un événement désagréable.

Mathilde ne s'en occupa point. C'était un parti pris, chez elle, de ne regarder jamais les vieillards et tous les êtres reconnus pour dire des choses tristes.

Elle dansa pour échapper à la conversation sur l'apoplexie, qui n'en était pas une, car le surlendemain le baron reparut.

Mais M. Sorel ne vient point, se dit-elle encore après qu'elle eut dansé. Elle le cherchait presque des yeux, lorsqu'elle l'aperçut dans un autre salon. Chose étonnante, il semblait avoir perdu ce ton de froideur impassible qui lui était si naturel; il n'avait plus l'air anglais.[635]

Il cause avec le comte Altamira, mon condamné à mort! se dit Mathilde. Son œil est plein d'un feu sombre; il a l'air d'un prince déguisé; son regard a redoublé d'orgueil.

Julien se rapprochait de la place où elle était, toujours causant avec Altamira; elle le regardait fixement, étudiant ses traits pour y chercher ces hautes qualités qui peuvent valoir à un homme l'honneur d'être condamné à mort.

Comme il passait près d'elle:

— Oui, disait-il au comte Altamira, Danton était un homme !

O ciel ! serait-il un Danton, se dit Mathilde; mais il a une figure si noble, et ce Danton était si horriblement laid, un boucher, je crois. Julien était encore assez près d'elle, elle n'hésita pas à l'appeler; elle avait la conscience et l'orgueil de faire une question extraordinaire pour une jeune fille.

— Danton n'était-il pas un boucher ? lui dit-elle.

— Oui, aux yeux de certaines personnes, lui répondit Julien avec l'expression du mépris le plus mal déguisé [636] et l'œil encore enflammé de sa conversation avec Altamira, mais malheureusement pour les gens bien nés, il était avocat à Méry-sur-Seine;[637] c'est-à-dire, Mademoiselle, ajouta-t-il d'un air méchant, qu'il a commencé comme plusieurs pairs que je vois ici. Il est vrai que Danton avait un désavantage énorme aux yeux de la beauté, il était fort laid.

Ces derniers mots furent dits rapidement, d'un air extraordinaire et assurément fort peu poli.

Julien attendit un instant, le haut du corps légèrement penché et avec un air orgueilleusement humble. Il semblait dire: Je suis payé pour vous répondre, et je vis de ma paye. Il ne daignait pas lever l'œil sur Mathilde. Elle, avec ses beaux yeux ouverts extraordinairement et fixés sur lui, avait l'air de son esclave. Enfin, comme le silence continuait, il la regarda ainsi qu'un valet regarde son maître, afin de prendre des ordres. Quoique ses yeux rencontrassent en plein ceux de Mathilde, toujours fixés sur lui avec un regard étrange, il s'éloigna avec un empressement marqué.

Lui, qui est réellement si beau, se dit enfin Mathilde sortant de sa rêverie, faire un tel éloge de la laideur ! Jamais de retour sur lui-même ! Il n'est pas comme Caylus ou Croisenois. Ce Sorel a quelque chose de l'air que mon père prend quand il fait si bien Napoléon au bal. Elle avait tout à fait oublié Danton. Décidément, ce soir, je m'ennuie. Elle saisit le bras de son frère, et à son grand chagrin, le força de faire un tour dans le bal. L'idée lui vint de suivre la conversation du condamné à mort avec Julien.

La foule était énorme. Elle parvint cependant à les rejoindre au moment où, à deux pas devant elle, Altamira s'approchait d'un plateau pour prendre une glace. Il parlait à

Julien, le corps à demi tourné. Il vit un bras d'habit brodé qui prenait une glace à côté de la sienne. La broderie sembla exciter son attention; il se retourna tout à fait pour voir le personnage à qui appartenait ce bras. A l'instant, ces yeux si nobles et si naïfs prirent une légère expression de dédain.

— Vous voyez cet homme, dit-il assez bas à Julien; c'est le prince d'Araceli, ambassadeur de***. Ce matin il a demandé mon extradition à votre ministre des affaires étrangères de France, M. de Nerval. Tenez, le voilà là-bas, qui joue au wisth.[638] M. de Nerval est assez disposé à me livrer, car nous vous avons donné deux ou trois conspirateurs en 1816. Si l'on me rend à mon roi, je suis pendu dans les vingt-quatre heures. Et ce sera quelqu'un de ces jolis messieurs à moustaches qui *m'empoignera.*

— Les infâmes ! s'écria Julien à demi haut.

Mathilde ne perdait pas une syllabe de leur conversation. L'ennui avait disparu.

— Pas si infâmes, reprit le comte Altamira. Je vous ai parlé de moi pour vous frapper d'une image vive. Regardez le prince d'Araceli; toutes les cinq minutes, il jette les yeux sur sa Toison d'Or;[639] il ne revient pas du plaisir de voir ce colifichet sur sa poitrine. Ce pauvre homme n'est au fond qu'un anachronisme. Il y a cent ans la Toison était un honneur insigne, mais alors elle eût passé bien au-dessus de sa tête.[640] Aujourd'hui, parmi les gens bien nés, il faut être un Araceli pour en être enchanté. Il eût fait pendre toute une ville pour l'obtenir.

— Est-ce à ce prix qu'il l'a eue ? dit Julien avec anxiété.

— Non pas précisément, répondit Altamira froidement; il a peut-être fait jeter à la rivière une trentaine de riches propriétaires de son pays, qui passaient pour libéraux.

— Quel monstre ! dit encore Julien.

Mlle de La Mole, penchant la tête avec le plus vif intérêt, était si près de lui, que ses beaux cheveux touchaient presque son épaule.

— Vous êtes bien jeune ! répondait Altamira. Je vous disais que j'ai une sœur mariée en Provence;[641] elle est encore jolie, bonne, douce; c'est une excellente mère de famille, fidèle à tous ses devoirs, pieuse et non dévote.[642]

Où veut-il en venir ? pensait Mlle de La Mole.

— Elle est heureuse, continua le comte Altamira; elle l'était en 1815. Alors j'étais caché chez elle, dans sa terre près d'Antibes;[643] eh bien, au moment où elle apprit l'exécution du maréchal Ney, elle se mit à danser !

— Est-il possible ? dit Julien atterré.

— C'est l'esprit de parti, reprit Altamira. Il n'y a plus de passions véritables au XIXe siècle: c'est pour cela que l'on s'ennuie tant en France. On fait les plus grandes cruautés, mais sans cruauté.[644]

— Tant pis ! dit Julien; du moins, quand on fait des crimes, faut-il les faire avec plaisir: ils n'ont que cela de bon, et l'on ne peut même les justifier un peu que par cette raison.

Mlle de La Mole oubliant tout à fait ce qu'elle se devait à elle-même, s'était placée presque entièrement entre Altamira et Julien. Son frère, qui lui donnait le bras, accoutumé à lui obéir, regardait ailleurs dans la salle, et, pour se donner une contenance, avait l'air d'être arrêté par la foule.

— Vous avez raison, disait Altamira; on fait tout sans plaisir et sans s'en souvenir, même les crimes. Je puis vous montrer dans ce bal dix hommes peut-être qui seront damnés comme assassins. Ils l'ont oublié, et le monde aussi.[645]

Plusieurs sont émus jusqu'aux larmes si leur chien se casse la patte. Au Père-Lachaise, quand on jette des fleurs sur leur tombe,[646] comme vous dites si plaisamment à Paris, on nous apprend qu'ils réunissaient toutes les vertus des preux chevaliers, et l'on parle des grandes actions de leur bisaïeul qui vivait sous Henri IV. Si, malgré les bons offices [647] du prince d'Araceli, je ne suis pas pendu, et que je jouisse jamais de ma fortune [648] à Paris, je veux vous faire dîner avec huit ou dix assassins honorés et sans remords.

Vous et moi, à ce dîner, nous serons les seuls purs de sang,[649] mais je serai méprisé et presque haï, comme un monstre sanguinaire et jacobin, et vous méprisé simplement comme homme du peuple intrus dans la bonne compagnie.

— Rien de plus vrai, dit Mlle de La Mole.

Altamira la regarda étonné; Julien ne daigna pas la regarder.

— Notez que la révolution à la tête de laquelle je me

suis trouvé, continua le comte Altamira, n'a pas réussi, uniquement parce que je n'ai pas voulu faire tomber trois têtes et distribuer à nos partisans sept à huit millions qui se trouvaient dans une caisse dont j'avais la clef. Mon roi, qui aujourd'hui brûle de me faire pendre, et qui avant la révolte me tutoyait, m'eût donné le grand cordon de son ordre [650] si j'avais fait tomber ces trois têtes et distribuer l'argent de ces caisses, car j'aurais obtenu au moins un demi-succès, et mon pays eût eu une charte telle quelle ... [651] Ainsi va le monde, c'est une partie d'échecs.

— Alors, reprit Julien l'œil en feu, vous ne saviez pas le jeu; maintenant ...

— Je ferais tomber des têtes, voulez-vous dire, et je ne serais pas un Girondin [652] comme vous me le faisiez entendre l'autre jour ?... Je vous répondrai, dit Altamira d'un air triste, quand vous aurez tué un homme en duel, ce qui encore est bien moins laid que de le faire exécuter par un bourreau.

— Ma foi ! dit Julien, qui veut la fin veut les moyens; si, au lieu d'être un atome, j'avais quelque pouvoir, je ferais pendre trois hommes pour sauver la vie à quatre.

Ses yeux exprimaient le feu de la conscience et le mépris des vains jugements des hommes; ils rencontrèrent ceux de Mlle de La Mole tout près de lui, et ce mépris, loin de se changer en air gracieux et civil, sembla redoubler.

Elle en fut profondément choquée; mais il ne fut plus en son pouvoir d'oublier Julien; elle s'éloigna avec dépit, entraînant son frère.

Il faut que je prenne du punch, et que je danse beaucoup, se dit-elle; je veux choisir ce qu'il y a de mieux, et faire effet à tout prix. Bon, voici ce fameux impertinent, le comte de Fervaques. Elle accepta son invitation; ils dansèrent. Il s'agit de voir, pensa-t-elle, qui des deux sera le plus impertinent, mais, pour me moquer pleinement de lui, il faut que je le fasse parler. Bientôt tout le reste de la contredanse ne dansa que par contenance. On ne voulait pas perdre une des reparties piquantes de Mathilde. M. de Fervaques se troublait, et, ne trouvant que des paroles élégantes, au lieu d'idées, faisait des mines; Mathilde, qui avait de l'humeur, fut cruelle pour lui, et s'en fit un ennemi. Elle dansa jusqu'au jour et enfin se retira horriblement fatiguée. Mais, en voiture, le peu de force qui lui restait était encore employé à la rendre triste et malheureuse. Elle avait été méprisée par Julien, et ne pouvait le mépriser.

Julien était au comble du bonheur, ravi à son insu par la musique, les fleurs, les belles femmes, l'élégance générale, et, plus que tout, par son imagination, qui rêvait des distinctions pour lui et la liberté pour tous.

— Quel beau bal ! dit-il au comte, rien n'y manque.

— Il y manque la pensée, répondit Altamira.

Et sa physionomie trahissait ce mépris, qui n'en est que plus piquant, parce qu'on voit que la politesse s'impose le devoir de le cacher.

— Vous y êtes, monsieur le comte. N'est-ce pas, la pensée est conspirante encore ? [653]

— Je suis ici à cause de mon nom. Mais on hait la pensée dans vos salons. Il faut qu'elle ne s'élève pas au-dessus de la pointe [654] d'un couplet de vaudeville: [655] alors on la récompense. Mais l'homme qui pense, s'il a de l'énergie et de la nouveauté dans ses saillies, vous l'appelez *cynique*. N'est-ce pas ce nom-là qu'un de vos juges a donné à Courier ? [656] Vous l'avez mis en prison, ainsi que Béranger. Tout ce qui vaut quelque chose, chez vous, par l'esprit, la congrégation le jette à la police correctionnelle; et la bonne compagnie applaudit.

C'est que votre société vieillie prise avant tout les convenances... Vous ne vous élèverez jamais au-dessus de la bravoure militaire; vous aurez des Murat, et jamais de Washington.[657] Je ne vois en France que de la vanité. Un homme qui invente en parlant arrive facilement à une saillie imprudente, et le maître de la maison se croit déshonoré.

A ces mots, la voiture du comte, qui ramenait Julien, s'arrêta devant l'hôtel de La Mole. Julien était amoureux de son conspirateur. Altamira lui avait fait ce beau compliment, évidemment échappé à une profonde conviction: Vous n'avez pas la légèreté française, et comprenez le principe de *l'utilité*. Il se trouvait que, justement l'avant-veille, Julien avait vu *Marino Faliero*, tragédie de M. Casimir Delavigne.[658]

Israël Bertuccio n'a-t-il pas plus de caractère que tous

ces nobles Vénitiens ? se disait notre plébéien révolté; et cependant ce sont des gens dont la noblesse prouvée remonte à l'an 700, un siècle avant Charlemagne, tandis que tout ce qu'il y avait de plus noble ce soir au bal de M. de Retz ne remonte, et encore clopin-clopant, que jusqu'au XIIIe siècle. Eh bien ! au milieu de ces nobles de Venise, si grands par la naissance, c'est d'Israël Bertuccio qu'on se souvient.

Une conspiration anéantit tous les titres donnés par les caprices sociaux. Là, un homme prend d'emblée le rang que lui assigne sa manière d'envisager la mort. L'esprit lui-même perd de son empire...

Que serait Danton aujourd'hui, dans ce siècle des Valenod et des Rênal ? pas même substitut du procureur [658a] du roi...

Que dis-je ? il se serait vendu à la congrégation; il serait ministre, car enfin [658b] ce grand Danton a volé. Mirabeau aussi s'est vendu. Napoléon avait volé des millions en Italie, sans quoi il eût été arrêté tout court par la pauvreté, comme Pichegru.[659] La Fayette [660] seul n'a jamais volé. Faut-il voler, faut-il se vendre ? pensa Julien. Cette question l'arrêta tout court. Il passa le reste de la nuit à lire l'histoire de la Révolution.

Le lendemain, en faisant ses lettres dans la bibliothèque, il ne songeait encore qu'à la conversation du comte Altamira.

Dans le fait, se disait-il après une longue rêverie, si ces Espagnols libéraux [661] avaient compromis le peuple par des crimes, on ne les eût pas balayés avec cette facilité. Ce furent des enfants orgueilleux et bavards... comme moi ! s'écria tout à coup Julien comme se réveillant en sursaut.

Qu'ai-je fait de difficile qui me donne le droit de juger de pauvres diables, qui enfin, une fois en la vie, ont osé, ont commencé à agir ? Je suis comme un homme qui, au sortir de table, s'écrie: Demain je ne dînerai pas; ce qui ne m'empêchera point d'être fort et allègre comme je le suis aujourd'hui. Qui sait ce qu'on éprouve à moitié chemin d'une grande action ?... Ces hautes pensées furent troublées par l'arrivée imprévue de Mlle de La Mole, qui entrait dans la bibliothèque. Il était tellement animé par son admiration pour les grandes qualités de Danton, de Mirabeau, de Carnot,[662] qui ont su n'être pas vaincus, que ses yeux s'arrêtèrent sur Mlle de La Mole, mais sans songer à elle, sans la saluer, sans presque la voir. Quand enfin ses grands yeux si ouverts s'aperçurent de sa présence, son regard s'éteignit. Mlle de La Mole le remarqua avec amertume.

En vain elle lui demanda un volume de l'*Histoire de France* de Vély,[663] placé au rayon le plus élevé, ce qui obligeait Julien à aller chercher la plus grande des deux échelles. Julien avait approché l'échelle; il avait cherché le volume, il le lui avait remis, sans encore pouvoir songer à elle. En remportant l'échelle, dans sa préoccupation il donna un coup de coude dans une des glaces de la bibliothèque; les éclats, en tombant sur le parquet, le réveillèrent enfin. Il se hâta de faire des excuses à Mlle de La Mole; il voulut être poli, mais il ne fut que poli. Mathilde vit avec évidence qu'elle l'avait troublé, et qu'il eût mieux aimé songer à ce qui l'occupait avant son arrivée, que lui parler. Après l'avoir beaucoup regardé, elle s'en alla lentement. Julien la regardait marcher. Il jouissait du contraste de la simplicité de sa toilette actuelle avec l'élégance magnifique de celle de la veille. La différence entre les deux physionomies était presque aussi frappante. Cette jeune fille, si altière au bal du duc de Retz, avait presque en ce moment un regard suppliant. Réellement, se dit Julien, cette robe noire fait briller encore mieux la beauté de sa taille. Elle a un port de reine; mais pourquoi est-elle en deuil ?

Si je demande à quelqu'un la cause de ce deuil, il se trouvera que je commets encore une gaucherie. Julien était tout à fait sorti des profondeurs de son enthousiasme. Il faut que je relise toutes les lettres que j'ai faites ce matin; Dieu sait les mots sautés et les balourdises que j'y trouverai. Comme il lisait avec une attention forcée la première de ces lettres, il entendit tout près de lui le bruissement d'une robe de soie; il se retourna rapidement; Mlle de La Mole était à deux pas de sa table, elle riait. Cette seconde interruption donna de l'humeur à Julien.

Pour Mathilde, elle venait de sentir vivement qu'elle n'était rien pour ce jeune homme; ce rire était fait pour cacher son embarras, elle y réussit.

— Evidemment, vous songez à quelque chose de bien intéressant, Monsieur Sorel. N'est-ce point quelque anecdote curieuse sur la conspiration qui nous a envoyé à Paris M. le comte Altamira ? Dites-moi ce dont il s'agit; je brûle de le savoir; je serai discrète, je vous le jure ! Elle fut étonnée de ce mot en se l'entendant prononcer. Quoi donc, elle suppliait un subalterne ! Son embarras augmentant, elle ajouta d'un petit air léger:

— Qu'est-ce qui a pu faire de vous, ordinairement si froid, un être inspiré, une espèce de prophète de Michel-Ange ?

Cette vive et indiscrète interrogation, blessant Julien profondément, lui rendit toute sa folie.

— Danton a-t-il bien fait de voler ? lui dit-il brusquement et d'un air qui devenait de plus en plus farouche. Les révolutionnaires du Piémont, de l'Espagne,[664] devaient-ils compromettre le peuple par des crimes ? Donner à des gens même sans mérite toutes les places de l'armée, toutes les croix ? Les gens qui auraient porté ces croix n'eussent-ils pas redouté le retour du roi ? Fallait-il mettre le trésor de Turin au pillage ?[665] En un mot, Mademoiselle, dit-il en s'approchant d'elle d'un air terrible, l'homme qui veut chasser l'ignorance et le crime de la terre doit-il passer comme la tempête et faire le mal comme au hasard ?

Mathilde eut peur, ne put soutenir son regard, et recula deux pas. Elle le regarda un instant; puis, honteuse de sa peur, d'un pas léger elle sortit de la bibliothèque.

10. La Reine Marguerite

Amour ! dans quelle folie ne parviens-tu pas à nous faire trouver du plaisir ?
Lettres d'une RELIGIEUSE PORTUGAISE.[666]

Julien relut ses lettres. Quand la cloche du dîner se fit entendre: Combien je dois avoir été ridicule aux yeux de cette poupée parisienne ! se dit-il; quelle folie de lui dire réellement ce à quoi je pensais ! Mais peut-être folie pas si grande. La vérité dans cette occasion était digne de moi.

Pourquoi aussi venir m'interroger sur des choses intimes ! Cette question est indiscrète de sa part. Elle a manqué d'usage. Mes pensées sur Danton ne font point partie du service pour lequel son père me paye.

En arrivant dans la salle à manger, Julien fut distrait de son humeur par le grand deuil de Mlle de La Mole, qui le frappa d'autant plus qu'aucune autre personne de la famille n'était en noir.

Après dîner, il se trouva tout à fait débarrassé de l'accès d'enthousiasme qui l'avait obsédé toute la journée. Par bonheur, l'académicien qui savait le latin était de ce dîner. Voilà l'homme qui se moquera le moins de moi, se dit Julien, si, comme je le présume, ma question sur le deuil de Mlle de La Mole est une gaucherie.

Mathilde le regardait avec une expression singulière. Voilà bien la coquetterie des femmes de ce pays telle que Mme de Rênal me l'avait peinte, se dit Julien. Je n'ai pas été aimable pour elle ce matin, je n'ai pas cédé à la fantaisie qu'elle avait de causer. J'en augmente de prix à ses yeux. Sans doute le diable n'y perd rien.[667] Plus tard, sa hauteur dédaigneuse saura bien se venger. Je la mets à pis faire. Quelle différence avec ce que j'ai perdu ! Quel naturel charmant ! Quelle naïveté ! Je savais ses pensées avant elle; je les voyais naître; je n'avais pour antagoniste, dans son cœur, que la peur de la mort de ses enfants; c'était une affection raisonnable et naturelle, aimable même pour moi qui en souffrais. J'ai été un sot. Les idées que je me faisais de Paris m'ont empêché d'apprécier cette femme sublime.

Quelle différence, grand Dieu ! Et qu'est-ce que je trouve ici ? De la vanité sèche et hautaine, toutes les nuances de l'amour-propre et rien de plus.

On se levait de table. Ne laissons pas engager [668] mon académicien, se dit Julien. Il s'approcha de lui comme on passait au jardin, prit un air doux et soumis, et partagea sa fureur contre le succès d'*Hernani*.[669]

— Si nous étions encore au temps des lettres de cachet !...[670] dit-il.

— Alors il [671] n'eût pas osé, s'écria l'académicien avec un geste à la Talma.[672]

A propos d'une fleur, Julien cita quelques mots des *Géorgiques* de Virgile, et trouva que rien n'était égal aux vers de l'abbé Delille. En un mot, il flatta l'académicien de toutes les façons. Après quoi, de l'air le plus indifférent:

— Je suppose, lui dit-il, que Mlle de La Mole a hérité de quelque oncle dont elle porte le deuil.

— Quoi ! vous êtes de la maison, dit l'académicien en s'arrêtant tout court, et vous ne savez pas sa folie ? Au fait, il est étrange que sa mère lui permette de telles choses; mais entre nous, ce n'est pas précisément par la force du caractère qu'on brille dans cette maison. Mlle Mathilde en a pour eux tous, et les mène. C'est aujourd'hui le 30 avril ! Et l'académicien s'arrêta en regardant Julien d'un air fin. Julien sourit de l'air le plus spirituel qu'il put.

Quel rapport peut-il y avoir entre mener toute une maison, porter une robe noire et le 30 avril ? se disait-il. Il faut que je sois encore plus gauche que je ne le pensais.

— Je vous avouerai ..., dit-il à l'académicien, et son œil continuait à interroger.

— Faisons un tour de jardin, dit l'académicien, entrevoyant avec ravissement l'occasion de faire une longue narration élégante. Quoi ! Est-il bien possible que vous ne sachiez pas ce qui s'est passé le 30 avril 1574.

— Et où ? dit Julien étonné.

— En place de Grève.

Julien était si étonné, que ce mot ne le mit pas au fait.

La curiosité, l'attente d'un intérêt tragique, si en rapport avec son caractère, lui donnaient ces yeux brillants qu'un narrateur aime tant à voir chez la personne qui l'écoute. L'académicien, ravi de trouver une oreille vierge, raconta longuement à Julien comme quoi, le 30 avril 1574, le plus joli garçon de son siècle, Boniface de La Mole, et Annibal de Coconasso,[673] gentilhomme piémontais, son ami, avaient eu la tête tranchée en place de Grève. La Mole était l'amant adoré de la reine Marguerite de Navarre; et remarquez, ajouta l'académicien, que Mlle de La Mole s'appelle *Mathilde-Marguerite.* La Mole était en même temps le favori du duc d'Alençon et l'intime ami du roi de Navarre, depuis Henri IV, mari de sa maîtresse. Le jour du mardi gras de cette année 1574, la cour se trouvait à Saint-Germain avec le pauvre roi Charles IX, qui s'en allait mourant. La Mole voulut enlever les princes ses amis,[674] que la reine Catherine de Médicis [675] retenait comme prisonniers à la cour. Il fit avancer deux cents chevaux sous les murs de Saint-Germain, le duc d'Alençon eut peur, et La Mole fut jeté au bourreau.

Mais ce qui touche Mlle Mathilde, ce qu'elle m'a avoué elle-même, il y a sept à huit ans, quand elle en avait douze, car c'est une tête, une tête !... Et l'académicien leva les yeux au ciel. Ce qui l'a frappée dans cette catastrophe politique, c'est que la reine Marguerite de Navarre, cachée dans une maison de la place de Grève, osa faire demander au bourreau la tête de son amant. Et la nuit suivante, à minuit, elle prit cette tête dans sa voiture, et alla l'enterrer elle-même dans une chapelle située au pied de la colline de Montmartre.

— Est-il possible ? s'écria Julien touché.

— Mlle Mathilde méprise son frère, parce que, comme vous le voyez, il ne songe nullement à toute cette histoire ancienne, et ne prend point le deuil le 30 avril. C'est depuis ce fameux supplice,[676] et pour rappeler l'amitié intime de La Mole pour Coconasso, lequel Coconasso, comme un Italien qu'il était, s'appelait Annibal, que tous les hommes de cette famille portent ce nom. Et, ajouta l'académicien en baissant la voix, ce Coconasso fut, au dire de Charles IX lui-même, l'un des plus cruels assassins du 24 août 1572.[677]

Mais comment est-il possible, mon cher Sorel, que vous ignoriez ces choses, vous, commensal de cette maison ?

— Voilà donc pourquoi, deux fois à dîner, Mlle de La Mole a appelé son frère Annibal. Je croyais avoir mal entendu.

— C'était un reproche. Il est étrange que la marquise souffre de telles folies... Le mari de cette grande fille en verra de belles !

Ce mot fut suivi de cinq ou six phrases satiriques. La joie et l'intimité [678] qui brillaient dans les yeux de l'académicien choquèrent Julien. Nous voici deux domestiques occupés à médire de leurs maîtres, pensa-t-il. Mais rien ne doit m'étonner de la part de cet homme d'académie.

Un jour, Julien l'avait surpris aux genoux de la marquise de La Mole; il lui demandait une recette de tabac [679] pour un neveu de province. Le soir, une petite femme de chambre de Mlle de La Mole, qui faisait la cour à Julien, comme jadis Elisa, lui donna cette idée que le deuil de sa maîtresse n'était point pris pour attirer les regards. Cette bizarrerie tenait au fond de son caractère. Elle aimait réellement ce La Mole, amant aimé de la reine la plus spirituelle de son siècle, et qui mourut pour avoir voulu rendre la liberté à ses amis. Et quels amis ! Le premier prince du sang et Henri IV.

Accoutumé au naturel parfait qui brillait dans toute la conduite de Mme de Rênal, Julien ne voyait qu'affectation dans toutes les femmes de Paris; et pour peu qu'il fût disposé à la tristesse, ne trouvait rien à leur dire. Mlle de La Mole fit exception.

Il commençait à ne plus prendre pour de la sécheresse de cœur le genre de beauté qui tient à la noblesse du maintien. Il eut de longues conversations avec Mlle de La Mole, qui, quelquefois après dîner, se promenait avec lui dans le jardin, le long des fenêtres ouvertes du salon. Elle lui dit un jour qu'elle lisait l'histoire de d'Aubigné, et Brantôme. Singulière lecture, pensa Julien; et la marquise ne lui permet pas de lire les romans de Walter Scott !

Un jour elle lui raconta, avec ces yeux brillants de plaisir, qui prouvent la sincérité de l'admiration, ce trait d'une jeune femme du règne de Henri III, qu'elle venait de lire dans les

Mémoires de l'Etoile:[680] trouvant son mari infidèle, elle le poignarda.

L'amour-propre de Julien était flatté. Une personne environnée de tant de respects, et qui, au dire de l'académicien, menait toute la maison, daignait lui parler d'un air qui pouvait presque ressembler à de l'amitié.

Je m'étais trompé, pensa bientôt Julien; ce n'est pas de la familiarité, je ne suis qu'un confident de tragédie,[681] c'est le besoin de parler. Je passe pour savant dans cette famille. Je m'en vais lire Brantôme, d'Aubigné, l'Etoile. Je pourrai contester quelques-unes des anecdotes dont me parle Mlle de La Mole. Je veux sortir de ce rôle de confident passif.

Peu à peu ses conversations avec cette jeune fille, d'un maintien si imposant et en même temps si aisé, devinrent plus intéressantes. Il oubliait son triste rôle de plébéien révolté. Il la trouvait savante, et même raisonnable. Ses opinions dans le jardin étaient bien différentes de celles qu'elle avouait au salon. Quelquefois elle avait avec lui un enthousiasme et une franchise qui formaient un contraste parfait avec sa manière d'être ordinaire, si altière et si froide.

Les guerres de la Ligue[682] sont les temps héroïques de la France, lui disait-elle un jour, avec des yeux étincelants de génie et d'enthousiasme. Alors chacun se battait pour obtenir une certaine chose qu'il désirait, pour faire triompher son parti, et non pas pour gagner platement une croix comme du temps de votre empereur. Convenez qu'il y avait moins d'égoïsme et de petitesse. J'aime ce siècle.

— Et Boniface de La Mole en fut le héros, lui dit-il.

— Du moins, il fut aimé comme peut-être il est doux de l'être. Quelle femme actuellement vivante n'aurait horreur de toucher à la tête de son amant décapité ?

Mme de La Mole appela sa fille. L'hypocrisie, pour être utile, doit se cacher; et Julien, comme on voit, avait fait à Mlle de La Mole une demi-confidence sur son admiration pour Napoléon.[683]

Voilà l'immense avantage qu'ils ont sur nous, se dit Julien, resté seul au jardin. L'histoire de leurs aïeux les élève au-dessus des sentiments vulgaires, et ils n'ont pas toujours à songer à leur subsistance ! Quelle misère ! ajoutait-il avec amertume, je suis indigne de raisonner sur ces grands intérêts. Ma vie n'est qu'une suite d'hypocrisies, parce que je n'ai pas mille francs de rente pour acheter du pain.

— A quoi rêvez-vous là, Monsieur? lui dit Mathilde, qui revenait en courant.

Julien était las de se mépriser. Par orgueil, il dit franchement sa pensée. Il rougit beaucoup en parlant de sa pauvreté à une personne aussi riche. Il chercha à bien exprimer par son ton fier qu'il ne demandait rien. Jamais il n'avait semblé aussi joli à Mathilde; elle lui trouva une expression de sensibilité et de franchise qui souvent lui manquait.

A moins d'un mois de là, Julien se promenait pensif dans le jardin de l'hôtel de La Mole; mais sa figure n'avait plus la dureté et la roguerie philosophique qu'y imprimait le sentiment continu de son infériorité. Il venait de reconduire jusqu'à la porte du salon Mlle de La Mole, qui prétendait s'être fait mal au pied en courant avec son frère.

Elle s'est appuyée sur mon bras d'une façon bien singulière ! se disait Julien. Suis-je un fat, ou serait-il vrai qu'elle a du goût pour moi ? Elle m'écoute d'un air si doux, même quand je lui avoue toutes les souffrances de mon orgueil ! Elle qui a tant de fierté avec tout le monde ! On serait bien étonné au salon si on lui voyait cette physionomie. Très certainement cet air doux et bon, elle ne l'a avec personne.

Julien cherchait à ne pas s'exagérer cette singulière amitié. Il la comparait lui-même à un commerce [684] armé. Chaque jour en se retrouvant, avant de reprendre le ton presque intime de la veille, on se demandait presque: Serons-nous aujourd'hui amis ou ennemis? Julien avait compris que se laisser offenser impunément une seule fois par cette fille si hautaine, c'était tout perdre. Si je dois me brouiller, ne vaut-il pas mieux que ce soit de prime abord, en défendant les justes droits de mon orgueil, qu'en repoussant les marques de mépris dont serait bientôt suivi le moindre abandon de ce que je dois à ma dignité personnelle ?

Plusieurs fois, en des jours de mauvaise humeur, Mathilde essaya de prendre avec lui le ton d'une grande dame; elle mettait une rare finesse à ces tentatives, mais Julien les repoussait rudement.

Un jour il l'interrompit brusquement: Mademoiselle de La Mole a-t-elle quelque ordre à donner au secrétaire de son père ? lui dit-il; il doit écouter ses ordres, et les exécuter avec respect; mais du reste, il n'a pas un mot à lui adresser. Il n'est point payé pour lui communiquer ses pensées.

Cette manière d'être et les singuliers doutes[685] qu'avait Julien, firent disparaître l'ennui qu'il trouvait régulièrement dans ce salon si magnifique, mais où l'on avait peur de tout, et où il n'était convenable de plaisanter de rien.

Il serait plaisant qu'elle m'aimât. Qu'elle m'aime ou non, continuait Julien, j'ai pour confidente intime une fille d'esprit, devant laquelle je vois trembler toute la maison, et, plus que tous les autres, le marquis de Croisenois. Ce jeune homme si poli, si doux, si brave, et qui réunit tous les avantages de naissance et de fortune dont un seul me mettrait le cœur si à l'aise ! Il en est amoureux fou, il doit l'épouser. Que de lettres M. de La Mole m'a fait écrire aux deux notaires pour arranger le contrat ! Et moi qui me vois si subalterne la plume à la main, deux heures après, ici dans le jardin, je triomphe de ce jeune homme si aimable: car enfin, les préférences sont frappantes, directes. Peut-être aussi elle hait en lui un mari futur. Elle a assez de hauteur pour cela. Et les bontés qu'elle a pour moi, je les obtiens à titre de confident subalterne.

Mais non, ou je suis fou, ou elle me fait la cour; plus je me montre froid et respectueux avec elle, plus elle me recherche. Ceci pourrait être un parti pris, une affectation; mais je vois ses yeux s'animer quand je parais à l'improviste. Les femmes de Paris savent-elles feindre à ce point ? Que m'importe ! J'ai l'apparence pour moi, jouissons des apparences. Mon Dieu, qu'elle est belle ! Que ses grands yeux bleus me plaisent, vus de près, et me regardant comme ils le font souvent ! Quelle différence de ce printemps-ci à celui de l'année passée, quand je vivais malheureux et me soutenant à force de caractère, au milieu de ces trois cents hypocrites méchants et sales ! J'étais presque aussi méchant qu'eux.

Dans les jours de méfiance: Cette jeune fille se moque de moi, pensait Julien. Elle est d'accord avec son frère pour me mystifier.[686] Mais elle a l'air de tellement mépriser le manque d'énergie de ce frère ! Il est brave, et puis c'est tout, me dit-elle. Il n'a pas une pensée qui ose s'écarter de la mode. C'est toujours moi qui suis obligé de prendre sa défense. Une jeune fille de dix-neuf ans ! A cet âge peut-on être fidèle à chaque instant de la journée à l'hypocrisie qu'on s'est prescrite ?

D'un autre côté, quand Mlle de La Mole fixe sur moi ses grands yeux bleus avec une certaine expression singulière, toujours le comte Norbert s'éloigne. Ceci m'est suspect; ne devrait-il pas s'indigner de ce que sa sœur distingue un *domestique* de leur maison ? Car j'ai entendu le duc de Chaulnes parler ainsi de moi. A ce souvenir la colère remplaçait tout autre sentiment. Est-ce amour du vieux langage[687] chez ce duc maniaque ?

Eh bien, elle est jolie ! continuait Julien avec des regards de tigre. Je l'aurai, je m'en irai ensuite, et malheur à qui me troublera dans ma fuite !

Cette idée devint l'unique affaire de Julien; il ne pouvait plus penser à rien autre chose. Ses journées passaient comme des heures.

A chaque instant, cherchant à s'occuper de quelque affaire sérieuse, sa pensée abandonnait tout, et il se réveillait un quart d'heure après, le cœur palpitant, la tête troublée, et rêvant à cette idée: M'aime-t-elle ?

11. *L'Empire d'une jeune fille*

J'admire sa beauté, mais je crains son esprit.
MÉRIMÉE.[688]

Si Julien eût employé à examiner ce qui se passait dans le salon le temps qu'il mettait à s'exagérer la beauté de Mathilde, ou à se passionner contre la hauteur naturelle à sa famille, qu'elle oubliait pour lui, il eût compris en quoi consistait son empire sur tout ce qui l'entourait. Dès qu'on déplaisait à Mlle de La Mole, elle savait punir par une plaisanterie si mesurée, si bien choisie, si convenable en apparence, lancée si à propos, que la blessure croissait à chaque instant, plus on y réfléchissait. Peu à peu elle devenait atroce pour l'amour-propre offensé. Comme elle n'attachait aucun prix à bien des choses qui étaient des objets de désirs sérieux pour le reste de sa famille, elle paraissait toujours de sang-froid à leurs yeux. Les salons de l'aristocratie sont agréables à citer quand on en sort, mais voilà tout; la politesse toute seule n'est quelque chose par elle-même que les premiers jours. Julien l'éprouvait; après le premier enchantement, le premier étonnement. La politesse, se disait-il, n'est que l'absence de la colère que donneraient les mauvaises manières. Mathilde s'ennuyait souvent, peut-être se fût-elle ennuyée partout. Alors aiguiser une épigramme était pour elle une distraction et un vrai plaisir.

C'était peut-être pour avoir des victimes un peu plus amusantes que ses grands parents,[689] que l'académicien et les cinq ou six autres subalternes qui leur faisaient la cour, qu'elle avait donné des espérances au marquis de Croisenois, au comte de Caylus et deux ou trois autres jeunes gens de la première distinction. Ils n'étaient pour elle que de nouveaux objets d'épigramme.

Nous avouerons avec peine, car nous aimons Mathilde,[690] qu'elle avait reçu des lettres de plusieurs d'entre eux, et leur avait quelquefois répondu. Nous nous hâtons d'ajouter que ce personnage fait exception aux mœurs du siècle. Ce n'est pas en général le manque de prudence que l'on peut reprocher aux élèves du noble couvent du Sacré-Cœur.

Un jour le marquis de Croisenois rendit à Mathilde une lettre assez compromettante qu'elle lui avait écrite la veille. Il croyait par cette marque de haute prudence avancer beaucoup ses affaires. Mais c'était l'imprudence que Mathilde aimait dans ses correspondances. Son plaisir était de jouer son sort. Elle ne lui adressa pas la parole de [691] six semaines.

Elle s'amusait des lettres de ces jeunes gens; mais suivant elle, toutes se ressemblaient. C'était toujours la passion la plus profonde, la plus mélancolique.

— Ils sont tous le même homme parfait, prêt à partir pour la Palestine,[692] disait-elle à sa cousine. Connaissez-vous quelque chose de plus insipide ? Voilà donc les lettres que je vais recevoir toute la vie ! Ces lettres-là ne doivent changer que tous les vingt ans, suivant le genre d'occupation qui est à la mode. Elles devaient être moins décolorées du temps de l'Empire. Alors tous ces jeunes gens du grand monde avaient vu ou fait des actions qui *réellement* avaient de la grandeur. Le duc de N***, mon oncle, a été à Wagram.[693]

— Quel esprit faut-il pour donner un coup de sabre ? Et quand cela leur est arrivé, ils en parlent si souvent ! dit Mlle de Sainte-Hérédité,[694] la cousine de Mathilde.

— Eh bien ! ces récits me font plaisir. Etre dans une *véritable* bataille, une bataille de Napoléon, où l'on tuait dix mille soldats, cela prouve du courage. S'exposer au danger élève l'âme et la sauve de l'ennui où mes pauvres adorateurs semblent plongés; et il est contagieux, cet ennui. Lequel d'entre eux a l'idée de faire quelque chose d'extraordinaire ? Ils cherchent à obtenir ma main, la belle affaire ! Je suis riche, et mon père avancera son gendre. Ah ! pût-il [695] en trouver un qui fût un peu amusant !

La manière de voir vive, nette, pittoresque de Mathilde gâtait son langage comme on voit. Souvent un mot d'elle faisait tache aux yeux de ses amis si polis. Ils se seraient presque avoué, si elle eût été moins à la mode, que son parler avait quelque chose d'un peu coloré[696] pour la délicatesse féminine.

Elle, de son côté, était bien injuste envers les jolis cavaliers qui peuplent le bois de Boulogne.[697] Elle voyait l'avenir non pas avec terreur, c'eût été un sentiment vif, mais avec un dégoût bien rare à son âge.

Que pouvait-elle désirer ? La fortune, la haute naissance, l'esprit, la beauté à ce qu'on disait, et à ce qu'elle croyait, tout avait été accumulé sur elle par les mains du hasard.

Voilà quelles étaient les pensées de l'héritière la plus enviée du faubourg Saint-Germain, quand elle commença à trouver du plaisir à se promener avec Julien. Elle fut étonnée de son orgueil; elle admira l'adresse de ce petit bourgeois. Il saura se faire évêque comme l'abbé Maury,[698] se dit-elle.

Bientôt cette résistance sincère et non jouée, avec laquelle notre héros accueillait plusieurs de ses idées, l'occupa; elle y pensait; elle racontait à son amie les moindres détails des conversations, et trouvait que jamais elle ne parvenait à en bien rendre toute la physionomie.

Une idée l'illumina tout à coup: J'ai le bonheur d'aimer, se dit-elle un jour, avec un transport de joie incroyable. J'aime, j'aime, c'est clair ! A mon âge, une fille jeune, belle, spirituelle, où peut-elle trouver des sensations, si ce n'est dans l'amour ? J'ai beau faire, je n'aurai jamais d'amour pour Croisenois, Caylus, et *tutti quanti.*[699] Ils sont parfaits, trop parfaits peut-être; enfin, ils m'ennuient.

Elle repassa dans sa tête toutes les descriptions de passion qu'elle avait lues dans *Manon Lescaut,*[700] la *Nouvelle Héloïse,* les *Lettres d'une Religieuse portugaise,* etc., etc. Il n'était question, bien entendu, que de la grande passion; l'amour léger était indigne d'une fille de son âge et de sa naissance. Elle ne donnait le nom d'amour qu'à ce sentiment héroïque que l'on rencontrait en France du temps de Henri III et de Bassompierre.[701] Cet amour-là ne cédait point bassement aux obstacles; mais, bien loin de là, faisait faire de grandes choses. Quel malheur pour moi qu'il n'y ait pas une cour véritable comme celle de Catherine de Médicis ou de Louis XIII ! Je me sens au niveau de tout ce qu'il y a de plus hardi et de plus grand. Que ne ferais-je pas d'un roi homme de cœur, comme Louis XIII, soupirant à mes pieds ! Je le mènerais en Vendée,[702] comme dit si souvent le baron de Tolly, et de là il reconquerrait son royaume; alors plus de charte ... et Julien me seconderait. Que lui manque-t-il ? un nom et de la fortune. Il se ferait un nom, il acquerrait de la fortune.

Rien ne manque à Croisenois, et il ne sera toute sa vie qu'un duc à demi ultra, à demi libéral, un être indécis toujours éloigné des extrêmes, et *par conséquent se trouvant le second partout.*

Quelle est la grande action qui ne soit pas *un extrême* au moment où on l'entreprend ? C'est quand elle est accomplie qu'elle semble possible aux êtres du commun. Oui, c'est l'amour avec tous ses miracles qui va régner dans mon cœur; je le sens au [703] feu qui m'anime. Le ciel me devait cette faveur. Il n'aura pas en vain accumulé sur un seul être tous les avantages. Mon bonheur sera digne de moi. Chacune de mes journées ne ressemblera pas froidement à celle de la veille. Il y a déjà de la grandeur et de l'audace à oser aimer un homme placé si loin de moi par sa position sociale. Voyons: continuera-t-il à me mériter ? A la première faiblesse que je vois en lui, je l'abandonne. Une fille de ma naissance, et avec le caractère chevaleresque que l'on veut bien m'accorder (c'était un mot de son père), ne doit pas se conduire comme une sotte.

N'est-ce pas là le rôle que je jouerais si j'aimais le marquis de Croisenois ? J'aurais une nouvelle édition du bonheur de mes cousines, que je méprise si complètement. Je sais d'avance tout ce que me dirait le pauvre marquis, tout ce que j'aurais à lui répondre. Qu'est-ce qu'un amour qui fait bâiller ? autant vaudrait être dévote. J'aurais une signature de contrat comme celle de la cadette de mes cousines, où les grands-parents s'attendriraient, si pourtant ils n'avaient pas d'humeur à cause d'une dernière condition introduite la veille dans le contrat par le notaire de la partie adverse.

12. Serait-ce un Danton?

> Le besoin d'anxiété, *tel était le caractère de la belle Marguerite de Valois, ma tante qui bientôt épousa le roi de Navarre, que nous voyons de présent régner en France sous le nom de Henry IVme. Le besoin de jouer*[704] *formait tout le secret du caractère de cette princesse aimable; de là ses brouilles et ses raccommodements avec ses frères dès l'âge de seize ans. Or, que peut jouer une jeune fille? Ce qu'elle a de plus précieux: sa réputation, la considération de toute sa vie.*
>
> Mémoires du duc d'ANGOULÊME,
> fils naturel de Charles IX.[705]

Entre Julien et moi il n'y a point de signature de contrat, point de notaire, tout est héroïque, tout sera fils du hasard. A la noblesse près, qui lui manque, c'est l'amour de Marguerite de Valois pour le jeune La Mole, l'homme le plus distingué de son temps. Est-ce ma faute à moi si les jeunes gens de la cour sont de si grands partisans du *convenable*, et pâlissent à la seule idée de la moindre aventure un peu singulière ? Un petit voyage en Grèce ou en Afrique[706] est pour eux le comble de l'audace, et encore ne savent-ils marcher qu'en troupe. Dès qu'ils se voient seuls, ils ont peur, non de la lance du Bédouin, mais du ridicule, et cette peur les rend fous.

Mon petit Julien, au contraire, n'aime à agir que seul. Jamais, dans cet être privilégié, la moindre idée de chercher de l'appui et du secours dans les autres ! Il méprise les autres, c'est pour cela que je ne le méprise pas.

Si, avec sa pauvreté, Julien était noble, mon amour ne serait qu'une sottise vulgaire, une mésalliance plate; je n'en voudrais pas; il n'aurait point ce qui caractérise les grandes passions: l'immensité de la difficulté à vaincre et la noire incertitude de l'événement.[707]

Mlle de La Mole était si préoccupée de ces beaux raisonnements, que le lendemain, sans s'en douter, elle vantait Julien au marquis de Croisenois et à son frère. Son éloquence alla si loin, qu'elle les piqua.

— Prenez bien garde à ce jeune homme, qui a tant d'énergie, s'écria son frère; si la révolution recommence, il nous fera tous guillotiner.

Elle se garda de répondre, et se hâta de plaisanter son frère et le marquis de Croisenois sur la peur que leur faisait l'énergie. Ce n'est au fond que la peur de rencontrer l'imprévu, que la crainte de rester court en présence de l'imprévu ...

— Toujours, toujours, Messieurs, la peur du ridicule, monstre qui, par malheur, est mort en 1816.

Il n'y a plus de ridicule, disait M. de La Mole, dans un pays où il y a deux partis.[708]

Sa fille avait compris cette idée.

— Ainsi, Messieurs, disait-elle aux ennemis de Julien, vous aurez eu bien peur toute votre vie, et après on vous dira:

Ce n'était pas un loup, ce n'en était que l'ombre.[709]

Mathilde les quitta bientôt. Le mot de son frère lui faisait horreur; il l'inquiéta beaucoup; mais, dès le lendemain, elle y voyait la plus belle des louanges.

Dans ce siècle, où toute énergie est morte, son énergie leur fait peur. Je lui dirai le mot de mon frère; je veux voir la réponse qu'il y fera. Mais je choisirai un des moments où ses yeux brillent. Alors il ne peut me mentir.

— Ce serait un Danton ! ajouta-t-elle après une longue et indistincte rêverie. Eh bien ! la révolution aurait [710] recommencé. Quels rôles joueraient alors Croisenois et mon frère ? Il est écrit d'avance: La résignation sublime. Ce seraient des moutons héroïques, se laissant égorger sans mot dire. Leur seule peur en mourant serait encore d'être de mauvais goût. Mon petit Julien brûlerait la cervelle au jacobin qui viendrait l'arrêter, pour peu qu'il eût l'espérance de se sauver. Il n'a pas peur d'être de mauvais goût, lui.

Ce dernier mot la rendit pensive; il réveillait de pénibles souvenirs, et lui ôta toute sa hardiesse. Ce mot lui rappelait les plaisanteries de MM. de Caylus, de Croisenois, de Luz et de son frère. Ces Messieurs reprochaient unanimement à Julien l'air *prêtre:* humble et hypocrite.

— Mais, reprit-elle tout à coup, l'œil brillant de joie, l'amertume et la fréquence de leurs plaisanteries prouvent, en dépit d'eux, que c'est l'homme le plus distingué que nous ayons vu cet hiver. Qu'importent ses défauts, ses ridicules? Il a de la grandeur, et ils en sont choqués, eux d'ailleurs si bons et si indulgents. Il [710a] est sûr qu'il est pauvre, et qu'il a étudié pour être prêtre; eux sont chefs d'escadron, et n'ont pas eu besoin d'étude; c'est plus commode.

Malgré tous les désavantages de son éternel habit noir et de cette physionomie de prêtre, qu'il lui faut bien avoir, le pauvre garçon, sous peine de mourir de faim, son mérite leur fait peur, rien de plus clair. Et cette physionomie de prêtre, il ne l'a plus dès que nous sommes quelques instants seuls ensemble. Et quand ces messieurs disent un mot qu'ils croient fin et imprévu, leur premier regard n'est-il pas pour Julien? Je l'ai fort bien remarqué. Et pourtant ils savent bien que jamais il ne leur parle, à moins d'être interrogé. Ce n'est qu'à moi qu'il adresse la parole, il me croit l'âme haute. Il ne répond à leurs objections que juste autant qu'il faut pour être poli. Il tourne au respect tout de suite. Avec moi, il discute des heures entières, il n'est pas sûr de ses idées tant que j'y trouve la moindre objection. Enfin tout cet hiver nous n'avons pas eu de coups de fusil;[711] il ne s'est agi que d'attirer l'attention par des paroles. Eh bien, mon père, homme supérieur, et qui portera loin la fortune de notre maison, respecte Julien. Tout le reste le hait, personne ne le méprise, que [712] les dévotes amies de ma mère.

Le comte de Caylus avait ou feignait une grande passion pour les chevaux; il passait sa vie dans son écurie, et souvent y déjeunait. Cette grande passion, jointe à l'habitude de ne jamais rire, lui donnait beaucoup de considération parmi ses amis: c'était l'aigle de ce petit cercle.

Dès qu'il fut réuni le lendemain derrière la bergère de Mme de La Mole, Julien n'étant point présent, M. de

Caylus, soutenu par Croisenois et par Norbert, attaqua vivement la bonne opinion que Mathilde avait de Julien, et cela sans à-propos, et presque au premier moment où il vit Mlle de La Mole. Elle comprit cette finesse [713] d'une lieue, et en fut charmée.

Les voilà tous ligués, se dit-elle, contre un homme de génie qui n'a pas dix louis de rente, et qui ne peut leur répondre qu'autant qu'il est interrogé. Ils en ont peur sous son habit noir. Que serait-ce avec [714] des épaulettes ?

Jamais elle n'avait été plus brillante. Dès les premières attaques, elle couvrit de sarcasmes plaisants Caylus et ses alliés. Quand le feu des plaisanteries de ces brillants officiers fut éteint:

— Que demain quelque hobereau des montagnes de la Franche-Comté, dit-elle à M. de Caylus, s'aperçoive que Julien est son fils naturel, et lui donne un nom et quelques milliers de francs, dans six semaines il a des moustaches comme vous, messieurs; dans six mois il est officier de housards comme vous, messieurs. Et alors la grandeur de son caractère n'est plus un ridicule. Je vous vois réduit, Monsieur le duc futur, à cette ancienne mauvaise raison: la supériorité de la noblesse de cour sur la noblesse de province. Mais que vous restera-t-il, si je veux vous pousser à bout, si j'ai la malice de donner pour père à Julien un duc espagnol, prisonnier de guerre à Besançon du temps de Napoléon, et qui, par scrupule de conscience, le reconnaît à son lit de mort ?

Toutes ces suppositions de naissance non légitime furent trouvées d'assez mauvais goût par MM. de Caylus et de Croisenois. Voilà tout ce qu'ils virent dans le raisonnement de Mathilde.

Quelque dominé que fût Norbert, les paroles de sa sœur étaient si claires, qu'il prit un air grave qui allait assez mal, il faut l'avouer, à sa physionomie souriante et bonne. Il osa dire quelques mots.

— Etes-vous malade, mon ami ? lui répondit Mathilde d'un petit air sérieux. Il faut que vous soyez bien mal pour répondre à des plaisanteries par de la morale.

De la morale, vous ! est-ce que vous sollicitez une place de préfet ?

Mathilde oublia bien vite l'air piqué du comte de Caylus, l'humeur de Norbert et le désespoir silencieux de M. de Croisenois. Elle avait à prendre un parti sur une idée fatale qui venait de saisir son âme.

Julien est assez sincère avec moi, se dit-elle; à son âge, dans une fortune inférieure, malheureux comme il l'est par une ambition étonnante, on a besoin d'une amie. Je suis peut-être cette amie; mais je ne lui vois point d'amour. Avec l'audace de son caractère, il m'eût parlé de cet amour.

Cette incertitude, cette discussion avec soi-même, qui dès cet instant occupa chacun des instants de Mathilde, et pour laquelle, à chaque fois que Julien lui parlait, elle se trouvait de nouveaux arguments, chassa tout à fait ces moments d'ennui auxquels elle était tellement sujette.

Fille d'un homme d'esprit qui pouvait devenir ministre, et rendre ses bois [715] au clergé, Mlle de La Mole avait été, au couvent du Sacré-Cœur, l'objet des flatteries les plus excessives. Ce malheur jamais ne se compense. On lui avait persuadé qu'à cause de tous ces avantages de naissance, de fortune, etc., elle devait être plus heureuse qu'une autre. C'est la source de l'ennui des princes et de toutes leurs folies.

Mathilde n'avait point échappé à la funeste influence de cette idée. Quelque esprit qu'on ait, l'on n'est pas en garde à dix ans contre les flatteries de tout un couvent, et aussi bien fondées en apparence.

Du moment qu'elle eut décidé qu'elle aimait Julien, elle ne s'ennuya plus. Tous les jours elle se félicitait du parti qu'elle avait pris de se donner une grande passion. Cet amusement a bien des dangers, pensait-elle. Tant mieux ! mille fois tant mieux !

Sans grande passion, j'étais languissante d'ennui au plus beau moment de la vie, de seize ans jusqu'à vingt. J'ai déjà perdu mes plus belles années; obligée pour tout plaisir à entendre déraisonner les amies de ma mère, qui, à Coblentz [716] en 1792, n'étaient pas tout à fait, dit-on, aussi sévères que leurs paroles d'aujourd'hui.

C'était pendant que ces grandes incertitudes agitaient Mathilde que Julien ne comprenait pas ses longs regards qui s'arrêtaient sur lui. Il trouvait bien un redoublement de froideur dans les manières du comte Norbert, et un nouvel accès de hauteur dans celles de MM. de Caylus, de Luz et de Croisenois. Il y était accoutumé. Ce malheur lui arrivait quelquefois à la suite d'une soirée où il avait brillé plus qu'il ne convenait à sa position. Sans l'accueil particulier que lui faisait Mathilde, et la curiosité que tout cet ensemble lui inspirait, il eût évité de suivre au jardin ces brillants jeunes gens à moustaches, lorsque les après-dînées ils y accompagnaient Mlle de La Mole.

Oui, il est impossible que je me le dissimule, se disait Julien, Mlle de La Mole me regarde d'une façon singulière. Mais, même quand ses beaux yeux bleus fixés sur moi sont ouverts avec le plus d'abandon, j'y lis toujours un fond d'examen, de sang-froid et de méchanceté. Est-il possible que ce soit là de l'amour ? Quelle différence avec les regards de Mme de Rênal !

Une après-dînée, Julien, qui avait suivi M. de La Mole dans son cabinet, revenait rapidement au jardin. Comme il approchait sans précaution du groupe de Mathilde, il surprit quelques mots prononcés très haut. Elle tourmentait son frère. Julien entendit son nom prononcé distinctement deux fois. Il parut; un silence profond s'établit tout à coup, et l'on fit de vains efforts pour le faire cesser. Mlle de La Mole et son frère étaient trop animés pour trouver un autre sujet de conversation. MM. de Caylus, de Croisenois, de Luz et un de leurs amis parurent à Julien d'un froid de glace. Il s'éloigna.

13. Un Complot

Des propos décousus, des rencontres par effet du hasard se transforment en preuves de la dernière évidence aux yeux de l'homme à imagination s'il a quelque feu dans le cœur.

SCHILLER.[717]

Le lendemain, il surprit encore Norbert et sa sœur, qui parlaient de lui. A son arrivée, un silence de mort s'établit, comme la veille. Ses soupçons n'eurent plus de bornes. Ces aimables jeunes gens auraient-ils entrepris de se moquer de moi ? Il faut avouer que cela est beaucoup plus probable, beaucoup plus naturel qu'une prétendue passion de Mlle de La Mole pour un pauvre diable de secrétaire. D'abord ces gens-là ont-ils des passions ? Mystifier est leur fort. Ils sont jaloux de ma pauvre petite supériorité de paroles. Etre jaloux est encore un de leurs faibles. Tout s'explique dans ce système. Mlle de La Mole veut me persuader qu'elle me distingue, tout simplement pour me donner en spectacle à son prétendu.

Ce cruel soupçon changea toute la position morale de Julien. Cette idée trouva dans son cœur un commencement d'amour qu'elle n'eut pas de peine à détruire. Cet amour n'était fondé que sur la rare beauté de Mathilde, ou plutôt sur ses façons de reine et sa toilette admirable. En cela Julien était encore un parvenu. Une jolie femme du grand monde est, à ce qu'on assure, ce qui étonne le plus un paysan homme d'esprit, quand il arrive aux premières classes de la société. Ce n'était point le caractère de Mathilde qui faisait rêver Julien les jours précédents. Il avait assez de sens pour comprendre qu'il ne connaissait point ce caractère. Tout ce qu'il en voyait pouvait n'être qu'une apparence.

Par exemple, pour tout au monde, Mathilde n'aurait pas manqué la messe un dimanche; presque tous les jours elle y accompagnait sa mère. Si, dans le salon de l'hôtel de La Mole, quelque imprudent oubliait le lieu où il était, et se permettait l'allusion la plus éloignée à une plaisanterie contre les intérêts vrais ou supposés du trône ou de l'autel, Mathilde devenait à l'instant d'un sérieux de glace. Son regard, qui était si piquant, reprenait toute la hauteur impassible d'un vieux portrait de famille.

Mais Julien s'était assuré qu'elle avait toujours dans sa chambre un ou deux des volumes les plus philosophiques de Voltaire. Lui-même volait souvent quelques tomes de la belle édition si magnifiquement reliée. En écartant un peu chaque volume de son voisin, il cachait l'absence de celui qu'il emportait, mais bientôt il s'aperçut qu'une autre personne lisait Voltaire. Il eut recours à une finesse de séminaire, il plaça quelques petits morceaux de crin sur les volumes qu'il supposait pouvoir intéresser Mlle. de La Mole. Ils disparaissaient pendant des semaines entières.

M. de La Mole, impatienté contre son libraire, qui lui envoyait tous les *faux Mémoires,* chargea Julien d'acheter toutes les nouveautés un peu piquantes. Mais, pour que le venin ne se répandît pas dans la maison, le secrétaire avait l'ordre de déposer ces livres dans une petite bibliothèque placée dans la chambre même du marquis. Il eut bientôt la certitude que pour peu que ces livres nouveaux fussent hostiles aux intérêts du trône et de l'autel, ils ne tardaient pas à disparaître. Certes, ce n'était pas Norbert qui lisait.

Julien, s'exagérant cette expérience, croyait à Mlle de La Mole la duplicité de Machiavel. Cette scélératesse prétendue était un charme à ses yeux, presque l'unique charme moral qu'elle eût. L'ennui de l'hypocrisie et des propos de vertu le jetait dans ces excès.

Il excitait son imagination plus qu'il n'était entraîné par son amour.

C'était après s'être perdu en rêveries sur l'élégance de la taille de Mlle de La Mole, sur l'excellent goût de sa toilette, sur la blancheur de sa main, sur la beauté de son bras, sur la *disinvoltura* [718] de tous ses mouvements, qu'il se trouvait amoureux. Alors, pour achever le charme, il la croyait une Catherine de Médicis. Rien n'était trop profond ou trop scélérat pour le caractère qu'il prêtait. C'était l'idéal des

Maslon, des Frilair et des Castanède par lui admirés dans sa jeunesse. C'était en un mot pour lui l'idéal de Paris.

Y eut-il jamais rien de plus plaisant que de croire de la profondeur ou de la scélératesse au caractère parisien ?

Il est possible que ce *trio* se moque de moi, pensait Julien. On connaît bien peu son caractère, si l'on ne voit pas déjà l'expression sombre et froide que prirent ses regards en répondant à ceux de Mathilde. Une ironie amère repoussa les assurances d'amitié que Mlle de La Mole étonnée osa hasarder deux ou trois fois.

Piqué par cette bizarrerie soudaine, le cœur de cette jeune fille naturellement froid, ennuyé, sensible à l'esprit,[719] devint aussi passionné qu'il était dans sa nature de l'être. Mais il y avait aussi beaucoup d'orgueil dans le caractère de Mathilde, et la naissance d'un sentiment qui faisait dépendre d'un autre tout son bonheur fut accompagnée d'une sombre tristesse.

Julien avait déjà assez profité depuis son arrivée à Paris pour distinguer que ce n'était pas là la tristesse sèche de l'ennui. Au lieu d'être avide, comme autrefois, de soirées, de spectacles et de distractions de tous genres, elle les fuyait.

La musique chantée par des Français ennuyait Mathilde à la mort, et cependant Julien, qui se faisait un devoir d'assister à la sortie de l'Opéra, remarqua qu'elle s'y faisait mener le plus souvent qu'elle pouvait. Il crut distinguer qu'elle avait perdu un peu de la mesure parfaite qui brillait dans toutes ses actions. Elle répondait quelquefois à ses amis par des plaisanteries outrageantes à force de piquante énergie. Il lui sembla qu'elle prenait en guignon le marquis de Croisenois. Il faut que ce jeune homme aime furieusement l'argent, pour ne pas planter là cette fille, si riche qu'elle soit ! pensait Julien. Et pour lui, indigné des outrages faits à la dignité masculine, il redoublait de froideur envers elle. Souvent il alla jusqu'aux réponses peu polies.

Quelque résolu qu'il fût à ne pas être dupe des marques d'intérêt de Mathilde, elles étaient si évidentes de certains jours, et Julien, dont les yeux commençaient à se dessiller,[720] la trouvait si jolie, qu'il en était quelquefois embarrassé.

L'adresse et la longanimité de ces jeunes gens du grand monde finiraient par triompher de mon peu d'expérience, se dit-il; il faut partir et mettre un terme à tout ceci. Le marquis venait de lui confier l'administration d'une quantité de petites terres et de maisons qu'il possédait dans le bas Languedoc.[721] Un voyage était nécessaire: M. de La Mole y consentit avec peine. Excepté pour les matières de haute ambition, Julien était devenu un autre lui-même.

Au bout du compte, ils ne m'ont point attrapé, se disait Julien en préparant son départ. Que les plaisanteries que Mlle de La Mole fait à ces messieurs soient réelles ou seulement destinées à m'inspirer de la confiance, je m'en suis amusé.

S'il n'y a pas conspiration contre le fils du charpentier, Mlle de La Mole est inexplicable, mais elle l'est pour le marquis de Croisenois du moins autant que pour moi. Hier, par exemple, son humeur était bien réelle, et j'ai eu le plaisir de faire bouquer [722] par ma faveur un jeune homme aussi noble et aussi riche que je suis gueux et plébéien. Voilà le plus beau de mes triomphes; il m'égaiera dans ma chaise de poste, en courant les plaines du Languedoc.

Il avait fait de son départ un secret, mais Mathilde savait mieux que lui qu'il allait quitter Paris le lendemain, et pour longtemps. Elle eut recours à un mal de tête fou, qu'augmentait l'air étouffé du salon. Elle se promena beaucoup dans le jardin, et poursuivit tellement de ses plaisanteries mordantes Norbert, le marquis de Croisenois, Caylus, de Luz et quelques autres jeunes gens qui avaient dîné à l'hôtel de La Mole, qu'elle les força de partir. Elle regardait Julien d'une façon étrange.

Ce regard est peut-être une comédie, pensa Julien; mais cette respiration pressée, mais tout ce trouble ! Bah ! se dit-il, qui suis-je pour juger de toutes ces choses ? Il s'agit ici de ce qu'il y a de plus sublime et de plus fin parmi les femmes de Paris. Cette respiration pressée qui a été sur le point de me toucher, elle l'aura étudiée chez Léontine Fay [723] qu'elle aime tant.

Ils étaient restés seuls; la conversation languissait évidemment. Non ! Julien ne sent rien pour moi, se disait Mathilde vraiment malheureuse.

Comme il prenait congé d'elle, elle lui serra le bras avec force:

— Vous recevrez ce soir une lettre de moi, lui dit-elle d'une voix tellement altérée, que le son n'en était pas reconnaissable.

Cette circonstance toucha sur-le-champ Julien.

— Mon père, continua-t-elle, a une juste estime pour les services que vous lui rendez. *Il faut* ne pas partir demain; trouvez un prétexte. Et elle s'éloigna en courant.

Sa taille était charmante. Il était impossible d'avoir un plus joli pied, elle courait avec une grâce qui ravit Julien; mais devinerait-on à quoi fut sa seconde pensée après qu'elle eut tout à fait disparu ? Il fut offensé du ton impératif avec lequel elle avait dit ce mot *il faut*. Louis XV aussi, au moment de mourir, fut vivement piqué du mot *il faut*, maladroitement employé par son premier médecin, et Louis XV pourtant n'était pas un parvenu.

Une heure après, un laquais remit une lettre à Julien; c'était tout simplement une déclaration d'amour.

Il n'y a pas trop d'affectation dans le style, se dit Julien, cherchant par ses remarques littéraires à contenir la joie qui contractait ses joues et le forçait à rire malgré lui.

Enfin moi, s'écria-t-il tout à coup, la passion étant trop forte pour être contenue, moi, pauvre paysan, j'ai donc une déclaration d'amour d'une grande dame !

Quant à moi, ce n'est pas mal, ajouta-t-il en comprimant sa joie le plus possible. J'ai su conserver la dignité de mon caractère. Je n'ai point dit que j'aimais. Il se mit à étudier la forme des caractères; Mlle de La Mole avait une jolie petite écriture anglaise.[724] Il avait besoin d'une occupation physique pour se distraire d'une joie qui allait jusqu'au délire.

« Votre départ m'oblige à parler ... Il serait au-dessus de mes forces de ne plus vous voir. »

Une pensée vint frapper Julien comme une découverte, interrompre l'examen qu'il faisait de la lettre de Mathilde, et redoubler sa joie. Je l'emporte sur le marquis de Croisenois, s'écria-t-il, moi, qui ne dis que des choses sérieuses ! Et lui est si joli ! il a des moustaches, un charmant uniforme; il trouve toujours à dire, juste au moment convenable, un mot spirituel et fin.

Julien eut un instant délicieux; il errait à l'aventure dans le jardin, fou de bonheur.

Plus tard il monta à son bureau et se fit annoncer chez le marquis de La Mole, qui heureusement n'était pas sorti. Il lui prouva facilement, en lui montrant quelques papiers marqués [725] arrivés de Normandie, que le soin des procès normands l'obligeait à différer son départ pour le Languedoc.

— Je suis bien aise que vous ne partiez pas, lui dit le marquis, quand ils eurent fini de parler d'affaires, *j'aime à vous voir*. Julien sortit; ce mot le gênait.

Et moi, je vais séduire sa fille ! rendre impossible peut-être ce mariage avec le marquis de Croisenois, qui fait le charme de son avenir: s'il n'est pas duc, du moins sa fille aura un tabouret. Julien eut l'idée de partir pour le Languedoc malgré la lettre de Mathilde, malgré l'explication donnée au marquis. Cet éclair de vertu disparut bien vite.

Que je suis bon,[726] se dit-il; moi, plébéien, avoir pitié d'une famille de ce rang ! Moi, que le duc de Chaulnes appelle un domestique ! Comment le marquis augmente-t-il son immense fortune ? En vendant de la rente, quand il apprend au Château qu'il y aura le lendemain apparence de coup d'Etat. Et moi, jeté au dernier rang par une Providence marâtre, moi à qui elle a donné un cœur noble et pas mille francs de rente, c'est-à-dire pas de pain, *exactement parlant pas de pain;* moi, refuser un plaisir qui s'offre ! Une source limpide qui vient étancher ma soif dans le désert brûlant de la médiocrité que je traverse si péniblement ! Ma foi, pas si bête; chacun pour soi dans ce désert d'égoïsme qu'on appelle la vie.

Et il se rappela quelques regards remplis de dédain, à lui adressés par Mme de La Mole, et surtout par les *dames* ses amies.

Le plaisir de triompher du marquis de Croisenois vint achever la déroute de ce souvenir de vertu.

Que je voudrais qu'il se fâchât ! [727] dit Julien; avec quelle assurance je lui donnerais maintenant un coup d'épée. Et il faisait le geste du coup de seconde.[728] Avant ceci, j'étais un cuistre, abusant bassement d'un peu de courage.[729] Après cette lettre, je suis son égal.

Oui, se disait-il avec une volupté infinie et en parlant lentement, nos mérites, au marquis et à moi, ont été pesés, et le pauvre charpentier du Jura l'emporte.

Bon ! s'écria-t-il, voilà la signature de ma réponse trouvée.[730] N'allez pas vous figurer, Mlle de La Mole, que j'oublie mon état. Je vous ferai comprendre et bien sentir que c'est pour le fils d'un charpentier que vous trahissez un descendant du fameux Guy de Croisenois, qui suivit saint Louis à la croisade.

Julien ne pouvait contenir sa joie. Il fut obligé de descendre au jardin. Sa chambre, où il s'était enfermé à clef, lui semblait trop étroite pour y respirer.

Moi, pauvre paysan du Jura, se répétait-il sans cesse, moi, condamné à porter toujours ce triste habit noir ! Hélas ! vingt ans plus tôt, j'aurais porté l'uniforme comme eux ! Alors un homme comme moi était tué, ou *général à trente-six ans.*[731] Cette lettre, qu'il tenait serrée dans sa main, lui donnait la taille et l'attitude d'un héros. Maintenant, il est vrai, avec cet habit noir, à quarante ans, on a cent mille francs d'appointements et le cordon bleu, comme M. l'évêque de Beauvais.[732]

Eh bien ! se dit-il en riant comme Méphistophélès,[733] j'ai plus d'esprit qu'eux; je sais choisir l'uniforme de mon siècle. Et il sentit redoubler son ambition et son attachement à l'habit ecclésiastique. Que de cardinaux nés plus bas que moi et qui ont gouverné ! mon compatriote Granvelle,[734] par exemple.

Peu à peu l'agitation de Julien se calma; la prudence surnagea. Il se dit, comme son maître Tartufe, dont il savait le rôle par cœur:

> Je puis croire ces mots, un artifice honnête.[735]
> . . . .
> Je ne me fierai point à des propos si doux,
> Qu'un peu de *ses* faveurs, après quoi je soupire,[736]
> Ne vienne m'assurer tout ce qu'ils m'ont pu dire.
>
> *Tartufe,* acte IV, scène v.

Tartufe aussi fut perdu par une femme, et il en valait bien un autre...[737] Ma réponse peut être montrée...[738] à quoi nous trouvons ce remède, ajouta-t-il en prononçant lentement, et avec l'accent de la férocité qui se contient, nous la commençons par les phrases les plus vives de la lettre de la sublime Mathilde.

Oui, mais quatre laquais de M. de Croisenois se précipitent sur moi et m'arrachent l'original.

Non, car je suis bien armé, et j'ai l'habitude, comme on sait, de faire feu sur les laquais.

Eh bien, l'un d'eux a du courage; il se précipite sur moi. On lui a promis cent napoléons. Je le tue ou je le blesse, à la bonne heure, c'est ce qu'on demande. On me jette en prison fort légalement; je parais en police correctionnelle, et l'on m'envoie, avec toute justice et équité de la part des juges, tenir compagnie dans Poissy à MM. Fontan et Magalon.[739] Là, je couche avec quatre cents gueux pêle-mêle... Et j'aurais quelque pitié de ces gens-là, s'écria-t-il en se levant impétueusement! En ont-ils pour les gens du tiers état quand ils les tiennent! Ce mot fut le dernier soupir de sa reconnaissance pour M. de La Mole qui, malgré lui, le tourmentait jusque-là.

Doucement, messieurs les gentilshommes, je comprends ce petit trait de machiavélisme; l'abbé Maslon ou M. Castanède du séminaire n'auraient pas mieux fait. Vous m'enlèverez la lettre *provocatrice,* et je serai le second tome[740] du colonel Caron[741] à Colmar.

Un instant, messieurs, je vais envoyer la lettre fatale en dépôt dans un paquet bien cacheté à M. l'abbé Pirard. Celui-là est honnête homme, janséniste, et en cette qualité à l'abri des séductions du budget.[742] Oui, mais il ouvre les lettres... c'est à Fouqué que j'enverrai celle-ci.

Il faut en convenir, le regard de Julien était atroce, sa physionomie hideuse; elle respirait le crime sans alliage. C'était l'homme malheureux en guerre avec toute la société.

Aux armes! s'écria Julien. Et il franchit d'un saut les marches du perron de l'hôtel. Il entra dans l'échoppe de l'écrivain du coin de la rue, il lui fit peur. Copiez, lui dit-il en lui donnant la lettre de Mlle de La Mole.

Pendant que l'écrivain travaillait, il écrivit lui-même à Fouqué; il le priait de lui conserver un dépôt précieux. Mais, se dit-il en s'interrompant, le cabinet noir à la poste[743] ouvrira ma lettre et vous rendra celle que vous cherchez...; non, messieurs. Il alla acheter une énorme Bible chez un libraire protestant,[744] cacha fort adroitement la lettre de Mathilde dans la couverture, fit emballer le tout, et son paquet partit par la diligence, adressé à un des ouvriers de Fouqué, dont personne à Paris ne savait le nom.

Cela fait, il rentra joyeux et leste à l'hôtel de La Mole. *A nous!*[745] maintenant, s'écria-t-il, en s'enfermant à clef dans sa chambre, et jetant son habit:

« Quoi ! mademoiselle, écrivait-il à Mathilde, c'est Mlle de La Mole qui, par les mains d'Arsène, laquais de son père, fait remettre une lettre trop séduisante à un pauvre charpentier du Jura, sans doute pour se jouer de sa simplicité... »[746] Et il transcrivait les phrases les plus claires de la lettre qu'il venait de recevoir.

La sienne eût fait honneur à la prudence diplomatique de M. le chevalier de Beauvoisis. Il n'était encore que dix heures; Julien, ivre de bonheur et du sentiment de sa puissance, si nouveau pour un pauvre diable, entra à l'Opéra italien.[747] Il entendit chanter son ami Geronimo. Jamais la musique ne l'avait exalté à ce point. Il était un dieu.[748]

14. *Pensées d'une jeune fille*

> *Que de perplexités! Que de nuits passées sans sommeil! Grand Dieu! vais-je me rendre méprisable? Il me méprisera lui-même. Mais il part, il s'éloigne.*
>
> ALFRED DE MUSSET.[749]

Ce n'était point sans combats que Mathilde avait écrit. Quel qu'eût été le commencement de son intérêt pour Julien, bientôt il domina l'orgueil qui, depuis qu'elle se connaissait, régnait seul dans son cœur. Cette âme haute et froide était emportée pour la première fois par un sentiment passionné. Mais s'il dominait l'orgueil, il était encore fidèle aux habitudes de l'orgueil. Deux mois de combats et de sensations nouvelles renouvelèrent pour ainsi dire tout son être moral.

Mathilde croyait voir le bonheur. Cette vue toute-puissante sur les âmes courageuses, liées [750] à un esprit supérieur, eut à lutter longuement contre la dignité et tous sentiments de devoirs vulgaires. Un jour, elle entra chez sa mère, dès sept heures du matin, la priant de lui permettre de se réfugier à Villequier. La marquise ne daigna pas même lui répondre, et lui conseilla d'aller se remettre au lit. Ce fut le dernier effort de la sagesse vulgaire et de la déférence aux idées reçues.[751]

La crainte de mal faire et de heurter les idées tenues pour sacrées par les Caylus, les de Luz, les Croisenois avait assez peu d'empire sur son âme; de tels êtres ne lui semblaient pas faits pour la comprendre; elle les eût consultés s'il eût été question d'acheter une calèche ou une terre. Sa véritable terreur était que Julien ne fût mécontent d'elle.

Peut-être aussi n'a-t-il que les apparences d'un homme supérieur?

Elle abhorrait le manque de caractère, c'était sa seule objection contre les beaux jeunes gens qui l'entouraient.

Plus ils plaisantaient avec grâce tout ce qui s'écarte de la mode, ou la suit mal, croyant la suivre, plus ils se perdaient à ses yeux.

Ils étaient braves, et voilà tout. Et encore, comment braves ? se disait-elle : en duel, mais le duel n'est plus qu'une cérémonie. Tout en est su d'avance, même ce que l'on doit dire en tombant. Etendu sur le gazon, et la main sur le cœur, il faut un pardon généreux pour l'adversaire et un mot pour une belle souvent imaginaire, ou bien qui va au bal le jour de votre mort, de peur d'exciter les soupçons.

On brave le danger à la tête d'un escadron tout brillant d'acier, mais le danger solitaire, singulier, imprévu, vraiment laid ?

Hélas ! se disait Mathilde, c'était à la cour de Henri III que l'on trouvait des hommes grands par le caractère comme par la naissance ! Ah ! si Julien avait servi à Jarnac ou à Moncontour,[752] je n'aurais plus de doute. En ces temps de vigueur et de force, les Français n'étaient pas des poupées. Le jour de la bataille était presque celui des moindres perplexités.

Leur vie n'était pas emprisonnée comme une momie d'Egypte, sous une enveloppe toujours commune à tous, toujours la même. Oui, ajoutait-elle, il y avait plus de vrai courage à se retirer seul à onze heures du soir, en sortant de l'hôtel de Soissons,[753] habité par Catherine de Médicis, qu'aujourd'hui à courir à Alger. La vie d'un homme était une suite de hasards. Maintenant la civilisation a chassé le hasard, plus d'imprévu. S'il paraît dans les idées, il n'est pas assez d'épigrammes pour lui ; s'il paraît dans les événements, aucune lâcheté n'est au-dessus [753a] de notre peur. Quelque folie que nous fasse faire la peur, elle est excusée. Siècle dégénéré et ennuyeux ! Qu'aurait dit Boniface de La Mole, si, levant hors de la tombe sa tête coupée, il eût vu, en 1793, dix-sept de ses descendants se laisser prendre comme des moutons, pour être guillotinés deux jours après ? La mort était certaine, mais il eût été de mauvais ton de se défendre et de tuer au moins un jacobin ou deux. Ah ! dans les temps héroïques de la France, au siècle de Boniface de La Mole, Julien eût été le chef d'escadron, et mon frère, le jeune prêtre, aux mœurs convenables, avec la sagesse dans les yeux et la raison à la bouche.

Quelques mois auparavant, Mathilde désespérait de rencontrer un être un peu différent du patron commun. Elle avait trouvé quelque bonheur en se permettant d'écrire à quelques jeunes gens de la société. Cette hardiesse si inconvenante, si imprudente chez une jeune fille, pouvait la déshonorer aux yeux de M. de Croisenois, du duc de Chaulnes son père,[754] et de tout l'hôtel de Chaulnes, qui, voyant se rompre le mariage projeté, aurait voulu savoir pourquoi. En ce temps-là les jours où elle avait écrit une de ses lettres, Mathilde ne pouvait dormir. Mais ces lettres n'étaient que des réponses.[755]

Ici elle osait dire qu'elle aimait. Elle écrivait *la première* (quel mot terrible !) à un homme placé dans les derniers rangs de la société.

Cette circonstance assurait, en cas de découverte, un déshonneur éternel. Laquelle des femmes venant chez sa mère eût osé prendre son parti ? Quelle phrase eût-on pu leur donner à répéter pour amortir le coup de l'affreux mépris des salons ?

Et encore parler était affreux, mais écrire ! *Il est des choses qu'on n'écrit pas,* s'écriait Napoléon apprenant la capitulation de Baylen.[756] Et c'était Julien qui lui avait conté ce mot ! comme lui faisant d'avance une leçon.

Mais tout cela n'était rien encore, l'angoisse de Mathilde avait d'autres causes. Oubliant l'effet horrible sur la société, la tache ineffaçable et toute pleine de mépris, car elle outrageait sa caste, Mathilde allait écrire à un être d'une bien autre nature que les Croisenois, les de Luz, les Caylus.

La profondeur, l'*inconnu* du caractère de Julien eussent effrayé, même en nouant avec lui une relation ordinaire. Et elle en allait faire son amant, peut-être son maître !

Quelles ne seront pas ses prétentions, si jamais il peut tout[757] sur moi ? Eh bien ! je me dirai comme Médée: *Au milieu de tant de périls, il me reste* MOI.[758]

Julien n'avait nulle vénération pour la noblesse du sang, croyait-elle. Bien plus, peut-être il n'avait nul amour pour elle !

Dans ces derniers moments de doutes affreux, se présentèrent les idées d'orgueil féminin. Tout doit être singulier dans le sort d'une fille comme moi, s'écria Mathilde impatientée. Alors l'orgueil qu'on lui avait inspiré dès le berceau se battait contre la vertu. Ce fut dans cet instant que le départ de Julien vint tout précipiter.

(De tels caractères sont heureusement fort rares.)

Le soir, fort tard, Julien eut la malice de faire descendre une malle très pesante chez le portier; il appela pour la transporter le valet de pied qui faisait la cour à la femme de chambre de Mlle de La Mole. Cette manœuvre peut n'avoir aucun résultat, se dit-il, mais si elle réussit, elle me croit parti. Il s'endormit fort gai sur cette plaisanterie. Mathilde ne ferma pas l'œil.

Le lendemain, de fort grand matin, Julien sortit de l'hôtel sans être aperçu, mais il rentra avant huit heures.

A peine était-il dans la bibliothèque, que Mlle de La Mole parut sur la porte. Il lui remit sa réponse. Il pensait qu'il était de son devoir de lui parler; rien n'était plus commode, du moins, mais Mlle de La Mole ne voulut pas l'écouter et disparut. Julien en fut charmé, il ne savait que lui dire.

Si tout ceci n'est pas un jeu convenu avec le comte Norbert, il est clair que ce sont mes regards pleins de froideur qui ont allumé l'amour baroque que cette fille de si haute naissance s'avise d'avoir pour moi. Je serais un peu plus sot qu'il ne convient, si jamais je me laissais entraîner à avoir du goût pour cette grande poupée blonde. Ce raisonnement le laissa plus froid et plus calculant qu'il n'avait jamais été.

Dans la bataille qui se prépare, ajouta-t-il, l'orgueil de la naissance sera comme une colline élevée, formant position militaire entre elle et moi. C'est là-dessus qu'il faut manœuvrer. J'ai fort mal fait de rester à Paris; cette remise de mon départ m'avilit et m'expose si tout ceci n'est qu'un jeu. Quel danger y avait-il à partir ? Je me moquais d'eux, s'ils se moquent de moi. Si son intérêt pour moi a quelque réalité, je centuplais [759] cet intérêt.

La lettre de Mlle de La Mole avait donné à Julien une jouissance de vanité si vive, que, tout en [760] riant de ce qui lui arrivait, il avait oublié de songer sérieusement à la convenance du départ.

C'était une fatalité de son caractère d'être extrêmement sensible à ses fautes. Il était fort contrarié de celle-ci, et ne songeait presque plus à la victoire incroyable qui avait précédé ce petit échec, lorsque, vers les neuf heures, Mlle de la Mole parut sur le seuil de la porte de la bibliothèque, lui jeta une lettre et s'enfuit.

Il paraît que ceci va être le roman par lettres,[761] dit-il en relevant celle-ci. L'ennemi fait un faux mouvement, moi je vais faire donner [762] la froideur et la vertu.

On lui demandait une réponse décisive avec une hauteur qui augmenta sa gaieté intérieure. Il se donna le plaisir de mystifier, pendant deux pages, les personnes qui voudraient se moquer de lui, et ce fut encore par une plaisanterie [763] qu'il annonça, vers la fin de sa réponse, son départ décidé pour le lendemain matin.

Cette lettre terminée: Le jardin va me servir pour la remettre, pensa-t-il, et il y alla. Il regardait la fenêtre de la chambre de Mlle de La Mole.

Elle était au premier étage, à côté de l'appartement de sa mère, mais il y avait un grand entresol.

Ce premier était tellement élevé, qu'en se promenant sous l'allée de tilleuls, sa lettre à la main, Julien ne pouvait être aperçu de la fenêtre de Mlle de La Mole. La voûte formée par les tilleuls, fort bien taillés, interceptait la vue. Mais quoi ! [764] se dit Julien avec humeur, encore une imprudence ! Si l'on a entrepris de se moquer de moi, me faire voir une lettre à la main, c'est servir mes ennemis.

La chambre de Norbert était précisément au-dessus de celle de sa sœur, et si Julien sortait de la voûte formée par les branches taillées des tilleuls, le comte et ses amis pouvaient suivre tous ses mouvements.

Mlle de La Mole parut derrière sa vitre; il montra sa lettre à demi; elle baissa la tête. Aussitôt Julien remonta chez lui en courant, et rencontra par hasard, dans le grand escalier, la belle Mathilde, qui saisit sa lettre avec une aisance parfaite et des yeux riants.

Que de passion il y avait dans les yeux de cette pauvre Mme de Rênal, se dit Julien, quand, même après six mois de relations intimes, elle osait recevoir une lettre de moi ! De sa vie, je crois, elle ne m'a regardé avec des yeux riants.

Il ne s'exprima pas aussi nettement le reste de sa réponse;[765] avait-il honte de la futilité des motifs ?[766] Mais aussi quelle différence, ajoutait sa pensée, dans l'élégance de la robe du matin, dans l'élégance de la tournure ! En apercevant Mlle de La Mole à trente pas de distance, un homme de goût devinerait le rang qu'elle occupe dans la société. Voilà ce qu'on peut appeler un mérite explicite.

Tout en plaisantant, Julien ne s'avouait pas encore toute sa pensée; Mme de Rênal n'avait pas de marquis de Croisenois à lui sacrifier. Il n'avait pour rival que cet ignoble sous-préfet M. Charcot, qui se faisait appeler de Maugiron, parce qu'il n'y a plus de Maugirons.[767]

A cinq heures, Julien reçut une troisième lettre; elle lui fut lancée de la porte de la bibliothèque. Mlle de La Mole s'enfuit encore. Quelle manie d'écrire ! se dit-il en riant, quand on peut se parler si commodément ! L'ennemi veut avoir de mes lettres, c'est clair, et plusieurs ! Il ne se hâtait point d'ouvrir celle-ci. Encore des phrases élégantes, pensait-il; mais il pâlit en lisant. Il n'y avait que huit lignes.

« J'ai besoin de vous parler: il faut que je vous parle, ce soir; au moment où une heure après minuit sonnera, trouvez-vous dans le jardin. Prenez la grande échelle du jardinier auprès du puits; placez-la contre ma fenêtre et montez chez moi. Il fait clair de lune: n'importe. »

15. *Est-ce un Complot?*

> *Ah! que l'intervalle est cruel entre un grand projet conçu et son exécution! Que de vaines terreurs! que d'irrésolutions! Il s'agit de la vie. — Il s'agit de bien plus: de l'honneur!*
>
> SCHILLER.

Ceci devient sérieux, pensa Julien... et un peu trop clair, ajouta-t-il après avoir pensé. Quoi ! cette belle demoiselle peut me parler dans la bibliothèque avec une liberté qui, grâce à Dieu, est entière; le marquis, dans la peur qu'il a que je ne lui montre des comptes, n'y vient jamais. Quoi ! M. de La Mole et le comte Norbert, les seules personnes qui entrent ici, sont absents presque toute la journée; on peut facilement observer le moment de leur rentrée à l'hôtel, et la sublime Mathilde, pour la main de laquelle un prince souverain ne serait pas trop noble, veut que je commette une imprudence abominable !

C'est clair, on veut me perdre ou se moquer de moi, tout au moins. D'abord, on a voulu me perdre avec mes lettres; elles se trouvent prudentes; eh bien ! il leur faut une action plus claire que le jour. Ces jolis petits messieurs me croient aussi trop bête ou trop fat. Diable ! par le plus beau clair de lune du monde monter ainsi par une échelle à un premier étage de vingt-cinq pieds d'élévation ! on aura le temps de me voir, même des hôtels voisins. Je serai beau sur mon échelle ! Julien monta chez lui et se mit à faire sa malle en sifflant. Il était résolu à partir et à ne pas même répondre.

Mais cette sage résolution ne lui donnait pas la paix du cœur. Si par hasard, se dit-il tout à coup, sa malle fermée, Mathilde était de bonne foi ! alors moi je joue, à ses yeux, le rôle d'un lâche parfait. Je n'ai point de naissance, moi, il me faut de grandes qualités, argent comptant, sans suppositions complaisantes,[768] bien prouvées par des actions parlantes ...

Il fut un quart d'heure à réfléchir. A quoi bon le nier? dit-il enfin; je serai un lâche à ses yeux. Je perds non seulement la personne la plus brillante de la haute société, ainsi qu'ils disaient tous au bal de M. le duc le Retz, mais encore le divin plaisir de me voir sacrifier le marquis de Croisenois, le fils d'un duc, et qui sera duc lui-même. Un jeune homme charmant qui a toutes les qualités qui me manquent: esprit d'à-propos, naissance, fortune ...

Se remords va me poursuivre toute ma vie, non pour elle, il est tant de maîtresses !

... Mais il n'est qu'un honneur ! [769]

dit le vieux don Diègue, et ici clairement et nettement, je recule devant le premier péril qui m'est offert; car ce duel avec M. de Beauvoisis se présentait comme une plaisanterie. Ceci est tout différent. Je puis être tiré au blanc [770] par un domestique, mais c'est le moindre danger; je puis être déshonoré.

Ceci devient sérieux, mon garçon, ajouta-t-il avec une gaîté et un accent gascons.[771] Il y va de l'*honur*. Jamais un pauvre diable, jeté aussi bas que moi par le hasard, ne retrouvera une telle occasion; j'aurai des bonnes fortunes,[772] mais subalternes ...

Il réfléchit longtemps, il se promenait à pas précipités, s'arrêtant tout court de temps à autre. On avait déposé dans sa chambre un magnifique buste en marbre du cardinal Richelieu, qui malgré lui attirait ses regards. Ce buste avait l'air de le regarder d'une façon sévère, et comme lui reprochant le manque de cette audace qui doit être si naturelle au caractère français. De ton temps, grand homme, aurais-je hésité ?

Au pire, se dit enfin Julien, supposons que tout ceci soit un piège, il est bien noir et bien compromettant pour une jeune fille. On sait que je ne suis pas homme à me taire. Il faudra donc me tuer. Cela était bon en 1574, du temps de Boniface de La Mole, mais jamais celui d'aujourd'hui n'oserait.[773] Ces gens-là ne sont plus les mêmes. Mlle de La

Mole est si enviée ! Quatre cents salons retentiraient demain de sa honte, et avec quel plaisir !

Les domestiques jasent, entre eux, des préférences marquées dont je suis l'objet, je le sais, je les ai entendus ...

D'un autre côté, ses lettres !... ils peuvent croire que je les ai sur moi. Surpris dans sa chambre, on me les enlève. J'aurai affaire à deux, trois, quatre hommes, que sais-je ? Mais ces hommes, où les prendront-ils ? où trouver des subalternes discrets à Paris ? La justice leur fait peur ... Parbleu ! les Caylus, les Croisenois, les de Luz eux-mêmes. Ce moment, et la sotte figure que je ferai au milieu d'eux sera ce qui les aura séduits. Gare le sort d'Abailard,[774] M. le secrétaire !

Eh bien, parbleu ! messieurs, vous porterez de mes marques, je frapperai à la figure, comme les soldats de César à Pharsale ...[775] Quant aux lettres, je puis les mettre en lieu sûr.

Julien fit des copies des deux dernières, les cacha dans un volume du beau Voltaire de la bibliothèque, et porta lui-même les originaux à la poste.

Quand il fut de retour: Dans quelle folie je vais me jeter ! se dit-il avec surprise et terreur. Il avait été un quart d'heure sans regarder en face son action de la nuit prochaine.[776]

Mais, si je refuse, je me méprise moi-même dans la suite ! Toute la vie cette action sera un grand sujet de doute, et, pour moi, un tel doute est le plus cuisant des malheurs. Ne l'ai-je pas éprouvé pour l'amant d'Amanda ! Je crois que je me pardonnerais plus aisément un crime bien clair; une fois avoué, je cesserais d'y penser.

Quoi ! j'aurai été en rivalité avec un homme portant un des plus beaux noms de France, et je me serai moi-même, de gaîté de cœur, déclaré son inférieur ! Au fond, il y a de la lâcheté à ne pas aller. Ce mot décide tout, s'écria Julien en se levant ... d'ailleurs elle est bien jolie.

Si ceci n'est pas une trahison, quelle folie elle fait pour moi !... Si c'est une mystification, parbleu ! messieurs, il ne tient qu'à moi de rendre la plaisanterie sérieuse, et ainsi ferai-je.

Mais s'ils m'attachent les bras au moment de l'entrée dans la chambre; ils peuvent avoir placé quelque machine ingénieuse ! [777]

C'est comme un duel, se dit-il en riant, il y a parade [778] à tout, dit mon maître d'armes, mais le bon Dieu, qui veut qu'on en finisse, fait que l'un des deux oublie de parer. Du reste, voici de quoi leur répondre: il tirait ses pistolets de poche; et quoique l'amorce fût fulminante,[779] il la renouvela.

Il y avait encore bien des heures à attendre; pour faire quelque chose, Julien écrivit à Fouqué: « Mon ami, n'ouvre la lettre ci-incluse qu'en cas d'accident, si tu entends dire que quelque chose d'étrange m'est arrivé. Alors, efface les noms propres du manuscrit que je t'envoie, et fais-en huit copies que tu enverras aux journaux de Marseille, Bordeaux, Lyon, Bruxelles, etc.; dix jours plus tard, fais imprimer ce manuscrit, envoie le premier exemplaire à M. le marquis de La Mole; et quinze jours après, jette les autres exemplaires de nuit dans les rues de Verrières. »

Ce petit mémoire justificatif arrangé en forme de conte, que Fouqué ne devait ouvrir qu'en cas d'accident, Julien le fit aussi peu compromettant que possible pour Mlle de La Mole, mais enfin il peignait fort exactement sa position.

Julien achevait de fermer son paquet, lorsque la cloche du dîner sonna; elle fit battre son cœur. Son imagination, préoccupée du récit qu'il venait de composer, était toute aux pressentiments tragiques. Il s'était vu saisi par des domestiques, garrotté, conduit dans une cave [780] avec un bâillon dans la bouche. Là, un domestique le gardait à vue, et si l'honneur de la noble famille exigeait que l'aventure eût une fin tragique, il était facile de tout finir avec ces poisons qui ne laissent point de traces; alors, on disait qu'il était mort de maladie, et on le transportait mort dans sa chambre.

Emu de son propre conte comme un auteur dramatique, Julien avait réellement peur lorsqu'il entra dans la salle à manger. Il regardait tous ces domestiques en grande livrée. Il étudiait leur physionomie. Quels sont ceux qu'on a choisis pour l'expédition de cette nuit? se disait-il. Dans cette famille, les souvenirs de la cour de Henri III sont si présents, si souvent rappelés, que, se croyant outragés, ils auront plus de décision que les autres personnages de leur rang. Il regarda Mlle de La Mole pour lire dans ses yeux les projets de sa famille; elle était pâle, et avait tout à fait une physionomie du moyen âge. Jamais il ne lui avait trouvé l'air si grand, elle était vraiment belle et imposante. Il en devint presque amoureux. *Pallida morte futura, se dit-il* (Sa pâleur annonce ses grands desseins).

En vain, après dîner, il affecta de se promener longtemps dans le jardin, Mlle de La Mole n'y parut pas. Lui parler eût, dans ce moment, délivré son cœur d'un grand poids.

Pourquoi ne pas l'avouer ? il avait peur. Comme il était résolu à agir, il s'abandonnait à ce sentiment sans vergogne. Pourvu qu'au moment d'agir, je me trouve le courage qu'il faut, se disait-il, qu'importe ce que je puis sentir en ce moment ? Il alla reconnaître la situation et le poids de l'échelle.

C'est un instrument, se dit-il en riant, dont il est dans mon destin de me servir ! ici comme à Verrières. Quelle différence ! Alors, ajouta-t-il avec un soupir, je n'étais pas obligé de me méfier de la personne pour laquelle je m'exposais. Quelle différence aussi dans le danger !

J'eusse été tué dans les jardins de M. de Rênal qu'il n'y avait point de déshonneur pour moi. Facilement on eût rendu ma mort inexplicable. Ici, quels récits abominables ne va-t-on pas faire dans les salons de l'hôtel de Chaulnes, de l'hôtel de Caylus, de l'hôtel de Retz, etc., partout enfin. Je serai un monstre dans la postérité.[781]

Pendant deux ou trois ans, reprit-il en riant, et se moquant de soi.[782] Mais cette idée l'anéantissait. Et moi, où pourra-t-on me justifier ? En supposant que Fouqué imprime mon pamphlet posthume, ce ne sera qu'une infamie de plus. Quoi ! Je suis reçu dans une maison, et pour prix de l'hospitalité que j'y reçois, des bontés dont on m'y accable, j'imprime un pamphlet sur ce qui s'y passe ! j'attaque l'honneur des femmes ! Ah ! mille fois plutôt, soyons dupes !

Cette soirée fut affreuse.

16. *Une Heure du matin*

> ***Ce jardin était fort grand, dessiné depuis peu d'années avec un goût parfait. Mais les arbres avaient plus d'un siècle. On y trouvait quelque chose de champêtre.***
>
> MASSINGER.[783]

Il allait écrire un contre-ordre à Fouqué lorsque onze heures sonnèrent. Il fit jouer avec bruit la serrure de la porte de sa chambre, comme s'il se fût enfermé chez lui. Il alla observer à pas de loup ce qui se passait dans toute la maison, surtout au quatrième étage, habité par les domestiques. Il n'y avait rien d'extraordinaire. Une des femmes de chambre de Mme de La Mole donnait soirée, les domestiques prenaient du punch fort gaiement. Ceux qui rient ainsi, pensa Julien, ne doivent pas faire partie de l'expédition nocturne, ils seraient plus sérieux.

Enfin il alla se placer dans un coin obscur du jardin. Si leur plan est de se cacher des domestiques de la maison, ils feront arriver par-dessus les murs du jardin les gens chargés de me surprendre.

Si M. de Croisenois porte quelque sang-froid dans tout ceci, il doit trouver moins compromettant pour la jeune personne qu'il veut épouser de me faire surprendre avant le moment où je serai entré dans sa chambre.

Il fit une reconnaissance militaire et fort exacte. Il s'agit de mon honneur, pensa-t-il; si je tombe dans quelque bévue, ce ne sera pas une excuse à mes propres yeux de me dire: Je n'y avais pas songé.

Le temps était d'une sérénité désespérante. Vers les onze heures la lune se leva, à minuit et demi elle éclairait en plein la façade de l'hôtel donnant sur le jardin.

Elle est folle, se disait Julien; comme une heure sonna, il y avait encore de la lumière aux fenêtres du comte Norbert. De sa vie Julien n'avait eu autant de peur, il ne voyait que les dangers de l'entreprise, et n'avait aucun enthousiasme.

Il alla prendre l'immense échelle, attendit cinq minutes pour laisser le temps à un contre-ordre, et à une heure cinq minutes posa l'échelle contre la fenêtre de Mathilde. Il monta doucement le pistolet à la main, étonné de n'être pas attaqué. Comme il approchait de la fenêtre, elle s'ouvrit sans bruit:

— Vous voilà, monsieur, lui dit Mathilde avec beaucoup d'émotion; je suis vos mouvements depuis une heure.

Julien était fort embarrassé, il ne savait comment se conduire, il n'avait pas d'amour du tout. Dans son embarras, il pensa qu'il fallait oser, il essaya d'embrasser Mathilde.

— Fi donc ! lui dit-elle en le repoussant.

Fort content d'être éconduit, il se hâta de jeter un coup d'œil autour de lui: la lune était si brillante que les ombres qu'elle formait dans la chambre de Mlle de La Mole étaient noires. Il peut fort bien y avoir là des hommes cachés sans que je les voie, pensa-t-il.

— Qu'avez-vous dans la poche de côté de votre habit ? lui dit Mathilde, enchantée de trouver un sujet de conversation. Elle souffrait étrangement; tous les sentiments de retenue et de timidité, si naturels à une fille bien née, avaient repris leur empire, et la mettaient au supplice.

— J'ai toutes sortes d'armes et de pistolets, répondit Julien, non moins content d'avoir quelque chose à dire.

— Il faut retirer l'échelle, dit Mathilde.

— Elle est immense, et peut casser les vitres du salon en bas, ou de l'entresol.

— Il ne faut pas casser les vitres, reprit Mathilde essayant en vain de prendre le ton de la conversation ordinaire; vous pourriez, ce me semble, abaisser l'échelle au moyen d'une corde qu'on attacherait au premier échelon. J'ai toujours une provision de cordes chez moi.

Et c'est là une femme amoureuse ! pensa Julien, elle ose dire qu'elle aime ! tant de sang-froid, tant de sagesse dans les précautions m'indiquent assez que je ne triomphe pas de M. de Croisenois comme je le croyais sottement; mais que tout simplement je lui succède. Au fait, que m'importe ! est-ce que je l'aime ? je triomphe du marquis en ce sens, qu'il sera très fâché d'avoir un successeur, et plus fâché encore que ce successeur soit moi. Avec quelle hauteur il me regardait hier soir au café Tortoni,[784] en affectant de ne pas me reconnaître ! avec quel air méchant il me salua ensuite, quand il ne put plus s'en dispenser !

Julien avait attaché la corde au dernier échelon de l'échelle, il la descendait doucement, et en se penchant beaucoup en dehors du balcon pour faire en sorte qu'elle ne touchât pas les vitres. Beau moment pour me tuer, pensa-t-il, si quelqu'un est caché dans la chambre de Mathilde; mais un silence profond continuait à régner partout.

L'échelle toucha la terre. Julien parvint à la coucher dans la plate-bande de fleurs exotiques le long du mur.

— Que va dire ma mère, dit Mathilde, quand elle verra ses belles plantes tout écrasées !... Il faut jeter la corde, ajouta-t-elle d'un grand sang-froid. Si on l'apercevait remontant au balcon, ce serait une circonstance difficile à expliquer.

— Et comment moi m'en aller ? dit Julien d'un ton plaisant, et en affectant le langage créole. (Une des femmes de chambre de la maison était née à Saint-Domingue.[785])

— Vous, vous en aller par la porte, dit Mathilde ravie de cette idée.

— Ah ! que cet homme est digne de tout mon amour ! pensa-t-elle.

Julien venait de laisser tomber la corde dans le jardin; Mathilde lui serra le bras. Il crut être saisi par un ennemi, et se retourna vivement en tirant un poignard. Elle avait cru entendre ouvrir une fenêtre. Ils restèrent immobiles et sans respirer. La lune les éclairait en plein. Le bruit ne se renouvelant pas, il n'y eut plus d'inquiétude.

Alors l'embarras recommença, il était grand des deux parts. Julien s'assura que la porte était fermée avec tous ses verrous; il pensait bien à regarder sous le lit, mais n'osait pas; on avait pu y placer un ou deux laquais. Enfin il craignit un reproche futur de sa prudence et regarda.

Mathilde était tombée dans toutes les angoisses de la timidité la plus extrême. Elle avait horreur de sa position.

— Qu'avez-vous fait de mes lettres ? dit-elle enfin.

Quelle bonne occasion de déconcerter ces messieurs s'ils sont aux écoutes, et d'éviter la bataille ! pensa Julien.

— La première est cachée dans une grosse Bible protestante que la diligence d'hier soir emporte bien loin d'ici.

Il parlait fort distinctement en entrant dans ces détails, et de façon à être entendu des personnes qui pouvaient être cachées dans deux grandes armoires d'acajou qu'il n'avait pas osé visiter.

— Les deux autres sont à la poste et suivent la même route que la première.

— Eh, grand Dieu ! pourquoi toutes ces précautions ? dit Mathilde étonnée.

A propos de quoi est-ce que je mentirais ? pensa Julien, et il lui avoua tous ses soupçons.

— Voilà donc la cause de la froideur de tes lettres ! s'écria Mathilde avec l'accent de la folie plus que de la tendresse.

Julien ne remarqua pas cette nuance. Ce tutoiement lui fit perdre la tête ou du moins ses soupçons s'évanouirent, il osa serrer dans ses bras cette fille si belle, et qui lui inspirait tant de respect. Il ne fut repoussé qu'à demi.

Il eut recours à sa mémoire, comme jadis à Besançon auprès d'Amanda Binet, et récita plusieurs des plus belles phrases de la *Nouvelle Héloïse*.

— Tu as un cœur d'homme, lui répondit-on sans trop écouter ses phrases; j'ai voulu éprouver ta bravoure, je l'avoue. Tes premiers soupçons et ta résolution te montrent plus intrépide encore que je ne croyais.

Mathilde faisait effort pour le tutoyer, elle était évidemment plus attentive à cette étrange façon de parler qu'au fond des choses qu'elle disait. Ce tutoiement, dépouillé du ton de la tendresse, ne faisait aucun plaisir à Julien, il s'étonnant de l'absence du bonheur; enfin pour le sentir il eut recours à sa raison. Il se voyait estimé par cette jeune fille si fière, et qui n'accordait jamais de louanges sans restriction; avec ce raisonnement il parvint à un bonheur d'amour-propre.[786]

Ce n'était pas, il est vrai, cette volupté de l'âme qu'il avait trouvée quelquefois auprès de Mme de Rênal. Il n'y avait rien de tendre dans ses sentiments de ce premier moment. C'était le plus vif bonheur d'ambition, et Julien était surtout ambitieux. Il parla de nouveau des gens par lui soupçonnés, et des précautions qu'il avait inventées. En parlant il songeait aux moyens de profiter de sa victoire.

Mathilde encore fort embarrassée, et qui avait l'air atterrée de sa [786a] démarche, parut enchantée de trouver un sujet de conversation. On parla des moyens de se revoir. Julien jouit délicieusement de l'esprit et de la bravoure dont il fit preuve de nouveau pendant cette discussion. On avait affaire à des gens très clairvoyants, le petit Tanbeau était certainement un espion, mais Mathilde et lui n'étaient pas non plus sans adresse.

Quoi de plus facile que de se rencontrer dans la bibliothèque, pour convenir de tout ?

— Je puis paraître, sans exciter de soupçons, dans toutes les parties de l'hôtel, ajoutait Julien, et presque jusque dans la chambre de Mme de La Mole. Il fallait absolument la traverser pour arriver à celle de sa fille. Si Mathilde trouvait mieux qu'il arrivât toujours par une échelle, c'était avec un cœur ivre de joie qu'il s'exposerait à ce faible danger.

En l'écoutant parler, Mathilde était choquée de cet air de triomphe. Il est donc mon maître ! se dit-elle. Déjà elle était en proie au remords. Sa raison avait horreur de l'insigne folie qu'elle venait de commettre. Si elle l'eût pu, elle eût anéanti elle et Julien. Quand par instants la force de sa volonté faisait taire les remords, des sentiments de timidité et de pudeur souffrante la rendaient fort malheureuse. Elle n'avait nullement prévu l'état affreux où elle se trouvait.

Il faut cependant que je lui parle, se dit-elle à la fin, cela est dans les convenances, on parle à son amant. Et alors pour accomplir un devoir, et avec une tendresse qui était bien plus dans les paroles dont elle se servait que dans le son de sa voix, elle raconta les diverses résolutions qu'elle avait prises à son égard pendant ces derniers jours.

Elle avait décidé que s'il osait arriver chez elle avec le secours de l'échelle du jardinier, ainsi qu'il lui était prescrit, elle serait toute à lui. Mais jamais l'on ne dit d'un ton plus froid et plus poli des choses aussi tendres. Jusque-là ce rendez-vous était glacé. C'était à [787] faire prendre l'amour en haine. Quelle leçon de morale pour une jeune imprudente ! Vaut-il la peine de perdre son avenir pour un tel moment ?

Après de longues incertitudes, qui eussent pu paraître à un observateur superficiel l'effet de la haine la plus décidée, tant les sentiments qu'une femme se doit à elle-même avaient de peine à céder même à une volonté aussi ferme, Mathilde finit par être pour lui une maîtresse aimable.

A la vérité, ces transports étaient un peu *voulus*. L'amour passionné était encore plutôt un modèle qu'on imitait qu'une réalité.

Mlle de La Mole croyait remplir un devoir envers elle-même et envers son amant. Le pauvre garçon, se disait-elle, a été d'une bravoure achevée, il doit être heureux, ou bien c'est moi qui manque de caractère. Mais elle eût voulu racheter au prix d'une éternité de malheur la nécessité cruelle où elle se trouvait.

Malgré la violence affreuse qu'elle se faisait, elle fut parfaitement maîtresse de ses paroles.

Aucun regret, aucun reproche ne vinrent gâter cette nuit qui sembla singulière plutôt qu'heureuse à Julien. Quelle différence, grand Dieu ! avec son dernier séjour de vingt-quatre heures à Verrières ! Ces belles façons de Paris ont trouvé le secret de tout gâter, même l'amour, se disait-il dans son injustice extrême.

Il se livrait à ces réflexions debout dans une des grandes armoires d'acajou où on l'avait fait entrer aux premiers bruits entendus dans l'appartement voisin, qui était celui de Mme de La Mole. Mathilde suivit sa mère à la messe, les femmes [788] quittèrent bientôt l'appartement, et Julien s'échappa facilement avant qu'elles ne revinssent terminer leurs travaux.

Il monta à cheval et chercha les endroits les plus solitaires d'une des forêts voisines de Paris. Il était bien plus étonné qu'heureux. Le bonheur qui, de temps à autre, venait occuper son âme, était comme celui d'un jeune sous-lieutenant qui, à la suite de quelque action étonnante, vient d'être nommé colonel d'emblée par le général en chef; il se sentait porté à une immense hauteur. Tout ce qui était au-dessus de lui la veille, était à ses côtés maintenant ou bien au-dessous. Peu à peu le bonheur de Julien augmenta à mesure qu'il s'éloignait.

S'il n'y avait rien de tendre dans son âme, c'est que,

quelque étrange que ce mot puisse paraître, Mathilde, dans toute sa conduite avec lui, avait accompli un devoir. Il n'y eut rien d'imprévu pour elle dans tous les événements de cette nuit, que le malheur et la honte qu'elle avait trouvés au lieu de cette entière félicité dont parlent les romans.

Me serais-je trompée, n'aurais-je pas d'amour pour lui ? se dit-elle.

17. *Une Vieille Epée*

I now mean to be serious; — it is time,
Since laughter now-a-days is deem'd too serious
A jest at vice by virtue's called a crime.
Don Juan, C. XIII.[789]

Elle ne parut pas au dîner. Le soir elle vint un instant au salon, mais ne regarda pas Julien. Cette conduite lui parut étrange; mais, pensa-t-il, je ne connais pas leurs usages, elle me donnera quelque bonne raison pour tout ceci. Toutefois, agité par la plus extrême curiosité, il étudiait l'expression des traits de Mathilde; il ne put pas se dissimuler qu'elle avait l'air sec et méchant. Evidemment ce n'était pas la même femme qui, la nuit précédente, avait ou feignait des transports de bonheur trop excessifs pour être vrais.

Le lendemain, le surlendemain, même froideur de sa part; elle ne le regardait pas, elle ne s'apercevait pas de son existence. Julien, dévoré par la plus vive inquiétude, était à mille lieues des sentiments de triomphe qui l'avaient seuls animé le premier jour. Serait-ce, par hasard, se dit-il, un retour à la vertu ? Mais ce mot était bien bourgeois pour l'altière Mathilde.

Dans les positions ordinaires de la vie elle ne croit guère à la religion, pensait Julien, elle l'aime comme très utile aux intérêts de sa caste.

Mais par simple délicatesse ne peut-elle pas se reprocher vivement la faute qu'elle a commise ? Julien croyait être son premier amant.

Mais, se disait-il dans d'autres instants, il faut avouer qu'il n'y a rien de naïf, de simple, de tendre dans toute sa manière d'être; jamais je ne l'ai vue plus altière. Me mépriserait-elle ? Il serait digne d'elle de se reprocher ce qu'elle a fait pour moi, à cause seulement de la bassesse de ma naissance.

Pendant que Julien, rempli de ses préjugés puisés dans les livres et dans les souvenirs de Verrières, poursuivait la chimère d'une maîtresse tendre et qui ne songe plus à sa propre existence du moment qu'elle a fait le bonheur de son amant, la vanité de Mathilde était furieuse contre lui.

Comme elle ne s'ennuyait plus depuis deux mois, elle ne craignait plus l'ennui; ainsi, sans pouvoir s'en douter le moins du monde, Julien avait perdu son plus grand avantage.

Je me suis donné un maître ! se disait Mlle de La Mole en proie au plus noir chagrin. Il est rempli d'honneur, à la bonne heure; mais si je pousse à bout sa vanité, il se vengera en faisant connaître la nature de nos relations. Jamais Mathilde n'avait eu d'amant, et dans cette circonstance de la vie qui donne quelques illusions tendres même aux âmes les plus sèches,[790] elle était en proie aux réflexions les plus amères.

Il a sur moi un empire immense, puisqu'il règne par la terreur et peut me punir d'une peine [791] atroce, si je le pousse à bout. Cette seule idée suffisait pour porter Mlle de La Mole à l'outrager. Le courage était la première qualité de son caractère. Rien ne pouvait lui donner quelque agitation et la guérir d'un fond d'ennui sans cesse renaissant que l'idée qu'elle jouait à croix ou pile[792] son existence entière.

Le troisième jour, comme Mlle de La Mole s'obstinait à ne pas le regarder, Julien la suivit après dîner, et évidemment malgré elle, dans la salle de billard.

— Eh bien, monsieur, vous croyez donc avoir acquis des droits bien puissants sur moi, lui dit-elle avec une colère à peine retenue, puisque, en opposition à ma volonté bien évidemment déclarée, vous prétendez me parler ?... Savez-vous que personne au monde n'a jamais tant osé ?

Rien ne fut plaisant comme le dialogue de ces deux amants; sans s'en douter ils étaient animés l'un contre l'autre des sentiments de la haine la plus vive. Comme ni l'un ni l'autre n'avaient le caractère endurant, que [793] d'ailleurs ils avaient des habitudes de bonne compagnie,[794] ils en furent bientôt à se déclarer nettement qu'ils se brouillaient à jamais.

— Je vous jure un secret éternel, dit Julien, j'ajouterais même que jamais je ne vous adresserai la parole, si votre réputation ne pouvait souffrir de ce changement trop marqué. Il salua avec respect et partit.

Il accomplissait sans trop de peine ce qu'il croyait un devoir; il était bien loin de se croire fort amoureux de Mlle de La Mole. Sans doute il ne l'aimait pas trois jours auparavant, quand on l'avait caché dans la grande armoire d'acajou. Mais tout changea rapidement dans son âme, du moment qu'il se vit à jamais brouillé avec elle.

Sa mémoire cruelle se mit à lui retracer les moindres circonstances de cette nuit qui dans la réalité l'avait laissé si froid.

Dans la nuit même qui suivit la déclaration de brouille éternelle, Julien faillit devenir fou en étant obligé de s'avouer qu'il aimait Mlle de La Mole.

Des combats affreux suivirent cette découverte: tous ses sentiments étaient bouleversés.

Deux jours après, au lieu d'être fier avec M. de Croisenois, il l'aurait presque embrassé en fondant en larmes.

L'habitude du malheur lui donna une lueur de bon sens, il se décida à partir pour le Languedoc, fit sa malle et alla à la poste.

Il se sentit défaillir quand, arrivé au bureau des malles-poste, on lui apprit que, par un hasard singulier, il y avait une place le lendemain dans la malle de Toulouse. Il l'arrêta et revint à l'hôtel de La Mole, annoncer son départ au marquis.

M. de La Mole était sorti. Plus mort que vif, Julien alla l'attendre dans la bibliothèque. Que devint-il en y trouvant Mlle de La Mole?

En le voyant paraître elle prit un air de méchanceté auquel il lui fut impossible de se méprendre.

Emporté par son malheur, égaré par la surprise, Julien eut la faiblesse de lui dire, du ton le plus tendre et qui venait de l'âme: Ainsi, vous ne m'aimez plus?

— J'ai horreur de m'être livrée au premier venu, dit Mathilde en pleurant de rage contre elle-même.

— *Au premier venu!* s'écria Julien, et il s'élança sur une vieille épée du moyen âge qui était conservée dans la bibliothèque comme une curiosité.

Sa douleur, qu'il croyait extrême au moment où il avait adressé la parole à Mlle de La Mole, venait d'être centuplée par les larmes de honte qu'il lui voyait répandre. Il eût été le plus heureux des hommes de pouvoir la tuer.

Au moment où il venait de tirer l'épée, avec quelque peine, de son fourreau antique, Mathilde, heureuse d'une sensation si nouvelle, s'avança fièrement vers lui; ses larmes s'étaient taries.

L'idée du marquis de La Mole, son bienfaiteur, se présenta vivement à Julien. Je tuerais sa fille ! se dit-il, quelle horreur ! Il fit un mouvement pour jeter l'épée. Certainement, pensa-t-il, elle va éclater de rire à la vue de ce mouvement de mélodrame: il dut à cette idée le retour de tout son sang-froid. Il regarda la lame de la vieille épée curieusement et comme s'il y eût cherché quelque tache de rouille, puis il la remit dans le fourreau, et avec la plus grande tranquillité la replaça au clou de bronze doré qui la soutenait.

Tout ce mouvement, fort lent sur la fin, dura bien une minute; Mlle de La Mole le regardait étonnée. J'ai donc été sur le point d'être tuée par mon amant ! se disait-elle.

Cette idée la transportait dans les plus beaux temps du siècle de Charles IX et de Henri III.

Elle était immobile devant Julien qui venait de replacer l'épée, elle le regardait avec des yeux où il n'y avait plus de haine. Il faut convenir qu'elle était bien séduisante en ce moment, certainement jamais femme n'avait moins ressemblé à une poupée parisienne (ce mot était la grande objection de Julien contre les femmes de ce pays).

Je vais retomber dans quelque faiblesse pour lui, pensa Mathilde; c'est bien pour le coup qu'il se croirait mon seigneur et maître, après une rechute, et au moment précis où je viens de lui parler si ferme. Elle s'enfuit.

Mon Dieu ! qu'elle est belle ! dit Julien en la voyant courir: voilà cet être qui se précipitait dans mes bras avec tant de fureur il n'y a pas huit jours... Et ces instants ne reviendront jamais ! Et c'est par ma faute ! Et, au moment d'une action si extraordinaire, si intéressante [795] pour moi, je n'y étais pas sensible !... Il faut avouer que je suis né avec un caractère bien plat et bien malheureux.

Le marquis parut; Julien se hâta de lui annoncer son départ.

— Pour où ? dit M. de La Mole.

— Pour le Languedoc.

— Non pas, s'il vous plaît, vous êtes réservé à de plus hautes destinées, si vous partez ce sera pour le Nord... même, en termes militaires, je vous consigne à l'hôtel. Vous m'obligerez de n'être jamais plus de deux ou trois heures absent, je puis avoir besoin de vous d'un moment à l'autre.

Julien salua, et se retira sans mot dire, laissant le marquis fort étonné; il était hors d'état de parler, il s'enferma dans sa chambre. Là, il put s'exagérer en liberté toute l'atrocité de son sort.

Ainsi, pensait-il, je ne puis pas même m'éloigner ! Dieu sait combien de jours le marquis va me retenir à Paris; grand Dieu ! Que vais-je devenir ? Et pas un ami que je puisse consulter: l'abbé Pirard ne me laisserait pas finir la première phrase, le comte Altamira me proposerait de m'affilier à quelque conspiration.

Et cependant je suis fou, je le sens; je suis fou !

Qui pourra me guider, que vais-je devenir ?

18. *Moments cruels*

> *Et elle me l'avoue ! Elle détaille jusqu'aux moindres circonstances ! Son œil si beau fixé sur le mien peint l'amour qu'elle sentit pour un autre !*
>
> SCHILLER.

Mademoiselle de La Mole ravie ne songeait qu'au bonheur d'avoir été sur le point d'être tuée. Elle allait jusqu'à se dire: il est digne d'être mon maître, puisqu'il a été sur le point de me tuer. Combien faudrait-il fondre ensemble de beaux jeunes gens de la société pour arriver à un tel mouvement de passion ?

Il faut avouer qu'il était bien joli au moment où il est monté sur la chaise, pour replacer l'épée, précisément dans la position pittoresque que le tapissier décorateur lui a donnée ! Après tout, je n'ai pas été si folle de l'aimer.

Dans cet instant, s'il se fût présenté quelque moyen honnête [796] de renouer, elle l'eût saisi avec plaisir. Julien, enfermé à double tour dans sa chambre, était en proie au plus violent désespoir. Dans ses idées folles, il pensait à se jeter à ses pieds. Si au lieu de se tenir caché dans un lieu écarté, il eût erré au jardin et dans l'hôtel, de manière à se tenir à la portée des occasions, il eût peut-être en un seul instant changé en bonheur le plus vif son affreux malheur.

Mais l'adresse dont nous lui reprochons l'absence aurait exclu le mouvement sublime de saisir l'épée qui, dans ce moment, le rendait si joli aux yeux de Mlle de La Mole. Ce caprice, favorable à Julien, dura toute la journée; Mathilde se faisait une image charmante des courts instants pendant lesquels elle l'avait aimé, elle les regrettait.

Au fait, se disait-elle, ma passion pour ce pauvre garçon n'a duré à ses yeux que depuis une heure après minuit, quand je l'ai vu arriver par son échelle avec tous ses pistolets, dans la poche de côté de son habit, jusqu'à huit heures du matin. C'est un quart d'heure après, en entendant la messe à Sainte-Valère,[797] que j'ai commencé à penser qu'il allait se croire mon maître, et qu'il pourrait bien essayer de me faire obéir au nom de la terreur.

Après dîner, Mlle de La Mole, loin de fuir Julien, lui parla et l'engagea en quelque sorte à la suivre au jardin; il obéit. Cette épreuve lui manquait.[798] Mathilde cédait sans trop s'en douter à l'amour qu'elle reprenait pour lui. Elle trouvait un plaisir extrême à se promener à ses côtés, c'était avec curiosité qu'elle regardait ces mains qui le matin avaient saisi l'épée pour la tuer.

Après une telle action, après tout ce qui s'était passé, il ne pouvait plus être question de leur ancienne conversation.

Peu à peu Mathilde se mit à lui parler avec confidence intime de l'état de son cœur. Elle trouvait une singulière volupté dans ce genre de conversation; elle en vint à lui raconter les mouvements d'enthousiasme passagers qu'elle avait éprouvés pour M. de Croisenois, pour M. de Caylus ...

— Quoi ! Pour M. de Caylus aussi ! s'écria Julien; et toute l'amère jalousie d'un amant délaissé éclatait dans ce mot. Mathilde en jugea ainsi, et n'en fut point offensée.

Elle continua à torturer Julien, en lui détaillant ses sentiments d'autrefois de la façon la plus pittoresque, et avec l'accent de la plus intime vérité. Il voyait qu'elle peignait ce qu'elle avait sous les yeux.[799] Il avait la douleur de remarquer qu'en parlant, elle faisait des découvertes dans son propre cœur.

Le malheur de la jalousie ne peut aller plus loin.

Soupçonner qu'un rival est aimé est déjà bien cruel, mais se voir avouer en détail l'amour qu'il inspire par la femme qu'on adore est sans doute le comble des douleurs.

O combien étaient punis, en cet instant, les mouvements d'orgueil qui avaient porté Julien à se préférer aux Caylus, aux Croisenois ! Avec quel malheur intime et senti il s'exagérait leurs plus petits avantages ! Avec quelle bonne foi ardente il se méprisait lui-même !

Mathilde lui semblait adorable, toute parole est faible pour exprimer l'excès de son admiration. En se promenant à côté d'elle, il regardait à la dérobée ses mains, ses bras, son port de reine. Il était sur le point de tomber à ses pieds, anéanti d'amour et de malheur, et en criant: Pitié !

Et cette personne si belle, si supérieure à tout, qui une fois m'a aimé, c'est M. de Caylus qu'elle aimera sans doute bientôt !

Julien ne pouvait douter de la sincérité de Mlle de La Mole; l'accent de la vérité était trop évident dans tout ce qu'elle disait. Pour que rien absolument ne manquât à son malheur, il y eut des moments où à force de s'occuper des sentiments qu'elle avait éprouvés une fois pour M. de Caylus, Mathilde en vint à parler de lui comme si elle l'aimait actuellement. Certainement il y avait de l'amour dans son accent, Julien le voyait nettement.

L'intérieur de sa poitrine eût été inondé de plomb fondu qu'il eût moins souffert. Comment, arrivé à cet excès de malheur, le pauvre garçon eût-il pu deviner que c'était parce qu'elle parlait à lui, que Mlle de La Mole trouvait tant de plaisir à repenser aux velléités d'amour qu'elle avait éprouvées jadis pour M. de Caylus ou M. de Luz ?

Rien ne saurait exprimer les angoisses de Julien. Il écoutait les confidences détaillées de l'amour éprouvé pour d'autres dans cette même allée de tilleuls où si peu de jours auparavant il attendait qu'une heure sonnât pour pénétrer dans sa chambre. Un être humain ne peut soutenir le malheur à un plus haut degré.

Ce genre d'intimité cruelle dura huit grands jours. Mathilde tantôt semblait rechercher, tantôt ne fuyait pas les occasions de lui parler; et le sujet de conversation, auquel ils semblaient tous deux revenir avec une sorte de volupté cruelle, c'était le récit des sentiments qu'elle avait éprouvés pour d'autres: elle lui racontait les lettres qu'elle avait écrites, elle lui en rappelait jusqu'aux paroles, elle lui récitait des phrases entières. Les derniers jours elle semblait contempler Julien avec une sorte de joie maligne. Ses douleurs étaient une vive jouissance pour elle.

On voit que Julien n'avait aucune expérience de la vie, il n'avait pas même lu de romans; s'il eût été un peu moins gauche et qu'il eût dit avec quelque sang-froid à cette jeune fille, par lui si adorée et qui lui faisait des confidences si étranges: Convenez que quoique je ne vaille pas tous ces messieurs, c'est pourtant moi que vous aimez...

Peut-être eût-elle été heureuse d'être devinée, du moins le succès eût-il dépendu entièrement de la grâce avec laquelle Julien eût exprimé cette idée, et du moment qu'il eût choisi. Dans tous les cas il sortait [800] bien, et avec avantage pour lui, d'une situation qui allait devenir monotone aux yeux de Mathilde.

— Et vous ne m'aimez plus, moi qui vous adore! lui dit un jour Julien éperdu d'amour et de malheur. Cette sottise était à peu près la plus grande qu'il pût commettre.

Ce mot détruisit en un clin d'œil tout le plaisir que Mlle de La Mole trouvait à lui parler de l'état de son cœur. Elle commençait à s'étonner qu'après ce qui s'était passé il ne s'offensât pas de ses récits, elle allait jusqu'à s'imaginer, au moment où il lui tint ce sot propos, que peut-être il ne l'aimait plus. La fierté a sans doute éteint son amour, se disait-elle. Il n'est pas homme à se voir impunément préférer des êtres comme Caylus, de Luz, Croisenois, qu'il avoue lui être tellement supérieurs. Non, je ne le verrai plus à mes pieds!

Les jours précédents, dans la naïveté de son malheur, Julien lui faisait souvent un éloge sincère des brillantes qualités de ces messieurs; il allait jusqu'à les exagérer. Cette nuance n'avait point échappé à Mlle de La Mole, elle en était étonnée, mais n'en devinait point la cause. L'âme frénétique de Julien, en louant un rival qu'il croyait aimé, sympathisait avec son bonheur.[801]

Son mot si franc, mais si stupide, vint tout changer en un instant: Mathilde, sûre d'être aimée, le méprisa parfaitement.

Elle se promenait avec lui au moment de ce propos maladroit; elle le quitta, et son dernier regard exprimait le plus affreux mépris. Rentrée au salon, de toute la soirée elle ne le regarda plus. Le lendemain ce mépris occupait tout son cœur; il n'était plus question du mouvement qui, pendant huit jours, lui avait fait trouver tant de plaisir à traiter Julien comme l'ami le plus intime; sa vue lui était désagréable. La sensation de Mathilde alla jusqu'au dégoût; rien ne saurait exprimer l'excès du mépris qu'elle éprouvait en le rencontrant sous ses yeux.

Julien n'avait rien compris à tout ce qui s'était passé, depuis huit jours, dans le cœur de Mathilde, mais il discerna le mépris. Il eut le bon sens de ne paraître devant elle que le plus rarement possible, et jamais ne la regarda.

Mais ce ne fut pas sans une peine mortelle qu'il se priva en quelque sorte de sa présence. Il crut sentir que son malheur s'en augmentait encore. Le courage d'un cœur d'homme ne peut aller plus loin, se disait-il. Il passait sa vie à une petite fenêtre dans les combles de l'hôtel; la persienne en était fermée avec soin, et de là du moins il pouvait apercevoir Mlle de La Mole quand elle paraissait au jardin.

Que devenait-il quand après dîner il la voyait se promener avec M. de Caylus, M. de Luz ou tel autre pour qui elle lui avait avoué quelque velléité d'amour autrefois éprouvée ?

Julien n'avait pas l'idée d'une telle intensité de malheur; il était sur le point de jeter des cris; cette âme si ferme était enfin bouleversée de fond en comble.

Toute pensée étrangère à Mlle de La Mole lui était devenue odieuse; il était incapable d'écrire les lettres les plus simples.

— Vous êtes fou, lui dit le marquis.

Julien, tremblant d'être deviné, parla de maladie et parvint à se faire croire. Heureusement pour lui, le marquis le plaisanta à dîner sur son prochain voyage: Mathilde comprit qu'il pouvait être fort long. Il y avait déjà plusieurs jours que Julien la fuyait, et les jeunes gens si brillants qui avaient tout ce qui manquait à cet être si pâle et si sombre, autrefois aimé d'elle, n'avaient plus le pouvoir de la tirer de sa rêverie.

Une fille ordinaire, se disait-elle, eût cherché l'homme qu'elle préfère parmi ces jeunes gens qui attirent tous les regards dans un salon; mais un des caractères du génie est de ne pas traîner sa pensée dans l'ornière tracée par le vulgaire.

Compagne d'un homme tel que Julien, auquel il ne manque que de la fortune que j'ai, j'exciterai continuellement l'attention, je ne passerai point inaperçue dans la vie. Bien loin de redouter sans cesse une révolution comme mes cousines, qui de peur du peuple n'osent pas gronder un postillon qui les mène mal, je serai sûre de jouer un rôle et un grand rôle, car l'homme que j'ai choisi a du caractère et une ambition sans bornes. Que lui manque-t-il ? des amis, de l'argent ? Je lui en donne. Mais sa pensée traitait un peu Julien en être inférieur, dont on se fait aimer quand on veut.

19. L'Opéra Bouffe

O how this spring of love resembleth
The uncertain glory of an April day;
Which now shows all the beauty of the sun,
And by and by a cloud takes all away!

SHAKESPEARE.[802]

Occupée de l'avenir et du rôle singulier qu'elle espérait, Mathilde en vint bientôt jusqu'à regretter les discussions sèches et métaphysiques qu'elle avait souvent avec Julien. Fatiguée de si hautes pensées, quelquefois aussi elle regrettait les moments de bonheur qu'elle avait trouvés auprès de lui; ces derniers souvenirs ne paraissaient point sans remords, elle en était accablée dans de certains moments.

Mais si l'on a une faiblesse, se disait-elle, il est digne d'une fille telle que moi de n'oublier ses devoirs que pour un homme de mérite; on ne dira point que ce sont ses jolies moustaches ni sa grâce à monter à cheval qui m'ont séduite, mais ses profondes discussions sur l'avenir qui attend la France, ses idées sur la ressemblance que les événements qui vont fondre sur nous peuvent avoir avec la révolution de 1688 en Angleterre.[803] J'ai été séduite, répondait-elle à ses remords, je suis une faible femme, mais du moins je n'ai pas été égarée comme une poupée par les avantages extérieurs.

S'il y a une révolution, pourquoi Julien Sorel ne jouerait-il pas le rôle de Roland, et moi celui de Mme Roland?[804] J'aime mieux ce rôle que celui de Mme de Staël:[805] l'immoralité de la conduite sera un obstacle dans notre siècle. Certainement on ne me reprochera pas une seconde faiblesse; j'en mourrais de honte.

Les rêveries de Mathilde n'étaient pas toutes aussi graves, il faut l'avouer, que les pensées que nous venons de transcrire.

Elle regardait Julien, elle trouvait une grâce charmante à ses moindres actions.

Sans doute, se disait-elle, je suis parvenue à détruire chez lui jusqu'à la plus petite idée qu'il a des droits.[806]

L'air de malheur et de passion profonde avec lequel le pauvre garçon m'a dit ce mot d'amour, il y a huit jours, le prouve de reste; il faut convenir que j'ai été bien extraordinaire de me fâcher d'un mot où brillaient tant de respect, tant de passion. Ne suis-je pas sa femme? Ce mot était bien naturel, et, il faut l'avouer, il était bien aimable. Julien m'aimait encore après des conversations éternelles, dans lesquelles je ne lui avait parlé, et avec bien de la cruauté, j'en conviens, que des velléités d'amour que l'ennui de la vie que je mène m'avait inspirées pour ces jeunes gens de la société desquels il est si jaloux. Ah ! s'il savait combien ils sont peu dangereux pour moi ! Combien auprès de lui ils me semblent étiolés et tous copies les uns des autres.

En faisant ces réflexions, Mathilde traçait au hasard des traits de crayon sur une feuille de son album. Un des profils qu'elle venait d'achever l'étonna, la ravit: il ressemblait à Julien d'une manière frappante. C'est la voix du ciel ! Voilà un des miracles de l'amour, s'écria-t-elle avec transport: sans m'en douter je fais son portrait.

Elle s'enfuit dans sa chambre, s'y enferma, s'appliqua beaucoup, chercha sérieusement à faire le portrait de Julien, mais elle ne put réussir; le profil tracé au hasard se trouva toujours le plus ressemblant; Mathilde en fut enchantée, elle y vit une preuve évidente de grande passion.

Elle ne quitta son album que fort tard, quand la marquise la fit appeler pour aller à l'Opéra italien. Elle n'eut qu'une idée, chercher Julien des yeux pour le faire engager par sa mère à les accompagner.

Il ne parut point; ces dames n'eurent que des êtres vulgaires dans leur loge. Pendant tout le premier acte de l'opéra. Mathilde rêva à l'homme qu'elle aimait avec les transports de la passion la plus vive; mais au second acte une maxime d'amour chantée, il faut l'avouer, sure une mélodie digne de Cimarosa, pénétra son cœur. L'héroïne de l'opéra disait: Il faut me punir de l'excès d'adoration que je sens pour lui, je l'aime trop!

Du moment qu'elle eut entendu cette cantilène[807] sublime, tout ce qui existait au monde disparut pour Mathilde. On lui parlait; elle ne répondait pas; sa mère la grondait, à peine pouvait-elle prendre sur elle de la regarder. Son extase arriva à un état d'exaltation et de passion comparable aux mouvements les plus violents que depuis quelques jours Julien avait éprouvés pour elle. La cantilène, pleine d'une grâce divine, sur laquelle était chantée la maxime qui lui semblait faire une application si frappante à sa position, occupait tous les instants où elle ne songeait pas directement à Julien. Grâce à son amour pour la musique, elle fut ce soir-là comme Mme de Rênal était toujours en pensant à Julien. L'amour de tête[808] a plus d'esprit sans doute que l'amour vrai, mais il n'a que des instants d'enthousiasme; il se connaît trop, il se juge sans cesse; loin d'égarer la pensée, il n'est bâti qu'à force de pensées.

De retour à la maison, quoi que pût dire Mme de La Mole, Mathilde prétendit avoir la fièvre, et passa une partie de la nuit à répéter cette cantilène sur son piano. Elle chantait les paroles de l'air célèbre qui l'avait charmée:

> Devo punirmi, devo punirmi,
> Se troppo amai, etc.[809]

Le résultat de cette nuit de folie fut qu'elle crut être parvenue à triompher de son amour. (Cette page nuira de plus d'une façon au malheureux auteur. Les âmes glacées l'accuseront d'indécence.[810] Il ne fait point l'injure[811] aux jeunes personnes qui brillent dans les salons de Paris de supposer qu'une seule d'entre elles soit susceptible des mouvements de folie qui dégradent le caractère de Mathilde. Ce personnage est tout à fait d'imagination, et même imaginé bien en dehors des habitudes sociales qui parmi tous les siècles assureront un rang si distingué à la civilisation du XIXe siècle.[812]

Ce n'est point la prudence qui manque aux jeunes filles qui ont fait l'ornement des bals de cet hiver.

Je ne pense pas non plus que l'on puisse les accuser de trop mépriser une brillante fortune, des chevaux, de belles terres et tout ce qui assure une position agréable dans le monde. Loin de ne voir que de l'ennui dans tous ces avantages,[813] ils sont en général l'objet des désirs les plus constants, et s'il y a passion dans les cœurs elle est pour eux.[814]

Ce n'est point l'amour non plus qui se charge de la fortune des jeunes gens doués de quelque talent comme Julien; ils s'attachent d'une étreinte invincible à une coterie, et quand la coterie fait fortune, toutes les bonnes choses de la société pleuvent sur eux. Malheur à l'homme d'étude[815] qui n'est d'aucune coterie, on lui reprochera jusqu'à de petits succès fort incertains, et la haute vertu triomphera en le volant. Eh, monsieur, un roman est un miroir qui se promène sur une grande route. Tantôt il reflète à vos yeux l'azur des cieux, tantôt la fange des bourbiers de la route. Et l'homme qui porte le miroir dans sa hotte sera par vous accusé d'être immoral ! Son miroir montre la fange, et vous accusez le miroir ! Accusez bien plutôt le grand chemin où est le bourbier, et plus encore l'inspecteur des routes qui laisse l'eau croupir et le bourbier se former.[816]

Maintenant qu'il est bien convenu que le caractère de Mathilde est impossible dans notre siècle, non moins prudent que vertueux, je crains moins d'irriter en continuant le récit des folies de cette aimable fille.)

Pendant toute la journée du lendemain elle épia les occasions de s'assurer de son triomphe sur sa folle passion. Son grand but fut de déplaire en tout à Julien; mais aucun de ses mouvements ne lui[817] échappa.

Julien était trop malheureux et surtout trop agité pour deviner une manœuvre de passion aussi compliquée,[818] encore moins put-il voir tout ce qu'elle avait de favorable pour lui:[819] il en fut la victime; jamais peut-être son malheur n'avait été aussi excessif. Ses actions étaient tellement peu sous la direction de son esprit que si quelque philosophe chagrin lui eût dit: « Songez à profiter rapidement des dispositions qui vont vous être favorables; dans ce genre d'amour de tête, que l'on voit à Paris,[820] la même manière d'être ne peut durer plus de deux jours », il ne l'eût pas compris. Mais quelque exalté qu'il fût, Julien avait de l'honneur. Son premier devoir était la discrétion; il le comprit. Demander conseil, raconter son supplice au premier venu eût été un bonheur comparable à celui du malheureux qui, traversant un désert enflammé, reçoit du ciel une goutte d'eau glacée. Il connut[821] le péril, il craignit de répondre par un torrent de larmes à l'indiscret qui l'interrogerait; il s'enferma chez lui.

Il vit Mathilde se promener longtemps au jardin; quand enfin elle l'eut quitté, il y descendit; il s'approcha d'un rosier où elle avait pris une fleur.

La nuit était sombre, il put se livrer à tout son malheur sans crainte d'être vu. Il était évident pour lui que Mlle de La Mole aimait un de ces jeunes officiers avec qui elle venait de parler si gaîment. Elle l'avait aimé lui, mais elle avait connu son peu de mérite.

Et en effet, j'en ai bien peu ! se disait Julien avec pleine conviction; je suis au total un être bien plat, bien vulgaire, bien ennuyeux pour les autres, bien insupportable à moi-même. Il était mortellement dégoûté de toutes ses bonnes qualités, de toutes les choses qu'il avait aimées avec enthousiasme; et dans cet état d'*imagination renversée,*[822] il entreprenait de juger la vie avec son imagination.[823] Cette erreur est d'un homme supérieur.

Plusieurs fois l'idée du suicide s'offrit à lui; cette image était pleine de charmes, c'était comme un repos délicieux; c'était le verre d'eau glacée offert au misérable qui, dans le désert, meurt de soif et de chaleur.

Ma mort augmentera le mépris qu'elle a pour moi ![824] s'écria-t-il. Quel souvenir je laisserai !

Tombé dans ce dernier abîme du malheur, un être humain n'a de ressources que le courage. Julien n'eut pas assez de génie pour se dire: il faut oser; mais comme il regardait la fenêtre de la chambre de Mathilde, il vit à travers les persiennes qu'elle éteignait sa lumière: il se figurait cette chambre charmante qu'il avait vue, hélas ! une fois en sa vie. Son imagination n'allait pas plus loin.

Une heure sonna,[825] entendre le son de la cloche et se dire: Je vais monter avec l'échelle, ne fut qu'un instant.

Ce fut l'éclair du génie, les bonnes raisons arrivèrent en foule. Puis-je être plus malheureux ![826] se disait-il. Il courut à l'échelle, le jardinier l'avait enchaînée. A l'aide du chien d'un de ses petits pistolets, qu'il brisa, Julien, animé dans ce moment d'une force surhumaine,[827] tordit un des chaînons de la chaîne qui retenait l'échelle; il en fut maître en peu de minute, et la plaça contre la fenêtre de Mathilde.

Elle va se fâcher, m'accabler de mépris, qu'importe ? Je lui donne un baiser, un dernier baiser, je monte chez moi et je me tue...; mes lèvres toucheront sa joue avant que de mourir !

Il volait en montant l'échelle, il frappe à la persienne; après quelques instants Mathilde l'entend, elle veut ouvrir la persienne, l'échelle s'y oppose; Julien se cramponne au crochet de fer destiné à tenir la persienne ouverte, et, au risque de se précipiter mille fois, donne une violente secousse à l'échelle, et la déplace un peu. Mathilde peut ouvrir la persienne.

Il se jette dans la chambre plus mort que vif:

— C'est donc toi ! dit-elle en se précipitant dans ses bras...

. . . .

Qui pourra décrire l'excès du bonheur de Julien ? Celui de Mathilde fut presque égal.

Elle lui parlait contre elle-même, elle se dénonçait à lui.

— Punis-moi de mon orgueil atroce, lui disait-elle, en le serrant dans ses bras de façon à l'étouffer; tu es mon maître, je suis ton esclave, il faut que je te demande pardon à genoux d'avoir voulu me révolter. Elle quittait ses bras pour tomber à ses pieds. Oui, tu es mon maître, lui disait-elle encore ivre de bonheur et d'amour; règne à jamais sur moi, punis sévèrement ton esclave quand elle voudra se révolter.

Dans un autre moment elle s'arrache de ses bras, allume la bougie, et Julien a toutes les peines du monde à l'empêcher de se couper tout un côté de ses cheveux.

— Je veux me rappeler, lui dit-elle, que je suis ta servante: si jamais un exécrable orgueil vient m'égarer, montre-moi ces cheveux et dis: il n'est plus question d'amour, il ne s'agit pas de l'émotion que votre âme peut éprouver en ce moment, vous avez juré d'obéir, obéissez sur l'honneur.

Mais il est plus sage de supprimer la description d'un tel degré d'égarement et de félicité.

La vertu de Julien fut égale à son bonheur; il faut que je

descende par l'échelle, dit-il à Mathilde, quand il vit l'aube du jour paraître sur les cheminées lointaines du côté de l'orient, au delà des jardins. Le sacrifice que je m'impose est digne de vous, je me prive de quelques heures du plus étonnant bonheur qu'une âme humaine puisse goûter, c'est un sacrifice que je fais à votre réputation: si vous connaissez mon cœur, vous comprenez la violence que je me fais. Serez-vous toujours pour moi [828] ce que vous êtes en ce moment? Mais l'honneur parle, il suffit. Apprenez que, lors de notre première entrevue, tous les soupçons n'ont pas été dirigés contre les voleurs. M. de La Mole a fait établir une garde dans le jardin. M. de Croisenois est environné d'espions, on sait ce qu'il fait chaque nuit...

A cette idée, Mathilde rit aux éclats. Sa mère et une femme de service furent éveillées; tout à coup on lui adressa la parole à travers la porte. Julien la regarda, elle pâlit en grondant la femme de chambre et ne daigna pas adresser la parole à sa mère.

— Mais si elles ont l'idée d'ouvrir la fenêtre, elles voient l'échelle! lui dit Julien.

Il la serra encore une fois dans ses bras, se jeta sur l'échelle et se laissa glisser plutôt qu'il ne descendit; en un moment il fut à terre.

Trois secondes après, l'échelle était sous l'allée de tilleuls, et l'honneur de Mathilde sauvé. Julien, revenu à lui, se trouva tout en sang et presque nu: il s'était blessé en se laissant glisser sans précaution.

L'excès du bonheur lui avait rendu toute l'énergie de son caractère: vingt hommes se fussent présentés, que les attaquer seul, en cet instant, n'eût été qu'un plaisir de plus. Heureusement, sa vertu militaire ne fut pas mise à l'épreuve: il coucha l'échelle à sa place ordinaire; il replaça la chaîne qui la retenait; il n'oublia point d'effacer l'empreinte que l'échelle avait laissée dans la plate-bande de fleurs exotiques sous la fenêtre de Mathilde.

Comme dans l'obscurité il promenait sa main sur la terre molle pour s'assurer que l'empreinte était entièrement effacée, il sentit tomber quelque chose sur ses mains, c'était tout un côté des cheveux de Mathilde, qu'elle avait coupé et qu'elle lui jetait.

Elle était à sa fenêtre.

— Voilà ce que t'envoie ta servante, lui dit-elle assez haut, c'est le signe d'une obéissance éternelle. Je renonce à l'exercice de ma raison, sois mon maître.

Julien, vaincu, fut sur le point d'aller reprendre l'échelle et de remonter chez elle. Enfin la raison fut la plus forte.

Rentrer du jardin dans l'hôtel n'était pas chose facile. Il réussit à forcer la porte d'une cave; parvenu dans la maison, il fut obligé d'enfoncer le plus silencieusement possible la porte de sa chambre. Dans son trouble [829] il avait laissé, dans la petite chambre qu'il venait d'abandonner si rapidement, jusqu'à la clef qui était dans la poche de son habit. Pourvu, pensa-t-il, qu'elle songe à cacher toute cette dépouille mortelle ! [830]

Enfin, la fatigue l'emporta sur le bonheur, et comme le soleil se levait, il tomba dans un profond sommeil.

La cloche du déjeuner eut grand'peine à l'éveiller, il parut à la salle à manger. Bientôt après Mathilde y entra. L'orgueil de Julien eut un moment bien heureux en voyant l'amour qui éclatait dans les yeux de cette personne si belle et environnée de tant d'hommages; mais bientôt sa prudence eut lieu d'être effrayée.

Sous prétexte du peu de temps qu'elle avait eu pour soigner sa coiffure, Mathilde avait arrangé ses cheveux de façon à ce que Julien pût [831] apercevoir du premier coup d'œil toute l'étendue du sacrifice qu'elle avait fait pour lui en les coupant la nuit précédente. Si une aussi belle figure avait pu être gâtée par quelque chose, Mathilde y serait parvenue; tout un côté de ses beaux cheveux, d'un blond cendré, était coupé à un demi-pouce de la tête.

A déjeuner, toute la manière d'être de Mathilde répondit à cette première imprudence. On eût dit qu'elle prenait à tâche de faire savoir à tout le monde la folle passion qu'elle avait pour Julien. Heureusement, ce jour-là, M. de La Mole et la marquise étaient fort occupés d'une promotion de cordons bleus,[832] qui allait avoir lieu, et dans laquelle M. de Chaulnes n'était pas compris. Vers la fin du repas, il arriva à Mathilde, qui parlait à Julien, de l'appeler *mon maître.* Il rougit jusqu'au blanc des yeux.

Soit hasard ou fait exprès [833] de la part de Mme de La

Mole, Mathilde ne fut pas un instant seule ce jour-là. Le soir, en passant de la salle à manger au salon, elle trouva pourtant le moment de dire à Julien:

— Croirez-vous que ce soit un prétexte de ma part ? Maman vient de décider qu'une de ses femmes s'établira la nuit dans mon appartement.

Cette journée passa comme un éclair. Julien était au comble du bonheur. Dès sept heures du matin, le lendemain, il était installé dans la bibliothèque; il espérait que Mlle de La Mole daignerait y paraître; il lui avait écrit une lettre infinie.

Il ne la vit que bien des heures après, au déjeuner. Elle était ce jour-là coiffée avec le plus grand soin; un art merveilleux s'était chargé de cacher la place des cheveux coupés. Elle regarda une ou deux fois Julien, mais avec des yeux polis et calmes, il n'était plus question de l'appeler *mon maître.*

L'étonnement de Julien l'empêchait de respirer ... Mathilde se reprochait presque tout ce qu'elle avait fait pour lui.

En y pensant mûrement, elle avait décidé que c'était un être, si ce n'est [834] tout à fait commun, du moins ne sortant pas assez de la ligne [835] pour mériter toutes les étranges folies qu'elle avait osées pour lui. Au total, elle ne songeait guère à l'amour; ce jour-là, elle était lasse d'aimer.

Pour Julien, les mouvements de son cœur furent ceux d'un enfant de seize ans. Le doute affreux, l'étonnement, le désespoir l'occupèrent tour à tour pendant ce déjeuner qui lui sembla d'une éternelle durée.

Dès qu'il put décemment se lever de table, il se précipita plutôt qu'il ne courut à l'écurie, sella lui-même son cheval, et partit au galop; il craignait de se déshonorer par quelque faiblesse. Il faut que je tue mon cœur à force de fatigue physique, se disait-il en galopant dans les bois de Meudon.[836] Qu'ai-je fait, qu'ai-je dit pour mériter une telle disgrâce ?

Il faut ne rien faire, ne rien dire aujourd'hui, pensa-t-il en rentrant à l'hôtel, être mort au physique comme je le suis au moral. Julien ne vit plus, c'est son cadavre qui s'agite encore.

20. Le Vase du Japon

> *Son cœur ne comprend pas d'abord tout l'excès de son malheur; il est plus troublé qu'ému. Mais à mesure que la raison revient, il sent la profondeur de son infortune. Tous les plaisirs de la vie se trouvent anéantis pour lui, il ne peut sentir que les vives pointes du désespoir qui le déchirent. Mais à quoi bon parler de douleur physique? Quelle douleur sentie par le corps seulement est comparable à celle-ci?*
>
> JEAN-PAUL.[837]

On sonnait le dîner, Julien n'eut que le temps de s'habiller; il trouva au salon Mathilde, qui faisait des instances à son frère et à M. de Croisenois pour les engager à ne pas aller passer la soirée à Suresnes,[838] chez Mme la maréchale de Fervaques.

Il eût été difficile d'être plus séduisante et plus aimable pour eux. Après dîner parurent MM. de Luz, de Caylus et plusieurs de leurs amis. On eût dit que Mlle de La Mole avait repris avec le culte de l'amitié fraternelle celui des convenances les plus exactes. Quoique le temps fût charmant ce soir-là, elle insista pour ne pas aller au jardin; elle voulut que l'on ne s'éloignât pas de la bergère où Mme de La Mole était placée. Le canapé bleu fut le centre du groupe, comme en hiver.

Mathilde avait de l'humeur contre le jardin, ou du moins il lui semblait parfaitement ennuyeux: il était lié au souvenir de Julien.

Le malheur diminue l'esprit. Notre héros eut la gaucherie de s'arrêter auprès de cette petite chaise de paille, qui jadis avait été le témoin de triomphes si brillants. Aujourd'hui personne ne lui adressa la parole; sa présence était comme inaperçue et pire encore. Ceux des amis de Mlle de La Mole qui étaient placés près de lui à l'extrémité du canapé, affectaient en quelque sorte de lui tourner le dos, du moins il en eut l'idée.

C'est une disgrâce de cour,[839] pensa-t-il. Il voulut étudier un instant les gens qui prétendaient l'accabler de leur dédain.

L'oncle de M. de Luz avait une grande charge auprès du roi, d'où il résultait que ce bel officier plaçait au commencement de sa conversation, avec chaque interlocuteur qui survenait, cette particularité piquante: son oncle s'était mis en route à sept heures pour Saint-Cloud, et le soir il comptait y coucher. Ce détail était amené avec toute l'apparence de la bonhomie,[840] mais toujours il arrivait.

En observant M. de Croisenois avec l'œil sévère du malheur, Julien remarqua l'extrême influence que cet aimable et bon jeune homme supposait aux causes occultes. C'était au point qu'il s'attristait et prenait de l'humeur s'il voyait attribuer un événement un peu important à une cause simple et toute naturelle. Il y a là un peu de folie, se dit Julien. Ce caractère a un rapport frappant avec celui de l'empereur Alexandre,[841] tel que me l'a décrit le prince Korasoff. Durant la première année de son séjour à Paris, le pauvre Julien sortant du séminaire, ébloui par les grâces pour lui si nouvelles de tous ces aimables jeunes gens, n'avait pu que les admirer. Leur véritable caractère commençait seulement à se dessiner à ses yeux.

Je joue ici un rôle indigne, pensa-t-il tout à coup. Il s'agissait de quitter sa petite chaise de paille d'une façon qui ne fût pas trop gauche. Il voulut inventer, il demandait quelque chose de nouveau à une imagination tout occupée ailleurs. Il fallait avoir recours à la mémoire, la sienne était, il faut l'avouer, peu riche en ressources de ce genre;[842] le pauvre garçon avait encore bien peu d'usage, aussi fut-il d'une gaucherie parfaite et remarquée de tous lorsqu'il se leva pour quitter le salon. Le malheur était trop évident dans toute sa manière d'être. Il jouait depuis trois quarts d'heure le rôle d'un importun subalterne auquel on ne se donne pas la peine de cacher ce qu'on pense de lui.

Les observations critiques qu'il venait de faire sur ses rivaux l'empêchèrent toutefois de prendre son malheur trop au tragique; il avait, pour soutenir sa fierté, le souvenir de ce qui s'était passé l'avant-veille. Quels que soient leurs avantages sur moi, pensait-il, en entrant seul au jardin, Mathilde n'a été pour aucun d'eux ce que deux fois dans ma vie elle a daigné être pour moi.

Sa sagesse n'alla pas plus loin. Il ne comprenait nullement le caractère de la personne singulière que le hasard venait de rendre maîtresse absolue de tout son bonheur.

Il s'en tint la journée suivante à tuer de fatigue lui et son cheval. Il n'essaya plus de s'approcher, le soir, du canapé bleu, auquel Mathilde était [843] fidèle. Il remarqua que le comte Norbert ne daignait pas même le regarder en le rencontrant dans la maison. Il doit se faire une étrange violence, pensa-t-il, lui naturellement si poli.

Pour Julien, le sommeil eût été le bonheur. En dépit de la fatigue physique, des souvenirs trop séduisants commençaient à envahir toute son imagination. Il n'eut pas le génie de voir que par ses grandes courses à cheval dans les bois des environs de Paris, n'agissant que sur lui-même et nullement sur le cœur ou sur l'esprit de Mathilde, il laissait au hasard la disposition de son sort.

Il lui semblait qu'une chose apporterait à sa douleur un soulagement infini: ce serait de parler à Mathilde. Mais cependant qu'oserait-il lui dire ?

C'est à quoi un matin à sept heures il rêvait profondément lorsque tout à coup il la vit entrer dans la bibliothèque.

— Je sais, monsieur, que vous désirez me parler.

— Grand Dieu ! Qui vous l'a dit ?

— Je le sais, que vous importe ? Si vous manquez d'honneur, vous pouvez me perdre, ou du moins le tenter; mais ce danger, que je ne crois pas réel, ne m'empêchera certainement pas d'être sincère.[844] Je ne vous aime plus, monsieur, mon imagination folle m'a trompée ...

A ce coup terrible, éperdu d'amour et de malheur, Julien essaya de se justifier. Rien de plus absurde. Se justifie-t-on de déplaire ? [845] Mais la raison n'avait plus aucun empire sur ses actions. Un instinct aveugle le poussait à retarder la décision de son sort. Il lui semblait que tant qu'il parlait, tout n'était pas fini. Mathilde n'écoutait pas ses paroles, leur son l'irritait, elle ne concevait pas qu'il eût l'audace de l'interrompre.

Les remords de la vertu et ceux de l'orgueil la rendaient ce matin-là également malheureuse. Elle était en quelque sorte anéantie par l'affreuse idée d'avoir donné des droits sur elle à un petit abbé, fils d'un paysan. C'est à peu près, se disait-elle dans les moments où elle s'exagérait son malheur, comme si j'avais à me reprocher une faiblesse pour un des laquais.

Dans les caractères hardis et fiers il n'y a qu'un pas de la colère contre soi-même à l'emportement contre les autres; les transports de fureur sont dans ce cas [846] un plaisir vif.

En un instant, Mlle de La Mole arriva au point d'accabler Julien des marques de mépris les plus excessives. Elle avait infiniment d'esprit, et cet esprit triomphait dans l'art de torturer les amours-propres et de leur infliger des blessures cruelles.

Pour la première fois de sa vie, Julien se trouvait soumis à l'action d'un esprit supérieur animé contre lui de la haine la plus violente. Loin de songer le moins du monde à se défendre en cet instant, il en vint à se mépriser soi-même. En s'entendant accabler de marques de mépris si cruelles, et calculées avec tant d'esprit pour détruire toute bonne opinion qu'il pouvait avoir de soi, il lui semblait que Mathilde avait raison et qu'elle n'en disait pas assez.

Pour elle, elle trouvait un plaisir d'orgueil délicieux à punir ainsi elle et lui de l'adoration qu'elle avait sentie quelques jours auparavant.

Elle n'avait pas besoin d'inventer et de penser pour la première fois les choses cruelles qu'elle lui adressait avec tant de complaisance. Elle ne faisait que répéter ce que depuis huit jours disait dans son cœur l'avocat du parti contraire à l'amour.

Chaque mot centuplait l'affreux malheur de Julien. Il voulut fuir, Mlle de La Mole le retint par le bras avec autorité.

— Daignez remarquer, lui dit-il, que vous parlez très haut, on vous entendra de la pièce voisine.

— Qu'importe ! reprit fièrement Mlle de La Mole, qui osera me dire qu'on m'entend ? Je veux guérir à jamais votre petit amour-propre [847] des idées qu'il a pu se figurer sur mon compte.

Lorsque Julien put sortir de la bibliothèque, il était tellement étonné, qu'il en sentait moins son malheur. Eh bien ! elle ne m'aime pas, se répétait-il en se parlant tout haut comme pour s'apprendre sa position. Il paraît qu'elle m'a aimé huit ou dix jours, et moi je l'aimerai toute la vie.

Est-il bien possible, elle n'était rien ! rien pour mon cœur, il y a si peu de jours !

Les jouissances d'orgueil inondaient le cœur de Mathilde; elle avait donc pu rompre à tout jamais ! Triompher si complétement d'un penchant si puissant la rendrait parfaitement heureuse. Ainsi ce petit monsieur comprendra, et une fois pour toutes, qu'il n'a et n'aura jamais aucun empire sur moi. Elle était si heureuse, que réellement elle n'avait plus d'amour en ce moment.

Après une scène aussi atroce, aussi humiliante, chez un être moins passionné que Julien, l'amour fût devenu impossible. Sans s'écarter un seul instant de ce qu'elle se devait à elle-même, Mlle de La Mole lui avait adressé de ces choses désagréables, tellement bien calculées, qu'elles peuvent paraître une vérité, même quand on s'en souvient de sang-froid.[848]

La conclusion que Julien tira dans le premier moment d'une scène si étonnante fut que Mathilde avait un orgueil infini. Il croyait fermement que tout était fini à tout jamais entre eux, et cependant le lendemain, au déjeuner, il fut gauche et timide devant elle. C'était un défaut qu'on n'avait pu lui reprocher jusque-là. Dans les petites comme dans les grandes choses, il savait nettement ce qu'il devait et voulait faire, et l'exécutait.

Ce jour-là, après le déjeuner, comme Mme de La Mole lui demandait une brochure séditieuse et pourtant assez rare, que le matin son curé lui avait apportée en secret,[849] Julien en la prenant sur une console fit tomber un vieux vase de porcelaine bleu, laid au possible.

Mme de La Mole se leva en jetant un cri de détresse et vint considérer de près les ruines de son vase chéri. C'etait du vieux japon, disait-elle, il me venait de ma grand'tante abbesse de Chelles;[850] c'était un présent des Hollandais[851] au duc d'Orléans régent[852] qui l'avait donné à sa fille...

Mathilde avait suivi le mouvement de sa mère,[853] ravie

de voir brisé ce vase bleu qui lui semblait horriblement laid. Julien était silencieux et point trop troublé; il vit Mlle de La Mole tout près de lui.

— Ce vase, lui dit-il, est à jamais détruit, ainsi en est-il d'un sentiment qui fut autrefois le maître de mon cœur; je vous prie d'agréer mes excuses de toutes les folies qu'il m'a fait faire; et il sortit.

— On dirait en vérité, dit Mme de La Mole comme il s'en allait, que ce M. Sorel est fier et content de ce qu'il vient de faire.

Ce mot tomba directement sur le cœur de Mathilde. Il est vrai, se dit-elle, ma mère a deviné juste, tel est le sentiment qui l'anime.[854] Alors seulement cessa la joie de la scène qu'elle lui avait faite la veille. Eh bien, tout est fini, se dit-elle avec un calme apparent; il me reste un grand exemple; cette erreur est affreuse, humiliante ! Elle me vaudra la sagesse pour tout le reste de la vie.

Que n'ai-je dit vrai ?[854a] pensait Julien, pourquoi l'amour que j'avais pour cette folle me tourmente-t-il encore ?

Cet amour, loin de s'éteindre comme il l'espérait, fit des progrès rapides. Elle est folle, il est vrai, se disait-il, en est-elle moins adorable ? Est-il possible d'être plus jolie ? Tout ce que la civilisation la plus élégante peut présenter de vifs plaisirs, n'était-il pas réuni comme à l'envi [855] chez Mlle de La Mole ? Ces souvenirs de bonheur passé s'emparaient de Julien, et détruisaient rapidement tout l'ouvrage de la raison.

La raison lutte en vain contre les souvenirs de ce genre; ses essais sévères ne font qu'en augmenter le charme.

Vingt-quatre heures après la rupture du vase de vieux japon, Julien était décidément l'un des hommes les plus malheureux.

21. La Note secrète[856]

Car tout ce que je raconte, je l'ai vu; et si j'ai pu me tromper en le voyant, bien certainement je ne vous trompe point en vous le disant.

Lettre à l'Auteur.

Le marquis le fit appeler; M. de La Mole semblait rajeuni, son œil était brillant.

— Parlons un peu de votre mémoire, dit-il à Julien, on dit qu'elle est prodigieuse ! Pourriez-vous apprendre par cœur quatre pages et aller les réciter à Londres ? [857] Mais sans changer un mot !...

Le marquis chiffonnait avec humeur la *Quotidienne* du jour, et cherchait en vain à dissimuler un air fort sérieux et que Julien ne lui avait jamais vu, même lorsqu'il était question du procès Frilair.

Julien avait déjà assez d'usage pour sentir qu'il devait paraître tout à fait dupe du ton léger qu'on lui montrait.

— Ce numéro de la *Quotidienne* n'est peut-être pas fort amusant; mais, si Monsieur le marquis le permet, demain matin j'aurai l'honneur de le lui réciter tout entier.

— Quoi ! même les annonces ?[857a]

— Fort exactement, et sans qu'il y manque [858] un mot.

— M'en donnez-vous votre parole ? reprit le marquis avec une gravité soudaine.

— Oui, Monsieur, la crainte d'y manquer [859] pourrait seule troubler ma mémoire.

— C'est que [860] j'ai oublié de vous faire cette question hier: je ne vous demande pas votre serment de ne jamais répéter ce que vous allez entendre; je vous connais trop pour vous faire cette injure. J'ai répondu de vous, je vais vous mener dans un salon où se réuniront douze personnes; vous tiendrez note de ce que chacun dira.

Ne soyez pas inquiet, ce ne sera point une conversation

confuse,[861] chacun parlera à son tour, je ne veux pas dire avec ordre, ajouta le marquis en reprenant l'air fin et léger qui lui était si naturel. Pendant que nous parlerons, vous écrirez une vingtaine de pages; vous reviendrez ici avec moi, nous réduirons ces vingt pages à quatre. Ce sont ces quatre pages que vous me réciterez demain matin au lieu de tout le numéro de la *Quotidienne*. Vous partirez aussitôt après; il faudra courir la poste comme un jeune homme qui voyage pour ses plaisirs. Votre but sera de n'être remarqué de personne. Vous arriverez auprès d'un grand personnage. Là, il vous faudra plus d'adresse. Il s'agit de tromper tout ce qui l'entoure; car parmi ses secrétaires, parmi ses domestiques, il y a des gens vendus à nos ennemis, et qui guettent nos agents au passage pour les intercepter.

Vous aurez une lettre de recommandation insignifiante.

Au moment où Son Excellence vous regardera, vous tirerez ma montre que voici et que je vous prête pour le voyage. Prenez-la sur vous, c'est toujours autant de fait,[862] donnez-moi la vôtre.

Le duc lui-même daignera écrire sous votre dictée les quatre pages que vous aurez apprises par cœur.

Cela fait, mais non plus tôt, remarquez bien, vous pourrez, si Son Excellence vous interroge, raconter la séance à laquelle vous allez assister.

Ce qui vous empêchera de vous ennuyer le long du voyage, c'est qu'entre Paris et la résidence du ministre,[863] il y a des gens qui ne demanderaient pas mieux que de tirer un coup de fusil à M. l'abbé Sorel. Alors sa mission est finie et je vois un grand retard; car, mon cher, comment saurons-nous votre mort? Votre zèle ne peut pas aller jusqu'à nous en faire part.

Courez sur-le-champ acheter un habillement complet, reprit le marquis d'un air sérieux. Mettez-vous à la mode d'il y a deux ans. Il faut ce soir que vous ayez l'air peu soigné.[864] En voyage, au contraire, vous serez comme à l'ordinaire. Cela vous surprend, votre méfiance devine? Oui, mon ami, un des vénérables personnages que vous allez entendre opiner est fort capable d'envoyer des renseignements, au moyen desquels on pourra bien vous donner au moins de l'opium, le soir, dans quelque bonne auberge où vous aurez demandé à souper.

— Il vaut mieux, dit Julien, faire trente lieues de plus et ne pas prendre la route directe. Il s'agit de Rome,[865] je suppose ...

Le marquis prit un air de hauteur et de mécontentement que Julien ne lui avait pas vu à ce point depuis Bray-le-Haut.

— C'est ce que vous saurez, Monsieur, quand je jugerai à propos de vous le dire. Je n'aime pas les questions.

— Ceci n'en était pas une, reprit Julien avec effusion; je vous le jure, Monsieur, je pensais tout haut, je cherchais dans mon esprit la route la plus sûre.

— Oui, il paraît que votre esprit était bien loin.[866] N'oubliez jamais qu'un ambassadeur, et de votre âge encore, ne doit pas avoir l'air de forcer la confiance.

Julien fut très mortifié, il avait tort.[867] Son amour-propre cherchait une excuse et ne la trouvait pas.

— Comprenez donc, ajouta M. de La Mole, que toujours on en appelle à son cœur quand on a fait quelque sottise.[868]

Une heure après, Julien était dans l'antichambre du marquis avec une tournure subalterne, des habits antiques, une cravate d'un blanc douteux, et quelque chose de cuistre dans toute l'apparence.

En la voyant, le marquis éclata de rire, et alors seulement la justification de Julien fut complète.[869]

Si ce jeune homme me trahit, se disait M. de La Mole, à qui se fier ? Et cependant quand on agit, il faut se fier à quelqu'un. Mon fils et ses brillants amis de même acabit ont du cœur,[870] de la fidélité pour cent mille;[871] s'il fallait se battre, ils périraient sur les marches du trône,[872] ils savent tout ... excepté ce dont on a besoin dans le moment. Du diable si je vois d'entre eux qui puisse apprendre par cœur quatre pages et faire cent lieues sans être dépisté. Norbert saurait se faire tuer comme ses aïeux, c'est aussi le mérite d'un conscrit ...

Le marquis tomba dans une rêverie profonde: Et encore se faire tuer, dit-il avec un soupir,[873] peut-être ce Sorel le [874] saurait-il aussi bien que lui ...

— Montons en voiture, dit le marquis comme pour chasser une idée importune.

— Monsieur, dit Julien, pendant qu'on m'arrangeait cet habit, j'ai appris par cœur la première page de la *Quotidienne* d'aujourd'hui.

Le marquis prit le journal. Julien récita sans se tromper d'un seul mot. Bon, dit le marquis, fort diplomate[875] ce soir-là; pendant ce temps ce jeune homme ne remarque pas les rues par lesquelles nous passons.

Ils arrivèrent dans un grand salon d'assez triste apparence, en partie boisé et en partie tendu de velours vert. Au milieu du salon, un laquais renfrogné achevait d'établir une grande table à manger, qu'il changea plus tard en table de travail, au moyen d'un immense tapis[875a] vert tout taché d'encre, dépouille de quelque ministère.

Le maître de la maison était un homme énorme, dont le nom ne fut point prononcé; Julien lui trouva la physionomie et l'éloquence d'un homme qui digère.[876]

Sur un signe du marquis, Julien était resté au bas bout de la table. Pour se donner une contenance, il se mit à tailler des plumes. Il compta du coin de l'œil sept interlocuteurs, mais Julien ne les apercevait que par le dos. Deux lui parurent adresser la parole à M. de La Mole sur le ton de l'égalité, les autres semblaient plus ou moins respectueux.

Un nouveau personnage entra sans être annoncé. Ceci est singulier, pensa Julien, on n'annonce point dans ce salon. Est-ce que cette précaution serait prise en mon honneur? Tout le monde se leva pour recevoir le nouveau venu. Il portait la même décoration extrêmement distinguée que trois autres des personnes qui étaient déjà dans le salon. On parlait assez bas. Pour juger le nouveau venu, Julien en[877] fut réduit à ce que pouvaient lui apprendre ses traits et sa tournure.[878] Il était court et épais, haut en couleur, l'œil brillant et sans expression autre qu'une méchanceté de sanglier.

L'attention de Julien fut vivement distraite par l'arrivée presque immédiate d'un être tout différent. C'était un grand homme, très maigre et qui portait trois ou quatre gilets. Son œil était caressant, son geste poli.

C'est toute la physionomie du vieil évêque de Besançon,

pensa Julien. Cet homme appartenait évidemment à l'Eglise, il n'annonçait pas plus de cinquante à cinquante-cinq ans, on ne pouvait pas avoir l'air plus paterne.

Le jeune évêque d'Agde parut, il eut l'air fort étonné quand, faisant la revue des présents, ses yeux arrivèrent à Julien. Il ne lui avait pas adressé la parole depuis la cérémonie de Bray-le-Haut. Son regard surpris embarrassa et irrita Julien. Quoi donc ! se disait celui-ci, connaître un homme me tournera-t-il toujours à malheur ? [879] Tous ces grands seigneurs que je n'ai jamais vus ne m'intimident nullement, et le regard de ce jeune évêque me glace ! Il faut convenir que je suis un être bien singulier et bien malheureux.

Un petit homme extrêmement noir [880] entra bientôt avec fracas, et se mit à parler dès la porte; il avait le teint jaune et l'air un peu fou. Dès l'arrivée de ce parleur impitoyable, des groupes se formèrent, apparemment pour éviter l'ennui de l'écouter.

En s'éloignant de la cheminée, on se rapprochait du bas bout de la table, occupé par Julien. Sa contenance devenait de plus en plus embarrassée; car enfin, quelque effort qu'il fît, il ne pouvait pas ne pas entendre, et quelque peu d'expérience qu'il eût, il comprenait toute l'importance des choses dont on parlait sans aucun déguisement; et combien les hauts personnages qu'il avait apparemment sous les yeux devaient tenir à ce qu'elles restassent secrètes !

Déjà, le plus lentement possible, Julien avait taillé une vingtaine de plumes; cette ressource allait lui manquer. Il cherchait en vain un ordre dans les yeux de M. de La Mole; le marquis l'avait oublié.

Ce que je fais est ridicule, se disait Julien en taillant ses plumes; mais des gens à physionomie aussi médiocre et chargés par d'autres ou par eux-mêmes d'aussi grands intérêts, doivent être fort susceptibles. Mon malheureux regard a quelque chose d'interrogatif et de peu respectueux, qui sans doute les piquerait. Si je baisse décidément les yeux, j'aurai l'air de faire collection de leurs paroles.

Son embarras était extrême, il entendait de singulières choses.

22. La Discussion

La république — pour un, aujourd'hui, qui sacrifierait tout au bien public, il en est des milliers et des millions qui ne connaissent que leurs jouissances, leur vanité. On est considéré, à Paris, à cause de sa voiture et non à cause de sa vertu.
NAPOLÉON, Mémorial.

Le laquais entra précipitamment en disant: Monsieur le duc de***.

— Taisez-vous, vous n'êtes qu'un sot, dit le duc en entrant. Il dit si bien ce mot, et avec tant de majesté, que, malgré lui, Julien pensa que savoir se fâcher contre un laquais était toute la science de ce grand personnage. Julien leva les yeux et les baissa aussitôt. Il avait si bien deviné la portée [881] du nouvel arrivant, qu'il tremba que son regard ne fût une indiscrétion.

Ce duc était un homme de cinquante ans, mis comme un dandy, et marchant par ressorts. Il avait la tête étroite, avec un grand nez, et un visage busqué et tout en avant;[882] il eût été difficile d'avoir l'air plus noble et plus insignifiant. Son arrivée détermina l'ouverture de la séance.

Julien fut vivement interrompu dans ses observations physiognomoniques par la voix de M. de La Mole. — Je vous présente M. l'abbé Sorel, disait le marquis; il est doué d'une mémoire étonnante; il n'y a qu'une heure que je lui ai parlé de la mission dont il pouvait être honoré, et, afin de donner une preuve de sa mémoire, il a appris par cœur la première page de la *Quotidienne*.

— Ah ! les nouvelles étrangères de ce pauvre N...,[883] dit le maître de la maison. Il prit le journal avec empressement et regardant Julien d'un air plaisant, à force de chercher à être important: Parlez, Monsieur, lui dit-il.

Le silence était profond, tous les yeux fixés sur Julien;

il récita si bien, qu'au bout de vingt lignes: Il suffit, dit le duc. Le petit homme au regard de sanglier s'assit. Il était le président,[884] car à peine en place, il montra à Julien une table de jeu, et lui fit signe de l'apporter auprès de lui. Julien s'y établit avec ce qu'il faut pour écrire. Il compta douze personnes assises autour du tapis vert.

— M. Sorel, dit le duc, retirez-vous dans la pièce voisine, on vous fera appeler.

Le maître de la maison prit l'air fort inquiet: Les volets ne sont pas fermés, dit-il à demi bas à son voisin.[885] — Il est inutile de regarder par la fenêtre, cria-t-il sottement à Julien. — Me voici fourré[886] dans une conspiration tout au moins, pensa celui-ci. Heureusement, elle n'est pas de celles qui conduisent en place de Grève.[887] Quand il y aurait du danger, je dois cela et plus encore au marquis. Heureux[888] s'il m'était donné de réparer tout le chagrin que mes folies peuvent lui causer un jour !

Tout en pensant à ses folies et à son malheur, il regardait les lieux de façon à ne jamais les oublier. Il se souvint alors seulement qu'il n'avait point entendu le marquis dire au laquais le nom de la rue, et le marquis avait fait prendre un fiacre,[889] ce qui ne lui arrivait jamais.

Longtemps Julien fut laissé à ses réflexions. Il était dans un salon tendu en velours rouge avec de larges galons d'or. Il y avait sur la console un grand crucifix en ivoire, et sur la cheminée, le livre du *Pape,* de M. de Maistre, doré sur tranches, et magnifiquement relié. Julien l'ouvrit pour ne pas avoir l'air d'écouter. De moment en moment on parlait très haut dans la pièce voisine. Enfin, la porte s'ouvrit, on l'appela.

— Songez, Messieurs, disait le président, que de ce moment nous parlons devant le duc de***.[890] Monsieur, dit-il en montrant Julien, est un jeune lévite, dévoué à notre sainte cause, et qui redira facilement, à l'aide de sa mémoire étonnante, jusqu'à nos moindres discours.

La parole est à monsieur, dit-il en indiquant le personnage à l'air paterne, et qui portait trois ou quatre gilets. Julien trouva qu'il eût été plus naturel de nommer le monsieur aux gilets. Il prit du papier et écrivit beaucoup.

(Ici l'auteur eût voulu placer une page de points. Cela

aura mauvaise grâce, dit l'éditeur,[891] et pour un écrit aussi frivole, manquer de grâce, c'est mourir.[892]

— La politique, reprend l'auteur, est une pierre attachée au cou de la littérature, et qui, en moins de six mois, la submerge.[893] La politique au milieu des intérêts d'imagination, c'est un coup de pistolet au milieu d'un concert.[894] Ce bruit est déchirant sans être énergique. Il ne s'accorde avec le son d'aucun instrument. Cette politique va offenser mortellement une moitié des lecteurs, et ennuyer l'autre qui l'a trouvée bien autrement spéciale[895] et énergique dans le journal du matin...

— Si vos personnages ne parlent pas politique, reprend l'éditeur, ce ne sont plus des Français de 1830, et votre livre n'est plus un miroir, comme vous en avez la prétention...)

Le procès-verbal de Julien avait vingt-six pages; voici un extrait bien pâle; car il a fallu, comme toujours, supprimer les ridicules dont l'excès eût semblé odieux ou peu vraisemblable (Voir la *Gazette des Tribunaux*[896]).

L'homme aux gilets et à l'air paterne (c'était un évêque peut-être) souriait souvent, et alors ses yeux, entourés de paupières flottantes, prenaient un brillant singulier et une expression moins indécise que de coutume. Ce personnage, que l'on faisait parler le premier devant le duc[897] (mais quel duc? se disait Julien), apparemment pour exposer les opinions et faire les fonctions d'avocat général,[898] parut à Julien tomber dans l'incertitude et l'absence de conclusions décidées que l'on reproche souvent à ces magistrats.[899] Dans le courant de la discussion, le duc alla même jusqu'à le lui reprocher.

Après plusieurs phrases de morale et d'indulgente philosophie, l'homme aux gilets dit:

— La noble Angleterre, guidée par un grand homme, l'immortel Pitt,[900] a dépensé quarante milliards de francs pour contrarier la révolution. Si cette assemblée me permet d'aborder avec quelque franchise une idée triste, l'Angleterre ne comprit pas assez qu'avec un homme tel que Bonaparte, quand surtout on n'avait à lui opposer qu'une collection de bonnes intentions,[901] il n'y avait de décisif que les moyens personnels...

— Ah ! encore l'éloge de l'assassinat ! dit le maître de la maison d'un air inquiet.

— Faites-nous grâce de vos homélies sentimentales, s'écria avec humeur le président; son œil de sanglier brilla d'un éclat féroce. Continuez, dit-il à l'homme aux gilets. Les joues et le front du président devinrent pourpres.

— La noble Angleterre, reprit le rapporteur,[902] est écrasée aujourd'hui, car chaque Anglais, avant de payer son pain, est obligé de payer l'intérêt des quarante milliards de francs qui furent employés contre les jacobins. Elle n'a plus de Pitt ...

— Elle a le duc de Wellington,[903] dit un personnage militaire qui prit l'air fort important.

— De grâce, silence, Messieurs, s'écria le président; si nous disputons encore, il aura été inutile de faire entrer M. Sorel.[904]

— On sait que Monsieur a beaucoup d'idées, dit le duc d'un air piqué en regardant l'interrupteur, ancien général de Napoléon.[905] Julien vit que ce mot faisait allusion à quelque chose de personnel et de fort offensant. Tout le monde sourit; le général transfuge parut outré de colère.

— Il n'y a plus de Pitt, Messieurs, reprit le rapporteur de l'air découragé d'un homme qui désespère de faire entendre raison à ceux qui l'écoutent. Y eût-il [906] un nouveau Pitt en Angleterre, on ne mystifie pas deux fois une nation par les mêmes moyens...[907]

— C'est pourquoi un général vainqueur, un Bonaparte, est désormais impossible en France, s'écria l'interrupteur militaire.[908]

Pour cette fois, ni le président ni le duc n'osèrent se fâcher, quoique Julien crût lire dans leurs yeux qu'ils en avaient bonne envie. Ils baissèrent les yeux, et le duc se contenta de soupirer de façon à être entendu de tous.

Mais le rapporteur avait pris de l'humeur.

— On est pressé de me voir finir, dit-il, avec feu et en laissant tout à fait de côté cette politesse souriante et ce langage plein de mesure que Julien croyait l'expression de son caractère: on est pressé de me voir finir; on ne me tient nul compte des [909] efforts que je fais pour n'offenser les oreilles de personne, de quelque longueur qu'elles puissent être. Eh bien, Messieurs, je serai bref.

Et je vous dirai en paroles bien vulgaires: L'Angleterre n'a plus un sou au service de la bonne cause. Pitt lui-même reviendrait, qu'avec [910] tout son génie il ne parviendrait pas à mystifier les petits propriétaires anglais, car ils savent que la brève campagne de Waterloo leur a coûté, à elle seule, un milliard de francs. Puisque l'on veut des phrases nettes, ajouta le rapporteur en s'animant de plus en plus, je vous dirai: *Aidez-vous vous-même,*[911] car l'Angleterre n'a pas une guinée à vòtre service, et quand l'Angleterre ne paye pas, l'Autriche, la Russie, la Prusse, qui n'ont que du courage et pas d'argent, ne peuvent faire contre la France plus d'une campagne ou deux.

L'on peut espérer que les jeunes soldats rassemblés par le jacobinisme seront battus à la première campagne, à la seconde peut-être; mais à la troisième, dusse-je [912] passer pour un révolutionnaire à vos yeux prévenus,[913] à la troisième vous aurez les soldats de 1794, qui n'étaient plus les paysans enrégimentés de 1792.[914]

Ici l'interruption partit de trois ou quatre points à la fois.

— Monsieur, dit le président à Julien, allez mettre au net dans la pièce voisine le commencement de procès-verbal que vous avez écrit. Julien sortit à son grand regret. Le rapporteur venait d'aborder des probabilités qui faisaient le sujet de ses méditations habituelles.

Ils ont peur que je ne me moque d'eux, pensa-t-il. Quand on le rappela, M. de La Mole disait, avec un sérieux qui, pour Julien qui le connaissait, semblait bien plaisant:[915]

... Oui, Messieurs, c'est surtout de ce malheureux peuple qu'on peut dire:

Sera-t-il dieu, table ou cuvette?

Il sera dieu ! s'écrie le fabuliste.[916] C'est à vous, Messieurs, que semble appartenir ce mot si noble et si profond.[917] Agissez par vous-mêmes, et la noble France reparaîtra telle à peu près que nos aïeux [918] l'avaient faite et que nos regards l'ont encore vue avant la mort de Louis XVI.[919]

L'Angleterre, ses nobles lords du moins, exècre autant que nous l'ignoble jacobinisme: sans l'or anglais, l'Autriche, la Russie, la Prusse ne peuvent livrer que deux ou trois batailles. Cela suffira-t-il pour amener une heureuse occupation,[920] comme celle de M. de Richelieu[921] gaspilla si bêtement en 1817! Je ne le crois pas.[922]

Ici il y eut interruption, mais étouffée par les *chut* de tout le monde. Elle partait encore de l'ancien général impérial, qui désirait le cordon bleu, et voulait marquer parmi les rédacteurs de la note secrète.

Je ne le crois pas, reprit M. de La Mole après le tumulte. Il insista sur le *Je,* avec une insolence qui charma Julien. Voilà du bien joué, se disait-il tout en faisant voler sa plume presque aussi vite que la parole du marquis. Avec un mot bien dit, M. de La Mole anéantit les vingt campagnes de ce transfuge.[923]

Ce n'est pas à l'étranger tout seul, continua le marquis du ton le plus mesuré, que nous pouvons devoir une nouvelle occupation militaire. Toute cette jeunesse qui fait des articles incendiaires dans le *Globe*[924] vous donnera trois ou quatre mille jeunes capitaines, parmi lesquels peut se trouver un Kléber, un Hoche, un Jourdan, un Pichegru,[925] mais moins bien intentionné.

— Nous n'avons pas su lui faire de la gloire, dit le président, il fallait le[926] maintenir immortel.[927]

Il faut enfin qu'il y ait en France deux partis, reprit M. de La Mole, mais deux partis, non pas seulement de nom, deux partis bien nets, bien tranchés. Sachons qui il faut écraser. D'un côté les journalistes, les électeurs, l'opinion, en un mot; la jeunesse et tout ce qui l'admire. Pendant qu'elle s'étourdit du bruit de ses vaines paroles, nous, nous avons l'avantage certain de consommer le budget.[928]

Ici encore interruption.

— Vous, Monsieur, dit M. de La Mole à l'interrupteur avec une hauteur et une aisance admirables, vous ne consommez pas, si le mot vous choque, vous dévorez quarante mille francs portés au budget de l'Etat et quatre-vingt mille que vous recevez de la liste civile.[929]

Eh bien, Monsieur, puisque vous m'y forcez, je vous prends hardiment pour exemple. Comme vos nobles aïeux qui suivirent saint Louis à la croisade, vous devriez, pour ces cent vingt mille francs, nous montrer au moins un régiment, une compagnie, que dis-je! une demi-compagnie, ne fût-elle que de cinquante hommes prêts à combattre, et dévoués à la bonne cause, à la [930] vie et à la mort. Vous n'avez que des laquais qui, en cas de révolte, vous feraient peur à vous-même.

Le trône, l'autel, la noblesse peuvent périr demain, Messieurs, tant que vous n'aurez pas créé dans chaque département une force de cinq cents hommes *dévoués;* mais je dis dévoués, non seulement avec toute la bravoure française, mais aussi avec la constance espagnole.

La moitié de cette troupe devra se composer de nos enfants, de nos neveux, de vrais gentilshommes [931] enfin. Chacun d'eux aura à ses côtés, non pas un petit bourgeois bavard, prêt à arborer la cocarde tricolore si 1815 se présente de nouveau,[932] mais un bon paysan simple et franc comme Cathelineau;[933] notre gentilhomme l'aura endoctriné, ce sera son frère de lait [934] s'il se peut. Que chacun de nous sacrifie le *cinquième* de son revenu pour former cette petite troupe dévouée de cinq cents hommes par département. Alors vous pourrez compter sur une occupation étrangère. Jamais le soldat étranger ne pénétrera jusqu'à Dijon seulement,[935] s'il n'est sûr de trouver cinq cents soldats amis dans chaque départment.

Les rois étrangers ne vous écouteront que quand vous leur annoncerez vingt mille gentilshommes prêts à saisir les armes pour leur ouvrir les portes de la France. Ce service est pénible,[936] direz-vous; Messieurs, notre tête est à ce prix. Entre la liberté de la presse et notre existence comme gentilshommes, il y a guerre à mort. Devenez des manufacturiers, des paysans,[937] ou prenez votre fusil. Soyez timides si vous voulez, mais ne soyez pas stupides; ouvrez les yeux.

Formez vos bataillons,[938] vous dirai-je avec la chanson des jacobins; alors il se trouvera quelque noble GUSTAVE-ADOLPHE,[939] qui, touché du péril imminent du principe monarchique, s'élancera à trois cents lieues de son pays, et fera pour vous ce que Gustave fit pour les princes protestants. Voulez-vous continuer à parler sans agir? Dans[940] cinquante ans il n'y aura plus en Europe que des présidents de république, et pas un roi. Et avec ces trois lettres R,O,I, s'en vont les prêtres et les gentilshommes. Je ne vois plus que des *candidats* [941] faisant la cour à des *majorités* crottées.

Vous avez beau dire que la France n'a pas en ce moment un général accrédité, connu et aimé de tous,[942] que l'armée n'est organisée que dans l'intérêt du trône et de l'autel, qu'on lui a ôté tous les vieux troupiers,[943] tandis que chacun des régiments prussiens et autrichiens compte cinquante sous-officiers qui ont vu le feu.

Deux cent mille jeunes gens appartenant à la petite bourgeoisie sont amoureux de la guerre ...

— Trêve de vérités désagréables, dit d'un ton suffisant un grave personnage, apparemment fort avant [944] dans les dignités ecclésiastiques, car M. de La Mole sourit agréablement au lieu de se fâcher, ce qui fut un grand signe pour Julien.

Trêve de vérités désagréables,[945] résumons-nous, Messieurs: l'homme à qui il est question de couper une jambe gangrenée serait mal venu de dire à son chirurgien: cette jambe malade est fort saine. Passez-moi l'expression, Messieurs, le noble duc de*** est notre chirurgien.[946]

Voilà enfin le grand mot prononcé, pensa Julien; c'est vers le ...[947] que je galoperai cette nuit.

23. *Le Clergé, les bois,*[948] *la liberté*

La première loi de tout être, c'est de se conserver, c'est de vivre. Vous semez de la ciguë et prétendez voir mûrir des épis!

MACHIAVEL.

Le grave personnage continuait: on voyait qu'il savait: il exposait avec une éloquence douce et modérée, qui plut infiniment à Julien, ces grandes vérités:

1° L'Angleterre n'a pas une guinée à notre service: l'économie et Hume[949] y sont à la mode. Les *Saints*[950] même ne nous donneront pas d'argent, et M. Brougham[951] se moquera de nous.

2° Impossible d'obtenir plus de deux campagnes des rois de l'Europe, sans l'or anglais; et deux campagnes ne suffiront pas contre la petite bourgeoisie.

3° Nécessité de former un parti armé en France, sans quoi le principe monarchique d'Europe[952] ne hasardera pas même ces deux campagnes.

Le quatrième point que j'ose vous proposer comme évident est celui-ci:

Impossibilité de former un parti armé en France sans le clergé. Je vous le dis hardiment, parce que je vais vous le prouver, Messieurs. Il faut tout donner au clergé.

1° Parce que s'occupant de son affaire nuit et jour, et guidé par des hommes de haute capacité établis loin des orages à trois cents lieues de vos frontières...

— Ah! Rome, Rome! s'écria le maître de la maison...

— Oui, Monsieur, *Rome!* reprit le cardinal avec fierté. Quelles que soient les plaisanteries plus ou moins ingénieuses qui furent à la mode quand vous étiez jeune,[952a] je dirai hautement, en 1830, que le clergé, guidé par Rome, parle seul au petit peuple.

Cinquante mille prêtres répètent les mêmes paroles au jour indiqué par les chefs, et le peuple, qui, après tout, fournit les soldats, sera plus touché de la voix de ses prêtres que de tous les petits vers du monde...[953] (Cette personnalité [954] excita des murmures.)

Le clergé a un génie supérieur au vôtre, reprit le cardinal en haussant la voix; tous les pas que vous avez faits vers ce point capital, *avoir en France un parti armé*, ont été faits par nous. Ici parurent des faits... Qui a envoyé quatre-vingt mille fusils en Vendée ?... etc., etc.

Tant que le clergé n'a pas ses bois, il ne tient rien. A la première guerre, le ministre des finances écrit à ses agents qu'il n'y a plus d'argent que pour les curés.[955] Au fond, la France ne croit pas,[956] et elle aime la guerre. Qui que ce soit qui la lui donne,[957] il sera doublement populaire, car faire la guerre, c'est affamer les jésuites, pour parler comme le vulgaire; faire la guerre, c'est délivrer ces monstres d'orgueil, les Français, de la menace de l'intervention étrangère.[958]

Le cardinal était écouté avec faveur... Il faudrait, dit-il, que M. de Nerval quittât le ministère, son nom irrite inutilement.

A ce mot, tout le monde se leva et parla à la fois. On va me renvoyer encore, pensa Julien; mais le sage président lui-même avait oublié la présence et l'existence de Julien.

Tous les yeux cherchaient un homme que Julien reconnut. C'était M. de Nerval, le premier ministre, qu'il avait aperçu au bal de M. le duc de Retz.

Le désordre fut à son comble, comme disent les journaux en parlant de la Chambre. Au bout d'un gros quart d'heure le silence se rétablit un peu.

Alors M. de Nerval se leva, et, prenant le ton d'un apôtre:

— Je ne vous affirmerai point, dit-il d'une voix singulière, que je ne tiens pas au ministère.

Il m'est démontré, Messieurs, que mon nom double les forces des jacobins en décidant contre nous beaucoup de modérés.[959] Je me retirerais donc volontiers; mais les voies du Seigneur sont visibles à un petit nombre;[960] mais, ajouta-t-il en regardant fixement le cardinal, j'ai une mission; le ciel m'a dit: Tu porteras ta tête sur un échafaud, ou tu rétabliras la monarchie en France, et réduiras les Chambres à ce qu'était le parlement sous Louis XV,[961] et cela, Messieurs, *je le ferai.*

Il se tut, se rassit, et il y eut un grand silence.

Voilà un bon acteur, pensa Julien. Il se trompait, toujours comme à l'ordinaire, en supposant trop d'esprit aux gens. Animé par les débats d'une soirée aussi vive, et surtout par la sincérité de la discussion, dans ce moment M. de Nerval croyait à sa mission. Avec un grand courage, cet homme n'avait pas de sens.[962]

Minuit sonna pendant le silence qui suivit le beau mot, *je le ferai.* Julien trouva que le son de la pendule avait quelque chose d'imposant et de funèbre.[963] Il était ému.

La discussion reprit bientôt avec une énergie croissante, et surtout une incroyable naïveté. Ces gens-ci me feront empoisonner, pensait Julien dans de certains moments. Comment dit-on [964] de telles choses devant un plébéien ?

Deux heures sonnaient que l'on parlait encore.[965] Le maître de la maison dormait depuis longtemps; M. de La Mole fut obligé de sonner pour faire renouveler les bougies. M. de Nerval, le ministre, était sorti à une heure trois quarts, non sans avoir souvent étudié la figure de Julien dans une glace que le ministre avait à ses côtés. Son départ avait paru mettre à l'aise tout le monde.

Pendant qu'on renouvelait les bougies, — Dieu sait ce que cet homme va dire au roi ! dit tout bas à son voisin l'homme aux gilets. Il peut nous donner bien des ridicules et gâter notre avenir.

Il faut convenir qu'il y a chez lui suffisance bien rare, et même effronterie, à se présenter ici.[966] Il y [967] paraissait avant d'arriver au ministère; mais le portefeuille change tout, noie tous les intérêts d'un homme, il eût dû le sentir.

A peine le ministre sorti, le général de Bonaparte avait fermé les yeux. En ce moment il parla de sa santé, de ses blessures, consulta sa montre et s'en alla.

— Je parierais, dit l'homme aux gilets, que le général court après le ministre: il va s'excuser de s'être trouvé ici, et prétendre qu'il nous mène.[968]

Quand les domestiques à demi endormis eurent terminé le renouvellement des bougies:

— Délibérons enfin, Messieurs, dit le président, n'essayons plus de nous persuader les uns les autres. Songeons à la teneur de la note qui dans quarante-huit heures sera sous les yeux de nos amis du dehors. On a parlé des ministres. Nous pouvons le dire maintenant que M. de Nerval nous a quittés, que nous importent les ministres ? nous les ferons vouloir.[969]

Le cardinal approuva par un sourire fin.

— Rien de plus facile, ce me semble, que de résumer notre position, dit le jeune évêque d'Agde avec le feu concentré et contraint du fanatisme le plus exalté. Jusque-là il avait gardé le silence; son œil que Julien avait observé, d'abord doux et calme, s'était enflammé après la première heure de discussion. Maintenant son âme débordait comme la lave du Vésuve.

— De 1806 à 1814, l'Angleterre n'a eu qu'un tort, dit-il, c'est de ne pas agir directement et personnellement sur Napoléon.[970] Dès que cet homme eut fait des ducs et des chambellans, dès qu'il eut rétabli le trône, la mission que Dieu lui avait confiée était finie; il n'était plus bon qu'à immoler. Les saintes Ecritures nous enseignent en plus d'un endroit la manière d'en finir avec les tyrans. (Ici il y eut plusieurs citations latines.)

Aujourd'hui, Messieurs, ce n'est plus un homme qu'il faut immoler, c'est Paris. Toute la France copie Paris. A quoi bon armer vos cinq cents hommes par département ? Entreprise hasardeuse et qui n'en finira pas. A quoi bon mêler la France à la chose qui est personnelle à Paris ? Paris seul avec ses journaux et ses salons a fait le mal que la nouvelle Babylone périsse.

Entre l'autel et Paris, il faut en finir.[971] Cette catastrophe est même dans les intérêts mondains du trône.[972] Pourquoi Paris n'a-t-il pas osé souffler,[973] sous Bonaparte ? Demandez-le au canon de Saint-Roch ...[974]

. . . .

Ce ne fut qu'à trois heures du matin que Julien sortit avec M. de La Mole.

Le marquis était honteux et fatigué. Pour la première fois, en parlant à Julien, il y eut de la prière dans son accent. Il lui demandait sa parole de ne jamais révéler les excès de zèle, ce fut son mot, dont le hasard venait de le rendre témoin. N'en parlez à notre ami de l'étranger que s'il insiste sérieusement pour connaître [975] nos jeunes fous. Que leur importe que l'Etat soit renversé ? [976] ils seront cardinaux,[977] et se réfugieront à Rome. Nous, dans nos châteaux, nous serons massacrés par les paysans.

La note secrète que le marquis rédigea d'après le grand procès-verbal de vingt-six pages, écrit par Julien, ne fut prête qu'à quatre heures trois quarts.

— Je suis fatigué à la mort, dit le marquis, et on le voit bien à cette note qui manque de netteté vers la fin; j'en suis plus mécontent que d'aucune chose que j'aie faite en ma vie. Tenez, mon ami, ajouta-t-il, allez vous reposer quelques heures, et de peur qu'on ne vous enlève, moi je vais vous enfermer à clef dans votre chambre.

Le lendemain, le marquis conduisit Julien à un château isolé assez éloigné de Paris. Là se trouvèrent des hôtes singuliers, que Julien jugea être prêtres. On lui remit un passeport qui portait un nom supposé, mais indiquait enfin le véritable but [978] du voyage qu'il avait toujours feint d'ignorer. Il monta seul dans une calèche.

Le marquis n'avait aucune inquiétude sur sa mémoire. Julien lui avait récité plusieurs fois la note secrète, mais il craignait fort qu'il ne fût intercepté.

— Surtout n'ayez l'air que d'un fat qui voyage pour tuer le temps, lui dit-il avec amitié, au moment où il quittait le salon. Il y avait peut-être plus d'un faux frère dans notre assemblée d'hier soir.

Le voyage fut rapide et fort triste. A peine Julien avait-il été hors de la vue du marquis qu'il avait oublié et la note secrète et la mission pour ne songer qu'au mépris de Mathilde.

Dans un village à quelques lieues au delà de Metz,[979] le maître de poste vint lui dire qu'il n'y avait pas de chevaux. Il était dix heures du soir; Julien, fort contrarié, demanda à souper. Il se promena devant la porte, et insensiblement, sans qu'il y parût, passa dans la cour des écuries. Il n'y vit pas de chevaux.

L'air de cet homme était pourtant singulier, se disait Julien; son œil grossier m'examinait.

Il commençait, comme on voit, à ne pas croire exactement tout ce qu'on lui disait. Il songeait à s'échapper après souper, et pour apprendre toujours [980] quelque chose sur le pays, il quitta sa chambre pour aller se chauffer au feu de la cuisine. Quelle ne fut pas sa joie d'y trouver il signor Geronimo, le célèbre chanteur.

Etabli dans un fauteuil qu'il avait fait apporter près du feu, le Napolitain gémissait tout haut et parlait plus, à lui tout seul, que les vingt paysans allemands [981] qui l'entouraient ébahis.

— Ces gens-ci me ruinent, cria-t-il à Julien, j'ai promis de chanter demain à Mayence.[982] Sept princes souverains [983] sont accourus pour m'entendre. Mais allons prendre l'air, ajouta-t-il d'un air significatif.

Quand il fut à cent pas sur la route, et hors de la possibilité d'être entendu:

— Savez-vous de quoi il retourne? dit-il à Julien; ce maître de poste est un fripon. Tout en me promenant, j'ai donné vingt sous à un petit polisson qui m'a tout dit. Il y a plus de douze chevaux dans une écurie à l'autre extrémité du village. On veut retarder quelque courrier.

— Vraiment? dit Julien d'un air innocent.

Ce n'était pas le tout que de découvrir la fraude, il fallait partir: c'est à quoi Geronimo et son ami ne purent réussir. Attendons le jour, dit enfin le chanteur, on se méfie de nous. C'est peut-être à vous ou à moi qu'on en veut. Demain matin nous commandons un bon déjeuner; pendant qu'on le prépare nous allons promener, nous nous échappons, nous louons des chevaux et gagnons la poste prochaine.

— Et vos effets? dit Julien, qui pensait que peut-être Geronimo lui-même pouvait être envoyé pour l'intercepter. il fallut souper et se coucher. Julien était encore dans le premier sommeil, quand il fut réveillé en sursaut par la voix de deux personnes qui parlaient dans sa chambre, sans trop se gêner.

Il reconnut le maître de poste, armé d'une lanterne sourde. La lumière était dirigée le coffre de la calèche, que Julien avait fait monter dans sa chambre. A côté du maître de poste était un homme qui fouillait tranquillement dans le coffre ouvert. Julien ne distinguait que les manches de son habit, qui étaient noires et fort serrées.[984]

C'est une soutane, se dit-il, et il saisit doucement de petits pistolets qu'il avait placés sous son oreiller.

— Ne craignez pas qu'il se réveille, monsieur le curé, disait le maître de poste. Le vin qu'on leur a servi était de celui que vous avez préparé vous-même.

— Je ne trouve aucune trace de papiers, répondait le curé. Beaucoup de linge, d'essences,[985] de pommades, de futilités; c'est un jeune homme du siècle, occupé de ses plaisirs. L'émissaire sera plutôt l'autre, qui affecte de parler avec un accent italien.

Ces gens se rapprochèrent de Julien pour fouiller dans les poches de son habit de voyage. Il était bien tenté de les tuer comme voleurs. Rien de moins dangereux pour les suites.[986] Il en eut bonne envie. Je ne serais qu'un sot, se dit-il, je compromettrais ma mission. Son habit fouillé, ce n'est pas là un diplomate, dit le prêtre: il s'éloigna et fit bien.

— S'il me touche dans mon lit, malheur à lui ! se disait Julien; il peut fort bien venir me poignarder, et c'est ce que je ne souffrirai pas.

Le curé tourna la tête, Julien ouvrait les yeux à demi; quel ne fut pas son étonnement ! c'était l'abbé Castanède ! En effet, quoique les deux personnes voulussent parler assez bas, il lui avait semblé, dès l'abord, reconnaître une des voix. Julien fut saisi d'une envie démesurée de purger la terre d'un de ses plus lâches coquins ...

— Mais ma mission ! se dit-il.

Le curé et son acolyte sortirent. Un quart d'heure après, Julien fit semblant de s'éveiller. Il appela et réveilla toute la maison.

— Je suis empoisonné, s'écriait-il, je souffre horriblement ! Il voulait un prétexte pour aller au secours de Geronimo. Il le trouva à demi asphyxié par le laudanum contenu dans le vin.

Julien, craignant quelque plaisanterie de ce genre, avait soupé avec du chocolat apporté de Paris. Il ne put venir à bout de [987] réveiller assez Geronimo pour le décider à partir.

— On me donnerait tout le royaume de Naples, disait le chanteur, que je ne renoncerais pas en ce moment à la volupté de dormir.

— Mais les sept princes souverains !

— Qu'ils attendent.

Julien partit seul et arriva sans autre incident auprès du grand personnage. Il perdit toute une matinée à solliciter en vain une audience. Par bonheur, vers les quatre heures, le duc voulut prendre l'air. Julien le vit sortir à pied, il n'hésita pas à l'approcher et à lui demander l'aumône. Arrivé à deux pas du grand personnage, il tira la montre du marquis de La Mole, et la montra avec affectation. *Suivez-moi de loin,* lui dit-on sans le regarder.

A un quart de lieue de là, le duc entra brusquement dans un petit *Café-hauss.* Ce fut dans une chambre de cette auberge du dernier ordre que Julien eut l'honneur de réciter au duc ses quatre pages. Quand il eut fini: *Recommencez et allez plus lentement,* lui dit-on.

Le prince prit des notes. *Gagnez à pied la poste voisine. Abandonnez ici vos effets et votre calèche. Allez à Strasbourg comme vous pourrez, et le vingt-deux du mois* (on était au dix) *trouvez-vous à midi et demi dans ce même Café-hauss. N'en sortez que dans une demi-heure. Silence !*

Telles furent les seules paroles que Julien entendit. Elles suffirent pour le pénétrer de la plus haute admiration. C'est ainsi, pensa-t-il, qu'on traite les affaires; que dirait ce grand homme d'Etat s'il entendait les bavards passionnés d'il y a trois jours ?

Julien en mit deux à gagner Strasbourg, il lui semblait qu'il n'avait rien à y faire. Il prit un grand détour. Si ce diable d'abbé Castanède m'a reconnu, il n'est pas homme à perdre facilement ma trace... Et quel plaisir pour lui de se moquer de moi, et de faire échouer ma mission !

L'abbé Castanède, chef de la police de la congrégation sur toute la frontière du nord, ne l'avait heureusement pas reconnu. Et les jésuites de Strasbourg, quoique très zélés, ne songèrent nullement à observer Julien, qui avec sa croix et sa redingote bleue, avait l'air d'un jeune militaire fort occupé de sa personne.

24. Strasbourg

Fascination! tu as de l'amour toute son énergie, toute sa puissance d'éprouver le malheur. Ses plaisirs enchanteurs, ses douces jouissances sont seuls au delà de ta sphère. Je ne pouvais pas dire en la voyant dormir: elle est toute à moi, avec sa beauté d'ange et ses douces faiblesses! La voilà livrée à ma puissance, telle que le ciel la fit dans sa miséricorde pour enchanter un cœur d'homme.

Ode de SCHILLER.

Forcé de passer huit jours à Strasbourg, Julien cherchait à se distraire par des idées de gloire militaire et de dévouement à la patrie. Etait-il donc amoureux ? il n'en savait rien, il trouvait seulement dans son âme bourrelée Mathilde maîtresse absolue de son bonheur comme de son imagination. Il avait besoin de toute l'énergie de son caractère pour se maintenir au-dessus du désespoir. Penser à ce qui n'avait pas quelque rapport à Mlle de La Mole était hors de sa puissance. L'ambition, les simples succès de vanité le distrayaient autrefois des sentiments que Mme de Rênal lui avait inspirés. Mathilde avait tout absorbé; il la trouvait partout dans l'avenir.

De toutes parts, dans cet avenir, Julien voyait le manque de succès. Cet être que l'on a vu à Verrières si rempli de présomption, si orgueilleux, était tombé dans un excès de modestie ridicule.

Trois jours auparavant il eût tué avec plaisir l'abbé Castanède, et si, à Strasbourg, un enfant se fût pris de querelle avec lui, il eût donné raison à l'enfant. En repensant aux adversaires, aux ennemis qu'il avait rencontrés dans sa vie, il trouvait toujours que lui, Julien, avait eu tort.

C'est qu'il avait maintenant pour implacable ennemie

cette imagination puissante, autrefois sans cesse employée à lui peindre dans l'avenir des succès si brillants.

La solitude absolue de la vie de voyageur augmentait l'empire de cette noire imagination. Quel trésor n'eût pas été un ami ! Mais, se disait Julien, est-il donc un cœur qui batte pour moi ? Et quand j'aurais un ami, l'honneur ne me commande-t-il pas un silence éternel ?

Il se promenait à cheval tristement dans les environs de Kehl;[988] c'est un bourg sur le bord du Rhin, immortalisé par Desaix et Gouvion Saint-Cyr.[989] un paysan allemand lui montrait les petits ruisseaux, les chemins, les îlots du Rhin auxquels le courage de ces grands généraux a fait un nom. Julien, conduisant son cheval de la main gauche, tenait déployée de la droite la superbe carte qui ornes les *Mémoires* du maréchal Saint-Cyr. Une exclamation de gaieté lui fit lever la tête.

C'etait le prince Korasoff, cet ami de Londres, qui lui avait dévoilé quelques mois auparavant les premières règles de la haute fatuité. Fidèle à ce grand art, Korasoff, arrivé la veille à Strasbourg, depuis une heure à Kehl, et qui de la vie n'avait lu une ligne sur le siège de 1796, se mit à tout expliquer à Julien. Le paysan allemand le ragardait étonné; car il savait assez de français pour distinguer les énormes bévues dans lesquelles tombait le prince. Julien était à mille lieues des idées du paysan, il regardait avec étonnement ce beau jeune homme, il admirait sa grâce à monter à cheval.

L'heureux caractère ! se disait-il. Comme son pantalon va bien; avec quelle élégance sont coupés ses cheveux ! Hélas ! si j'eusse été ainsi, peut-être qu'après m'avoir aimé trois jours, elle ne m'eût pas pris en aversion.

Quand le prince eut fini son siège de Kehl: — Vous avez la mine d'un trappiste, dit-il à Julien, vous outrez le principe de la gravité que je vous ai donné à Londres. L'air triste ne peut être de bon ton; c'est l'air ennuyé qu'il faut. Si vous êtes triste, c'est donc quelque chose qui vous manque, quelque chose qui ne vous a pas réussi.

C'est montrer soi inférieur.[990] Etes-vous ennuyé,[991] au contraire, c'est ce qui a essayé vainement de vous plaire qui est inférieur. Comprenez donc, mon cher, combien la méprise est grave.

Julien jeta un écu au paysan qui les écoutait bouche béante.

— Bien, dit le prince, il y a de la grâce, un noble dédain ! fort bien ! Et il mit son cheval au galop. Julien le suivit, rempli d'une admiration stupide.

Ah ! si j'eusse été ainsi, elle ne m'eût pas préféré Croisenois ! Plus sa raison était choquée des ridicules du prince, plus il se méprisait de ne pas les admirer, et s'estimait malheureux de ne pas les avoir. Le dégoût de soi-même ne peut aller plus loin.

Le prince le trouvant décidément triste: — Ah çà, mon cher, lui dit-il en rentrant à Strasbourg, avez-vous perdu tout votre argent, ou seriez-vous amoureux de quelque petite actrice ?

Les Russes copient les mœurs françaises, mais toujours à cinquante ans de distance. Ils en sont maintenant au siècle de Louis XV.[992]

Ces plaisanteries sur l'amour mirent des larmes dans les yeux de Julien: Pourquoi ne consulterais-je pas cet homme si aimable ? se dit-il tout à coup.

— Eh bien oui, mon cher, dit-il au prince, vous me voyez à Strasbourg fort amoureux et même délaissé. Une femme charmante, qui habite une ville voisine, m'a planté là après trois jours de passion, et ce changement me tue.

Il peignit au prince, sous des noms supposés, les actions et le caractère de Mathilde.

— N'achevez pas, dit Korasoff: pour vous donner confiance en votre médecin, je vais terminer la confidence. Le mari de cette jeune femme jouit d'une fortune énorme, ou bien plutôt elle appartient, elle, à la plus haute noblesse du pays. Il faut qu'elle soit fière de quelque chose.

Julien fit un signe de tête, il n'avait plus le courage de parler.

— Fort bien, dit le prince, voici trois drogues assez amères que vous allez prendre sans délai:

1° Voir tous les jours Madame ..., comment l'appelez-vous ?

— Mme de Dubois.[993]

Quel nom ! dit le prince en éclatant de rire; mais pardon,

il est sublime pour vous. Il s'agit de voir chaque jour Mme de Dubois; n'allez pas surtout paraître à ses yeux froid et piqué; rappelez-vous le grand principe de votre siècle: soyez le contraire de ce à quoi l'on s'attend. Montrez-vous précisément tel que vous étiez huit jours avant d'être honoré de ses bontés.

— Ah ! j'étais tranquille alors, s'écria Julien avec désespoir, je croyais la prendre en pitié ...[994]

— Le papillon[995] se brûle à la chandelle, continua le prince, comparaison vieille comme le monde.

1⁰ Vous la verrez tous les jours;

2⁰ Vous ferez la cour à une femme de sa société, mais sans vous donner les apparences de la passion, entendez-vous ? Je ne vous le cache pas, votre rôle est difficile; vous jouez la comédie, et si l'on devine que vous la jouez, vous êtes perdu.

— Elle a tant d'esprit, et moi si peu ! Je suis perdu, dit Julien tristement.

— Non, vous êtes seulement plus amoureux que je ne le croyais. Mme de Dubois est profondément occupée d'elle-même, comme toutes les femmes qui ont reçu du ciel ou trop de noblesse ou trop d'argent. Elle se regarde au lieu de vous regarder, donc elle ne vous connaît pas. Pendant les deux ou trois accès d'amour qu'elle s'est donnés en votre faveur, à grand effort d'imagination, elle voyait en vous le héros qu'elle avait rêvé, et non pas ce que vous êtes réellement ...

Mais que diable, ce sont là les éléments,[996] mon cher Sorel, êtes-vous tout à fait un écolier ?...[997]

Parbleu ! entrons dans ce magasin; voilà un col[998] noir charmant, on le dirait fait par John Anderson, de Burlington-street; faites-moi le plaisir de le prendre, et de jeter bien loin cette ignoble corde noire[999] que vous avez au cou.

Ah çà, continua le prince en sortant de la boutique du premier passementier[1000] de Strasbourg, quelle est la société de Mme de Dubois ? grand Dieu ! quel nom ! Ne vous fâchez pas, mon cher Sorel, c'est plus fort que moi ...[1001] A qui ferez-vous la cour ?

— A une prude par excellence, fille d'un marchand de

bas immensément riche. Elle a les plus beaux yeux du monde, et qui me plaisent infiniment; elle tient sans doute le premier rang dans le pays; mais au milieu de toutes ses grandeurs, elle rougit au point de se déconcerter si quelqu'un vient à parler de commerce et de boutique. Et par malheur, son père était l'un des marchands les plus connus de Strasbourg.

— Ainsi si l'on parle d'*industrie,*[1002] dit le prince en riant, vous êtes sûr que votre belle songe à elle et non pas à vous. Ce ridicule est divin et fort utile, il vous empêchera d'avoir le moindre moment de folie auprès de ses beaux yeux. Le succès est certain.

Julien songeait à Mme la maréchale[1003] de Fervaques qui venait beaucoup à l'hôtel de La Mole. C'était une belle étrangère qui avait épousé le maréchal un an avant sa mort. Toute sa vie semblait n'avoir d'autre objet que de faire oublier qu'elle était fille d'un *industriel,* et pour être quelque chose à Paris, elle s'était mise à la tête de la vertu.[1004]

Julien admirait sincèrement le prince; que n'eût-il pas donné pour avoir ses ridicules ! La conversation entre les deux amis fut infinie; Korasoff était ravi; jamais un Français ne l'avait écouté aussi longtemps. Ainsi, j'en suis enfin venu, se disait le prince charmé, à me faire écouter en donnant des leçons à mes maîtres !

— Nous sommes bien d'accord, répétait-il à Julien pour la dixième fois, pas l'ombre de passion quand vous parlerez à la jeune beauté, fille du marchand de bas de Strasbourg, en présence de Mme de Dubois. Au contraire, passion brûlante en écrivant. Lire une lettre d'amour bien écrite est le souverain plaisir pour une prude; c'est un moment de relâche. Elle ne joue pas la comédie, elle ose écouter son cœur; donc deux lettres par jour.

— Jamais, jamais ! dit Julien découragé; je me ferais plutôt piler dans un mortier que de composer trois phrases; je suis un cadavre, mon cher, n'espérez plus rien de moi. Laissez-moi mourir au bord de la route.

— Et qui vous parle de composer des phrases ? J'ai dans mon nécessaire[1005] six volumes de lettres d'amour manuscrites. Il y en a pour tous les caractères de femme, j'en ai pour la plus haute vertu. Est-ce que Kalisky n'a pas fait la cour à Richemond-la-Terrasse,[1006] vous savez, à trois lieues de Londres, à la plus jolie quakeresse de toute l'Angleterre ?

Julien était moins malheureux quand il quitta son ami à deux heures du matin.

Le lendemain le prince fit appeler un copiste, et deux jours après Julien eut cinquante-trois lettres d'amour bien numérotées, destinées à la vertu la plus sublime et la plus triste.

— Il n'y en a pas cinquante-quatre, dit le prince, parce que Kalisky se fit éconduire; mais que vous importe d'être maltraité par la fille du marchand de bas, puisque vous ne voulez agir que sur le cœur de Mme de Dubois ?

Tous les jours on montait à cheval: le prince était fou de Julien. Ne sachant comment lui témoigner son amitié soudaine, il finit par lui offrir la main d'une de ses cousines, riche héritière de Moscou; et une fois marié, ajouta-t-il, mon influence et la croix que vous avez là vous font colonel en deux ans.

— Mais cette croix n'est pas donnée par Napoléon, il s'en faut bien.[1007]

— Qu'importe, dit le prince, ne l'a-t-il pas inventée ? Elle est encore de bien loin la première en Europe.

Julien fut sur le point d'accepter; mais son devoir le rappelait auprès du grand personnage; en quittant Korasoff il promit d'écrire. Il reçut la réponse à la note secrète qu'il avait apportée, et courut vers Paris; mais à peine eut-il été seul deux jours de suite, que quitter la France et Mathilde lui parut un supplice pire que la mort. Je n'épouserai pas les millions que m'offre Korasoff, se dit-il, mais je suivrai ses conseils.

Après tout, l'art de séduire est son métier; il ne songe qu'à cette seule affaire depuis plus de quinze ans, car il en a trente. On ne peut pas dire qu'il manque d'esprit; il est fin et cauteleux; l'enthousiasme, la poésie sont une impossibilité dans ce caractère; c'est un procureur;[1008] raison de plus[1009] pour qu'il ne se trompe pas.

Il le faut, je vais faire la cour à Mme de Fervaques.

Elle m'ennuiera bien peut-être un peu, mais je regarderai ces yeux si beaux et qui ressemblent tellement à ceux qui m'ont le plus aimé au monde.[1010]

Elle est étrangère; c'est un caractère nouveau à observer. Je suis fou, je me noie, je dois suivre les conseils d'un ami et ne pas m'en croire moi-même.

25. *Le Ministère de la vertu*

Mais si je prends de ce plaisir avec tant de prudence et de circonspection, ce ne sera plus un plaisir pour moi.

LOPE DE VEGA.[1011]

A peine de retour à Paris, et au sortir du cabinet du marquis de La Mole, qui parut fort déconcerté des dépêches qu'on lui présentait, notre héros courut chez le comte Altamira. A l'avantage d'être condamné à mort, ce bel étranger réunissait beaucoup de gravité et le bonheur d'être dévot; ces deux mérites et, plus que tout, la haute naissance du comte, convenaient tout à fait à Mme de Fervaques, qui le voyait beaucoup.

Julien lui avoua gravement qu'il en était fort amoureux.

— C'est la vertu la plus pure et la plus haute, répondit Altamira, seulement un peu jésuitique et emphatique. Il est des jours où je comprends chacun des mots dont elle se sert, mais je ne comprends pas la phrase tout entière. Elle me donne souvent l'idée que je ne sais pas le français aussi bien qu'on le dit. Cette connaissance fera prononcer votre nom; elle vous donnera du poids dans le monde. Mais allons chez Bustos, dit le comte Altamira, qui était un esprit d'ordre; il a fait la cour à Mme la maréchale.

Don Diego Bustos se fit longtemps expliquer l'affaire, sans rien dire, comme un avocat dans son cabinet. Il avait une grosse figure de moine, avec des moustaches noires, et une gravité sans pareille; du reste, bon carbonaro.[1012]

— Je comprends, dit-il enfin à Julien. La maréchale de Fervaques a-t-elle eu des amants, n'en a-t-elle pas eu ? Avez-vous ainsi quelque espoir de réussir ? voilà la question. C'est vous dire que, pour ma part, j'ai échoué. Maintenant que je ne suis plus piqué, je me fais ce raisonnement: souvent elle a de l'humeur, et, comme je vous le raconterai bientôt, elle n'est pas mal[1013] vindicative.

Je ne lui trouve pas ce tempérament bilieux qui est celui du génie, et jette sur toutes les actions comme un vernis de passion. C'est au contraire à la façon d'être flegmatique et tranquille des Hollandais qu'elle doit sa rare beauté et ses couleurs si fraîches.

Julien s'impatientait de la lenteur et du flegme inébranlable de l'Espagnol; de temps en temps, malgré lui, quelques monosyllabes lui échappaient.

— Voulez-vous m'écouter ? lui dit gravement don Diego Bustos.

— Pardonnez à la *furia francese*;[1014] je suis tout oreille, dit Julien.

— La maréchale de Fervaques est donc fort adonnée à la haine; elle poursuit impitoyablement des gens qu'elle n'a jamais vus, des avocats, de pauvres diables d'hommes de lettres qui ont fait des chansons comme Collé,[1015] vous savez ?

J'ai la marotte
D'aimer Marotte, etc.

Et Julien dut essuyer la citation tout entière. L'Espagnol était bien aise de chanter en français.

Cette divine chanson [1016] ne fut jamais écoutée avec plus d'impatience. Quand elle fut finie: — La maréchale, dit don Diego Bustos, a fait destituer l'auteur de cette chanson:

Un jour l'amant au cabaret...

Julien frémit qu'il ne voulût la chanter. Il se contenta de l'analyser. Réellement elle était impie et peu décente.

Quand la maréchale se prit de colère contre cette chanson, dit don Diego, je lui fis observer qu'une femme de son rang ne devait point lire toutes les sottises qu'on publie. Quelques progrès que fassent la piété et la gravité, il y aura toujours en France une littérature de cabaret. Quand Mme de Fervaques eut fait ôter à l'auteur, pauvre diable en demi-solde, une place de dix-huit cents francs: Prenez garde, lui dis-je, vous avez attaqué ce rimailleur avec vos armes, il peut vous répondre avec ses rimes: il fera une chanson sur la vertu. Les salons dorés seront pour vous; les gens qui aiment à rire répéteront ses épigrammes. Savez-vous, Monsieur, ce que la maréchale me répondit? — Pour l'intérêt du Seigneur tout Paris me verrait marcher au martyre; ce serait un spectacle nouveau en France. Le peuple apprendrait à respecter la qualité.[1017] Ce serait le plus beau jour de ma vie. Jamais ses yeux ne furent plus beaux.

— Et elle les a superbes, s'écria Julien.

— Je vois que vous êtes amoureux... Donc, reprit gravement don Diego Bustos, elle n'a pas la constitution bilieuse qui porte à la vengeance. Si elle aime à nuire pourtant, c'est qu'elle est malheureuse, je soupçonne là *malheur intérieur.* Ne serait-ce point une prude lasse de son métier?

L'Espagnol le regarda en silence pendant une grande minute.

— Voilà toute la question, ajouta-t-il gravement, et c'est de là que vous pouvez tirer quelque espoir. J'y ai beaucoup réfléchi pendant les deux ans que je me suis porté son très humble serviteur. Tout votre avenir, monsieur qui êtes amoureux, dépend de ce grand problème: Est-ce une prude lasse de son métier, et méchante parce qu'elle est malheureuse?

— Ou bien, dit Altamira sortant enfin de son profond silence, serait-ce ce que je t'ai dit vingt fois? tout simplement de la vanité française; c'est le souvenir de son père, le fameux marchand de draps, qui fait le malheur de ce caractère naturellement morne et sec. Il n'y aurait qu'un bonheur pour elle, celui d'habiter Tolède, et d'être tourmentée par un confesseur qui chaque jour lui montrerait l'enfer tout ouvert.[1018]

Comme Julien sortait: — Altamira m'apprend que vous êtes des nôtres, lui dit don Diego, toujours plus grave. Un jour vous nous aiderez à reconquérir notre liberté, ainsi veux-je vous aider dans ce petit amusement. Il est bon que vous connaissiez le style de la maréchale; voici quatre lettres de sa main.

— Je vais les copier, s'écria Julien, et vous les rapporter.

— Et jamais personne ne saura par vous un mot de ce que nous avons dit?

— Jamais, sur l'honneur! s'écria Julien.

— Ainsi Dieu vous soit en aide! ajouta l'Espagnol; et il

reconduisit silencieusement, jusque sur l'escalier, Altamira et Julien.

Cette scène égaya un peu notre héros; il fut sur le point de sourire. Et voilà le dévot Altamira, se disait-il, qui m'aide dans une entreprise d'adultère.

Pendant toute la grave conversation de don Diego Bustos, Julien avait été attentif aux heures sonnées par l'horloge de l'hôtel d'Aligre.[1019]

Celle du dîner approchait, il allait donc revoir Mathilde ! Il rentra, et s'habilla avec beaucoup de soin.

Première sottise, se dit-il en descendant l'escalier; il faut suivre à la lettre l'ordonnance du prince.

Il remonta chez lui, et prit un costume de voyage on ne peut pas plus simple.

Maintenant, pensa-t-il, il s'agit des regards.[1020] Il n'était que cinq heures et demie, et l'on dînait à six. Il eut l'idée de descendre au salon, qu'il trouva solitaire. A la vue du canapé bleu, il fut ému jusqu'aux larmes; bientôt ses joues devinrent brûlantes. Il faut user[1021] cette sensibilité sotte, se dit-il avec colère; elle me trahirait. Il prit un journal pour avoir une contenance, et passa trois ou quatre fois du salon au jardin.

Ce ne fut qu'en tremblant et bien caché par un grand chêne qu'il osa lever les yeux jusqu'à la fenêtre de Mlle de La Mole. Elle était hermétiquement fermée; il fut sur le point de tomber, et resta longtemps appuyé contre le chêne; ensuite, d'un pas chancelant, il alla revoir l'échelle du jardinier.

Le chaînon, jadis forcé par lui en des circonstances, hélas ! si différentes, n'avait point été raccommodé. Emporté par un mouvement de folie, Julien le pressa contre ses lèvres.

Après avoir erré longtemps du salon au jardin, Julien se trouva horriblement fatigué; ce fut un premier succès qu'il sentit vivement. Mes regards seront éteints et ne me trahiront pas ! Peu à peu, les convives arrivèrent au salon; jamais la porte ne s'ouvrit sans jeter un trouble mortel dans le cœur de Julien.

On se mit à table. Enfin parut Mlle de La Mole, toujours fidèle à son habitude de se faire attendre. Elle rougit beaucoup en voyant Julien; on ne lui avait pas dit son arrivée.

D'après la recommandation du prince Korasoff, Julien regarda ses mains; elles tremblaient. Troublé lui-même au delà de toute expression par cette découverte, il fut assez heureux pour ne paraître que fatigué.

M. de La Mole fit son éloge. La marquise lui adressa la parole un instant après, et lui fit compliment [1022] sur son air de fatigue. Julien se disait à chaque instant: Je ne dois pas trop regarder Mlle de La Mole, mais mes regards non plus ne doivent point la fuir. Il faut paraître ce que j'étais réellement huit jours avant mon malheur... Il eut lieu d'être satisfait du succès, et resta au salon. Attentif pour la première fois envers la maîtresse de la maison, il fit tous ses efforts pour faire parler les hommes de sa [1023] société et maintenir la conversation vivante.

Sa politesse fut récompensée: sur les huit heures, on annonça Mme la maréchale de Fervaques. Julien s'échappa et reparut bientôt, vêtu avec le plus grand soin. Mme de La Mole lui sut un gré infini de cette marque de respect, et voulut lui témoigner sa satisfaction, en parlant de son voyage à Mme de Fervaques. Julien s'établit auprès de la maréchale, de façon à ce que ses yeux ne fussent pas aperçus de Mathilde. Placé ainsi, suivant toutes les règles de l'art, Mme de Fervaques fut pour lui l'objet de l'admiration la plus ébahie. C'est par une tirade sur ce sentiment que commençait la première des cinquante-trois lettres dont le prince Korasoff lui avait fait cadeau.

La maréchale annonça qu'elle allait à l'Opéra-Buffa.[1024] Julien y courut; il trouva le chevalier de Beauvoisis, qui l'emmena dans une loge [1025] de messieurs les gentilshommes de la chambre,[1026] justement à côté de la loge de Mme de Fervaques. Julien la regarda constamment. Il faut, se dit-il, en rentrant à l'hôtel, que je tienne un journal de siège; autrement j'oublierais mes attaques. Il se força à écrire deux ou trois pages sur ce sujet ennuyeux, et parvint ainsi, chose admirable ! à ne presque pas penser à Mlle de La Mole.

Mathilde l'avait presque oublié pendant son voyage. Ce n'est après tout qu'un être commun, pensait-elle, son nom me rappellera toujours la plus grande faute de ma vie. Il faut revenir de bonne foi aux idées vulgaires de sagesse et d'honneur; une femme a tout à perdre en les oubliant. Elle se montra disposée à permettre enfin la conclusion de l'arrangement avec le marquis de Croisenois, préparé depuis si longtemps. Il était fou de joie; on l'eût bien étonné en lui disant qu'il y avait de la résignation au fond de cette manière de sentir de Mathilde, qui le rendait si fier.

Toutes les idées de Mlle de La Mole changèrent en voyant Julien. Au vrai, c'est là mon mari, se dit-elle, si je reviens de bonne foi aux idées de sagesse, c'est évidemment lui que je dois épouser.

Elle s'attendait à des importunités, à des airs de malheur de la part de Julien; elle préparait ses réponses: car sans doute, au sortir du dîner, il essaierait de lui adresser quelques mots. Loin de là, il resta ferme au salon, ses regards ne se tournèrent pas même vers le jardin, Dieu sait avec quelle peine ! Il vaut mieux avoir tout de suite cette explication, pensa Mlle de La Mole; elle alla seule au jardin, Julien n'y parut pas. Mathilde vint se promener près des portes-fenêtres du salon; elle le vit fort occupé à décrire à Mme de Fervaques les vieux châteaux en ruines qui couronnent les coteaux des bords du Rhin et leur donnent tant de physionomie. Il commençait à ne pas mal se tirer de la phrase sentimentale et pittoresque qu'on appelle *esprit* dans certains salons.

Le prince Korasoff eût été bien fier, s'il se fût trouvé à Paris: cette soirée était exactement ce qu'il avait prédit.

Il eût approuvé la conduite que tint Julien les jours suivants.

Une intrigue parmi les membres du gouvernement occulte [1027] allait disposer de quelques cordons bleus; Mme la maréchale de Fervaques exigeait que son grand-oncle fût chevalier de l'ordre. Le marquis de La Mole avait la même prétention pour son beau-père; ils réunirent leurs efforts, et la maréchale vint presque tous les jours à l'hôtel de La Mole. Ce fut d'elle que Julien apprit que le marquis allait être ministre: il offrait à la *Camarilla* [1028] un plan fort ingénieux pour anéantir la Charte, sans commotion, en trois ans.

Julien pouvait espérer un évêché, si M. de La Mole arrivait au ministère; mais à ses yeux tous ces grands intérêts s'étaient comme recouverts d'un voile. Son imagination ne les apercevait plus que vaguement et pour ainsi dire dans le lointain. L'affreux malheur qui en faisait un maniaque lui montrait tous les intérêts de la vie dans sa manière d'être avec Mlle. de La Mole. Il calculait qu'après cinq ou six ans de soins, il parviendrait à s'en faire aimer de nouveau.

Cette tête si froide était, comme on voit, descendue à l'état de déraison complet. De toutes les qualités qui l'avaient distingué autrefois, il ne lui restait qu'un peu de fermeté. Matériellement fidèle au plan de conduite dicté par le prince Korasoff, chaque soir il se plaçait assez près du fauteuil de Mme de Fervaques, mais il lui était impossible de trouver un mot à dire.

L'effort qu'il s'imposait pour paraître guéri aux yeux de Mathilde absorbait toutes les forces de son âme, il restait auprès de la maréchale comme un être à peine animé; ses yeux même, ainsi que dans l'extrême souffrance physique, avaient perdu tout leur feu.

Comme la manière de voir de Mme de La Mole n'était jamais qu'une contre-épreuve des opinions de ce mari qui pouvait la faire duchesse, depuis quelques jours elle portait aux nues le mérite de Julien.

26. *L'Amour moral*

There also was of course in Adeline
That calm patrician polish in the address,
Which ne'er can pass the equinoctial line
Of any thing which Nature would express:
Just as a Mandarin finds nothing fine,
At least his manner suffers not to guess
That any thing he views can greatly please.

DON JUAN, C. XIII, stanza 84.[1029]

Il y a un peu de folie dans la façon de voir de toute cette famille, pensait la maréchale: ils sont engoués de leur jeune abbé, qui ne sait qu'écouter avec d'assez beaux yeux, il est vrai.

Julien, de son côté, trouvait dans les façons de la maréchale un exemple à peu près parfait de ce *calme patricien* qui respire une politesse exacte et encore plus l'impossibilité d'aucune vive émotion. L'imprévu dans les mouvements, le manque d'empire sur soi-même eût scandalisé Mme de Fervaques presque autant que l'absence de majesté envers ses inférieurs. Le moindre signe de sensibilité eût été à ses yeux comme une sorte d'*ivresse morale* dont il faut rougir, et qui nuit fort à ce qu'une personne d'un rang élevé se doit à soi-même. Son grand bonheur était de parler de la dernière chasse du roi, son livre favori les *Mémoires du duc de Saint-Simon*,[1030] surtout pour la partie généalogique.

Julien savait la place qui, d'après la disposition des lumières, convenait au genre de beauté de Mme de Fervaques. Il s'y trouvait d'avance,[1031] mais avait grand soin de tourner sa chaise de façon à ne pas apercevoir Mathilde. Etonnée de cette constance à se cacher d'elle, un jour elle quitta le canapé bleu et vint travailler auprès d'une petite table voisine du fauteuil de la maréchale. Julien la voyait d'assez près par-dessous le chapeau de Mme de Fervaques. Ces yeux,[1032] qui disposaient de son sort, l'effrayèrent d'abord, ensuite le jetèrent violemment hors de son apathie habituelle; il parla et fort bien.

Il adressait la parole à la maréchale, mais son but unique était d'agir sur l'âme de Mathilde. Il s'anima de telle sorte que Mme de Fervaques arriva à ne plus comprendre ce qu'il disait.

C'était un premier mérite. Si Julien eût eu l'idée de le compléter par quelques phrases de mysticité allemande,[1033] de haute religiosité et de jésuitisme, la maréchale l'eût rangé d'emblée parmi les hommes supérieurs appelés à régénérer le siècle.

Puisqu'il est d'assez mauvais goût, se disait Mlle de La Mole, pour parler aussi longtemps et avec tant de feu à Mme. de Fervaques, je ne l'écouterai plus. Pendant toute la fin de cette soirée, elle tint parole, quoique avec peine.

A minuit, lorsqu'elle prit le bougeoir de sa mère, pour l'accompagner à sa chambre, Mme de La Mole s'arrêta sur l'escalier pour faire un éloge complet de Julien. Mathilde acheva de prendre de l'humeur; elle ne pouvait trouver le sommeil. Une idée la calma: Ce que je méprise peut encore faire un homme de grand mérite aux yeux de la maréchale.

Pour Julien, il avait agi, il était moins malheureux; ses yeux tombèrent par hasard sur le portefeuille en cuir de Russie où le prince Korasoff avait enfermé les cinquante-trois lettres d'amour dont il lui avait fait cadeau. Julien vit en note au bas de la première lettre: *On envoie le n*⁰ *1 huit jours après la première vue.*

Je suis en retard ! s'écria Julien, car il y a bien longtemps que je vois Mme de Fervaques. Il se mit aussitôt à transcrire cette première lettre d'amour; c'était une homélie remplie de phrases sur la vertu et ennuyeuse à périr; Julien eut le bonheur de s'endormir à la seconde page.

Quelques heures après, le grand soleil le surprit appuyé sur sa table. Un des moments les plus pénibles de sa vie était celui où chaque matin, en s'éveillant, il *apprenait* son malheur. Ce jour-là, il acheva la copie de sa lettre presque en riant. Est-il possible, se disait-il, qu'il se soit trouvé un jeune homme pour écrire ainsi ? Il compta plusieurs phrases de neuf lignes. Au bas de l'original, il aperçut une note au crayon.

On porte ces lettres soi-même: à cheval, cravate noire, redingote bleue. On remet la lettre au portier d'un air contrit; profonde mélancolie dans le regard. Si l'on aperçoit quelque femme de chambre, essuyer ses yeux furtivement. Adresser la parole à la femme de chambre.

Tout cela fut exécuté fidèlement.

Ce que je fais est bien hardi, pensa Julien en sortant de l'hôtel de Fervaques, mais tant pis pour Korasoff. Oser écrire à une vertu si célèbre ! Je vais en[1034] être traité avec le dernier mépris, et rien ne m'amusera davantage. C'est au fond la seule comédie à laquelle je puisse être sensible. Oui, couvrir de ridicule cet être si odieux, que j'appelle *moi*, m'amusera. Si je m'en croyais, je commettrais quelque crime pour me distraire.

Depuis un mois, le plus beau moment de la vie de Julien était celui où il remettait son cheval à l'écurie. Korasoff lui avait expressément défendu de regarder, sous quelque prétexte que ce fût, la maîtresse qui l'avait quitté. Mais le pas de ce cheval qu'elle connaissait si bien, la manière avec laquelle Julien frappait de sa cravache à la porte de l'écurie pour appeler un homme attiraient quelquefois Mathilde derrière le rideau de sa fenêtre. La mousseline était si légère que Julien voyait à travers. En regardant d'une certaine façon sous le bord de son chapeau, il apercevait la taille de Mathilde sans voir ses yeux. Par conséquent, se disait-il, elle ne peut voir les miens, et ce n'est point là la regarder.

Le soir, Mme de Fervaques fut pour lui exactement comme si elle n'eût pas reçu la dissertation philosophique, mystique et religieuse que, le matin, il avait remise à son portier avec tant de mélancolie. La veille, le hasard avait révélé à Julien le moyen d'être éloquent; il s'arrangea de façon à voir les yeux de Mathilde. Elle, de son côté, un instant après l'arrivée de la maréchale, quitta le canapé bleu: c'était déserter sa société habituelle. M. de Croisenois parut consterné de ce nouveau caprice; sa douleur évidente ôta à Julien ce que son malheur avait de plus atroce.

Cet imprévu dans sa vie le fit parler comme un ange; et comme l'amour-propre se glisse même dans les cœurs qui servent de temple à la vertu la plus auguste:[1034a] Mme de La Mole a raison, se dit la maréchale en remontant en voiture, ce jeune prêtre a de la distinction. Il faut que, les premiers jours, ma présence l'ait intimidé. Dans le fait, tout ce que l'on rencontre dans cette maison est bien léger; je n'y vois que des vertus aidées par la vieillesse, et qui avaient grand besoin des glaces de l'âge.[1035] Ce jeune homme aura su voir la différence; il écrit bien; mais je crains fort que cette demande de l'éclairer de mes conseils qu'il me fait dans sa lettre ne soit au fond qu'un sentiment qui s'ignore soi-même.[1036]

Toutefois, que de conversions ont ainsi commencé ! Ce qui me fait bien augurer de celle-ci, c'est la différence de son style avec celui des jeunes gens dont j'ai eu l'occasion de voir les lettres. Il est impossible de ne pas reconnaître de l'onction, un sérieux profond et beaucoup de conviction dans la prose de ce jeune lévite; il aura la douce vertu de Massillon.[1037]

27. Les Plus Belles Places de l'Eglise

Des services ! des talents ! du mérite ! bah !
soyez d'une coterie.

TÉLÉMAQUE.[1038]

Ainsi l'idée d'évêché était pour la première fois mêlée avec celle de Julien dans la tête d'une femme qui tôt ou tard devait distribuer les plus belles places de l'Eglise de France. Cet avantage n'eût guère touché Julien; en cet instant, sa pensée ne s'élevait à rien d'étranger à son malheur actuel: tout le redoublait; par exemple, la vue de sa chambre lui était devenue insupportable. Le soir, quand il rentrait avec sa bougie, chaque meuble, chaque petit ornement lui semblait prendre une voix pour lui annoncer aigrement quelque nouveau détail de son malheur.

Ce jour-là,[1039] j'ai un travail forcé,[1040] se dit-il en rentrant et avec une vivacité que depuis longtemps il ne connaissait plus: espérons que la seconde lettre sera aussi ennuyeuse que la première.

Elle l'était davantage. Ce qu'il copiait lui semblait si absurde, qu'il en vint à transcrire ligne par ligne, sans songer au sens.

C'est encore plus emphatique, se disait-il, que les pièces[1041] officielles du traité de Munster,[1042] que mon professeur de diplomatie me faisait copier à Londres.

Il se souvint seulement alors des lettres de Mme de Fervaques dont il avait oublié de rendre les originaux au grave Espagnol don Diego Bustos. Il les chercha; elles étaient réellement presque aussi amphigouriques que celles du jeune seigneur russe. Le vague était complet. Cela voulait tout dire et ne rien dire. C'est la harpe éolienne du style, pensa Julien. Au milieu des plus hautes pensées sur le néant,[1043] sur la mort, sur l'infini, etc., je ne vois de réel qu'une peur abominable du ridicule.[1044]

Le monologue que nous venons d'abréger fut répété

pendant quinze jours de suite. S'endormir en transcrivant une sorte de commentaire de l'Apocalypse, le lendemain aller porter une lettre d'un air mélancolique, remettre le cheval à l'écurie avec l'espérance d'apercevoir la robe de Mathilde, travailler, le soir paraître à l'Opéra quand Mme de Fervaques ne venait pas à l'hôtel de La Mole, tels étaient les événements monotones de la vie de Julien. Elle avait plus d'intérêt quand Mme de Fervaques venait chez la marquise; alors il pouvait entrevoir les yeux de Mathilde sous une aile du chapeau de la maréchale, et il était éloquent. Ses phrases pittoresques et sentimentales commençaient à prendre une tournure plus frappante à la fois et plus élégante.

Il sentait bien que ce qu'il disait était absurde aux yeux de Mathilde, mais il voulait la frapper par l'élégance de la diction. Plus ce que je dis est faux, plus je dois lui plaire, pensait Julien; et alors, avec une hardiesse abominable, il exagérait certains aspects de la nature. Il s'aperçut bien vite que, pour ne pas paraître vulgaire aux yeux de la maréchale, il fallait surtout se bien garder des idées simples et raisonnables. Il continuait ainsi, ou abrégeait ses amplifications suivant qu'il voyait le succès ou l'indifférence dans les yeux des deux grandes dames auxquelles il fallait plaire.

Au total, sa vie était moins affreuse que lorsque ses journées se passaient dans l'inaction.

Mais, se disait-il un soir, me voici transcrivant la quinzième de ces abominables dissertations; les quatorze premières ont été fidèlement remises au suisse[1045] de la maréchale. Je vais avoir l'honneur de remplir toutes les cases de son bureau.[1046] Et cependent elle me traite exactement comme si je n'écrivais pas ! Quelle peut être la fin[1047] de tout ceci ! Ma constance l'ennuierait-elle autant que moi ? Il faut convenir que ce Russe, ami de Korasoff, et amoureux de la belle quakeresse de Richemond, fut en son temps un homme terrible; on n'est pas plus assommant.

Comme tous les êtres médiocres que le hasard met en présence des manœuvres d'un grand général, Julien ne comprenait rien à l'attaque exécutée par le jeune Russe sur le cœur de la belle Anglaise. Les quarante premières lettres n'étaient destinées qu'à se faire pardonner la hardiesse d'écrire. Il fallait faire contracter à cette douce personne, qui peut-être s'ennuyait infiniment, l'habitude de recevoir des lettres peut-être un peu moins insipides que sa vie de tous les jours.

Un matin, on remit une lettre à Julien; il reconnut les armes de Mme de Fervaques, et brisa le cachet avec un empressement qui lui eût semblé bien impossible quelques jours auparavant: ce n'était qu'une invitation à dîner.

Il courut aux instructions du prince Korasoff. Malheureusement, le jeune Russe avait voulu être léger comme Dorat,[1048] là où il eût fallu être simple et intelligible; Julien ne put deviner la position morale qu'il devait occuper au dîner de la maréchale.

Le salon était de la plus haute magnificence, doré comme la galerie de Diane[1049] aux Tuileries, avec des tableaux à l'huile aux lambris. Il y avait des taches claires dans ces tableaux. Julien apprit plus tard que les sujets avaient semblé peu décents à la maîtresse du logis, qui avait fait corriger les tableaux. *Siècle moral!* pensa-t-il.

Dans ce salon il remarqua trois des personnages qui avaient assisté à la rédaction de la note secrète. L'un d'eux, monseigneur l'évêque de***, oncle de la maréchale, avait la feuille des bénéfices[1050] et, disait-on, ne savait rien refuser à sa nièce. Quel pas immense j'ai fait, se dit Julien en souriant avec mélancolie, et combien il m'est indifférent! Me voici dînant avec le fameux évêque de***.

Le dîner fut médiocre et la conversation impatientante. C'est la table[1051] d'un mauvais livre, pensait Julien. Tous les plus grands sujets des pensées des hommes y sont fièrement abordés. Ecoute-t-on trois minutes,[1052] on se demande ce qui l'emporte de l'emphase du parleur ou de son abominable ignorance.

Le lecteur a sans doute oublié ce petit homme de lettres, nommé Tanbeau, neveu de l'académicien et futur professeur qui, par ses basses calomnies, semblait chargé d'empoisonner le salon de l'hôtel de La Mole.

Ce fut par ce petit homme que Julien eut la première idée qu'il se pourrait bien que Mme de Fervaques, tout en ne répondant pas à ses lettres, vît avec indulgence le sentiment qui les dictait. L'âme noire de M. Tanbeau était déchirée en pensant aux succès de Julien; mais comme d'un autre côté, un homme de mérite, pas plus qu'un sot ne peut être en deux endroits à la fois, si Sorel devient l'amant de la sublime maréchale, se disait le futur professeur, elle le placera dans l'Eglise de quelque manière avantageuse, et j'en serai délivré à l'hôtel de La Mole.

M. l'abbé Pirard adressa aussi à Julien de longs sermons sur ses succès à l'hôtel de Fervaques. Il y avait *jalousie de secte* entre l'austère janséniste et le salon jésuitique, régénérateur et monarchique [1053] de la vertueuse maréchale.

28. *Manon Lescaut*

> *Or, une fois qu'il fut bien convaincu de la sottise et ânerie du prieur, il réussissait assez ordinairement en appelant noir ce qui était blanc, et blanc ce qui était noir.*
>
> LICHTENBERG.[1054]

Les instructions russes prescrivaient impérieusement de ne jamais contredire de vive voix la personne à qui on écrivait. On ne devait s'écarter, sous aucun prétexte, du rôle de l'admiration la plus extatique; les lettres partaient toujours de cette supposition.

Un soir, à l'Opéra, dans la loge de Mme de Fervaques, Julien portait aux nues le ballet de *Manon Lescaut*.[1055] Sa seule raison pour parler ainsi, c'est qu'il le trouvait insignifiant.[1056]

La maréchale dit que ce ballet était bien inférieur au roman de l'abbé Prévost.

Comment ! pensa Julien étonné et amusé, une personne d'une si haute vertu vanter un roman ! Mme de Fervaques faisait profession, deux ou trois fois la semaine, du mépris le plus complet pour les écrivains qui, au moyen de ces plats ouvrages,[1057] cherchent à corrompre une jeunesse qui n'est, hélas ! que trop disposée aux erreurs des sens.

Dans ce genre immoral et dangereux, *Manon Lescaut*, continua la maréchale, occupe, dit-on, un des premiers rangs. Les faiblesses et les angoisses méritées d'un cœur bien criminel[1058] y sont, dit-on, dépeintes avec une vérité qui a de la profondeur; ce qui n'empêche pas votre Bonaparte de prononcer à Sainte-Hélène que c'est un roman écrit pour des laquais.[1059]

Ce mot rendit toute son activité à l'âme de Julien. On a voulu me perdre auprès de la maréchale; on lui a dit mon enthousiasme pour Napoléon. Ce fait l'a assez piquée pour qu'elle cède à la tentation de me le faire sentir. Cette découverte l'amusa toute la soirée et le rendit amusant. Comme il prenait congé de la maréchale sous le vestibule de l'Opéra: « — Souvenez-vous, monsieur, lui dit-elle, qu'il ne faut pas aimer Bonaparte quand on m'aime; on peut tout au plus l'accepter comme une nécessité imposée par la Providence. Du reste, cet homme n'avait pas l'âme assez flexible pour sentir les chefs-d'œuvre des arts. »

Quand on m'aime! se répétait Julien; cela ne veut rien dire,[1060] ou veut tout dire. Voilà des secrets de langage qui manquent à nos pauvres provinciaux. Et il songea beaucoup à Mme de Rênal,[1061] en copiant une lettre immense destinée à la maréchale.

— Comment se fait-il, lui dit-elle le lendemain d'un air d'indifférence qu'il trouva mal joué, que vous me parliez de *Londres* et de *Richemond* dans une lettre que vous avez écrite hier soir, à ce qu'il semble, au sortir de l'Opéra?

Julien fut très embarrassé; il avait copié ligne par ligne, sans songer à ce qu'il écrivait, et apparemment avait oublié de substituer aux mots *Londres* et *Richmond*, qui se trouvaient dans l'original, ceux de *Paris* et *Saint-Cloud*. Il commença deux ou trois phrases, mais sans possibilité de les achever; il se sentait sur le point de céder au rire fou. Enfin, en cherchant ses mots, il parvint à cette idée: Exalté par la discussion des plus sublimes, des plus grands intérêts de l'âme humaine, la mienne, en vous écrivant, a pu avoir une distraction.

Je produis une impression, se dit-il, donc je puis m'épargner l'ennui du reste de la soirée. Il sortit en courant de l'hôtel de Fervaques. Le soir, en revoyant l'original de la lettre par lui copiée la veille, il arriva bien vite à l'endroit fatal où le jeune Russe parlait de Londres et de Richemond. Julien fut bien étonné de trouver cette lettre presque tendre.

C'était le contraste de l'apparente légèreté de ses propos,[1062] avec la profondeur sublime et presque apocalyptique de ses lettres qui l'avait fait distinguer. La longueur des phrases plaisait surtout à la maréchale; ce n'est pas là ce style sautillant[1063] mis à la mode par Voltaire, cet homme si immoral! Quoique notre héros fît tout au monde pour bannir toute espèce de bon sens de la conversation, elle avait encore une couleur antimonarchique et impie qui n'échappait pas à Mme de Fervaques.[1064] Environnée de personnages éminemment moraux, mais qui souvent n'avaient pas une idée par soirée, cette dame était profondément frappée de tout ce qui ressemblait à une nouveauté; mais en même temps, elle croyait se devoir à elle-même d'en être offensée. Elle appelait ce défaut, *garder l'empreinte de la légèreté du siècle* ...

Mais de tels salons ne sont bons à voir que quand on sollicite.[1065] Tout l'ennui de cette vie sans intérêt que menait Julien est sans doute partagé par le lecteur. Ce sont là les landes[1066] de notre voyage.

Pendant tout le temps usurpé dans la vie de Julien par l'épisode Fervaques, Mlle de La Mole avait besoin de prendre sur elle[1067] pour ne pas songer à lui. Son âme était en proie à de violents combats; quelquefois elle se flattait de mépriser ce jeune homme si triste; mais, malgré elle, sa conversation la captivait. Ce qui l'étonnait surtout, c'était sa fausseté parfaite; il ne disait pas un mot à la maréchale qui ne fût un mensonge, ou du moins un déguisement abominable de sa façon de penser, que Mathilde connaissait si parfaitement sur presque tous les sujets. Ce machiavélisme la frappait. Quelle profondeur ! se disait-elle; quelle différence avec les nigauds emphatiques ou les fripons communs, tels que M. Tanbeau, qui tiennent le même langage !

Toutefois, Julien avait des journées affreuses. C'était pour accomplir le plus pénible des devoirs qu'il paraissait chaque jour dans le salon de la maréchale. Ses efforts pour jouer un rôle achevaient d'ôter toute force à son âme. Souvent, la nuit, en traversant la cour immense de l'hôtel de Fervaques, ce n'était qu'à force de caractère et de raisonnement qu'il parvenait à se maintenir un peu au-dessus du désespoir.

J'ai vaincu le désespoir au séminaire, se disait-il: pourtant quelle affreuse perspective j'avais alors ! je faisais ou je manquais ma fortune, dans l'un comme dans l'autre cas, je me voyais obligé de passer toute ma vie en société intime avec ce qu'il y a sous le ciel de plus méprisable et de plus dégoûtant. Le printemps suivant, onze petits mois après seulement, j'étais le plus heureux peut-être des jeunes gens de mon âge.

Mais bien souvent tous ces beaux raisonnements étaient sans effet contre l'affreuse réalité. Chaque jour il voyait Mathilde au déjeuner et à dîner. D'après les lettres nombreuses que lui dictait M. de La Mole, il la savait à la veille d'épouser M. de Croisenois. Déjà cet aimable jeune homme paraissait deux fois par jour à l'hôtel de La Mole: l'œil jaloux d'un amant délaissé ne perdait pas une seule de ses démarches.

Quand il avait cru voir que Mlle de La Mole traitait bien son prétendu, en rentrant chez lui, Julien ne pouvait s'empêcher de regarder ses pistolets avec amour.

Ah ! que je serais plus sage, se disait-il, de démarquer mon linge, et d'aller dans quelque forêt solitaire, à vingt lieues de Paris, finir cette exécrable vie ! Inconnu dans le pays, ma mort serait cachée pendant quinze jours, et qui songerait à moi après quinze jours !

Ce raisonnement était fort sage. Mais le lendemain, le bras de Mathilde, entrevu entre la manche de sa robe et son gant, suffisait pour plonger notre jeune philosophe dans des souvenirs cruels, et qui cependant l'attachaient à la vie. Eh bien ! se disait-il alors, je suivrai jusqu'au bout cette politique russe. Comment cela finira-t-il ?

A l'égard de la maréchale, certes, après avoir transcrit ces cinquante-trois lettres, je n'en écrirai pas d'autres.

A l'égard de Mathilde, ces six semaines de comédie si pénible, ou ne changeront rien à sa colère, ou m'obtiendront un instant de réconciliation. Grand Dieu ! j'en mourrais de bonheur ! Et il ne pouvait achever sa pensée.

Quand, après une longue rêverie, il parvenait à reprendre son raisonnement: Donc, se disait-il, j'obtiendrais un jour de bonheur, après quoi recommenceraient ses rigueurs fondées, hélas ! sur le peu de pouvoir que j'ai de lui plaire, et il ne me resterait plus aucune ressource, je serais ruiné, perdu à jamais ...

Quelle garantie peut-elle me donner avec son caractère ?[1068] Hélas ! mon peu de mérite répond à tout. Je manquerai d'élégance dans mes manières, ma façon de parler sera lourde et monotone.[1069] Grand Dieu ! Pourquoi suis-je moi ?

29. *L'Ennui*

> *Se sacrifier à ses passions, passe;*[1070] *mais à des passions qu'on n'a pas ! O triste* XIXᵉ *siècle !*
>
> GIRODET.[1071]

Après avoir lu sans plaisir d'abord les longues lettres de Julien, Mme de Fervaques commençait à en être occupée; mais une chose la désolait: Quel dommage que M. Sorel ne soit pas décidément prêtre ! On pourrait l'admettre à une sorte d'intimité; avec cette croix [1072] et cet habit presque bourgeois, on est exposé à des questions cruelles, et que répondre ? Elle n'achevait pas sa pensée:[1073] quelque amie maligne peut supposer et même répandre que c'est un petit cousin subalterne, parent de mon père, quelque marchand décoré par la garde nationale.

Jusqu'au moment où elle avait vu Julien, le plus grand plaisir de Mme de Fervaques avait été d'écrire le mot *maréchale* à côté de son nom. Ensuite une vanité de parvenue, maladive et qui s'offensait de tout, combattit un commencement d'intérêt.[1074]

Il me serait si facile, se disait la maréchale, d'en faire un grand vicaire dans quelque diocèse voisin de Paris ! [1075] Mais M. Sorel tout court,[1076] et encore petit secrétaire de M. de La Mole ! c'est désolant.

Pour la première fois, cette âme *qui craignait tout,* était émue d'un intérêt étranger à ses prétentions de rang et de supériorité sociale. Son vieux portier remarqua que, lorsqu'il apportait une lettre de ce beau jeune homme, qui avait l'air si triste,[1077] il était sûr de voir disparaître l'air distrait et mécontent que la maréchale avait toujours soin de prendre à l'arrivée d'un de ses gens.

L'ennui d'une façon de vivre toute ambitieuse d'effet [1078] sur le public, sans qu'il y eût au fond du cœur jouissance réelle pour ce genre de succès, était devenu si intolérable depuis qu'on[1079] pensait à Julien, que pour que les femmes de chambre ne fussent pas maltraitées de[1080] toute une journée, il suffisait que pendant la soirée de la veille on eût passé une heure avec ce jeune homme singulier. Son crédit naissant résista à des lettres anonymes, fort bien faites. En vain le petit Tanbeau fournit à MM. de Luz, de Croisenois, de Caylus deux ou trois calomnies fort adroites et que ces Messieurs prirent plaisir à répandre sans trop se rendre compte[1081] de la vérité des accusations. La maréchale, dont l'esprit n'était pas fait pour résister à ces moyens vulgaires,[1082] racontait ses doutes à Mathilde, et toujours était consolée.

Un jour, après avoir demandé trois fois s'il y avait des lettres, Mme de Fervaques se décida subitement à répondre à Julien. Ce fut une victoire de l'ennui. A la seconde lettre, la maréchale fut presque arrêtée par l'inconvenance d'écrire de sa main une adresse aussi vulgaire, *A M. Sorel, chez M. le marquis de La Mole.*

Il faut, dit-elle le soir à Julien d'un air fort sec, que vous m'apportiez des enveloppes sur lesquelles il y aura votre adresse.

Me voilà constitué amant valet de chambre,[1083] pensa Julien, et il s'inclina en prenant plaisir à se grimer[1084] comme Arsène, le vieux valet de chambre du marquis.

Le soir même il apporta des enveloppes, et le lendemain, de fort bonne heure, il eut une troisième lettre: il en lut cinq ou six lignes au commencement, et deux ou trois vers la fin. Elle avait quatre pages d'[1085]une petite écriture fort serrée.

Peu à peu on prit la douce habitude d'écrire presque tous les jours. Julien répondait par des copies fidèles des lettres russes, et, tel est l'avantage du style emphatique: Mme. de Fervaques n'était point étonnée du peu de rapport des réponses avec ses lettres.

Quelle n'eût pas été l'irritation de son orgueil si le petit Tanbeau, qui s'était constitué espion volontaire des démarches de Julien, eût pu lui apprendre que toutes ses lettres non décachetées étaient jetées au hasard dans le tiroir de Julien.

Un matin, le portier lui apportait dans la bibliothèque

une lettre de la maréchale; Mathilde rencontra cet homme, vit la lettre et l'adresse de l'écriture de Julien. Elle entra dans la bibliothèque comme le portier en sortait; la lettre était encore sur le bord de la table; Julien, fort occupé à écrire, ne l'avait pas placée dans son tiroir.

— Voilà ce que je ne puis souffir, s'écria Mathilde en s'emparant de la lettre; vous m'oubliez tout à fait, moi qui suis votre épouse. Votre conduite est affreuse, Monsieur.

A ces mots, son orgueil, étonné de l'effroyable inconvenance de sa démarche, la suffoqua; elle fondit en larmes, et bientôt parut Julien [1086] hors d'état de respirer.

Surpris, confondu, Julien ne distinguait pas bien tout ce que cette scène avait d'admirable et d'heureux pour lui. Il aida Mathilde à s'asseoir; elle s'abandonnait presque dans ses bras.

Le premier instant où il s'aperçut de ce mouvement fut de joie extrême. Le second fut une pensée pour Korasoff: [1087] je puis tout perdre par un seul mot.

Ses bras se raidirent, tant l'effort imposé par la politique était pénible. Je ne dois pas même me permettre de presser contre mon cœur ce corps souple et charmant, ou elle me méprise et me maltraite. Quel affreux caractère! [1088]

Et en maudissant le caractère de Mathilde, il l'en [1089] aimait cent fois plus; il lui semblait avoir dans ses bras une reine.

L'impassible froideur de Julien redoubla le malheur d'orgueil qui déchirait l'âme de Mlle de La Mole. Elle était loin d'avoir le sang-froid nécessaire pour chercher à deviner dans ses yeux ce qu'il sentait pour elle en cet instant. Elle ne put se résoudre à le regarder; elle tremblait de rencontrer l'expression du mépris.

Assise sur le divan de la bibliothèque, immobile et la tête tournée du côté opposé à Julien, elle était en proie aux plus vives douleurs que l'orgueil et l'amour puissent faire éprouver à une âme humaine. Dans quelle atroce démarche elle venait de tomber!

Il m'était réservé, malheureuse que je suis! de voir repousser les avances les plus indécentes! et repoussées par qui? ajoutait l'orgueil fou de douleur, repoussées par un domestique de mon père.

— C'est ce que je ne souffrirai pas, dit-elle à haute voix.

Et, se levant avec fureur, elle ouvrit le tiroir de la table de Julien placée à deux pas devant elle. Elle resta comme glacée d'horreur en y voyant huit ou dix lettres non ouvertes, semblables en tout [1090] à celle que le portier venait de monter. Sur toutes les adresses, elle reconnaissait l'écriture de Julien, plus ou moins contrefaite.[1091]

— Ainsi, s'écria-t-elle hors d'elle-même, non seulement vous êtes bien avec elle mais encore vous la méprisez. Vous, un homme de rien, mépriser Mme la maréchale de Fervaques !

Ah ! pardon, mon ami, ajouta-t-elle en se jetant à ses genoux, méprise-moi si tu veux, mais aime-moi, je ne puis plus vivre privée de ton amour. Et elle tomba tout à fait évanouie.

La voilà donc, cette orgueilleuse, à mes pieds ! se dit Julien.

30. *Une Loge aux Bouffes*

As the blackest sky
Foretells the heaviest tempest.
DON JUAN, c. 1, *st.* 73.

Au milieu de tous ces grands mouvements, Julien était plus étonné qu'heureux. Les injures de Mathilde lui montraient combien la politique russe était sage. *Peu parler, peu agir,* voilà mon unique moyen de salut.

Il releva Mathilde, et sans mot dire la replaça sur le divan. Peu à peu les larmes la gagnèrent.

Pour se donner une contenance, elle prit dans ses mains les lettres de Mme de Fervaques; elle les décachetait lentement. Elle eut un mouvement nerveux bien marqué quand elle reconnut l'écriture de la maréchale. Elle tournait sans les lire les feuilles de ces lettres; la plupart avaient six pages.

— Répondez-moi, du moins, dit enfin Mathilde du ton de voix le plus suppliant, mais sans oser regarder Julien. Vous savez bien que j'ai de l'orgueil; c'est le malheur de ma position et même de mon caractère, je l'avouerai; Mme de Fervaques m'a donc enlevé votre cœur ... A-t-elle fait pour vous tous les sacrifices où ce fatal amour m'a entraînée ? [1092]

Un morne silence fut toute la réponse de Julien. De quel droit, pensait-il, me demande-t-elle une indiscrétion indigne d'un honnête homme ? [1093]

Mathilde essaya de lire les lettres; ses yeux remplis de larmes lui en ôtaient la possibilité.

Depuis un mois elle était malheureuse, mais cette âme hautaine était bien loin de s'avouer ses sentiments. Le hasard tout seul avait amené cette explosion. Un instant la jalousie et l'amour l'avaient emporté sur l'orgueil. Elle était placée sur le divan et fort près de lui. Il voyait ses cheveux et son cou d'albâtre; un moment il oublia tout ce qu'il se devait; il passa le bras autour de sa taille, et la serra presque contre sa poitrine.

Elle tourna la tête vers lui lentement: il fut étonné de l'extrême douleur qui était dans ses yeux, c'était à[1094] ne pas reconnaître leur physionomie habituelle.

Julien sentit ses forces l'abandonner, tant était mortellement pénible l'acte de courage qu'il s'imposait.

Ces yeux n'exprimeront bientôt que le plus froid dédain, se dit Julien, si je me laisse entraîner au bonheur de l'aimer. Cependant d'une voix éteinte et avec des paroles qu'elle avait à peine la force d'achever, elle lui répétait en ce moment l'assurance de tous ses regrets pour des démarches que trop d'orgueil avait pu[1095] conseiller.

— J'ai aussi de l'orgueil, lui dit Julien d'une voix à peine formée, et ses traits peignaient le point extrême de l'abattement physique.

Mathilde se retourna vivement vers lui. Entendre sa voix était un bonheur à l'espérance duquel elle avait presque renoncé. En ce moment, elle ne se souvenait de sa hauteur que pour la maudire, elle eût voulu trouver des démarches insolites, incroyables, pour lui prouver jusqu'à quel point elle l'adorait et se détestait elle-même.

— C'est probablement à cause de cet orgueil, continua Julien, que vous m'avez distingué un instant; c'est certainement à cause de cette fermeté courageuse et qui convient à un homme que vous m'estimez en ce moment. Je puis avoir de l'amour pour la maréchale ...

Mathilde tressaillit; ses yeux prirent une expression étrange. Elle allait entendre prononcer son arrêt. Ce mouvement n'échappa point à Julien; il sentit faiblir son courage.

Ah ! se disait-il en écoutant le son des vaines paroles que prononçait sa bouche, comme il eût fait un bruit étranger; si je pouvais couvrir de baisers ces joues si pâles, et que tu ne le sentisses pas !

— Je puis avoir de l'amour pour la maréchale, continuait-il ... et sa voix s'affaiblissait toujours; mais certainement, je n'ai de son intérêt pour moi aucune preuve décisive ...

Mathilde le regarda: il soutint ce regard, du moins il espéra que sa physionomie ne l'avait pas trahi. Il se sentait pénétré d'amour jusque dans les replis les plus intimes de son cœur. Jamais il ne l'avait adorée à ce point; il était presque aussi fou que Mathilde. Si elle se fût trouvée[1096] assez de sang-froid et de courage pour manœuvrer, il fût tombé à ses pieds, en abjurant toute vaine comédie. Il eut assez de force pour pouvoir continuer à parler. Ah ! Korasoff, s'écria-t-il intérieurement, que n'êtes-vous ici ! quel besoin j'aurais[1097] d'un mot pour diriger ma conduite ! Pendant ce temps sa voix disait:

— A défaut de tout autre sentiment, la reconnaissance suffirait pour m'attacher à la maréchale; elle m'a montré de l'indulgence, elle m'a consolé quand on[1098] me méprisait ... Je puis ne pas avoir une foi illimitée en de certaines apparences extrêmement flatteuses sans doute, mais peut-être aussi, bien peu durables.[1099]

— Ah ! grand Dieu ! s'écria Mathilde.

— Eh bien ! quelle garantie me donnerez-vous ? reprit Julien avec un accent vif et ferme, et qui semblait abandonner pour un instant les formes prudentes de la diplomatie. Quelle garantie, quel dieu me répondra que la position que vous semblez disposée à me rendre en cet instant vivra plus de deux jours ?

— L'excès de mon amour et de mon malheur si vous ne m'aimez plus, lui dit-elle en lui prenant les mains et se tournant vers lui.

Le mouvement violent qu'elle venait de faire avait un peu déplacé sa pèlerine: Julien apercevait ses épaules charmantes. Ses cheveux un peu dérangés lui rappelèrent un souvenir délicieux ...

Il allait céder. Un mot imprudent, se dit-il, et je fais recommencer cette longue suite de journées passées dans le désespoir. Mme de Rênal trouvait des raisons pour faire ce que son cœur lui dictait:[1100] cette jeune fille du grand monde ne laisse son cœur s'émouvoir que lorsqu'elle s'est prouvé par bonnes raisons qu'il doit être ému.[1101]

Il vit cette vérité en un clin d'œil, et, en un clin d'œil aussi retrouva du courage.

Il retira ses mains que Mathilde pressait dans les siennes et avec un respect marqué s'éloigna un peu d'elle. Un courage d'homme ne peut aller plus loin. Il s'occupa ensuite à réunir toutes les lettres de Mme de Fervaques qui étaient éparses sur le divan, et ce fut avec l'apparence d'une politesse extrême et si cruelle en ce moment qu'il ajouta:

— Mademoiselle de La Mole daignera me permettre de réfléchir sur tout ceci. Il s'éloigna rapidement et quitta la bibliothèque; elle l'entendit refermer successivement toutes les portes.[1102]

Le monstre n'est point troublé, se dit-elle...

Mais que dis-je, monstre ! il est sage, prudent, bon; c'est moi qui ai plus de torts qu'on n'en pourrait imaginer.

Cette manière de voir dura. Mathilde fut presque heureuse ce jour-là, car elle fut toute à l'amour; on eût dit que jamais cette âme n'avait été agitée par l'orgueil, et quel orgueil !

Elle tressaillit d'horreur quand, le soir au salon, un laquais annonça Mme de Fervaques; la voix de cet homme lui parut sinistre. Elle ne put soutenir la vue de la maréchale et s'éloigna rapidement. Julien, peu enorgueilli de sa pénible victoire, avait craint ses propres regards,[1103] et n'avait pas dîné à l'hôtel de La Mole.

Son amour et son bonheur augmentaient rapidement à mesure qu'il s'éloignait du moment de la bataille; il en était déjà à se blâmer. Comment ai-je pu lui résister, se dis*a*it-il; si elle allait ne plus m'aimer ![1104] un moment peut changer cette âme altière, et il faut convenir que je l'ai traitée d'une façon affreuse.

Le soir, il sentit bien qu'il fallait absolument paraître aux Bouffes dans la loge de Mme de Fervaques. Elle l'avait expressément invité: Mathilde ne manquerait pas de savoir sa présence ou son absence impolie. Malgré l'évidence de ce raisonnement, il n'eut pas la force, au commencement de la soirée, de se plonger dans la société. En parlant, il allait perdre la moitié de son bonheur.[1105]

Dix heures sonnèrent: il fallut absolument se montrer.

Par bonheur il trouva la loge de la maréchale remplie de femmes, et fut rélégué près de la porte, et tout à fait caché par les chapeaux.[1106] Cette position lui sauva un ridicule; les accents divins du désespoir de Caroline dans le *Matrimonio segreto* le firent fondre en larmes. Mme de Fervaques vit ces larmes; elles faisaient un tel contraste avec la mâle fermeté de sa physionomie habituelle, que cette âme de grande dame dès longtemps saturée de tout ce que la fierté de *parvenue* a de plus corrodant en fut touchée. Le peu qui restait chez elle d'un cœur de femme la porta à parler. Elle voulait jouir du son de sa[1107] voix en ce moment.

— Avez-vous vu les dames de La Mole, lui dit-elle, elles sont aux troisièmes.[1108] A l'instant Julien se pencha dans la salle en s'appuyant assez impoliment sur le devant de la loge: il vit Mathilde; ses yeux étaient brillants de larmes.

Et cependant ce n'est pas leur jour d'Opéra, pensa Julien; quel empressement !

Mathilde avait décidé sa mère à venir aux Bouffes, malgré l'inconvenance du rang de la loge qu'une complaisante de la maison s'était empressée de leur offrir. Elle voulait voir si Julien passerait cette soirée avec la maréchale.

31. *Lui faire peur*

Voilà donc le beau miracle de votre civilisation! De l'amour vous avez fait une affaire[1109] *ordinaire.*

BARNAVE.

Julien courut dans la loge de Mme de La Mole. Ses yeux rencontrèrent d'abord les yeux en larmes de Mathilde; elle pleurait sans nulle retenue, il n'y avait là que des personnages subalternes, l'amie qui avait prêté la loge et des hommes de sa connaissance. Mathilde posa sa main sur celle de Julien; elle avait comme oublié toute crainte de sa mère. Presque étouffée par ses larmes, elle ne lui dit que ce seul mot: *des garanties!*

Au moins, que je ne lui parle pas, se disait Julien fort ému lui-même, et se cachant tant bien que mal les yeux avec la main, sous prétexte du lustre qui éblouit le troisième rang de loges. Si je parle, elle ne peut plus douter de l'excès de mon émotion, le son de ma voix me trahira, tout peut être perdu encore.

Ses combats étaient bien plus pénibles que le matin, son âme avait eu le temps de s'émouvoir. Il craignait de voir Mathilde se piquer de vanité.[1110] Ivre d'amour et de volupté, il prit sur lui de ne pas lui parler.

C'est, selon moi, l'un des plus beaux traits de son caractère; un être capable d'un tel effort sur lui-même peut aller loin, *si fata sinant.*[1111]

Mlle de La Mole insista pour ramener Julien à l'hôtel. Heureusement il pleuvait beaucoup. Mais la marquise le fit placer vis-à-vis d'elle, lui parla constamment et empêcha qu'il ne pût dire[1112] un mot à sa fille. On eût pensé que la marquise soignait le bonheur de Julien; ne craignant plus de tout perdre par l'excès de son émotion, il s'y livrait avec folie.

Oserai-je dire qu'en rentrant dans sa chambre, Julien se

jeta à genoux et couvrit de baisers les lettres d'amour données par le prince Korasoff ?

O grand homme ! que ne te dois-je pas ? s'écria-t-il dans sa folie.

Peu à peu quelque sang-froid lui revint. Il se compara à un général qui vient de gagner à demi une grande bataille. L'avantage est certain, immense, se dit-il; mais que se passera-t-il demain ? un instant peut tout perdre.

Il ouvrit d'un mouvement passionné les *Mémoires*[1113] *dictés à Sainte-Hélène* par Napoléon, et pendant deux longues heures se força à les lire; ses yeux seuls lisaient, n'importe, il s'y forçait. Pendant cette singulière lecture, sa tête et son cœur, montés au niveau de tout ce qu'il y a de plus grand, travaillaient à son insu. Ce cœur est bien différent de celui de Mme de Rênal, se disait-il, mais il n'allait pas plus loin.[1114]

LUI FAIRE PEUR, s'écria-t-il tout à coup en jetant le livre au loin. L'ennemi[1115] ne m'obéira qu'autant que je lui ferai peur, alors il n'osera me mépriser.

Il se promenait dans sa petite chambre, ivre de joie. A la vérité, ce bonheur était plus d'orgueil que d'amour.

Lui faire peur ! se répétait-il fièrement, et il avait raison d'être fier. Même dans ses moments les plus heureux, Mme de Rênal doutait toujours que mon amour fût égal au sien. Ici,[1116] c'est un démon que je subjugue, donc il faut *subjuguer.*

Il savait bien que le lendemain dès huit heures du matin, Mathilde serait à la bibliothèque; il n'y parut qu'à neuf heures, brûlant d'amour, mais sa tête dominait son cœur. Une seule minute peut-être ne se passa pas sans qu'il ne[1117] se répétât: La tenir toujours occupée de ce grand doute: M'aime-t-il ? Sa brillante position, les flatteries de tout ce qui lui parle la portent *un peu trop* à se rassurer.

Il la trouva pâle, calme, assise sur le divan, mais hors d'état apparemment de faire un seul mouvement. Elle lui tendit la main:

— Ami,[1118] je t'ai offensé, il est vrai; tu peux être fâché contre moi ?...

Julien ne s'attendait pas à ce ton si simple. Il fut sur le point de se trahir.

— Vous voulez des garanties, mon ami, ajouta-t-elle après un silence qu'elle avait espéré voir rompre; il est juste. Enlevez-moi, partons pour Londres...[1119] Je serai perdue à jamais, déshonorée... Elle eut le courage de retirer sa main à Julien pour s'en couvrir les yeux. Tous les sentiments de retenue et de vertu féminine étaient rentrés dans cette âme... Eh bien! déshonorez-moi, dit-elle enfin avec un soupir, c'est *une garantie.*

Hier j'ai été heureux, parce que j'ai eu le courage d'être sévère avec moi-même, pensa Julien. Après un petit moment de silence, il eut assez d'empire sur son cœur pour dire d'un ton glacial:

— Une fois en route pour Londres, une fois déshonorée, pour me servir de vos expressions, qui me répond[1120] que vous m'aimerez? que ma présence dans la chaise de poste ne vous semblera point importune? Je ne suis pas un monstre, vous avoir perdue[1121] dans l'opinion ne sera pour moi qu'un malheur de plus.[1122] Ce n'est pas votre position avec le monde qui fait obstacle, c'est par malheur votre caractère. Pouvez-vous vous répondre à vous-même que vous m'aimerez huit jours?

(Ah! qu'elle m'aime huit jours, huit jours seulement, se disait tout bas Julien, et j'en mourrai de bonheur. Que m'importe l'avenir, que m'importe la vie? et ce bonheur divin peut commencer en cet instant si je veux, il ne dépend que de moi!)

Mathilde le vit pensif.

— Je suis donc tout à fait indigne de vous,[1123] dit-elle en lui prenant la main.

Julien l'embrassa, mais à l'instant la main de fer du devoir saisit son cœur. Si elle voit combien je l'adore, je la perds.[1124] Et, avant de quitter ses bras, il avait repris toute la dignité qui convient à un homme.

Ce jour-là et les suivants, il sut cacher l'excès de sa félicité; il y eut des moments où il se refusait jusqu'au plaisir de la serrer dans ses bras.

Dans d'autres instants, le délire du bonheur l'emportait sur tous les conseils de la prudence.

C'était auprès d'un berceau de chèvrefeuilles disposé pour cacher l'échelle, dans le jardin, qu'il avait coutume d'aller se placer pour regarder de loin la persienne de Mathilde et pleurer son inconstance. Un fort grand chêne était tout près, et le tronc de cet arbre l'empêchait d'être vu des indiscrets.

Passant avec Mathilde dans ce même lieu qui lui rappelait si vivement l'excès de son malheur, le contraste du désespoir passé et de la félicité présente fut trop fort pour son caractère; des larmes inondèrent ses yeux, et, portant à ses lèvres la main de son amie: — Ici, je vivais en pensant à vous; ici, je regardais cette persienne, j'attendais des heures entières le moment fortuné où je verrais cette main l'ouvrir ...

Sa faiblesse fut complète. Il lui peignit avec ces couleurs vraies, qu'on n'invente point, l'excès de son désespoir d'alors. De courtes interjections témoignaient de son bonheur actuel qui avait fait cesser cette peine atroce ...

Que fais-je, grand Dieu ! se dit Julien revenant à lui tout à coup ? Je me perds.

Dans l'excès de son alarme, il crut déjà voir moins d'amour dans les yeux de Mlle de La Mole. C'était une illusion; mais la figure de Julien changea rapidement et se couvrit d'une pâleur mortelle. Ses yeux s'éteignirent un instant, et l'expression d'une hauteur non exempte de méchanceté succéda bientôt à celle de l'amour le plus vrai et le plus abandonné.

— Qu'avez-vous donc, mon ami ? lui dit Mathilde avec tendresse et inquiétude.

— Je mens, dit Julien avec humeur, et je mens à vous. Je me le reproche, et cependant Dieu sait que je vous estime assez pour ne pas mentir. Vous m'aimez, vous m'êtes dévouée, et je n'ai pas besoin de faire des phrases pour vous plaire.

— Grand Dieu ! ce sont des phrases que tout ce que vous me dites de ravissant depuis deux minutes ?

— Et je me les reproche vivement, chère amie. Je les ai composées autrefois pour une femme qui m'aimait et m'ennuyait ... C'est le défaut de mon caractère, je me dénonce moi-même à vous, pardonnez-moi.

Des larmes amères inondaient les joues de Mathilde.

— Dès que par quelque nuance [1125] qui m'a choqué, j'ai

un moment de rêverie forcée, continuait Julien, mon exécrable mémoire, que je maudis en ce moment, m'offre une ressource [1126] et j'en abuse.

— Je viens donc de tomber à mon insu dans quelque action qui vous aura déplu ? dit Mathilde avec une naïveté charmante.

— Un jour, je m'en souviens, passant près de ces chèvrefeuilles, vous avez cueilli une fleur, M. de Luz vous l'a prise, et vous la lui avez laissée. J'étais à deux pas.

— M. de Luz ? C'est impossible, reprit Mathilde, avec la hauteur qui lui était si naturelle: je n'ai point ces façons.

— J'en suis sûr, répliqua vivement Julien.

— Eh bien ! il est vrai, mon ami, dit Mathilde en baissant les yeux tristement. Elle savait positivement que depuis bien des mois elle n'avait pas permis une telle action à M. de Luz.

Julien la regarda avec une tendresse inexprimable: Non, se dit-il, elle ne m'aime pas *moins*.[1127]

Elle lui reprocha le soir, en riant, son goût pour Mme de Fervaques: un bourgeois aimer une parvenue ! Les cœurs de cette espèce sont peut-être les seuls que mon Julien ne puisse rendre fous. — Elle avait fait de vous un vrai dandy, disait-elle en jouant avec ses cheveux.

Dans le temps qu'il se croyait méprisé de Mathilde, Julien était devenu l'un des hommes les mieux mis de Paris. Mais encore avait-il un avantage sur les gens de cette espèce; une fois sa toilette arrangée, il n'y songeait plus.

Une chose piquait Mathilde, Julien continuait à copier les lettres russes, et à les envoyer à la maréchale.

32. *Le Tigre*

Hélas ! pourquoi ces choses et non pas d'autres ?
BEAUMARCHAIS.

Un voyageur anglais raconte l'intimité où il vivait avec un tigre; il l'avait élevé et le caressait, mais toujours sur sa table tenait un pistolet armé.

Julien ne s'abandonnait à l'excès de son bonheur que dans les instants où Mathilde ne pouvait en lire l'expression dans ses yeux. Il s'acquittait avec exactitude du devoir de lui dire de temps à autre quelque mot dur.

Quand la douceur de Mathilde, qu'il observait avec étonnement, et l'excès de son [1128] dévouement étaient sur le point de lui ôter tout empire sur lui-même, il avait le courage de la quitter brusquement.

Pour la première fois Mathilde aima.

La vie, qui toujours pour elle s'était traînée à pas de tortue, volait maintenant.

Comme il fallait cependant que l'orgueil se fît jour de quelque façon, elle voulait s'exposer avec témérité à tous les dangers que son amour pouvait lui faire courir. C'était Julien qui avait de la prudence; et c'était seulement quand il était question de danger qu'elle ne cédait pas à sa [1129] volonté; mais soumise et presque humble avec lui, elle n'en montrait que plus de hauteur envers tout ce qui dans la maison l'approchait, parents ou valets.

Le soir au salon, au milieu de soixante personnes, elle appelait Julien pour lui parler en particulier et longtemps.

Le petit Tanbeau s'établissant un jour à côté d'eux, elle le pria d'aller lui chercher dans la bibliothèque le volume de Smollett où se trouve la révolution de 1688;[1130] et comme il hésitait: — Que rien ne vous presse, ajouta-t-elle avec une expression d'insultante hauteur qui fut un baume pour l'âme de Julien.

— Avez-vous remarqué le regard de ce petit monstre? lui dit-il.

— Son oncle a dix ou douze ans de service dans ce salon, sans quoi je le ferais chasser à l'instant.

Sa conduite envers MM. de Croisenois, de Luz, etc., parfaitement polie pour la forme, n'était guère moins provocante au fond. Mathilde se reprochait vivement toutes les confidences faites jadis à Julien,[1131] et d'autant plus qu'elle n'osait lui avouer qu'elle avait exagéré les marques d'intérêt presque tout à fait innocentes dont ces messieurs avaient été l'objet.

Malgré les plus belles résolutions, sa fierté de femme l'empêchait tous les jours de dire à Julien: C'est parce que je parlais à vous que je trouvais du plaisir à décrire la faiblesse que j'avais de ne pas retirer ma main, lorsque M. de Croisenois posant la sienne sur une table de marbre venait à l'effleurer un peu.

Aujourd'hui, à peine un de ces messieurs lui parlait-il quelques instants, qu'elle se trouvait avoir une question à faire à Julien, et c'était un prétexte pour le retenir auprès d'elle.

Elle se trouva enceinte et l'apprit avec joie à Julien.

— Maintenant douterez-vous de moi? N'est-ce pas une garantie? Je suis votre épouse à jamais.

Cette annonce frappa Julien d'un étonnement profond. Il fut sur le point d'oublier le principe de sa conduite. Comment être volontairement froid et offensant envers cette pauvre jeune fille qui se perd pour moi? Avait-elle l'air un peu souffrant, même les jours où la sagesse faisait entendre sa voix terrible, il ne se trouvait plus le courage de lui adresser un de ces mots cruels si indispensables, selon son expérience, à la durée de leur amour.

— Je veux écrire à mon père, lui dit un jour Mathilde; c'est plus qu'un père pour moi; c'est un ami: comme tel je trouverais indigne de vous et de moi de chercher à le tromper, ne fût-ce qu'un instant.

— Grand Dieu! Qu'allez-vous faire? dit Julien effrayé.

— Mon devoir, répondit-elle avec des yeux brillants de joie.

Elle se trouvait plus magnanime que son amant.

— Mais il me chassera avec ignominie !

— C'est son droit, il faut le respecter. Je vous donnerai le bras et nous sortirons par la porte cochère, en plein midi.

Julien étonné la pria de différer d'une semaine.

— Je ne puis, répondit-elle, l'honneur parle, j'ai vu le devoir, il faut le suivre, et à l'instant.

— Eh bien ! je vous ordonne de différer, dit enfin Julien. Votre honneur est à couvert, je suis votre époux. Notre état à tous les deux va être changé par cette démarche capitale. Je suis aussi dans mon droit.[1132] C'est aujourd'hui mardi; mardi prochain c'est le jour du duc de Retz; le soir, quand M. de La Mole rentrera, le portier lui remettra la lettre fatale ... Il ne pense qu'à vous faire duchesse, j'en suis certain, jugez de son malheur !

— Voulez-vous dire: jugez de sa vengeance ?[1133]

— Je puis avoir pitié de mon bienfaiteur, être navré de lui nuire; mais je ne crains et ne craindrai jamais personne.

Mathilde se soumit. Depuis qu'elle avait annoncé son nouvel état à Julien, c'était la première fois qu'il lui parlait avec autorité; jamais il ne l'avait tant aimée. C'était avec bonheur que la partie tendre de son âme saisissait le prétexte de l'état où se trouvait Mathilde pour se dispenser de lui adresser des mots cruels. L'aveu à M. de La Mole l'agita profondément. Allait-il être séparé de Mathilde ? Et avec quelque douleur qu'elle le vît partir, un mois après son départ, songerait-elle à lui ?[1134]

Il avait une horreur presque égale des justes reproches que le marquis pouvait lui adresser.

Le soir, il avoua à Mathilde ce second sujet de chagrin, et ensuite égaré par son amour il fit aussi l'aveu du premier.

Elle changea de couleur.

Réellement, lui dit-elle, six mois passés loin de moi seraient un malheur pour vous !

— Immense, le seule au monde que je voie avec terreur.

Mathilde fut bien heureuse. Julien avait suivi son rôle avec tant d'application qu'il était parvenu à lui faire penser qu'elle était celle des deux qui avait le plus d'amour.

Le mardi fatal arriva. A minuit, en rentrant, le marquis trouva une lettre avec l'adresse qu'il fallait pour qu'il l'ouvrît lui-même, et seulement quand il serait sans témoins.

« Mon père,

« Tous les liens sociaux sont rompus entre nous, il ne reste plus que ceux de la nature. Après mon mari, vous êtes et serez toujours l'être qui me sera le plus cher. Mes yeux se remplissent de larmes, je songe à la peine que je vous cause, mais pour que ma honte ne soit pas publique, pour vous laisser le temps de délibérer et d'agir, je n'ai pu différer plus longtemps l'aveu que je vous dois. Si votre amitié,[1135] que je sais être extrême pour moi, veut m'accorder une petite pension, j'irai m'établir où vous voudrez, en Suisse, par exemple, avec mon mari. Son nom est tellement obscur, que personne ne reconnaîtra votre fille dans Mme. Sorel, belle-fille d'un charpentier de Verrières. Voilà ce nom qui m'a fait tant de peine à écrire. Je redoute pour Julien votre colère, si juste en apparence. Je ne serai pas duchesse, mon père; mais je le savais en l'aimant; car c'est moi qui l'ai aimé la première, c'est moi qui l'ai séduit. Je tiens de vous une âme trop élevée pour arrêter mon attention à ce qui est ou me semble vulgaire. C'est en vain que dans le dessein de vous plaire j'ai songé à M. de Croisenois. Pourquoi aviez-vous placé le vrai mérite sous mes yeux ? Vous me l'avez dit vous-même à mon retour d'Hyères: ce jeune Sorel est le seul être qui m'amuse;[1136] le pauvre garçon est aussi affligé que moi, s'il est possible, de la peine que vous fait cette lettre. Je ne puis empêcher que vous ne soyez irrité comme père; mais aimez-moi toujours comme ami.

« Julien me respectait. S'il me parlait quelquefois, c'était uniquement à cause de sa profonde reconnaissance pour vous: car la hauteur naturelle de son caractère le porte à ne jamais répondre qu'officiellement à tout ce qui est tellement au-dessus de lui. Il a un sentiment vif et inné de la différence des positions sociales. C'est moi, je l'avoue, en rougissant, à mon meilleur ami, et jamais un tel aveu ne sera fait à un autre, c'est moi qui un jour au jardin lui ai serré le bras.

« Après vingt-quatre heures, pourquoi seriez-vous irrité contre lui ? Ma faute est irréparable. Si vous l'exigez, c'est par moi que passeront les assurances de son profond respect et de son désespoir de vous déplaire. Vous ne le verrez point;

mais j'irai le rejoindre où il voudra. C'est son droit, c'est mon devoir, il est le père de mon enfant. Si votre bonté veut bien nous accorder six mille francs pour vivre, je les recevrai avec reconnaissance: sinon Julien compte s'établir à Besançon où il commencera le métier de maître de latin et de littérature. De quelque bas degré qu'il parte, j'ai la certitude qu'il s'élèvera. Avec lui je ne crains pas l'obscurité. S'il y a révolution, je suis sûre pour lui d'un premier rôle. Pourriez-vous en dire autant d'aucun de ceux qui ont demandé ma main ? Ils ont de belles terres ! Je ne puis trouver dans cette seule circonstance une raison pour admirer. Mon Julien atteindrait une haute position même sous le régime actuel, s'il avait un million et la protection de mon père ... »

Mathilde, qui savait que le marquis était un homme tout de premier mouvement,[1137] avait écrit huit pages.

— Que faire ? se disait Julien pendant que M. de La Mole lisait cette lettre; où est 1° mon devoir, 2° mon intérêt ? Ce que je lui dois est immense: j'eusse été sans lui un coquin subalterne, et pas assez coquin pour n'être pas haï et persécuté par les autres. Il m'a fait un homme du monde. Mes coquineries *nécessaires* seront 1° plus rares, 2° moins ignobles. Cela est plus que s'il m'eût donné un million. Je lui dois cette croix et l'apparence de services diplomatiques qui me tirent du pair.[1138]

S'il tenait la plume pour prescrire ma conduite, qu'est-ce qu'il écrirait ?...

Julien fut brusquement interrompu par le vieux valet de chambre de M. de La Mole.

— Le marquis vous demande à l'instant, vêtu ou non vêtu.

Le valet ajouta à voix basse en marchant à côté de Julien:

— Il est hors de lui, prenez garde à vous.

33. *L'Enfer de la faiblesse*

> *En taillant ce diamant, un lapidaire malhabile lui a ôté quelques-unes de ses plus vives étincelles. Au moyen âge, que dis-je? encore sous Richelieu, le Français avait la* force de vouloir.
>
> MIRABEAU.

Julien trouva le marquis furieux: pour la première fois de sa vie, peut-être, ce seigneur fut de mauvais ton; il accabla Julien de toutes les injures qui lui vinrent à la bouche. Notre héros fut étonné, impatienté, mais sa reconnaissance n'en fut point ébranlée. Que de beaux projets depuis longtemps chéris au fond de sa pensée le pauvre homme voit crouler en un instant! Mais je lui dois de lui répondre, mon silence augmenterait sa colère. La réponse fut fournie par le rôle de Tartufe.

— *Je ne suis pas un ange*...[1139] Je vous ai bien servi, vous m'avez payé avec générosité... J'étais reconnaissant, mais j'ai vingt-deux ans... Dans cette maison, ma pensée[1140] n'était comprise que de vous, et de cette personne aimable...[1141]

— Monstre! s'écria le marquis. Aimable! aimable! Le jour où vous l'avez trouvée aimable, vous deviez fuir.

— Je l'ai tenté; alors, je vous demandai de partir pour le Languedoc.

Las de se promener avec fureur, le marquis, dompté par la douleur, se jeta dans un fauteuil; Julien l'entendit se dire à demi-voix: Ce n'est point là un méchant homme.

— Non, je ne suis pas pour[1142] vous, s'écria Julien en tombant à ses genoux. Mais il eut une honte extrême de ce mouvement, et se releva bien vite.

Le marquis était réellement égaré. A la vue de ce mouvement il recommença à l'accabler d'injures atroces et dignes d'un cocher de fiacre. La nouveauté de ces jurons était peut-être une distraction.

— Quoi ! ma fille s'appellera Mme Sorel ! quoi ! ma fille ne sera pas duchesse ! Toutes les fois que ces deux idées se présentaient aussi nettement, M. de La Mole était torturé et les mouvements de son âme n'étaient plus volontaires. Julien craignit d'être battu.

Dans les intervalles lucides, et lorsque le marquis commençait à s'accoutumer à son malheur, il adressait à Julien des reproches assez raisonnables:

— Il fallait fuir, Monsieur, lui disait-il ... Votre devoir était de fuir ... Vous êtes le dernier des hommes ...[1143]

Julien s'approcha de la table et écrivit:

« *Depuis longtemps la vie m'est insupportable, j'y mets un terme. Je prie Monsieur le Marquis d'agréer, avec l'expression d'une reconnaissance sans bornes, mes excuses de l'embarras que ma mort dans son hôtel peut causer.* »

— Que Monsieur le Marquis daigne parcourir ce papier ... Tuez-moi, dit Julien, ou faites-moi tuer par votre valet de chambre. Il est une heure du matin, je vais me promener au jardin vers le mur du fond.

— Allez à tous les diables, lui cria le marquis comme il s'en allait.

— Je comprends, pensa Julien; il ne serait pas fâché de me voir épargner la façon de ma mort à son valet de chambre ...[1144] Qu'il me tue, à la bonne heure, c'est une satisfaction que je lui offre ... Mais, parbleu, j'aime la vie ... Je me dois à mon fils.

Cette idée, qui pour la première fois paraissait aussi nettement à son imagination, l'occupa tout entier après les premières minutes de promenade données au sentiment du danger.

Cet intérêt si nouveau en fit un être prudent. Il me faut des conseils pour me conduire avec cet homme fougueux ... Il n'a aucune raison, il est capable de tout. Fouqué est trop éloigné, d'ailleurs il ne comprendrait pas les sentiments d'un cœur tel que celui du marquis.

Le comte Altamira ... Suis-je sûr d'un silence éternel ? Il ne faut pas que ma demande de conseils soit une action,[1145] et complique ma position. Hélas ! il ne me reste que le sombre abbé Pirard... Son esprit est rétréci par le jansénisme... Un coquin de jésuite connaîtrait le monde, et serait mieux mon fait...[1146] M. Pirard est capable de me battre, au seul énoncé du crime.

Le génie de Tartufe vint au secours de Julien: Eh bien, j'irai me confesser à lui. Telle fut la dernière résolution qu'il prit au jardin après s'être promené deux grandes heures. Il ne pensait plus qu'il pouvait être surpris par un coup de fusil, le sommeil le gagnait.

Le lendemain de très grand matin, Julien était à plusieurs lieues de Paris,[1147] frappant à la porte du sévère janséniste. Il trouva, à son grand étonnement, qu'il n'était point trop surpris de sa confidence.[1148]

J'ai peut-être des reproches à me faire, se disait l'abbé plus soucieux qu'irrité.[1149] J'avais cru deviner cet amour. Mon amitié pour vous, petit malheureux, m'a empêché d'avertir le père...

— Que va-t-il faire? lui dit vivement Julien.

(Il aimait l'abbé en ce moment, et une scène lui eût été fort pénible.[1150])

Je vois trois partis, continua Julien: 1° M. de La Mole peut me faire donner la mort; et il raconta la lettre de suicide qu'il avait laissée au marquis; 2° me faire tirer au blanc par le comte Norbert, qui me demanderait un duel.

— Vous accepteriez? dit l'abbé furieux,[1151] et se levant.

— Vous ne me laissez pas achever. Certainement je ne tirerais jamais sur le fils de mon bienfaiteur.

3° Il peut m'éloigner. S'il me dit: Allez à Edimbourg, à New-York, j'obéirai. Alors on peut cacher la position de Mlle de La Mole; mais je ne souffrirai point qu'on supprime mon fils.

— Ce sera là, n'en doutez point, la première idée de cet homme corrompu...

A Paris, Mathilde était au désespoir. Elle avait vu son père vers les sept heures. Il lui avait montré la lettre de Julien, elle tremblait qu'il[1152] n'eût trouvé noble de mettre fin à sa vie: Et sans ma permission? se disait-elle avec une douleur qui était de la colère.

— S'il est mort, je mourrai, dit-elle à son père. C'est vous qui serez cause de sa mort... Vous vous en réjouirez peut-être ... Mais je le jure à ses mânes, d'abord je prendrai le deuil, et serai publiquement *Mme. veuve Sorel*, j'enverrai mes billets de faire part, comptez là-dessus ... Vous ne me trouverez ni pusillanime ni lâche.

Son amour allait jusqu'à la folie. A son tour, M. de La Mole fut interdit.

Il commença à voir les événements avec quelque raison. Au déjeuner, Mathilde ne parut point. Le marquis fut délivré d'un poids immense, et surtout flatté, quand il s'aperçut qu'elle n'avait rien dit à sa mère.

Julien descendait de cheval. Mathilde le fit appeler, et se jeta dans ses bras presque à la vue de sa femme de chambre. Julien ne fut pas très reconnaissant de ce transport, il sortait fort diplomate et fort calculateur de sa longue conférence avec l'abbé Pirard. Son imagination était éteinte par le calcul des possibles. Mathilde, les larmes aux yeux, lui apprit qu'elle avait vu sa lettre de suicide.

— Mon père peut se raviser;[1153] faites-moi le plaisir de partir à l'instant même pour Villequier. Remontez à cheval, sortez de l'hôtel avant qu'on ne se lève de table.

Comme Julien ne quittait point l'air étonné et froid, elle eut un accès de larmes.

— Laisse-moi conduire nos affaires, s'écria-t-elle avec transport, et en le serrant dans ses bras. Tu sais bien que ce n'est pas volontairement que je me sépare de toi. Ecris sous le couvert de ma femme de chambre, que l'adresse soit d'une main étrangère, moi je t'écrirai des volumes. Adieu ! fuis.

Ce dernier mot blessa Julien,[1154] il obéit cependant. Il est fatal, pensait-il, que, même dans leurs meilleurs moments, ces gens-là trouvent le secret de me choquer.

Mathilde résista avec fermeté à tous les projets *prudents* de son père. Elle ne voulut jamais établir la négociation sur d'autres bases que celles-ci: Elle serait Mme. Sorel, et vivrait pauvrement avec son mari en Suisse, ou chez son père à Paris. Elle repoussait bien loin la proposition d'un accouchement clandestin.

— Alors commencerait pour moi la possibilité de la calomnie et du déshonneur. Deux mois après le mariage, j'irai voyager avec mon mari, et il nous sera facile de supposer[1155] que mon fils est né à une époque convenable.

D'abord accueillie par des transports de colère, cette fermeté finit par donner des doutes[1156] au marquis.

Dans un moment d'attendrissement:

— Tiens! dit-il à sa fille, voilà une inscription[1157] de dix mille livres de rente, envoie-la à ton Julien, et qu'il me mette bien vite dans l'impossibilité de la reprendre.[1158]

Pour *obéir* à Mathilde, dont il connaissait l'amour pour le commandement, Julien avait fait quarante lieues inutiles: il était à Villequier, réglant les comptes des fermiers; ce bienfait du marquis fut l'occasion de son retour. Il alla demander asile à l'abbé Pirard, qui, pendant son absence, était devenu l'allié le plus utile de Mathilde. Toutes les fois qu'il était interrogé par le marquis, il lui prouvait que tout autre parti que le mariage public serait un crime aux yeux de Dieu.

— Et par bonheur, ajoutait l'abbé, la sagesse du monde est ici d'accord avec la religion. Pourrait-on compter un instant, avec le caractère fougueux de Mlle. de La Mole, sur le secret qu'elle ne se serait pas imposé à elle-même? Si l'on n'admet pas la marche[1159] franche d'un mariage public, la société s'occupera beaucoup plus longtemps de cette mésalliance étrange. Il faut tout dire en une fois, sans apparence ni réalité du moindre mystère.

— Il est vrai, dit le marquis pensif. Dans ce système, parler de ce mariage après trois jours, devient un rabâchage d'homme qui n'a pas d'idées. Il faudrait profiter de quelque grande mesure antijacobine du gouvernement[1160] pour se glisser incognito à la suite.

Deux ou trois amis de M. de La Mole pensaient comme l'abbé Pirard. Le grand obstacle, à leurs yeux, était le caractère décidé de Mathilde. Mais après tant de beaux raisonnements, l'âme du marquis ne pouvait s'accoutumer à renoncer à l'espoir du *tabouret*[1161] pour sa fille.

Sa mémoire et son imagination étaient remplies des roueries et des faussetés de tous genres qui étaient encore possibles dans sa jeunesse.[1162] Céder à la nécessité, avoir peur de la loi lui semblait chose absurde et déshonorante pour un homme de son rang. Il payait cher maintenant ces rêveries enchanteresses qu'il se permettait depuis dix ans sur l'avenir de cette fille chérie.

Qui l'eût pu prévoir ? se disait-il. Une fille d'un caractère si altier, d'un génie si élevé, plus fière que moi du nom qu'elle porte ! dont la main m'était demandée d'avance par tout ce qu'il y a de plus illustre en France !

Il faut renoncer à toute prudence.[1163] Ce siècle est fait pour tout confondre ![1164] Nous marchons vers le chaos.

34. *Un Homme d'esprit*

Le préfet cheminant sur son cheval se disait: Pourquoi ne serais-je pas ministre, président du conseil,[1165] *duc? Voici comment je ferai la guerre ... Par ce moyen je jetterais les novateurs dans les fers ...*

LE GLOBE.

Aucun argument ne vaut pour détruire l'empire de dix années de rêveries agréables. Le marquis ne trouvait pas raisonnable de se fâcher, mais ne pouvait se résoudre à pardonner. Si ce Julien pouvait mourir par accident, se disait-il quelquefois ... C'est ainsi que cette imagination attristée trouvait quelque soulagement à poursuivre les chimères les plus absurdes. Elles paralysaient l'influence des sages raisonnements de l'abbé Pirard. Un mois se passa ainsi sans que la négociation fît un pas.

Dans cette affaire de famille, comme dans celles de la politique, le marquis avait des aperçus brillants dont il s'enthousiasmait pendant trois jours. Alors un[1166] plan de conduite ne lui plaisait pas, parce qu'il était étayé par de bons raisonnements; mais les raisonnements ne trouvaient grâce à ses yeux qu'autant qu'ils appuyaient son plan favori. Pendant trois jours, il travaillait avec toute l'ardeur et l'enthousiasme d'un poète, à amener les choses à une certaine position; le lendemain il n'y songeait plus.

D'abord Julien fut déconcerté des lenteurs du marquis; mais, après quelques semaines, il commença à deviner que M. de La Mole n'avait, dans cette affaire, aucun plan arrêté.

Mme de La Mole et toute la maison croyaient que Julien voyageait en province pour l'administration des terres; il était caché au presbytère de l'abbé Pirard, et voyait Mathilde presque tous les jours; elle, chaque matin, allait passer une heure avec son père, mais quelquefois ils étaient des semaines entières sans parler de l'affaire qui occupait toutes leurs pensées.

— Je ne veux pas savoir où est cet homme, lui dit un jour le marquis; envoyez-lui cette lettre. Mathilde lut:

« Les terres de Languedoc rendent 20.600 francs. Je donne 10.600 francs à ma fille, et 10.000 francs à M. Julien Sorel. Je donne les terres mêmes, bien entendu. Dites au notaire de dresser deux actes de donation séparés et de me les apporter demain; après quoi, plus de relations entre nous. Ah ! Monsieur, devais-je m'attendre à tout ceci ?

« *Le marquis de* LA MOLE. »

— Je vous remercie beaucoup, dit Mathilde gaiement. Nous allons nous fixer au château d'Aiguillon, entre Agen et Marmande.[1167] On dit que c'est un pays aussi beau que l'Italie.

Cette donation surprit extrêmement Julien. Il n'était plus l'homme sévère et froid que nous avons connu. La destinée de son fils absorbait d'avance toutes ses pensées. Cette fortune imprévue et assez considérable pour un homme si pauvre en fit un ambitieux. Il se voyait, à sa femme ou à lui, 36.000 livres de rente. Pour Mathilde, tous ses sentiments étaient absorbés dans son adoration pour son mari, car c'est ainsi que son orgueil appelait toujours Julien. Sa grande, son unique ambition était de faire reconnaître son mariage. Elle passait sa vie à s'exagérer la haute prudence qu'elle avait montrée en liant son sort à celui d'un homme supérieur. Le mérite personnel était à la mode dans sa tête.

L'absence presque continue, la multiplicité des affaires, le peu de temps que l'on avait pour parler d'amour vinrent compléter le bon effet de la sage politique, autrefois inventée par Julien.[1168]

Mathilde finit par s'impatienter de voir si peu l'homme qu'elle était parvenue à aimer réellement.

Dans un moment d'humeur elle écrivit à son père, et commença sa lettre comme Othello:[1169]

« Que j'aie préféré Julien aux agréments que la société offrait à la fille de M. le Marquis de La Mole, mon choix le prouve assez. Ces plaisirs de considération et de petite vanité sont nuls pour moi. Voici bientôt six semaines que je vis séparée de mon mari. C'est assez pour vous témoigner mon respect. Avant jeudi prochain, je quitterai la maison paternelle. Vos bienfaits nous ont enrichis. Personne ne connaît mon secret que le respectable abbé Pirard. J'irai chez lui; il nous mariera, et une heure après la cérémonie nous serons en route pour le Languedoc, et ne reparaîtrons jamais à Paris que d'après vos ordres. Mais ce qui me perce le cœur, c'est que tout ceci va faire anecdote piquante contre moi, contre vous. Les épigrammes d'un public sot ne peuvent-elles pas obliger notre excellent Norbert à chercher querelle à Julien? Dans cette circonstance, je le [1170] connais, je n'aurais aucun empire sur lui. Nous trouverions dans son âme du plébéien révolté. Je vous en conjure à genoux, ô mon père! Venez assister à mon mariage, dans l'église de M. Pirard, jeudi prochain. Le piquant de l'anecdote maligne sera adouci, et la vie de votre fils unique, celle de mon mari seront assurées», etc., etc.

L'âme du marquis fut jetée par cette lettre dans un étrange embarras. Il fallait donc à la fin *prendre un parti.* Toutes les petites habitudes, tous les amis vulgaires avaient perdu leur influence.[1171]

Dans cette étrange circonstance, les grands traits du caractère, imprimés par les événements de la jeunesse, reprirent tout leur empire. Les malheurs de l'émigration en avaient fait un homme à imagination. Après avoir joui pendant deux ans d'une fortune immense et de toutes les distinctions de la cour, 1790 l'avait jeté dans les affreuses misères de l'émigration. Cette dure école avait changé une âme de vingt-deux ans. Au fond, il était campé au milieu de ses richesses actuelles, plus qu'il n'en était dominé. Mais cette même imagination qui avait préservé son âme de la gangrène de l'or, l'avait jeté en proie à une folle passion pour voir sa fille décorée d'un beau titre.

Pendant les six semaines qui venaient de s'écouler, tantôt [1172] poussé par un caprice, le marquis avait voulu enrichir Julien; la pauvreté lui semblait ignoble, déshonorante pour lui M. de La Mole, impossible chez l'époux de sa fille; il jetait l'argent. Le lendemain, son imagination prenant un autre cours, il lui semblait que Julien allait entendre le langage muet de cette générosité d'argent, changer de nom, s'exiler en Amérique, écrire à Mathilde qu'il était mort pour elle. M. de La Mole supposait cette lettre écrite, il suivait son effet sur le caractère de sa fille ...

Le jour où il fut tiré de ces songes si jeunes par la lettre *réelle* de Mathilde, après avoir pensé longtemps à tuer Julien ou à le faire disparaître, il rêvait à lui bâtir une brillante fortune. Il lui faisait prendre le nom d'une de ses terres; et pourquoi ne lui ferait-il pas passer sa pairie ?[1173] M. le duc de Chaulnes, son beau-père, lui avait parlé plusieurs fois, depuis que son fils unique avait été tué en Espagne, du désir de transmettre son titre à Norbert ...

L'on ne peut refuser à Julien une singulière aptitude aux affaires, de la hardiesse, peut-être même du *brillant,* se disait le marquis ... Mais au fond de ce caractère je trouve quelque chose d'effrayant. C'est l'impression qu'il produit sur tout le monde, donc il y a là quelque chose de réel (plus ce point réel était difficile à saisir, plus il effrayait l'âme imaginative du vieux marquis).

Ma fille me le disait fort adroitement l'autre jour (dans une lettre supprimée) : « Julien ne s'est affilié à aucun salon, à aucune coterie. » Il ne s'est ménagé aucun appui contre moi, pas la plus petite ressource si je l'abandonne ... Mais est-ce là ignorance de l'état actuel de la société ?... Deux ou trois fois je lui ai dit: Il n'y a de candidature réelle et profitable que celle des salons ...[1174]

Non, il n'a pas le génie adroit et cauteleux d'un procureur qui ne perd ni une minute ni une opportunité ... Ce n'est point un caractère à la Louis XI.[1175] D'un autre côté, je lui vois les maximes les plus antigénéreuses ... Je m'y perds ...[1176] Se répéterait-il ces maximes, pour servir de *digue* à ses passions ?[1177]

Du reste, une chose surnage: il est impatient du mépris, je le tiens par là.[1178]

Il n'a pas la religion de la haute naissance, il est vrai, il ne nous respecte pas d'instinct ... C'est un tort; mais enfin, l'âme d'un séminariste devrait n'être impatiente que du manque de jouissance et d'argent. Lui, bien différent, ne peut supporter le mépris à aucun prix.

Pressé par la lettre de sa fille, M. de La Mole vit la nécessité de se décider: — Enfin, voici la grande question: l'audace de Julien est-elle allée jusqu'à entreprendre de faire la cour à ma fille, parce qu'il sait que je l'aime avant tout, et que j'ai cent mille écus de rente ?

Mathilde proteste du contraire ... Non, mon Julien, voilà un point sur lequel je ne veux pas me laisser faire illusion.

Y a-t-il eu amour véritable, imprévu ? Ou bien désir vulgaire de s'élever à une belle position ? Mathilde est clairvoyante, elle a senti d'abord que ce soupçon peut le perdre auprès de moi, de là cet aveu: c'est elle qui s'est avisée de l'aimer la première ...

Une fille d'un caractère si altier se serait oubliée jusqu'à faire des avances matérielles !... Lui serrer le bras au jardin un soir, quelle horreur ! Comme si elle n'avait pas eu cent moyens moins indécents de lui faire connaître qu'elle le distinguait.

Qui *s'excuse s'accuse;*[1179] je me défie de Mathilde ... Ce jour-là, les raisonnements du marquis étaient plus concluants qu'à l'ordinaire. Cependant l'habitude l'emporta, il résolut de gagner du temps[1180] et d'écrire à sa fille. Car on s'écrivait d'un côté de l'hôtel à l'autre. M. de La Mole n'osait discuter avec Mathilde et lui tenir tête. Il avait peur de tout finir par une concession subite.

Lettre

« Gardez-vous de faire de nouvelles folies;[1181] voici un brevet de lieutenant de hussards pour M. le chevalier Julien Sorel de La Vernaye. Vous voyez ce que je fais pour lui. Ne me contrariez pas, ne m'interrogez pas. Qu'il parte dans vingt-quatre heures, pour se faire recevoir à Strasbourg, où est son régiment. Voici un mandat sur mon banquier; qu'on m'obéisse. »

L'amour et la joie de Mathilde n'eurent plus de bornes; elle voulut profiter de la victoire, et répondit à l'instant:

« M. de La Vernaye serait à vos pieds, éperdu de reconnaissance, s'il savait tout ce que vous daignez faire pour lui. Mais, au milieu de cette générosité, mon père m'a oubliée;

l'honneur de votre fille est en danger. Une indiscrétion peut faire une tache éternelle, et que vingt mille écus de rente ne répareraient pas. Je n'enverrai le brevet à M. de La Vernaye que si vous me donnez votre parole que, dans le courant du mois prochain, mon mariage sera célébré en public, à Villequier. Bientôt après cette époque, que je vous supplie de ne pas outrepasser, votre fille ne pourra paraître en public qu'avec le nom de Mme de La Vernaye. Que je vous remercie, cher papa, de m'avoir sauvée de ce nom de Sorel », etc., etc.

La réponse fut imprévue.

« Obéissez, ou je me rétracte de tout.[1182] Tremblez, jeune imprudente. Je ne sais pas encore ce que c'est que votre Julien, et vous-même vous le savez moins que moi. Qu'il parte pour Strasbourg, et songe à marcher droit.[1183] Je ferai connaître mes volontés d'ici à quinze jours. »

Cette réponse si ferme étonna Mathilde. *Je ne connais pas Julien;* ce mot la jeta dans une rêverie, qui bientôt finit par les suppositions les plus enchanteresses; mais elle les croyait la vérité. L'esprit de mon Julien n'a pas revêtu le petit *uniforme* mesquin des salons, et mon père ne croit pas à sa supériorité, précisément à cause de ce qui la prouve ...[1184]

Toutefois si je n'obéis pas à cette velléité de caractère,[1185] je vois la possibilité d'une scène publique; un éclat abaisse ma position dans le monde, et peut me rendre moins aimable aux yeux de Julien. Après l'éclat ... pauvreté pour dix ans; et la folie de choisir un mari à cause de son mérite ne peut se sauver du ridicule que par la plus brillante opulence. Si je vis loin de mon père, à son âge, il peut m'oublier ... Norbert épousera une femme aimable, adroite:[1186] le vieux Louis XIV fut séduit par la duchesse de Bourgogne ...[1187]

Elle se décida à obéir, mais se garda de communiquer la lettre de son père à Julien; ce caractère farouche eût pu être porté à quelque folie.

Le soir, lorsqu'elle apprit à Julien qu'il était lieutenant de hussards, sa joie fut sans bornes. On peut se la figurer par l'ambition de toute sa vie, et par la passion qu'il avait maintenant pour son fils. Le changement de nom le frappait d'étonnement.

Après tout, pensait-il, mon roman est fini,[1188] et à moi seul tout le mérite. J'ai su me faire aimer de ce monstre d'orgueil, ajoutait-il en regardant Mathilde; son père ne peut vivre sans elle et elle sans moi.

35. *Un Orage*

Mon Dieu, donnez-moi la médiocrité!
MIRABEAU.

Son âme était absorbée; il ne répondait qu'à demi à la vive tendresse qu'elle lui témoignait. Il restait silencieux et sombre. Jamais il n'avait paru si grand, si adorable aux yeux de Mathilde. Elle redoutait quelque subtilité de son orgueil qui viendrait déranger toute la position.

Presque tous les matins, elle voyait l'abbé Pirard arriver à l'hôtel. Par lui Julien ne pouvait-il pas avoir pénétré quelque chose des intentions de son père ? Le marquis lui-même, dans un moment de caprice, ne pouvait-il pas lui avoir écrit ? Après un aussi grand bonheur, comment expliquer l'air sévère de Julien ? Elle n'osa l'interroger.

Elle *n'osa !* elle, Mathilde ! Il y eut dès ce moment dans son sentiment pour Julien, du vague, de l'imprévu, presque de la terreur. Cette âme sèche sentit de la passion tout ce qui en est possible dans un être élevé au milieu de cet excès de civilisation que Paris admire.

Le lendemain de grand matin, Julien était au presbytère de l'abbé Pirard. Des chevaux de poste arrivaient dans la cour avec une chaise délabrée, louée à la poste voisine.

— Un tel équipage n'est plus de saison, lui dit le sévère abbé, d'un air rechigné. Voici vingt mille francs dont M. de La Mole vous fait cadeau; il vous engage à les dépenser dans l'année, mais en tâchant de vous donner le moins de ridicule possible. (Dans une somme aussi forte, jetée à un jeune homme, le prêtre ne voyait qu'une occasion de pécher.)

Le marquis ajoute: M. Julien de La Vernaye aura reçu cet argent de son père, qu'il est inutile de désigner autrement. M. de La Vernaye jugera peut-être convenable de faire un cadeau à M. Sorel, charpentier à Verrières, qui soigna son enfance ...[1189] Je pourrai me charger de cette partie de la commission, ajouta l'abbé; j'ai enfin déterminé

M. de La Mole à transiger avec cet abbé de Frilair, si jésuite. Son crédit est décidément trop fort pour le nôtre. La reconnaissance implicite de votre haute naissance par cet homme qui gouverne Besançon sera une des conditions tacites de l'arrangement.

Julien ne fut plus maître de son transport, il embrassa l'abbé, il se voyait reconnu.[1190]

— Fi donc! dit M. Pirard en le repoussant; que veut dire cette vanité mondaine?...[1191] Quant à Sorel et à ses fils, je leur offrirai, en mon nom, une pension annuelle de cinq cents francs, qui leur sera payée à chacun, tant que je serai content d'eux.

Julien était déjà froid et hautain. Il remercia, mais en termes très vagues et n'engageant à rien.[1192] Serait-il bien[1193] possible, se disait-il, que je fusse le fils naturel de quelque grand seigneur exilé dans nos montagnes par le terrible Napoléon?[1194] A chaque instant cette idée lui semblait moins improbable... Ma haine pour mon père serait une preuve... Je ne serais plus un monstre![1195]

Peu de jours après ce monologue, le quinzième régiment de hussards, l'un des plus brillants de l'armée, était en bataille[1196] sur la place d'armes de Strasbourg. M. le chevalier de La Vernaye montait le plus beau cheval de l'Alsace, qui lui avait coûté six mille francs. Il était reçu lieutenant, sans avoir jamais été sous-lieutenant que[1197] sur les contrôles d'un régiment dont jamais il n'avait ouï parler.

Son air impassible, ses yeux sévères et presque méchants, sa pâleur, son inaltérable sang-froid commencèrent sa réputation dès le premier jour. Peu après, sa politesse parfaite et pleine de mesure, son adresse au pistolet et aux armes,[1198] qu'il fit connaître sans trop d'affectation, éloignèrent l'idée de plaisanter à haute voix sur son compte. Après cinq ou six jours d'hésitation, l'opinion publique du régiment se déclara en sa faveur. Il y a tout dans ce jeune homme, disaient les vieux officiers goguenards, excepté de la jeunesse.

De Strasbourg, Julien écrivit à M. Chélan, l'ancien curé de Verrières, qui touchait maintenant aux bornes de l'extrême vieillesse:

« Vous aurez appris avec une joie, dont je ne doute pas,

les événements qui ont porté ma famille à m'enrichir. Voici cinq cents francs que je vous prie de distribuer sans bruit, ni mention aucune de mon nom, aux malheureux pauvres maintenant comme je le fus autrefois, et que sans doute vous secourez comme autrefois vous m'avez secouru. »

Julien était ivre d'ambition et non pas de vanité; toutefois il donnait une grande part de son attention à l'apparence extérieure. Ses chevaux, ses uniformes, les livrées de ses gens étaient tenus avec une correction qui aurait fait honneur à la ponctualité [1199] d'un grand seigneur anglais. A peine lieutenant, par faveur et depuis deux jours, il calculait déjà que, pour commander en chef à trente ans, au plus tard, comme tous les grands généraux, il fallait à vingt-trois être plus que lieutenant. Il ne pensait qu'à la gloire et à son fils.

Ce fut au milieu des transports de l'ambition la plus effrénée qu'il fut surpris par un jeune valet de pied de l'hôtel de La Mole, qui arrivait en courrier.

« Tout est perdu, lui écrivait Mathilde; accourez le plus vite possible, sacrifiez tout, désertez s'il le faut. A peine arrivé, attendez-moi dans un fiacre, près la petite porte du jardin, au n° ... de la rue ... [1200] J'irai vous parler; peut-être pourrai-je vous introduire dans le jardin. Tout est perdu, et je le crains, sans ressource; comptez sur moi, vous me trouverez dévouée et ferme dans l'adversité. Je vous aime. »

En quelques minutes, Julien obtint une permission du colonel et partit de Strasbourg à franc étrier; mais l'affreuse inquiétude qui le dévorait ne lui permit pas de continuer cette façon de voyager au delà de Metz. Il se jeta dans une chaise de poste; et ce fut avec une rapidité presque incroyable qu'il arriva au lieu indiqué, près de la petite porte du jardin de l'hôtel de La Mole. Cette porte s'ouvrit, et à l'instant Mathilde, oubliant tout respect humain, se précipita dans ses bras. Heureusement il n'était que cinq heures du matin et la rue était encore déserte.

— Tout est perdu; mon père, craignant mes larmes, est parti dans la nuit de jeudi. Pour où ? Personne ne le sait.

Voici sa lettre; lisez. Et elle monta dans le fiacre avec Julien.

« Je pouvais tout pardonner, excepté le projet de vous séduire parce que vous êtes riche. Voilà, malheureuse fille, l'affreuse vérité. Je vous donne ma parole d'honneur que je ne consentirai jamais à un mariage avec cet homme. Je lui assure dix mille livres de rente s'il veut vivre au loin, hors des frontières de France, ou mieux encore en Amérique. Lisez la lettre que je reçois en réponse aux renseignements que j'avais demandés. L'impudent m'avait engagé lui-même à écrire à Mme de Rênal. Jamais je ne lirai une ligne de vous relative à cet homme. Je prends en horreur Paris et vous. Je vous engage à recouvrir du plus grand secret ce qui doit arriver. Renoncez *franchement* à un homme vil, et vous retrouverez un père. »

— Où est la lettre de Mme de Rênal ? dit froidement Julien.

— La voici. Je n'ai voulu te la montrer qu'après que tu aurais été préparé.

Lettre

« Ce que je dois à la cause sacrée de la religion et de la morale m'oblige, monsieur, à la démarche pénible que je viens accomplir auprès de vous; une règle, qui ne peut faillir,[1201] m'ordonne de nuire en ce moment à mon prochain, mais afin d'éviter un plus grand scandale. La douleur que j'éprouve doit être surmontée par le sentiment du devoir. Il n'est que trop vrai, monsieur, la conduite de la personne au sujet de laquelle vous me demandez toute la vérité a pu sembler inexplicable ou même honnête. On a pu croire convenable de cacher ou de déguiser une partie de la réalité, la prudence le voulait aussi bien que la religion. Mais cette conduite, que vous désirez connaître, a été dans le fait extrêmement condamnable, et plus que je ne puis le dire.[1202] Pauvre et avide, c'est à l'aide de l'hypocrisie la plus consommée, et par la séduction d'une femme faible et malheureuse, que cet homme a cherché à se faire un état et à devenir quelque chose. C'est une partie de mon pénible devoir d'ajouter que je suis obligée de croire que M. J... n'a aucun principe de religion. En conscience,[1203] je suis contrainte de penser qu'un de ses moyens pour réussir dans une maison, est de chercher à séduire la femme qui a le principal crédit. Couvert par une apparence de désintéressement et par des phrases de roman, son grand et unique objet est de parvenir à disposer du maître de la maison et de sa fortune. Il laisse après lui le malheur et des regrets éternels », etc., etc., etc.[1204]

Cette lettre extrêmement longue et à demi effacée par des larmes était bien de la main de Mme de Rênal; elle était même écrite avec plus de soin qu'à l'ordinaire.[1205]

— Je ne puis blâmer M. de La Mole, dit Julien, après l'avoir finie; il est juste et prudent. Quel père voudrait donner sa fille chérie à un tel homme ! Adieu !

Julien sauta à bas du fiacre, et courut à sa chaise de poste arrêtée au bout de la rue. Mathilde, qu'il semblait avoir oubliée, fit quelques pas pour le suivre; mais les regards des marchands qui s'avançaient sur la porte de leurs boutiques, et desquels elle était connue, la forcèrent à rentrer précipitamment au jardin.

Julien était parti pour Verrières. Dans cette route[1206] rapide, il ne put écrire à Mathilde comme il en avait le projet, sa main ne formait sur le papier que des traits illisibles.

Il arriva à Verrières un dimanche matin. Il entra chez l'armurier du pays, qui l'accabla de compliments sur sa récente fortune. C'était la nouvelle du pays.

Julien eut beaucoup de peine à lui faire comprendre qu'il voulait une paire de pistolets. L'armurier sur sa demande chargea les pistolets.

Les *trois coups* sonnaient; c'est un signal bien connu dans les villages de France et qui, après les diverses sonneries de la matinée, annonce le commencement immédiat de la messe.

Julien entra dans l'église neuve de Verrières. Toutes les fenêtres hautes de l'édifice étaient voilées avec des rideaux cramoisis.[1207] Julien se trouva à quelques pas derrière le banc de Mme de Rênal. Il lui sembla qu'elle priait avec ferveur. La vue de cette femme qui l'avait tant aimé fit trembler le bras de Julien d'une telle façon, qu'il ne put d'abord exécuter son dessein. Je ne le puis, se disait-il à lui-même; physiquement, je ne le puis.

En ce moment, le jeune clerc qui servait la messe, sonna pour l'*élévation*.[1208] Mme de Rênal baissa la tête qui un instant se trouva presque entièrement cachée par les plis de son châle. Julien ne la reconnaissait plus aussi bien; il tira sur elle un coup de pistolet et la manqua; il tira un second coup, elle tomba.

36. *Détails tristes*

Ne vous attendez point de ma part à de la faiblesse. Je me suis vengé. J'ai mérité la mort, et me voici. Priez pour mon âme.
SCHILLER.

Julien resta immobile, il ne voyait plus. Quand il revint un peu à lui, il aperçut tous les fidèles qui s'enfuyaient de l'église; le prêtre avait quitté l'autel. Julien se mit à suivre d'un pas assez lent quelques femmes qui s'en allaient en criant. Une femme qui voulait fuir plus vite que les autres, le poussa rudement, il tomba. Ses pieds s'étaient embarrassés dans une chaise renversée par la foule; en se relevant, il se sentit le cou serré; c'était un gendarme en grande tenue qui l'arrêtait. Machinalement Julien voulut avoir recours à ses petits pistolets, mais un second gendarme s'emparait de ses bras.

Il fut conduit à la prison. On entra dans une chambre, on lui mit les fers aux mains, on le laissa seul; la porte se ferma sur lui à double tour; tout cela fut exécuté très vite, et il y fut insensible.

— Ma foi, tout est fini, dit-il tout haut en revenant à lui ... Oui, dans quinze jours la guillotine ... ou se tuer d'ici là.

Son raisonnement n'allait pas plus loin; il se sentait la tête comme si [1209] elle eût été serrée avec violence. Il regarda pour voir si quelqu'un le tenait. Après quelques instants, il s'endormit profondément.

Mme de Rênal n'était pas blessée mortellement. La première balle avait percé son chapeau; comme elle se retournait, le second coup était parti. La balle l'avait frappée à l'épaule, et chose étonnante, avait été renvoyée par l'os de l'épaule, que pourtant elle cassa, contre un pilier gothique dont elle détacha un énorme éclat de pierre.

Quand, après un pansement long et douloureux, le chirurgien, homme grave, dit à Mme de Rênal: Je réponds de votre vie comme de la mienne, elle fut profondément affligée.

Depuis longtemps, elle désirait sincèrement la mort. La lettre qui lui avait été imposée par son confesseur actuel, et qu'elle avait écrite à M. de La Mole, avait donné le dernier coup à cet être affaibli par un malheur trop constant. Ce malheur était l'absence de Julien; elle l'appelait, elle, *le remords.* Le directeur,[1210] jeune ecclésiastique vertueux et fervent, nouvellement arrivé de Dijon, ne s'y trompait pas.[1211]

Mourir ainsi, mais non de ma[1212] main, ce n'est point un péché, pensait Mme de Rênal. Dieu me pardonnera peut-être de me réjouir de ma mort. Elle n'osait ajouter: Et mourir de la main de Julien, c'est le comble des félicités.

A peine fut-elle débarrassée de la présence du chirurgien et de tous ses amis accourus en foule, qu'elle fit appeler Elisa, sa femme de chambre.

— Le geôlier, lui dit-elle en rougissant beaucoup, est un homme cruel. Sans doute il va le maltraiter, croyant en cela faire une chose agréable pour moi... Cette idée m'est insupportable. Ne pourriez-vous pas aller comme de vous-même[1213] remettre au geôlier ce petit paquet qui contient quelques louis? Vous lui direz que la religion ne permet pas qu'il le maltraite... Il faut surtout qu'il n'aille pas parler de cet envoi d'argent.

C'est à la circonstance dont nous venons de parler que Julien dut l'humanité du geôlier de Verrières; c'était toujours ce M. Noiroud, ministériel[1214] parfait, auquel nous avons vu la présence de M. Appert faire une si belle peur.

Un juge[1215] parut dans la prison.

— J'ai donné la mort avec préméditation, lui dit Julien; j'ai acheté et fait charger les pistolets chez Un Tel, l'armurier. L'article 1342 du Code pénal[1216] est clair, je mérite la mort, et je l'attends.

Le juge étonné de cette façon de répondre, voulut multiplier les questions pour faire en sorte que l'accusé *se coupât* dans ses réponses.[1217]

— Mais ne voyez-vous pas, lui dit Julien en souriant, que je me fais aussi coupable que vous pouvez le désirer? Allez, monsieur, vous ne manquerez pas la proie que vous poursuivez. Vous aurez le plaisir de condamner. Epargnez-moi votre présence.

Il me reste un ennuyeux devoir à remplir, pensa Julien, il faut écrire à Mlle de La Mole.[1218]

« Je me suis vengé, lui disait-il. Malheureusement, mon nom paraîtra dans les journaux, et je ne puis m'échapper de ce monde incognito. Je mourrai dans deux mois. La vengeance a été atroce,[1219] comme la douleur d'être séparé de vous. De ce moment, je m'interdis d'écrire et de prononcer votre nom.[1220] Ne parlez jamais de moi, même à mon fils: le silence est la seule façon de m'honorer. Pour le commun des hommes je serai un assassin vulgaire ... Permettez-moi la vérité en ce moment suprême: vous m'oublierez.[1221] Cette grande catastrophe dont je vous conseille de ne jamais ouvrir la bouche à être vivant,[1222] aura épuisé pour plusieurs années tout ce que je voyais de romanesque et de trop aventureux dans votre caractère.[1223] Vous étiez faite pour vivre avec les héros du moyen âge; montrez leur ferme caractère. Que ce qui doit se passer soit accompli en secret et sans vous compromettre.[1224] Vous prendrez un faux nom, et n'aurez pas de confident. S'il vous faut absolument le secours d'un ami, je vous lègue l'abbé Pirard.

« Ne parlez à nul autre, surtout pas aux gens de votre classe: les de Luz, les Caylus.

« Un an après ma mort, épousez M. de Croisenois; je vous en prie, je vous l'ordonne comme votre époux. Ne m'écrivez point, je ne répondrais pas. Bien moins méchant que Iago,[1225] à ce qu'il me semble, je vais dire comme lui: *From this time forth I never will speak word.*[1226]

« On ne me verra ni parler ni écrire; vous aurez eu mes dernières paroles comme mes dernières adorations.

« J. S. »

Ce fut après avoir fait partir cette lettre que, pour la première fois, Julien, un peu revenu à lui, fut très malheureux. Chacune des espérances de l'ambition dut être arrachée successivement de son cœur par ce grand mot: Je mourrai. La mort, en elle-même, n'était pas *horrible*[1227] à ses yeux. Toute sa vie n'avait été qu'une longue préparation au malheur, et il n'avait eu garde d'oublier celui qui passe pour le plus grand de tous.[1228]

Quoi donc ! se disait-il, si dans soixante jours je devais me battre en duel avec un homme très fort sur les armes, est-ce que j'aurais la faiblesse d'y penser sans cesse, et la terreur dans l'âme ?

Il passa plus d'une heure à chercher à se bien connaître sous ce rapport.

Quand il eut vu clair dans son âme, et que la vérité parut devant ses yeux aussi nettement qu'un des piliers de sa prison, il pensa au remords !

Pourquoi en aurais-je ? J'ai été offensé d'une manière atroce;[1229] j'ai tué, je mérite la mort, mais voilà tout. Je meurs après avoir soldé mon compte envers l'humanité. Je ne laisse aucune obligation non remplie, je ne dois rien à personne; ma mort n'a rien de honteux que l'instrument;[1230] cela seul, il est vrai, suffit richement pour ma honte aux yeux des bourgeois de Verrières; mais sous le rapport intellectuel[1231] quoi de plus méprisable ! Il me reste un moyen d'être considérable à leurs yeux: c'est de jeter au peuple des pièces d'or en allant au supplice. Ma mémoire, liée à l'idée de l'*or*, sera resplendissante pour eux.

Après ce raisonnement, qui au bout d'une minute lui sembla évident:[1232] Je n'ai plus rien à faire sur la terre, se dit Julien, et il s'endormit profondément.

Vers les neuf heures du soir, le geôlier le réveilla en lui apportant à souper.

— Que dit-on dans Verrières ?

— Monsieur Julien, le serment que j'ai prêté devant le crucifix, à la cour royale,[1233] le jour que je fus installé dans ma place, m'oblige au silence.

Il se taisait, mais restait. La vue de cette hypocrisie vulgaire amusa Julien. Il faut, pensa-t-il, que je lui fasse attendre longtemps les cinq francs qu'il désire pour me vendre sa conscience.

Quand le geôlier vit le repas finir sans tentative de séduction:

— L'amitié que j'ai pour vous, Monsieur Julien, dit-il d'un air faux et doux, m'oblige à parler; quoiqu'on dise que c'est contre l'intérêt de la justice, parce que cela peut vous servir à arranger votre défense ... Monsieur Julien, qui est bon garçon, sera bien content si je lui apprends que Mme de Rênal va mieux.

— Quoi ! elle n'est pas morte ! s'écria Julien hors de lui.

— Quoi ! vous ne saviez rien ! dit le geôlier d'un air stupide qui bientôt devint de la cupidité heureuse. Il sera bien juste que Monsieur donne quelque chose au chirurgien qui, d'après la loi et la justice, ne devait pas parler. Mais pour faire plaisir à Monsieur, je suis allé chez lui, et il m'a tout conté ...

— Enfin, la blessure n'est pas mortelle, lui dit Julien impatienté, tu m'en réponds sur ta vie ?

Le geôlier, géant de six pieds de haut, eut peur et se retira vers la porte. Julien vit qu'il prenait une mauvaise route pour arriver à la vérité, il se rassit et jeta un napoléon à M. Noiroud.

A mesure que le récit de cet homme prouvait à Julien que la blessure de Mme de Rênal n'était pas mortelle, il se sentait gagné par les larmes.

— Sortez ! dit-il brusquement.

Le geôlier obéit. A peine la porte fut-elle fermée: Grand Dieu ! elle n'est pas morte ! s'écria Julien; et il tomba à genoux, pleurant à chaudes larmes.

Dans ce moment suprême, il était croyant. Qu'importent les hypocrisies des prêtres ? peuvent-elles ôter quelque chose à la vérité et à la sublimité de l'idée de Dieu ?

Seulement alors, Julien commença à se repentir du crime commis. Par une coïncidence qui lui évita le désespoir, en cet instant seulement, venait de cesser l'état d'irritation physique et de demi-folie où il était plongé depuis son départ de Paris pour Verrières.

Ses larmes avaient une source généreuse,[1234] il n'avait aucun doute sur la condamnation qui l'attendait.

Ainsi elle vivra ! se disait-il ... Elle vivra pour me pardonner et pour m'aimer ...

Le lendemain matin fort tard, quand le geôlier le réveilla:

— Il faut que vous ayez un fameux cœur,[1235] Monsieur Julien, lui dit cet homme. Deux fois je suis venu et n'ai pas voulu vous réveiller. Voici deux bouteilles d'excellent vin que vous envoie M. Maslon, notre curé.

— Comment ? ce coquin est encore ici ? dit Julien.

— Oui, Monsieur, répondit le geôlier en baissant la voix, mais ne parlez pas si haut, cela pourrait vous nuire.[1236]

Julien rit de bon cœur.

— Au point où j'en suis, mon ami, vous seul pourriez me nuire si vous cessiez d'être doux et humain... Vous serez bien payé, dit Julien en s'interrompant et reprenant l'air impérieux. Cet air fut justifié à l'instant par le don d'une pièce de monnaie.

M. Noiroud raconta de nouveau et dans les plus grands détails tout ce qu'il avait appris sur Mme de Rênal, mais il ne parla point de la visite de Mlle Elisa.[1237].

Cet homme était bas et soumis autant que possible. Une idée traversa la tête de Julien: Cette espèce de géant difforme peut gagner[1238] trois ou quatre cents francs, car sa prison n'est guère fréquentée;[1239] je puis lui assurer dix mille francs, s'il veut se sauver en Suisse avec moi... La difficulté sera de le persuader de ma bonne foi. L'idée du long colloque à avoir avec un être aussi vil inspira du dégoût à Julien, il pensa à autre chose.

Le soir, il n'était plus temps. Une chaise de poste vint le prendre à minuit. Il fut très content des gendarmes, ses compagnons de voyage. Le matin, lorsqu'il arriva à la prison de Besançon, on eut la bonté de le loger dans l'étage supérieur d'un donjon[1240] gothique. Il jugea l'architecture du commencement du XIVe siècle; il en admira la grâce et la légèreté piquante. Par un étroit intervalle entre deux murs au delà d'une cour profonde, il avait une échappée de vue superbe.[1241]

Le lendemain, il y eut un interrogatoire,[1242] après quoi, pendant plusieurs jours on le laissa tranquille. Son âme était calme. Il ne trouvait rien que de[1243] simple dans son affaire: J'ai voulu tuer, je dois être tué.

Sa pensée ne s'arrêta pas davantage[1244] à ce raisonnement. Le jugement, l'ennui de paraître en public, la défense, il considérait tout cela comme de légers embarras, des cérémonies ennuyeuses auxquelles il serait temps de songer le jour même.[1245] Le moment de la mort ne l'arrêtait[1246] guère plus: J'y songerai après le jugement. La vie n'était point ennuyeuse pour lui, il considérait toutes choses sous un nouvel aspect. Il n'avait plus d'ambition. Il pensait rarement à Mlle de La Mole. Ses remords l'occupaient beaucoup et lui présentaient souvent l'image de Mme de Rênal, surtout pendant le silence des nuits, troublé seulement, dans ce donjon élevé, par le chant de l'orfraie ![1247]

Il remerciait le ciel de[1248] ne l'avoir pas blessée à mort. Chose étonnante ! se disait-il, je croyais que par sa lettre à M. de La Mole elle avait détruit à jamais mon bonheur[1249] à venir, et, moins de quinze jours après la date de cette lettre, je ne songe plus à tout ce qui m'occupait alors ... Deux ou trois mille livres de rente pour vivre tranquille dans un pays de montagnes comme Vergy... J'étais heureux alors ... Je ne connaissais pas mon bonheur !

Dans d'autres instants, il se levait en sursaut de sa chaise. Si j'avais blessé à mort Mme de Rênal, je me serais tué ... J'ai besoin de cette certitude pour ne pas me faire horreur à moi-même.[1250]

Me tuer ! voilà la grande question, se disait-il. Ces juges si formalistes, si acharnés après le pauvre accusé, qui feraient pendre le meilleur citoyen, pour accrocher[1251] la croix ... Je me soustrairais à leur empire,[1252] à leurs injures en mauvais français, que le journal du département va appeler de l'éloquence ...

Je puis vivre encore cinq ou six semaines, plus ou moins ... Me tuer ! ma foi non, se dit-il, après quelques jours, Napoléon a vécu ...[1253]

D'ailleurs, la vie m'est agréable; ce séjour est tranquille; je n'y ai point d'ennuyeux,[1254] ajouta-t-il en riant, et il se mit à faire la note des livres qu'il voulait faire venir de Paris.

37. *Un Donjon*

Le tombeau d'un ami.
STERNE.[1255]

Il entendit un grand bruit dans le corridor; ce n'était pas l'heure où l'on montait[1256] dans sa prison; l'orfraie s'envola en criant, la porte s'ouvrit, et le vénérable curé Chélan, tout tremblant et la canne à la main, se jeta dans ses bras.

— Ah ! grand Dieu ! est-il possible, mon enfant... Monstre ! devrais-je dire.

Et le bon vieillard ne put ajouter une[1257] parole. Julien craignit qu'il ne tombât. Il fut obligé de le conduire à une chaise. La main du temps[1258] s'était appesantie sur cet homme autrefois si énergique. Il ne parut plus à Julien que l'ombre de lui-même.

Quand il eut repris haleine: — Avant-hier seulement, je reçois[1259] votre lettre de Strasbourg, avec vos cinq cents francs pour les pauvres de Verrières; on me l'a apportée dans la montagne à Liveru[1260] où je suis retiré chez mon neveu Jean. Hier, j'apprends la catastrophe ... O ciel ! est-il possible ! Et le vieillard ne pleurait plus, il avait l'air privé d'idée, et ajouta machinalement: Vous aurez besoin de vos cinq cents francs, je vous les rapporte.

— J'ai besoin de vous voir, mon père ! s'écria Julien attendri. J'ai de l'argent de reste.

Mais il ne put plus obtenir de réponse sensée. De temps à autre, M. Chélan versait quelques larmes qui descendaient silencieusement le long de sa joue; puis il regardait Julien, et était comme étourdi de le voir lui prendre les mains et les porter à ses lèvres. Cette physionomie si vive autrefois, et qui peignait avec tant d'énergie les plus nobles sentiments, ne sortait plus de l'air apathique. Une espèce de paysan vint bientôt chercher le vieillard. — Il ne faut pas le fatiguer, dit-il à Julien, qui comprit que c'était le neveu. Cette apparition laissa Julien plongé dans un malheur cruel et qui éloignait les larmes. Tout lui paraissait triste et sans consolation; il sentait son cœur glacé dans sa poitrine.

Cet instant fut le plus cruel qu'il eût éprouvé depuis le crime. Il venait de voir la mort, et dans toute sa laideur.[1261] Toutes les illusions de grandeur d'âme et de générosité s'étaient dissipées comme un nuage devant la tempête.

Cette affreuse situation dura plusieurs heures. Après l'empoisonnement moral, il faut des remèdes physiques et du vin de Champagne. Julien se fût estimé un lâche d'y avoir recours. Vers la fin d'une journée horrible, passée tout entière à se promener dans son étroit donjon: Que je suis fou ! s'écria-t-il. C'est dans le cas où je devrais mourir comme un autre, que la vue de ce pauvre vieillard aurait dû me jeter dans cette affreuse tristesse; mais une mort rapide et à la fleur des ans me met précisément à l'abri de cette triste décrépitude.

Quelques raisonnements qu'il se fît, Julien se trouva attendri, comme un être pusillanime, et par conséquent malheureux de cette visite.

Il n'y avait plus rien de rude[1262] et de grandiose en lui, plus de vertu romaine; la mort lui apparaissait à une plus grande hauteur,[1263] et comme chose moins facile.

Ce sera là mon thermomètre, se dit-il. Ce soir je suis à dix degrés au-dessous du courage qui me conduit de niveau[1264] à la guillotine. Ce matin, je l'avais ce courage. Au reste, qu'importe ! pourvu qu'il me revienne au moment nécessaire. Cette idée de thermomètre l'amusa, et enfin parvint à le distraire.

Le lendemain à son réveil, il eut honte de la journée de la veille. Mon bonheur, ma tranquillité sont en jeu.[1265] Il résolut presque d'écrire à M. le procureur général[1266] pour demander que personne ne fût admis auprès de lui. Et Fouqué ? pensa-t-il. S'il peut prendre sur lui de venir à Besançon, quelle ne serait pas sa douleur !

Il y avait deux mois peut-être qu'il n'avait songé à Fouqué. J'étais un grand sot à Strasbourg, ma pensée n'allait pas au delà du collet de mon habit.[1267] Le souvenir de Fouqué l'occupa beaucoup et le laissa plus attendri. Il se promenait avec agitation. Me voici décidément de vingt degrés au-dessous du niveau de la mort... Si cette faiblesse augmente, il vaudra mieux me tuer. Quelle joie pour les abbés Maslon et les Valenod si je meurs comme un cuistre !

Fouqué arriva; cet homme simple et bon était éperdu de douleur. Son unique idée, s'il en[1268] avait, était de vendre tout son bien pour séduire le geôlier et faire sauver[1269] Julien. Il lui parla longuement de l'évasion de M. de Lavalette.[1270]

— Tu me fais peine, lui dit Julien; M. de Lavalette était innocent, moi je suis coupable. Sans le vouloir, tu me fais songer à la différence...[1271]

Mais, est-il vrai ! Quoi ? tu vendrais tout ton bien ? dit Julien redevenant tout à coup observateur et méfiant.[1272]

Fouqué, ravi de voir enfin son ami répondre à son idée dominante, lui détailla longuement, et à cent francs près,[1273] ce qu'il tirerait de chacune de ses propriétés.

Quel effort sublime chez un propriétaire de campagne ! pensa Julien. Que d'économies, que de petites demi-lésineries[1274] qui me faisaient tant rougir lorsque je les lui voyais faire, il sacrifie pour moi ! Un de ces beaux jeunes gens que j'ai vus à l'hôtel de La Mole et qui lisent *René*,[1275] n'aurait aucun de ces ridicules; mais excepté ceux qui sont fort jeunes et encore[1276] enrichis par héritage, et qui ignorent la valeur de l'argent, quel est celui de ces beaux Parisiens qui serait capable d'un tel sacrifice ?

Toutes les fautes de français, tous les gestes communs de Fouqué disparurent, il se jeta dans ses bras. Jamais la province, comparée[1277] à Paris, n'a reçu un plus bel hommage. Fouqué, ravi du moment d'enthousiasme qu'il voyait dans les yeux de son ami, le prit pour un consentement à la fuite.

Cette vue du *sublime*[1278] rendit à Julien toute la force que l'apparition de M. Chélan lui avait fait perdre. Il était encore bien jeune; mais, suivant moi, ce fut une belle plante.[1279] Au lieu de marcher du tendre au rusé,[1280] comme la plupart des hommes, l'âge lui eût donné la bonté facile à s'[1281]attendrir, il se fût guéri d'une méfiance folle... Mais à quoi bon ces vaines prédictions ?

Les interrogatoires devenaient plus fréquents, en dépit des efforts de Julien, dont toutes les réponses tendaient à abréger l'affaire: — J'ai tué ou du moins j'ai voulu donner la mort et avec préméditation, répétait-il chaque jour. Mais le juge était formaliste avant tout. Les déclarations de Julien n'abrégeaient nullement les interrogatoires; l'amour-propre du juge fut piqué. Julien ne sut pas qu'on avait voulu le transférer dans un affreux cachot, et que c'était grâce aux démarches de Fouqué qu'on lui laissait sa jolie chambre à cent quatre-vingts marches d'élévation.

M. l'abbé de Frilair était au nombre des hommes importants qui chargeaient Fouqué de leur provision de bois de chauffage. Le bon marchand parvint jusqu'au tout-puissant grand vicaire. A son inexprimable ravissement, M. de Frilair lui annonça que, touché des bonnes qualités de Julien et des services qu'il avait autrefois rendus au séminaire,[1282] il comptait le recommander aux juges. Fouqué entrevit l'espoir de sauver son ami, et en sortant, et se prosternant jusqu'à terre, pria M. le grand vicaire de distribuer en messes, pour implorer l'acquittement de l'accusé, une somme de dix louis.

Fouqué se méprenait étrangement. M. de Frilair n'était point un Valenod. Il refusa et chercha même à faire entendre au bon paysan qu'il ferait mieux de garder son argent. Voyant qu'il était impossible d'être clair sans imprudence,[1283] il lui conseilla de donner cette somme en aumônes, pour les pauvres prisonniers, qui, dans le fait, manquaient de tout.

Ce Julien est un être singulier, son action est inexplicable, pensait M. de Frilair, et rien ne doit l'être pour moi ...[1284] Peut-être sera-t-il possible d'en faire un martyr ...[1285] Dans tous les cas, je saurai le *fin*[1286] de cette affaire et trouverai peut-être une occasion de faire peur à cette Mme de Rênal, qui ne nous estime point, et au fond me déteste ...[1287] Peut-être pourrai-je rencontrer dans tout ceci un moyen de réconciliation éclatante avec M. de La Mole, qui a un faible pour ce petit séminariste.

La transaction[1288] sur le procès avait été signée quelques semaines auparavant, et l'abbé Pirard était reparti de Besançon, non sans avoir parlé de la mystérieuse naissance de Julien, le jour même où le malheureux assassinait Mme de Rênal dans l'église de Verrières.

Julien ne voyait plus qu'un événement désagréable entre lui et la mort, c'était la visite de son père. Il consulta Fouqué sur l'idée d'écrire à M. le procureur général, pour être dispensé de toute visite. Cette horreur pour la vue d'un père, et dans un tel moment, choqua profondément le cœur honnête et bourgeois du marchand de bois.

Il crut comprendre pourquoi tant de gens haïssaient passionnément son ami.[1289] Par respect pour le malheur, il cacha sa manière de sentir.

— Dans tous les cas, lui répondit-il froidement, cet ordre de secret[1290] ne serait pas appliqué à ton père.

38. *Un Homme puissant*

Mais il y a tant de mystères dans ses démarches et d'élégance dans sa taille ! Qui peut-elle être ?

SCHILLER.

Les portes du donjon s'ouvrirent de fort bonne heure le lendemain. Julien fut réveillé en sursaut.

— Ah ! bon Dieu, pensa-t-il, voilà mon père. Quelle scène désagréable !

Au même instant, une femme vêtue en paysanne se précipita dans ses bras, il eut peine à la reconnaître. C'était Mlle de La Mole.

— Méchant, je n'ai su que par ta lettre où tu étais. Ce que tu appelles ton crime, et qui n'est qu'une noble vengeance qui me montre toute la hauteur du cœur qui bat dans cette poitrine, je ne l'ai su qu'à Verrières...

Malgré ses préventions [1291] contre Mlle de La Mole, que d'ailleurs il ne s'avouait pas bien nettement, Julien la trouva fort jolie. Comment ne pas voir dans toute cette façon d'agir et de parler un sentiment noble, désintéressé, bien au-dessus de tout ce qu'aurait osé une âme petite et vulgaire ? Il crut encore aimer une reine, et après quelques instants, ce fut avec une rare noblesse d'élocution et de pensée qu'il lui dit:

— L'avenir se dessinait à mes yeux fort clairement. Après ma mort, je vous remariais à M. de Croisenois, qui aurait épousé une veuve.[1292] L'âme noble mais un peu romanesque de cette veuve charmante, étonnée [1293] et convertie au culte de la prudence vulgaire, par un événement singulier, tragique et grand pour elle, eût daigné comprendre le mérite fort réel du jeune marquis. Vous vous seriez résignée à être heureuse du bonheur de tout le monde:[1294] la considération, les richesses, le haut rang ... Mais, chère Mathilde, votre arrivée à Besançon, si elle est soupçonnée, va être un coup mortel pour M. de La Mole, et voilà ce que jamais je ne me pardonnerai. Je lui ai déjà causé tant de chagrin ! L'académicien va dire qu'il a réchauffé un serpent dans son sein.[1295]

— J'avoue que je m'attendais peu à tant de froide raison, à tant de souci pour l'avenir, dit Mlle de La Mole à demi fâchée. Ma femme de chambre, presque aussi prudente que vous, a pris un passeport pour elle, et c'est sous le nom de Mme Michelet que j'ai couru la poste.

Et Mme Michelet a pu arriver aussi facilement jusqu'à moi ?

— Ah ! tu es toujours l'homme supérieur, celui que j'ai distingué ! [1296] D'abord, j'ai offert cent francs à un secrétaire de juge, qui prétendait que mon entrée dans ce donjon était impossible. Mais l'argent reçu, cet honnête homme m'a fait attendre, a élevé des objections, j'ai pensé qu'il songeait à me voler ... Elle s'arrêta.

— Eh bien ? dit Julien.

— Ne te fâche pas, mon petit Julien, lui dit-elle en l'embrassant, j'ai été obligée de dire mon nom [1297] à ce secrétaire, qui me prenait pour une jeune ouvrière de Paris, amoureuse du beau Julien ... En vérité ce sont ses termes. Je lui ai juré que j'étais ta femme, et j'aurai une permission pour te voir chaque jour.

La folie est complète, pensa Julien, je n'ai pu l'empêcher. Après tout, M. de La Mole est un si grand seigneur, que l'opinion saura bien trouver une excuse au jeune colonel [1298] qui épousera cette charmante veuve. Ma mort prochaine couvrira [1299] tout; et il se livra avec délices à l'amour de Mathilde;[1300] c'était de la folie, de la grandeur d'âme, tout ce qu'il y a de plus singulier.[1301] Elle lui proposa sérieusement de se tuer avec lui.

Après ces premiers transports, et lorsqu'elle se fut rassasiée du bonheur de voir Julien, une curiosité vive s'empara tout à coup de son âme. Elle examinait son amant, qu'elle trouva bien au-dessus de ce qu'elle s'était imaginé. Boniface de La Mole lui semblait ressuscité, mais plus héroïque.

Mathilde vit les premiers avocats du pays, qu'elle offensa en leur offrant de l'or trop crûment; mais ils finirent par accepter.

Elle arriva rapidement à cette idée, qu'en fait de choses

douteuses[1302] et d'une haute portée, tout dépendait à Besançon de M. l'abbé de Frilair.

Sous le nom obscur de Mme Michelet, elle trouva d'abord d'insurmontables difficultés pour parvenir jusqu'au tout-puissant congréganiste.[1303] Mais le bruit de la beauté d'une jeune marchande de modes,[1304] folle d'amour, et venue de Paris à Besançon pour consoler le jeune abbé Julien Sorel, se répandit dans la ville.

Mathilde courait seule à pied,[1305] dans les rues de Besançon; elle espérait n'être pas reconnue. Dans tous les cas,[1306] elle ne croyait pas inutile à sa cause de produire une grande impression sur le peuple. Sa folie songeait à le faire révolter pour sauver Julien marchant à la mort.[1307] Mlle de La Mole croyait être vêtue simplement et comme il convient à une femme dans la douleur; elle l'était de façon à attirer tous les regards.

Elle était à Besançon l'objet de l'attention de tous, lorsque, après huit jours de sollicitations, elle obtint une audience de M. de Frilair.

Quel que fût son courage, les idées de congréganiste influent et de profonde et prudente scélératesse étaient tellement liées dans son esprit, qu'elle trembla en sonnant à la porte de l'évêché. Elle pouvait à peine marcher lorsqu'il lui fallut monter l'escalier qui conduisait à l'appartement du premier[1308] grand-vicaire. La solitude du palais épiscopal lui donnait froid. Je puis m'asseoir sur un fauteuil, et ce fauteuil me saisir les bras, j'aurai disparu. A qui ma femme de chambre pourra-t-elle me demander ?[1309] Le capitaine de gendarmerie se gardera bien d'agir ... Je suis isolée dans cette grande ville !

A son premier regard dans l'appartement, Mlle de La Mole fut rassurée. D'abord c'était un laquais en livrée fort élégante qui lui avait ouvert. Le salon où on la fit attendre étalait ce luxe fin et délicat, si différent de la magnificence grossière, et que l'on ne trouve à Paris que dans les meilleures maisons. Dès qu'elle aperçut M. de Frilair qui venait à elle d'un air paterne, toutes les idées de crime atroce disparurent. Elle ne trouva pas même sur cette belle figure l'empreinte de cette vertu[1310] énergique et quelque peu sauvage, si antipathique à la société de Paris. Le demi-sourire qui animait les traits du prêtre, qui disposait de tout à Besançon, annonçait l'homme de bonne compagnie, le prélat instruit, l'administrateur habile. Mathilde se crut à Paris.

Il ne fallut que quelques instants à M. de Frilair pour amener Mathilde à lui avouer qu'elle était la fille de son puissant adversaire le marquis de La Mole.

— Je ne suis point en effet Mme Michelet, dit-elle en reprenant toute la hauteur de son maintien, et cet aveu me coûte peu, car je viens vous consulter, monsieur, sur la possibilité de procurer l'évasion de M. de La Vernaye. D'abord il n'est coupable que d'une étourderie; la femme sur laquelle il a tiré se porte bien. En second lieu, pour séduire les subalternes, je puis remettre sur-le-champ cinquante mille francs et m'engager pour le double. Enfin, ma reconnaissance et celle de ma famille ne trouvera [1311] rien d'impossible pour qui [1312] aura sauvé M. de La Vernaye.

M. de Frilair paraissait étonné de ce nom. Mathilde lui montra plusieurs lettres du ministre de la guerre, adressées à M. Julien Sorel de La Vernaye.

— Vous voyez, monsieur, que mon père se chargeait de sa fortune. Je l'ai épousé en secret, mon père désirait qu'il fût officier supérieur avant de déclarer [1313] ce mariage un peu singulier pour une La Mole.

Mathilde remarqua que l'expression de la bonté et d'une gaîté douce s'évanouissait rapidement à mesure que M. de Frilair arrivait à des découvertes importantes. Une finesse mêlée de fausseté profonde se peignit sur sa figure.

L'abbé avait des doutes, il relisait lentement les documents officiels.

Quel parti puis-je tirer de ces étranges confidences ? se disait-il. Me voici tout d'un coup en relation intime avec une amie de la célèbre maréchale de Fervaques, nièce toute-puissante de monseigneur l'évêque de ***, par qui l'on est évêque en France.

Ce que je regardais comme reculé dans l'avenir [1314] se présente à l'improviste. Ceci peut me conduire au but de tous mes vœux. [1315]

D'abord Mathilde fut effrayée du changement rapide de la physionomie de cet homme si puissant, avec lequel elle se trouvait seule dans un appartement reculé. Mais quoi ! se dit-elle bientôt, la pire chance n'eût-elle pas été de ne faire aucune impression sur le froid égoïsme d'un prêtre rassasié de pouvoir et de jouissances ?

Ebloui de cette voie rapide et imprévue qui s'ouvrait à ses yeux pour arriver à l'épiscopat, étonné du génie de Mathilde, un instant M. de Frilair ne fut plus sur ses gardes. Mlle de La Mole le vit presque à ses pieds, ambitieux et vif jusqu'au tremblement nerveux.[1316]

Tout s'éclaircit, pensa-t-elle, rien ne sera impossible ici à l'amie de Mme de Fervaques. Malgré un sentiment de jalousie encore bien douloureux, elle eut le courage d'expliquer que Julien était l'ami intime de la maréchale, et rencontrait presque tous les jours chez elle monseigneur l'évêque de ***.

— Quand l'on tirerait au sort quatre ou cinq fois de suite une liste de trente-six jurés parmi les notables [1317] habitants de ce département, dit le grand vicaire avec l'âpre regard de l'ambition et en appuyant sur les mots, je me considérerais comme bien chanceux [1318] si dans chaque liste je ne comptais pas huit ou dix amis et les plus intelligents de la troupe. Presque toujours j'aurai la majorité, plus qu'elle même [1319] pour condamner;[1320] voyez, mademoiselle, avec grande facilité je puis faire absoudre ...[1321]

L'abbé s'arrêta tout à coup, comme étonné du son de ses paroles; il avouait des choses que l'on ne dit jamais aux profanes.

Mais à son tour il frappa Mathilde de stupeur quand il lui apprit que ce qui étonnait et intéressait surtout la société de Besançon dans l'étrange adventure de Julien, c'est qu'il avait inspiré autrefois une grande passion à Mme de Rênal, et l'avait longtemps partagée. M. de Frilair s'aperçut facilement du trouble extrême que produisait son récit.

J'ai ma revanche ! pensa-t-il. Enfin, voici un moyen de conduire cette petite personne si décidée; je tremblais de n'y pas réussir. L'air distingué et peu facile à mener redoublait à ses yeux le charme de la rare beauté qu'il voyait presque suppliante devant lui. Il reprit tout son sang-froid, et n'hésita point à retourner [1322] le poignard dans son cœur.

— Je ne serais pas surpris après tout, lui dit-il d'un air léger, quand nous apprendrions que c'est par jalousie que

M. Sorel a tiré deux coups de pistolet à cette femme autrefois tant aimée. Il s'en faut bien qu'elle soit[1323] sans agréments, et depuis peu elle voyait fort souvent un certain abbé Marquinot de Dijon, espèce de janséniste sans mœurs,[1324] comme ils sont tous.

M. de Frilair tortura voluptueusement et à loisir le cœur de cette jolie fille, dont il avait surpris le côté faible.

Pourquoi, disait-il en arrêtant les yeux ardents[1325] sur Mathilde, M. Sorel aurait-il choisi l'église, si ce n'est parce que, précisément en cet instant, son rival y célébrait la messe ? Tout le monde accorde infiniment d'esprit, et encore plus de prudence à l'homme heureux que vous protégez. Quoi de plus simple que de se cacher dans les jardins de M. de Rênal qu'il[1326] connaît si bien ? là, avec la presque certitude de n'être ni vu, ni pris,[1327] ni soupçonné, il pouvait donner la mort à la femme dont il était jaloux.

Ce raisonnement, si juste en apparence, acheva de jeter Mathilde hors d'elle-même. Cette âme altière, mais saturée de toute cette prudence sèche, qui passe dans le grand monde pour peindre fidèlement le cœur humain, n'était pas faite pour comprendre vite le bonheur de se moquer de toute prudence, qui peut être si vif pour une âme ardente.[1328] Dans les hautes classes de la société de Paris, où Mathilde avait vécu, la passion ne peut que bien rarement se dépouiller de prudence, et c'est du cinquième étage qu'on se jette par la fenêtre.

Enfin, l'abbé de Frilair fut sûr de son empire. Il fit entendre à Mathilde (sans doute il mentait[1329]), qu'il pouvait disposer à son gré du ministère public, chargé de soutenir l'accusation contre Julien.

Après que le sort aurait désigné les trente-six jurés de la session, il ferait une démarche directe et personnelle envers trente jurés au moins.[1330]

Si Mathilde n'avait pas semblé si jolie à M. de Frilair, il ne lui eût parlé aussi clairement qu'à la cinq[1331] ou sixième entrevue.

39. *L'Intrigue*

Castres,[1332] *1676. — Un frère vient d'assassiner sa sœur dans la maison voisine de la mienne; ce gentilhomme était déjà coupable d'un meurtre. Son père, en faisant distribuer secrètement cinq cents écus aux conseillers,*[1333] *lui a sauvé la vie.*

LOCKE, Voyage en France.

En sortant de l'évêché, Mathilde n'hésita pas à envoyer un courrier à Mme de Fervaques; la crainte de se compromettre ne l'arrêta pas une seconde. Elle conjurait sa rivale d'obtenir une lettre pour M. de Frilair, écrite en entier de la main de monseigneur l'évêque de***. Elle allait jusqu'à la supplier d'accourir elle-même à Besançon. Ce trait fut héroïque de la part d'une âme jalouse et fière.

D'après le conseil de Fouqué, elle avait eu la prudence de ne point parler de ses démarches à Julien. Sa présence le troublait assez sans cela. Plus honnête homme à l'approche de la mort qu'il ne l'avait été durant sa vie, il avait des remords non seulement envers M. de La Mole mais aussi pour Mathilde.

Quoi donc ! se disait-il, je trouve auprès d'elle des moments de distraction[1334] et même de l'ennui. Elle se perd pour moi, et c'est ainsi que je l'en récompense ! Serais-je donc un méchant ? Cette question l'eût bien peu occupé quand il était ambitieux; alors ne pas réussir était la seule honte à ses yeux.

Son malaise moral, auprès de Mathilde, était d'autant plus décidé, qu'il[1335] lui inspirait en ce moment la passion la plus extraordinaire et la plus folle. Elle ne parlait que des sacrifices étranges qu'elle voulait faire pour le sauver.

Exaltée par un sentiment[1336] dont elle était fière et qui l'emportait sur tout son orgueil, elle eût voulu ne pas laisser passer un instant de sa vie sans le remplir par quelque démarche extraordinaire. Les projets les plus étranges, les plus périlleux pour elle remplissaient ses longs entretiens avec Julien. Les geôliers, bien payés, la laissaient régner dans la prison. Les idées de Mathilde ne se bornaient pas au sacrifice de sa réputation; peu lui importait de faire connaître son état à toute la société. Se jeter à genoux pour demander la grâce de Julien, devant la voiture du roi [1337] allant au galop, attirer l'attention du prince, au risque de se faire mille fois écraser, était une des moindres chimères que rêvait cette imagination exaltée et courageuse. Par ses amis employés auprès du roi, elle était sûre d'être admise dans les parties réservées du parc de Saint-Cloud.

Julien se trouvait peu digne de tant de dévouement, à vrai dire il était fatigué d'héroïsme. C'eût été à une tendresse simple, naïve et presque timide,[1338] qu'il se fût trouvé sensible, tandis qu'au contraire, il fallait toujours l'idée d'un public et *des autres* à l'âme hautaine de Mathilde.

Au milieu de toutes ses angoisses, de toutes ses craintes pour la vie de cet amant, auquel elle ne voulait pas survivre, elle avait un besoin secret d'étonner le public par l'excès de son amour et la sublimité de ses entreprises.

Julien prenait de l'humeur de ne point se trouver touché de tout cet héroïsme. Qu'eût-ce été, s'il eût connu toutes les folies [1339] dont Mathilde accablait l'esprit dévoué, mais éminemment raisonnable et borné du bon Fouqué ?

Il ne savait trop que blâmer dans le dévouement de Mathilde;[1340] car lui aussi eût sacrifié toute sa fortune et exposé sa vie aux plus grands hasards pour sauver Julien. Il était stupéfait de la quantité d'or jetée par Mathilde. Les premiers jours, les sommes ainsi dépensées en imposèrent à Fouqué, qui avait pour l'argent toute la vénération d'un provincial.

Enfin, il découvrit que les projets de Mlle de La Mole variaient souvent, et, à son grand soulagement, trouva un mot pour blâmer ce caractère si fatigant pour lui: elle était *changeante*. De cette épithète à celle de *mauvaise tête*, le plus grand anathème en province, il n'y a qu'un pas.

Il est singulier, se disait Julien, un jour que Mathilde sortait de sa prison, qu'une passion si vive et dont je suis l'objet me laisse tellement insensible ! et je l'adorais il y a deux mois ! J'avais bien lu que l'approche de la mort désintéresse de tout; mais il est affreux de se sentir ingrat et de ne pouvoir se changer. Je suis donc un égoïste ? Il se faisait à ce sujet les reproches les plus humiliants.

L'ambition était morte en son cœur, une autre passion y était sortie de ses cendres; il l'appelait le remords d'avoir assassiné Mme de Rênal.

Dans le fait, il en était éperdument amoureux. Il trouvait un bonheur singulier quand, laissé absolument seul et sans crainte d'être interrompu, il pouvait se livrer tout entier au souvenir des journées heureuses qu'il avait passées jadis à Verrières ou à Vergy. Les moindres incidents de ces temps trop rapidement envolés avaient pour lui une fraîcheur et un charme irrésistibles. Jamais il ne pensait à ses succès de Paris; il en était ennuyé.

Ces dispositions qui s'accroissaient rapidement furent en partie devinées par la jalousie de Mathilde. Elle s'apercevait fort clairement qu'elle avait à lutter contre l'amour de la solitude. Quelquefois, elle prononçait avec terreur le nom de Mme de Rênal. Elle voyait frémir Julien. Sa passion n'eut désormais ni bornes, ni mesure.

S'il meurt, je meurs après lui, se disait-elle avec toute la bonne foi possible.[1341] Que diraient les salons de Paris en voyant une fille de mon rang adorer à ce point un amant destiné à la mort ? Pour trouver de tels sentiments, il faut remonter au temps des héros; c'étaient des amours de ce genre qui faisaient palpiter les cœurs du siècle de Charles IX et de Henri III.

Au milieu des transports les plus vifs, quand elle serrait contre son cœur la tête de Julien: Quoi ! se disait-elle avec horreur, cette tête charmante serait destinée à tomber ! Eh bien ! ajoutait-elle enflammée d'un héroïsme qui n'était pas sans bonheur,[1342] mes lèvres, qui se pressent contre ces jolis cheveux, seront glacées moins de vingt-quatre heures après.

Les souvenirs de ces moments d'héroïsme et d'affreuse volupté l'attachaient d'une étreinte invincible.[1343] L'idée de suicide, si occupante par elle-même,[1344] et jusqu'ici si éloignée de cette âme altière, y pénétra, et bientôt y régna avec un empire absolu. Non, le sang de mes ancêtres ne s'est point attiédi en descendant jusqu'à moi, se disait Mathilde avec orgueil.

— J'ai une grâce à vous demander, lui dit un jour son amant: mettez votre enfant en nourrice à Verrières, Mme de Rênal surveillera la nourrice.

— Ce que vous me dites là est bien dur ... Et Mathilde pâlit.

— Il est vrai, et je t'en demande mille fois pardon, s'écria Julien sortant de sa rêverie, et la serrant dans ses bras.

Après avoir séché ses [1345] larmes, il revint à sa pensée, mais avec plus d'adresse. Il avait donné à la conversation un tour de philosophie mélancolique. Il parlait de cet avenir qui allait sitôt se fermer pour lui.

— Il faut convenir, chère amie, que les passions sont un accident dans la vie, mais cet accident ne se rencontre que chez les âmes supérieures ... La mort de mon fils serait au fond un bonheur pour l'orgueil de votre famille, c'est ce que devineront les subalternes.[1346] La négligence sera le lot de cet enfant du malheur et de la honte ... J'espère qu'à une époque que je ne veux point fixer, mais que pourtant mon courage entrevoit,[1347] vous obéirez à mes dernières recommandations: Vous épouserez M. le marquis de Croisenois.

— Quoi, déshonorée !

— Le déshonneur ne pourra prendre sur [1348] un nom tel que le vôtre. Vous serez une veuve et la veuve d'un fou, voilà tout. J'irai plus loin: mon crime n'ayant point l'argent pour moteur ne sera point déshonorant. Peut-être à cette époque, quelque législateur philosophe aura obtenu, des préjugés de ses contemporains, la suppression de la peine de mort.[1349] Alors, quelque voix amie dira comme un exemple: Tenez, le premier époux de Mlle de La Mole était un fou, mais non pas un méchant homme, un scélérat. Il fut absurde de faire tomber cette tête ... Alors ma mémoire ne sera point infâme; du moins après un certain temps ... Votre position dans le monde, votre fortune, et, permettez-moi de le dire, votre génie, feront jouer à M. de Croisenois, devenu votre époux, un rôle auquel tout seul il ne saurait atteindre. Il n'a que de la naissance et de la bravoure, et ces qualités toutes seules, qui faisaient un homme accompli en 1729, sont un anachronisme un siècle plus tard, et ne donnent que des prétentions. Il faut encore d'autres choses pour se placer à la tête de la jeunesse française.

Vous porterez le secours d'un caractère ferme et entreprenant au parti politique où vous jetterez votre époux. Vous pourrez succéder aux Chevreuse et aux Longueville de la Fronde ...[1350] Mais alors, chère amie, le feu céleste qui vous anime en ce moment sera un peu attiédi.

Permettez-moi de vous le dire, ajouta-t-il après beaucoup d'autres phrases préparatoires, dans quinze ans vous regarderez comme une folie excusable, mais pourtant comme une folie, l'amour que vous avez eu pour moi ...

Il s'arrêta tout à coup et devint rêveur. Il se trouvait de nouveau vis-à-vis de cette idée si choquante pour Mathilde: dans quinze ans Mme de Rênal adorera mon fils, et vous l'aurez oublié.

40. *La Tranquillité*

C'est parce qu'alors j'étais fou qu'aujourd'hui je suis sage. O philosophe qui ne vois rien que d'instantané, que tes vues sont courtes ! Ton œil n'est pas fait pour suivre le travail souterrain des passions.

MME GOETHE.[1351]

Cet entretien fut coupé par un interrogatoire, suivi d'une conférence avec l'avocat chargé de la défense. Ces moments étaient les seuls absolument désagréables d'une vie pleine d'incurie et de rêveries tendres.

Il y a meurtre, et meurtre avec préméditation, dit Julien au juge comme à l'avocat. J'en suis fâché, Messieurs, ajouta-t-il en souriant; mais ceci réduit votre besogne à bien peu de chose.

Après tout, se disait Julien, quand il fut parvenu à se délivrer de ces deux êtres, il faut[1352] que je sois brave, et apparemment plus brave que ces deux hommes. Ils regardent comme le comble des maux, comme le *roi des épouvantements,*[1353] ce duel à issue malheureuse, dont je ne m'occuperai sérieusement que le jour même.

C'est que j'ai connu un plus grand malheur,[1354] continua Julien en philosophant avec lui-même. Je souffrais bien autrement durant mon premier voyage à Strasbourg, quand je me croyais abandonné par Mathilde ... Et pouvoir dire[1355] que j'ai désiré avec tant de passion cette intimité parfaite qui aujourd'hui me laisse si froid !... Dans le fait, je suis plus heureux seul que quand cette fille si belle partage ma solitude ...

L'avocat, homme de règle et de formalités, le croyait fou et pensait avec le public que c'était la jalousie qui lui avait mis le pistolet à la main. Un jour, il hasarda de faire entendre à Julien que cette allégation, vraie ou fausse, serait un excellent moyen de plaidoirie. Mais l'accusé redevint en un clin d'œil un être passionné et incisif.

— Sur votre vie, Monsieur, s'écria Julien hors de lui, souvenez-vous de ne plus proférer cet abominable mensonge. Le prudent avocat eut peur un instant d'être assassiné.

Il préparait sa plaidoirie, parce que l'instant décisif approchait rapidement. Besançon et tout le département ne parlaient que de cette cause célèbre. Julien ignorait ce détail, il avait prié qu'on ne lui parlât jamais de ces sortes de choses.

Ce jour-là, Fouqué et Mathilde ayant voulu lui apprendre certains bruits [1355a] publics, fort propres, selon eux, à donner des espérances, Julien les avait arrêtés dès le premier mot.

— Laissez-moi ma vie idéale. Vos petites tracasseries, vos détails de la vie réelle, plus ou moins froissants pour moi, me tireraient du ciel. On meurt comme on peut; moi je ne veux penser à la mort qu'à ma manière. Que m'importent *les autres ?* Mes relations avec *les autres* vont être tranchées brusquement. De grâce, ne me parlez plus de ces gens-là: c'est bien assez de voir le juge et l'avocat.

Au fait, se disait-il à lui-même, il paraît que mon destin est de mourir en rêvant. Un être obscur tel que moi, sûr d'étre oublié avant quinze jours, serait bien dupe, il faut l'avouer, de jouer la comédie...

Il est singulier pourtant que je n'aie connu l'art de jouir de la vie que depuis que j'en vois le terme si près de moi.

Il passait ces dernières journées à se promener sur l'étroite terrasse au haut du donjon, fumant d'excellents cigares que Mathilde avait envoyé chercher en Hollande par un courrier, et sans se douter que son apparition était attendue chaque jour par tous les télescopes de la ville. Sa pensée était à Vergy. Jamais il ne parlait de Mme de Rênal à Fouqué, mais deux ou trois fois cet ami lui dit qu'elle se rétablissait rapidement, et ce mot retentit dans son cœur.

Pendant que l'âme de Julien était presque toujours tout entière dans le pays des idées, Mathilde, occupée des choses réelles, comme il convient à un cœur aristocrate,[1356] avait su avancer à un tel point l'intimité de la correspondance directe entre Mme de Fervaques et M. de Frilair, que déjà le grand mot *évêché* avait été prononcé.

Le vénérable prélat, chargé de la feuille des bénéfices,

ajouta en apostille à une lettre de sa nièce: *Ce pauvre Sorel n'est qu'un étourdi, j'espère qu'on nous le rendra.*

A la vue de ces lignes, M. de Frilair fut comme hors de lui. Il ne doutait pas de sauver Julien.

— Sans cette loi jacobine qui a prescrit la formation d'une liste innombrable de jurés, et qui n'a d'autre but réel que d'enlever toute influence aux gens bien nés,[1357] disait-il à Mathilde la veille du tirage au sort des trente-six jurés de la session, j'aurais répondu du *verdict*. J'ai bien fait acquitter le curé N...

Ce fut avec plaisir que le lendemain, parmi les noms sortis de l'urne, M. de Frilair trouva cinq congréganistes de Besançon, et parmi les étrangers à la ville, les noms de MM. Valenod, de Moirod, de Cholin. — Je réponds d'abord de ces huit jurés-ci, dit-il à Mathilde. Les cinq premiers sont des *machines*. Valenod est mon agent, Moirod me doit tout, de Cholin est un imbécile qui a peur de tout.

Le journal répandit dans le département les noms des jurés de Mme de Rênal, à l'inexprimable terreur de son mari, voulut venir à Besançon. Tout ce que M. de Rênal put obtenir fut qu'elle ne quitterait point son lit, afin de ne pas avoir le désagrément d'être appelée en témoignage. — Vous ne comprenez pas ma position, disait l'ancien maire de Verrières, je suis maintenant libéral de la *défection*,[1358] comme ils disent; nul doute que ce polisson de Valenod et M. de Frilair n'obtiennent facilement du procureur général et des juges tout ce qui pourra m'être désagréable.

Mme de Rênal céda sans peine aux ordres de son mari. Si je paraissais à la cour d'assises, se disait-elle, j'aurais l'air de demander vengeance.

Malgré toutes les promesses de prudence faites au directeur de sa conscience et à son mari, à peine arrivée à Besançon elle écrivit de sa main à chacun des trente-six jurés:

« Je ne paraîtrai point le jour du jugement, Monsieur, parce que ma présence pourrait jeter de la défaveur sur la cause de M. Sorel. Je ne désire qu'une chose au monde et avec passion, c'est qu'il soit sauvé. N'en doutez point, l'affreuse idée qu'à cause de moi un innocent a été conduit à la mort empoisonnerait le reste de ma vie et sans doute l'abrégerait. Comment pourriez-vous le condamner à mort, tandis que moi je vis ? Non, sans doute, la société n'a point le droit d'arracher la vie, et surtout à un être tel que Julien Sorel. Tout le monde, à Verrières, lui a connu des moments d'égarement. Ce pauvre jeune homme a des ennemis puissants; mais, même parmi ses ennemis (et combien n'en a-t-il pas !) quel est celui qui met en doute ses admirables talents et sa science profonde ? Ce n'est pas un sujet ordinaire que vous allez juger, monsieur. Durant près de dix-huit mois nous l'avons tous connu pieux, sage, appliqué; mais, deux ou trois fois par an, il était saisi par des accès de mélancolie qui allaient jusqu'à l'égarement. Toute la ville de Verrières, tous nos voisins de Vergy où nous passons la belle saison, ma famille entière, monsieur le sous-préfet lui-même rendront justice à sa piété exemplaire; il sait par cœur toute la sainte Bible. Un impie se fût-il appliqué pendant des années à apprendre le livre saint ? Mes fils auront l'honneur de vous présenter cette lettre: ce sont des enfants. Daignez les interroger, monsieur, ils vous donneront sur ce pauvre jeune homme tous les détails qui seraient encore nécessaires pour vous convaincre de la barbarie qu'il y aurait à le condamner. Bien loin de me venger, vous me donneriez la mort.

« Qu'est-ce que ses ennemis pourront opposer à ce fait ? La blessure qui a été le résultat d'un de ces moments de folie que mes enfants eux-mêmes remarquaient chez leur précepteur, est tellement peu dangereuse, qu'après moins de deux mois elle m'a permis de venir en poste de Verrières à Besançon. Si j'apprends, monsieur, que vous hésitiez le moins du monde à soustraire à la barbarie des lois un être si peu coupable, je sortirai de mon lit, où me retiennent uniquement les ordres de mon mari, et j'irai me jeter à vos pieds.

« Déclarez, monsieur, que la préméditation n'est pas constante,[1359] et vous n'aurez pas à vous reprocher le sang d'un innocent », etc., etc.

41. Le Jugement

Le pays se souviendra longtemps de ce procès célèbre. L'intérêt pour l'accusé était porté jusqu'à l'agitation: c'est que son crime était étonnant et pourtant pas atroce. L'eût-il été, ce jeune homme était si beau ! Sa haute fortune, sitôt finie, augmentait l'attendrissement. Le condamneront-ils? demandaient les femmes aux hommes de leur connaissance, et on les voyait pâlissantes attendre la réponse.

SAINT-BEUVE.

Enfin parut ce jour, tellement redouté de Mme de Rênal et de Mathilde.

L'aspect étrange de la ville redoublait leur terreur, et ne laissait pas sans émotion même l'âme ferme de Fouqué. Toute la province était accourue à Besançon pour voir juger cette cause romanesque.

Depuis plusieurs jours, il n'y avait plus de place dans les auberges. M. le président des assises était assailli par des demandes de billets; toutes les dames de la ville voulaient assister au jugement; on criait dans les rues le portrait de Julien, etc., etc.

Mathilde tenait en réserve pour ce moment suprême une lettre écrite en entier de la main de monseigneur l'évêque de***. Ce prélat, qui dirigeait l'Eglise de France et faisait des évêques, daignait demander l'acquittement de Julien. La veille du jugement, Mathilde porta cette lettre au tout-puissant grand vicaire.

A la fin de l'entrevue, comme elle s'en allait fondant en larmes: — Je réponds de la déclaration du jury, lui dit M. de Frilair, sortant enfin de sa réserve diplomatique, et presque ému lui-même. Parmi les douze personnes chargées d'examiner si le crime de votre protégé est constant, et surtout s'il y a eu préméditation, je compte six amis dévoués à ma fortune, et je leur ai fait entendre qu'il dépendait d'eux de me porter à l'épiscopat. Le baron Valenod, que j'ai fait maire de Verrières, dispose entièrement de deux de ses administrés, MM. de Moirod et de Cholin. A la vérité, le sort nous a donné pour cette affaire deux jurés fort mal pensants; mais, quoique ultra-libéraux, ils sont fidèles à mes ordres dans les grandes occasions,[1360] et je les ai fait prier de voter comme M. Valenod. J'ai appris qu'un sixième juré industriel,[1361] immensément riche et bavard libéral, aspire en secret à une fourniture[1362] au ministère de la guerre, et sans doute il ne voudrait pas me déplaire. Je lui ai fait dire que M. de Valenod a mon dernier mot.[1363]

— Et quel est ce M. Valenod ? dit Mathilde inquiète.

— Si vous le connaissiez, vous ne pourriez douter du succès. C'est un parleur audacieux, imprudent, grossier, fait pour mener des sots. 1814 l'a pris à la misère, et je vais en faire un préfet. Il est capable de battre les autres jurés s'ils ne veulent pas voter à sa guise.

Mathilde fut un peu rassurée.

Une autre discussion l'attendait dans la soirée. Pour ne pas prolonger une scène désagréable et dont à ses yeux le résultat était certain, Julien était résolu à ne pas prendre la parole.

— Mon avocat parlera, c'est bien assez, dit-il à Mathilde. Je ne serai que trop longtemps exposé en spectacle à tous mes ennemis. Ces provinciaux ont été choqués de la fortune rapide que je vous dois, et, croyez-m'en, il n'en est pas un qui ne désire ma condamnation, sauf à pleurer comme un sot quand on me mènera à la mort.

— Ils désirent vous voir humilié, il n'est que trop vrai, répondit Mathilde, mais je ne les crois point cruels. Ma présence à Besançon et le spectacle de ma douleur ont intéressé toutes les femmes; votre jolie figure fera le reste. Si vous dites un mot devant vos juges, tout l'auditoire est pour vous, etc., etc.

Le lendemain à neuf heures, quand Julien descendit de sa prison pour aller dans la grande salle du Palais de Justice, ce fut avec beaucoup de peine que les gendarmes parvinrent à écarter la foule immense entassée dans la cour. Julien avait bien dormi, il était fort calme, et n'éprouvait d'autre sentiment qu'une pitié philosophique pour cette foule d'envieux qui, sans cruauté, allaient applaudir à son arrêt de mort. Il fut bien surpris lorsque, retenu plus d'un quart d'heure au milieu de la foule, il fut obligé de reconnaître que sa présence inspirait au public une pitié tendre. Il n'entendit pas un seul propos désagréable. Ces provinciaux sont moins méchants que je ne le croyais, se dit-il.

En entrant dans la salle de jugement, il fut frappé de l'élégance de l'architecture. C'était un gothique propre,[1364] et une foule de jolies petites colonnes taillées dans la pierre avec le plus grand soin. Il se crut en Angleterre.[1365]

Mais bientôt toute son attention fut absorbée par douze ou quinze jolies femmes qui, placées vis-à-vis la sellette de l'accusé, remplissaient les trois balcons au-dessus des juges[1366] et des jurés. En se retournant vers le public, il vit que la tribune circulaire qui règne au-dessus de l'amphithéâtre était remplie de femmes: la plupart étaient jeunes et lui semblèrent fort jolies; leurs yeux étaient brillants et remplis d'intérêt. Dans le reste de la salle, la foule était énorme; on se battait aux portes, et les sentinelles ne pouvaient obtenir le silence.

Quand tous les yeux qui cherchaient Julien s'aperçurent de sa présence, en le voyant occuper la place un peu élevée réservée à l'accusé, il fut accueilli par un murmure d'étonnement et de tendre intérêt.

On eût dit ce jour-là qu'il n'avait pas vingt ans; il était mis fort simplement, mais avec une grâce parfaite; ses cheveux et son front étaient charmants; Mathilde avait voulu présider elle-même à sa toilette. La pâleur de Julien était extrême. A peine assis sur la sellette, il entendit dire de tous côtés: Dieu ! comme il est jeune !... Mais c'est un enfant ... Il est bien mieux que son portrait.

— Mon accusé, lui dit le gendarme assis à sa droite, voyez-vous ces six dames qui occupent ce balcon ? Le gendarme lui indiquait une petite tribune en saillie au-dessus de l'amphithéâtre où sont placés les jurés. C'est Mme la préfète,[1367] continua le gendarme, à côté, Mme la marquise de M***, celle-là vous aime bien; je l'ai entendue parler au juge d'instruction. Après c'est Mme Derville ...

— Mme Derville ! s'écria Julien, et une vive rougeur couvrit son front. Au sortir d'ici, pensa-t-il, elle va écrire à Mme de Rênal. Il ignorait l'arrivée de Mme de Rênal à Besançon.

Les témoins furent bien vite entendus. Dès les premiers mots de l'accusation soutenue par l'avocat général, deux de ces dames placées dans le petit balcon, tout à fait en face de Julien, fondirent en larmes. Mme Derville ne s'attendrit point ainsi, pensa Julien. Cependant il remarqua qu'elle était fort rouge.

L'avocat général faisait du pathos en mauvais français sur la barbarie du crime commis; Julien observa que les voisines de Mme Derville avaient l'air de le désapprouver vivement. Plusieurs jurés, apparemment de la connaissance de ces dames, leur parlaient et semblaient les rassurer. Voilà qui ne laisse pas d'être de bon augure, pensa Julien.

Jusque-là il s'était senti pénétré d'un mépris sans mélange pour tous les hommes qui assistaient au jugement. L'éloquence plate de l'avocat général augmenta ce sentiment de dégoût. Mais peu à peu la sécheresse d'âme de Julien disparut devant les marques d'intérêt dont il était évidemment l'objet.

Il fut content de la mine ferme de son avocat. Pas de phrases, lui dit-il tout bas comme il allait prendre la parole.

— Toute l'emphase [1368] pillée à Bossuet,[1369] qu'on a étalée contre vous, vous a servi, dit l'avocat. En effet, à peine avait-il parlé pendant cinq minutes, que presque toutes les femmes avaient leur mouchoir à la main. L'avocat, encouragé, adressa aux jurés des choses extrêmement fortes.[1370] Julien frémit, il se sentait sur le point de verser des larmes. Grand Dieu ! que diront mes ennemis ?

Il allait céder à l'attendrissement qui le gagnait, lorsque, heureusement pour lui, il surprit un regard insolent de M. le baron de Valenod.

Les yeux de ce cuistre sont flamboyants, se dit-il; quel triomphe pour cette âme basse ! Quand mon crime n'aurait amené que cette seule circonstance,[1371] je devrais le maudire. Dieu sait ce qu'il dira de moi à Mme de Rênal !

Cette idée effaça toutes les autres. Bientôt après, Julien fut rappelé à lui-même par les marques d'assentiment du public. L'avocat venait de terminer sa plaidoirie. Julien se souvint qu'il était convenable de lui serrer la main. Le temps avait passé rapidement.

On apporta des rafraîchissements à l'avocat et à l'accusé. Ce fut alors seulement que Julien fut frappé d'une circonstance: aucune femme n'avait quitté l'audience pour aller dîner.

— Ma foi, je meurs de faim, dit l'avocat, et vous?

— Moi de même, répondit Julien.

— Voyez, voilà Mme la préfète qui reçoit aussi son dîner, lui dit l'avocat en lui indiquant le petit balcon. Bon courage, tout va bien. La séance recommença.

Comme le président [1372] faisait son résumé, minuit sonna. Le président fut obligé de s'interrompre; au milieu du silence de l'anxiété universelle, le retentissement de la cloche de l'horloge remplissait la salle.

Voilà le dernier de mes jours qui commence, pensa Julien. Bientôt il se sentit enflammé par l'idée du devoir. Il avait dominé jusque-là son attendrissement, et gardé sa résolution de ne point parler; mais quand le président des assises lui demanda s'il avait quelque chose à ajouter, il se leva. Il voyait devant lui les yeux de Mme Derville qui, aux lumières, lui semblèrent bien brillants. Pleurerait-elle, par hasard? pensa-t-il.

« Messieurs les jurés,

« L'horreur du mépris, que je croyais pouvoir braver au moment de la mort, me fait prendre la parole. Messieurs, je n'ai point l'honneur d'appartenir à votre classe, vous voyez en moi un paysan qui s'est révolté contre la bassesse de sa fortune.

« Je ne vous demande aucune grâce, continua Julien en affermissant sa voix. Je ne me fais point illusion, la mort m'attend: elle sera juste. J'ai pu attenter aux jours de la femme la plus digne de tous les respects, de tous les hommages. Mme de Rênal avait été pour moi comme une mère.[1373] Mon crime est atroce, et il fut *prémédité*. J'ai donc mérité la mort, messieurs les jurés. Mais quand je serais moins coupable, je vois des hommes qui, sans s'arrêter à [1374] ce que ma jeunesse peut mériter de pitié, voudront punir en moi et décourager à jamais cette classe de jeunes gens qui, nés dans une classe inférieure et en quelque sorte opprimés par la pauvreté, ont le bonheur de se procurer une bonne éducation,[1375] et l'audace de se mêler à ce que l'orgueil des gens riches appelle la société.[1376]

« Voilà mon crime, messieurs, et il sera puni avec d'autant plus de sévérité, que, dans le fait, je ne suis point jugé par mes pairs. Je ne vois point sur les bancs des jurés quelque paysan enrichi, mais uniquement des bourgeois indignés ... »

Pendant vingt minutes, Julien parla sur ce ton; il dit tout ce qu'il avait sur le cœur; l'avocat général, qui aspirait aux faveurs de l'aristocratie, bondissait sur son siège;[1377] mais malgré le tour un peu abstrait[1378] que Julien avait donné à la discussion, toutes les femmes fondaient en larmes. Mme Derville elle-même avait son mouchoir sur ses yeux. Avant de finir, Julien revint à la préméditation, à son repentir, au respect, à l'adoration filiale et sans bornes que, dans les temps plus heureux, il avait pour Mme de Rênal ... Mme Derville jeta un cri et s'évanouit.

Une heure sonnait comme les jurés se retiraient dans leur chambre. Aucune femme n'avait abandonné sa place; plusieurs hommes avaient les larmes aux yeux. Les conversations furent d'abord très vives; mais peu à peu, la décision du jury se faisant attendre, la fatigue générale commença à jeter du calme dans l'assemblée. Ce moment était solennel; les lumières jetaient moins d'éclat. Julien, très fatigué, entendait discuter auprès de lui la question de savoir si ce retard était de bon ou de mauvais augure. Il vit avec plaisir que tous les vœux étaient pour lui; le jury ne revenait point,[1379] et cependant aucune femme ne quittait la salle.

Comme deux heures venaient de sonner, un grand mouvement se fit entendre. La petite porte de la chambre des jurés s'ouvrit. M. le baron de Valenod s'avança d'un pas grave et théâtral, il était suivi de tous les jurés. Il toussa, puis déclara qu'en[1380] son âme et conscience la déclaration unanime du jury était que Julien Sorel était coupable de meurtre, et de meurtre avec préméditation: cette déclaration entraînait la peine de mort; elle fut prononcée un instant après. Julien regarda sa montre, et se souvint de M. de Lavalette;[1381] il était deux heures et un quart. C'est aujourd'hui vendredi, pensa-t-il.

Oui, mais ce jour est heureux pour le Valenod, qui me condamne... Je suis trop surveillé pour que Mathilde puisse me sauver comme fit Mme de Lavalette... Ainsi, dans trois jours, à cette même heure, je saurai à quoi m'en tenir sur le *grand peut-être.*[1382]

En ce moment, il entendit un cri et fut rappelé aux choses de ce monde. Les femmes autour de lui sanglotaient; il vit que toutes les figures étaient tournées vers une petite tribune pratiquée dans le couronnement d'un pilastre gothique. Il sut plus tard que Mathilde s'y était cachée. Comme le cri ne se renouvela pas, tout le monde se remit à regarder Julien, auquel les gendarmes cherchaient à faire traverser la foule.

Tâchons de ne pas apprêter à rire[1383] à ce fripon de Valenod, pensa Julien. Avec quel air contrit et patelin il a prononcé la déclaration qui entraîne la peine de mort! tandis que ce pauvre président des assises, tout juge qu'il est[1384] depuis nombre d'années, avait la larme à l'œil en me condamnant. Quelle joie pour le Valenod de se venger de notre ancienne rivalité auprès de Mme de Rênal!... Je ne la verrai donc plus! C'en est fait...[1385] Un dernier adieu est impossible entre nous, je le sens... Que j'aurais été heureux de lui dire toute l'horreur que j'ai de mon crime!

Seulement ces paroles:[1386] Je me trouve justement condamné.

Chapitre 42.

En ramenant Julien en prison, on l'avait introduit dans une chambre destinée aux condamnés à mort. Lui qui, d'ordinaire, remarquait jusqu'aux plus petites circonstances, ne s'était point aperçu qu'on ne le faisait pas remonter à son donjon. Il songeait à ce qu'il dirait à Mme de Rênal, si, avant le dernier moment, il avait le bonheur de la voir. Il pensait qu'elle l'interromprait, et voulait du premier mot pouvoir lui peindre tout son repentir. Après une telle action, comment lui persuader que je l'aime uniquement ? Car enfin, j'ai voulu la tuer par ambition ou par amour pour Mathilde.

En se mettant au lit il trouva des draps d'une toile grossière. Ses yeux se dessillèrent. Ah ! je suis au cachot, se dit-il, comme condamné à mort. C'est juste.

Le comte Altamira me racontait que, la veille de sa mort, Danton disait avec sa grosse voix: C'est singulier, le verbe guillotiner ne peut pas se conjuguer dans tous ses temps; on peut bien dire: Je serai guillotiné, tu seras guillotiné, mais on ne dit pas: J'ai été guillotiné.

Pourquoi pas, reprit Julien, s'il y a une autre vie ?... Ma foi, si je trouve le Dieu des chrétiens, je suis perdu: c'est un despote, et, comme tel, il est rempli d'idées de vengeance; sa Bible ne parle que de punitions atroces. Je ne l'ai jamais aimé; je n'ai même jamais voulu croire qu'on l'aimât [1387] sincèrement. Il est sans pitié (et il se rappela plusieurs passages de la Bible). Il me punira d'une manière abominable...

Mais si je trouve le Dieu de Fénelon ! [1388] Il me dira peut-être: il te sera beaucoup pardonné, parce que tu as beaucoup aimé ...[1389]

Ai-je beaucoup aimé ? Ah ! j'ai aimé Mme de Rênal, mais ma conduite a été atroce. Là, comme ailleurs, le mérite simple et modeste a été abandonné pour ce qui est brillant ...

Mais aussi, quelle perspective !...[1390] Colonel de hussards, si nous avions la guerre; secrétaire de légation pendant la paix; ensuite ambassadeur... car bientôt j'aurais su les affaires...,[1391] et quand je n'aurais été qu'un sot, le gendre du marquis de La Mole a-t-il quelque rivalité à craindre? Toutes mes sottises eussent été pardonnées, ou plutôt comptées pour des mérites. Homme de mérite, et jouissant de la plus grande existence à Vienne ou à Londres...

— Pas précisément, Monsieur, guillotiné dans trois jours.

Julien rit de bon cœur de cette saillie de son esprit. En vérité, l'homme a deux êtres en lui, pensa-t-il. Qui diable songeait à cette réflexion maligne?[1392]

Eh bien! oui, mon ami, guillotiné dans trois jours, répondit-il à l'interrupteur. M. de Cholin louera une fenêtre, de compte à demi[1393] avec l'abbé Maslon. Eh bien, pour le prix de location[1394] de cette fenêtre, lequel de ces deux dignes personnages volera l'autre?

Ce passage du *Venceslas* de Rotrou lui revint tout à coup.

LADISLAS. ... Mon âme est toute prête.

LE ROI, *père de Ladislas*. L'échafaud l'est aussi; portez-y votre tête.[1395]

Belle réponse! pensa-t-il, et il s'endormit. Quelqu'un le réveilla le matin en le serrant fortement.

— Quoi, déjà! dit Julien en ouvrant un œil hagard. Il se croyait entre les mains du bourreau.

C'était Mathilde. Heureusement, elle ne m'a pas compris. Cette réflexion lui rendit tout son sang-froid. Il trouva Mathilde changée comme par six mois de maladie: réellement elle n'était pas reconnaissable.

— Cet infâme Frilair m'a trahie, lui disait-elle en se tordant les mains; la fureur l'empêchait de pleurer.

— N'étais-je pas beau hier quand j'ai pris la parole? répondit Julien. J'improvisais, et pour la première fois de ma vie![1396] Il est vrai qu'il est à craindre que ce ne soit aussi la dernière.

Dans ce moment, Julien jouait sur le caractère de Mathilde avec tout le sang-froid d'un pianiste habile qui touche un piano... L'avantage d'une naissance illustre me manque, il est vrai, ajouta-t-il, mais la grande âme de Mathilde a élevé son amant jusqu'à elle. Croyez-vous que Boniface de La Mole ait été mieux devant ses juges?

Mathilde, ce jour-là, était tendre sans affectation, comme une pauvre fille habitant un cinquième étage; mais elle ne put obtenir de lui des paroles plus simples. Il lui rendait, sans le savoir, le tourment qu'elle lui avait souvent infligé.

On ne connaît point les sources du Nil, se disait Julien; il n'a point été donné à l'œil de l'homme de voir le roi des fleuves dans l'état de simple ruisseau:[1397] ainsi aucun œil humain ne verra Julien faible, d'abord parce qu'il ne l'est pas. Mais j'ai le cœur facile à toucher; la parole la plus commune, si elle est dite avec un accent vrai,[1398] peut attendrir ma voix et même faire couler mes larmes. Que de fois les cœurs secs ne m'ont-il pas méprisé pour ce défaut! Ils croyaient que je demandais grâce: voilà ce qu'il ne faut pas souffrir.[1399]

On dit que le souvenir de sa femme émut Danton au pied de l'échafaud; mais Danton avait donné de la force à une nation de freluquets, et empêchait l'ennemi d'arriver à Paris ... Moi seul, je sais ce que j'aurais pu faire ... Pour les autres, je ne suis tout au plus qu'un PEUT-ÊTRE.

Si Mme de Rênal était ici, dans mon cachot, au lieu de Mathilde, aurais-je pu répondre de moi? L'excès de mon désespoir et de mon repentir eût passé aux yeux des Valenod et de tous les patriciens du pays pour l'ignoble peur de la mort; ils sont si fiers ces cœurs faibles, que leur position pécuniaire met au-dessus des tentations! Voyez ce que c'est, auraient dit MM. de Moirod et de Cholin, qui viennent de me condamner à mort, que de naître fils d'un charpentier! On peut devenir savant, adroit, mais le cœur!... le cœur ne s'apprend pas.[1400] Même avec cette pauvre Mathilde, qui pleure maintenant, ou plutôt qui ne peut plus pleurer, dit-il en regardant ses yeux rouges ...[1401] et il la serra dans ses bras: l'aspect d'une douleur vraie lui fit oublier son syllogisme ... Elle a pleuré toute la nuit peut-être, se dit-il; mais un jour, quelle honte ne lui fera pas ce souvenir! Elle se regardera comme ayant été égarée, dans sa première jeunesse, par les façons de penser basses d'un plébéien ... Le

Croisenois est assez faible pour l'épouser, et, ma foi, il fera bien. Elle lui fera jouer un rôle,

Du droit qu'un esprit ferme et vaste en ses desseins
A sur l'esprit grossier des vulgaires humains.[1402]

Ah çà ! voici qui est plaisant: depuis que je dois mourir tous les vers que j'ai jamais sus en ma vie me reviennent à la mémoire. Ce sera[1403] un signe de décadence ...

Mathilde lui répétait d'une voix éteinte: Il est là dans la pièce voisine. Enfin il fit attention à ces paroles. Sa voix est faible, pensa-t-il, mais tout ce caractère impérieux est encore dans son accent. Elle baisse la voix pour ne pas se fâcher.

— Et qui est là ? lui dit-il d'un air doux.

— L'avocat, pour vous faire signer votre appel.

— Je n'appellerai pas.

— Comment ! vous n'appellerez pas, dit-elle en se levant et les yeux étincelants de colère, et pourquoi, s'il vous plaît?

— Parce que, en ce moment, je me sens le courage de mourir sans trop faire rire à mes dépens. Et qui me dit que dans deux mois, après un long séjour dans ce cachot humide, je serai aussi bien disposé? Je prévois des entrevues avec des prêtres, avec mon père ... Rien au monde ne peut m'être aussi désagréable. Mourons.

Cette contrariété imprévue réveilla toute la partie altière du caractère de Mathilde. Elle n'avait pu voir l'abbé de Frilair avant l'heure où l'on ouvre les cachots de la prison de Besançon; sa fureur retomba sur Julien.[1404] Elle l'adorait, et, pendant un grand quart d'heure, il retrouva dans ses imprécations contre son caractère, de lui Julien, dans ses regrets de l'avoir aimé, toute cette âme hautaine qui jadis l'avait accablé d'injures si poignantes, dans la bibliothèque de l'hôtel de La Mole.

— Le ciel devait à la gloire de ta race de te faire naître homme, lui dit-il.

Mais quant à moi, pensait-il, je serais bien dupe de vivre encore deux mois dans ce séjour dégoûtant, en butte à tout ce que la faction patricienne peut inventer d'infâme et d'humiliant,[1405] et ayant pour unique consolation les imprécations de cette folle... Eh bien, après-demain matin, je me bats en duel avec un homme connu par son sang-froid et par une adresse remarquable...[1406] Fort remarquable, dit le parti méphistophélès;[1407] il ne manque jamais son coup.

Eh bien, soit, à la bonne heure (Mathilde continuait à être éloquente). Parbleu non, se dit-il, je n'appellerai pas.

Cette résolution prise, il tomba dans la rêverie... Le courrier en passant apportera le journal à six heures comme à l'ordinaire; à huit heures, après que M. de Rênal l'aura lu, Elisa, marchant sur la pointe du pied, viendra le déposer sur son lit. Plus tard elle s'éveillera: tout à coup, en lisant, elle sera troublée; sa jolie main tremblera; elle lira jusqu'à ces mots... *A dix heures et cinq minutes il avait cessé d'exister.*

Elle pleurera à chaudes larmes, je la connais; en vain j'ai voulu l'assassiner, tout sera oublié.[1408] Et la personne à qui j'ai voulu ôter la vie sera la seule qui sincèrement pleurera ma mort.

Ah! ceci est une antithèse! pensa-t-il, et, pendant un grand quart d'heure que dura encore la scène que lui faisait Mathilde, il ne songea qu'à Mme de Rênal. Malgré lui, et quoique répondant souvent à ce que Mathilde lui disait, il ne pouvait détacher son âme du souvenir de la chambre à coucher de Verrières. Il voyait la gazette de Besançon sur la courte-pointe de taffetas orange. Il voyait cette main si blanche qui la serrait d'un mouvement convulsif; il voyait Mme. de Rênal pleurer... Il suivait la route de chaque larme sur cette figure charmante.

Mlle. de La Mole, ne pouvant rien obtenir de Julien, fit entrer l'avocat. C'était heureusement un ancien capitaine de l'armée d'Italie, de 1796, où il avait été camarade de Manuel.[1409]

Pour la forme, il combattit la résolution du condamné. Julien, voulant le traiter avec estime, lui déduisit toutes ses raisons.

Ma foi, on peut penser comme vous, finit par lui dire M. Félix Vaneau; c'était le nom de l'avocat. Mais vous avez trois jours pleins pour appeler, et il est de mon devoir de revenir tous les jours. Si un volcan s'ouvrait sous la prison, d'ici à deux mois, vous seriez sauvé.[1410] Vous pouvez mourir de maladie,[1411] dit-il en regardant Julien.

Julien lui serra la main. — Je vous remercie, vous êtes un brave[1411a] homme. A ceci je songerai.

Et lorsque Mathilde sortit enfin avec l'avocat, il se sentait beaucoup plus d'amitié pour l'avocat que pour elle.

Chapitre 43.

Une heure après, comme il dormait profondément, il fut éveillé par des larmes qu'il sentait couler sur sa main. Ah ! c'est encore Mathilde, pensa-t-il à demi éveillé. Elle vient, fidèle à la théorie, attaquer ma résolution par les sentiments tendres. Ennuyé de la perspective de cette nouvelle scène dans le genre pathétique, il n'ouvrit pas les yeux. Les vers de Belphégor [1412] fuyant sa femme lui revinrent à la pensée.

Il entendit un soupir singulier; il ouvrit les yeux, c'était Mme de Rênal.

— Ah ! je te revois avant que de mourir, est-ce une illusion ? s'écria-t-il en se jetant à ses pieds.

Mais pardon, Madame, je ne suis qu'un assassin à vos yeux, dit-il à l'instant, en revenant à lui.

— Monsieur ... je viens vous conjurer d'appeler, je sais que vous ne le voulez pas ... Ses sanglots l'étouffaient; elle ne pouvait parler.

— Daignez me pardonner.

— Si tu veux que je te pardonne, lui dit-elle en se levant et se jetant dans ses bras, appelle tout de suite de ta sentence de mort.

Julien la couvrait de baisers.

— Viendras-tu me voir tous les jours pendant ces deux mois ?

— Je te le jure. Tous les jours, à moins que mon mari ne me le défende.

— Je signe ! s'écria Julien. Quoi ! tu me pardonnes ! Est-il possible !

Il la serrait dans ses bras; il était fou. Elle jeta un petit cri.

— Ce n'est rien, lui dit-elle, tu m'as fait mal.

— A ton épaule, s'écria Julien fondant en larmes. Il s'éloigna un peu, et couvrit sa main de baisers de flamme. Qui me l'eût dit [1413] la dernière fois que je te vis, dans ta chambre, à Verrières ?

— Qui m'eût dit alors que j'écrirais à M. de La Mole cette lettre infâme ?

— Sache que je t'ai toujours aimée, que je n'ai aimé que toi.[1414]

— Est-il bien possible ! s'écria Mme de Rênal, ravie à son tour. Elle s'appuya sur Julien, qui était à ses genoux, et longtemps ils pleurèrent en silence.

A aucune époque de sa vie, Julien n'avait trouvé un moment pareil.

Bien longtemps après, quand on put parler:

— Et cette jeune Mme Michelet, dit Mme de Rênal, ou plutôt cette Mlle de La Mole; car je commence en vérité à croire cet étrange roman !

— Il n'est vrai qu'en apparence, répondit Julien. C'est ma femme, mais ce n'est pas ma maîtresse.[1415]

En s'interrompant cent fois l'un l'autre, ils parvinrent à grand'peine à se raconter ce qu'ils ignoraient. La lettre écrite à M. de La Mole avait été faite par le jeune prêtre qui dirigeait la conscience de Mme de Rênal, et ensuite copiée par elle.

— Quelle horreur m'a fait commettre la religion ![1416] lui disait-elle; et encore j'ai adouci les passages les plus affreux de cette lettre...

Les transports et le bonheur de Julien lui prouvaient combien il lui pardonnait. Jamais il n'avait été aussi fou d'amour.

— Je me crois pourtant pieuse, lui disait Mme de Rênal dans la suite de la conversation. Je crois sincèrement en Dieu; je crois également, et même cela m'est prouvé,[1417] que le crime que je commets est affreux,[1418] et dès que je te vois, même après que tu m'as tiré deux coups de pistolet... Et ici, malgré elle, Julien la couvrit de baisers.

— Laisse-moi, continua-t-elle, je veux raisonner avec toi, de peur de l'oublier... Dès que je te vois, tous les devoirs disparaissent, je ne suis plus qu'amour pour toi, ou plutôt le mot amour est trop faible. Je sens pour toi ce que je devrais sentir uniquement pour Dieu: un mélange de respect, d'amour, d'obéissance... En vérité, je ne sais pas ce que tu m'inspires. Tu me dirais de donner un coup de couteau au geôlier, que le crime serait commis avant que j'y eusse songé. Explique-moi cela bien nettement avant que je te quitte, je veux voir clair dans mon cœur; car dans deux mois nous nous quittons ... A propos, nous quitterons-nous ? lui dit-elle en souriant.

— Je retire ma parole, s'écria Julien en se levant; je n'appelle pas de la sentence de mort, si par poison, couteau, pistolet, charbon [1419] ou de toute autre manière quelconque, tu cherches à mettre fin ou obstacle [1420] à ta vie.

La physionomie de Mme de Rênal changea tout à coup; la plus vive tendresse fit place à [1421] une rêverie profonde.

— Si nous mourions [1422] tout de suite ? lui dit-elle enfin.

— Qui sait ce que l'on trouve dans l'autre vie ? répondit Julien; peut-être des tourments, peut-être rien du tout. Ne pouvons-nous pas passer deux mois ensemble d'une manière délicieuse ? Deux mois, c'est bien des jours. Jamais je n'aurai été aussi heureux !

— Jamais, tu n'auras été aussi heureux !

— Jamais, répéta Julien ravi, et je te parle comme je me parle à moi-même. Dieu me préserve d'exagérer.

— C'est me commander que de parler ainsi, dit-elle avec un sourire timide et mélancolique.

— Eh bien ! tu jures, sur l'amour que tu as pour moi, de n'attenter à ta vie par aucun moyen direct, ni indirect ... songe, ajouta-t-il, qu'il faut que tu vives pour mon fils, que Mathilde abandonnera à des laquais dès qu'elle sera marquise de Croisenois.

— Je jure, reprit-elle froidement, mais je veux emporter ton appel écrit et signé de ta main. J'irai moi-même chez M. le procureur général.

— Prends garde, tu te compromets.

— Après la démarche d'être venue te voir dans ta prison, je suis à jamais, pour Besançon et toute la Franche-Comté, une héroïne d'anecdotes,[1423] dit-elle d'un air profondément affligé. Les bornes de l'austère pudeur sont franchies ... Je suis une femme perdue d'honneur; il est vrai que c'est pour toi ...

Son accent était si triste, que Julien l'embrassa avec un bonheur tout nouveau pour lui. Ce n'était plus l'ivresse de l'amour, c'était reconnaissance extrême. Il venait d'apercevoir, pour la première fois, toute l'étendue du sacrifice qu'elle lui avait fait.

Quelque âme charitable informa, sans doute, M. de Rênal des longues visites que sa femme faisait à la prison de Julien; car, au bout de trois jours il lui envoya sa voiture, avec l'ordre exprès de revenir sur-le-champ à Verrières.

Cette séparation cruelle avait mal commencé la journée pour Julien. On l'avertit, deux ou trois heures après, qu'un certain prêtre intrigant et qui pourtant n'avait pu se pousser[1424] parmi les Jésuites de Besançon, s'était établi depuis le matin en dehors de la porte de la prison, dans la rue. Il pleuvait beaucoup, et là cet homme prétendait[1425] jouer le martyr. Julien était mal disposé, cette sottise le toucha[1426] profondément.

Le matin il avait déjà refusé la visite de ce prêtre, mais cet homme s'était mis en tête de confesser Julien et de se faire un nom parmi les jeunes femmes de Besançon, par toutes les confidences qu'il prétendrait[1427] en avoir reçues.

Il déclarait à haute voix qu'il allait passer la journée et la nuit à la porte de la prison; — Dieu m'envoie pour toucher le cœur de cet autre apostat...[1428] Et le bas peuple, toujours curieux d'une scène, commençait à s'attrouper.

— Oui, mes frères, leur disait-il, je passerai ici la journée, la nuit, ainsi que toutes les journées, et toutes les nuits qui suivront. Le Saint-Esprit[1428a] m'a parlé, j'ai une mission d'en haut; c'est moi qui dois sauver l'âme du jeune Sorel. Unissez-vous à mes prières, etc., etc.

Julien avait horreur du scandale et de tout ce qui pouvait attirer l'attention sur lui. Il songea à saisir le moment pour s'échapper du monde incognito;[1429] mais il avait quelque espoir de revoir Mme de Rênal, et il était éperdument amoureux.

La porte de la prison était située dans l'une des rues les plus fréquentées. L'idée de ce prêtre crotté, faisant foule et scandale, torturait son âme. — Et, sans nul doute, à chaque instant, il répète mon nom ! Ce moment fut plus pénible que la mort.

Il appela deux ou trois fois, à une heure d'intervalle, un porte-clefs qui lui était dévoué, pour l'envoyer voir si le prêtre était encore à la porte de la prison.

— Monsieur, il est à deux genoux dans la boue, lui disait toujours le porte-clefs; il prie à haute voix et dit les litanies pour votre âme... L'impertinent! pensa Julien. En ce moment, en effet, il entendit un bourdonnement sourd, c'était le peuple répondant aux litanies. Pour comble d'impatience,[1430] il vit le porte-clefs lui-même agiter ses lèvres en répétant les mots latins. — On commence à dire, ajouta le porte-clefs, qu'il faut que vous ayez le cœur bien endurci pour refuser le secours de ce saint homme.

— O ma patrie! que tu es encore barbare! s'écria Julien ivre de colère. Et il continua son raisonnement tout haut et sans songer à la présence du porte-clefs.

Cet homme veut un article dans le journal, et le voilà sûr de l'obtenir.

Ah! maudits provinciaux! à Paris, je ne serais pas soumis à toutes ces vexations. On y est plus savant en charlatanisme.

— Faites entrer ce saint prêtre, dit-il enfin au porte-clefs, et la sueur coulait à grands flots sur son front. Le porte-clefs fit le signe de la croix et sortit tout joyeux.

Ce saint prêtre se trouva[1431] horriblement laid, il était encore plus crotté.[1432] La pluie froide qu'il faisait augmentait l'obscurité et l'humidité du cachot. Le prêtre voulut embrasser Julien, et se mit à s'attendrir en lui parlant. La plus basse hypocrisie était trop évidente; de sa vie Julien n'avait été aussi en colère.

Un quart d'heure après l'entrée du prêtre, Julien se trouva tout à fait un lâche. Pour la première fois la mort lui parut horrible.[1433] Il pensait à l'état de putréfaction où serait son corps deux jours après l'exécution, etc., etc.

Il allait se trahir par quelque signe de faiblesse ou se jeter sur le prêtre et l'étrangler avec sa chaîne, lorsqu'il eut l'idée de prier le saint homme d'aller dire pour lui une bonne messe de quarante francs, ce jour-là même.

Or, il était près de midi,[1434] le prêtre décampa.

Chapitre 44.

Dès qu'il fut sorti, Julien pleura beaucoup, et pleura de mourir. Peu à peu il se dit que, si Mme de Rênal eût été à Besançon, il lui eût avoué sa faiblesse...

Au moment où il regrettait le plus l'absence de cette femme adorée, il entendit le pas de Mathilde.

Le pire des malheurs en prison, pensa-t-il, c'est de ne pouvoir fermer sa porte. Tout ce que Mathilde lui dit ne fit que l'irriter.

Elle lui raconta que, le jour du jugement, M. de Valenod ayant en poche sa nomination de préfet, il avait osé se moquer de M. de Frilair et se donner le plaisir de le condamner à mort.

« Quelle idée a eue votre ami, vient de me dire M. de Frilair, d'aller réveiller et attaquer la petite vanité de cette *aristocratie bourgeoise !* Pourquoi parler de *caste ?* Il leur a indiqué ce qu'ils devaient faire dans leur intérêt politique: ces nigauds n'y songeaient pas et étaient prêts à pleurer. Cet intérêt de caste est venu masquer à leurs yeux l'horreur de condamner à mort. Il faut avouer que M. Sorel est bien neuf aux affaires. Si nous ne parvenons à le sauver par le recours en grâce, sa mort sera une sorte de *suicide* ...[1435] »

Mathilde n'eut garde de dire à Julien ce dont elle ne se doutait pas encore: c'est que l'abbé de Frilair, voyant Julien perdu, croyait utile à son ambition d'aspirer à devenir son successeur.[1436]

Presque hors de lui, à force de colère impuissante et de contrariété: — Allez écouter une messe pour moi, dit-il à Mathilde, et laissez-moi un instant de paix. Mathilde, déjà fort jalouse des visites de Mme de Rênal, et qui venait d'apprendre son départ, comprit la cause de l'humeur de Julien et fondit en larmes.

Sa douleur était réelle, Julien le voyait et n'en était que plus irrité. Il avait un besoin impérieux de solitude, et comment se la procurer?

Enfin, Mathilde, après avoir essayé de tous les raisonnements pour l'attendrir, le laissa seul, mais presque au même instant Fouqué parut.

— J'ai besoin d'être seul, dit-il à cet ami fidèle ... Et comme il le vit hésiter: Je compose un mémoire pour mon recours en grâce ... du reste ... fais-moi un plaisir, ne me parle jamais de la mort. Si j'ai besoin de quelques services particuliers ce jour-là,[1437] laisse-moi t'en parler le premier.

Quand Julien se fut enfin procuré la solitude, il se trouva plus accablé et plus lâche qu'auparavant. Le peu de forces qui restait à cette âme affaiblie, avait été épuisé à déguiser son état à Mlle de La Mole et à Fouqué.

Vers le soir, une idée le consola:

Si ce matin, dans le moment où la mort me paraissait si laide, on m'eût averti pour l'exécution, l'*œil du public eût été aiguillon de gloire;*[1438] peut-être ma démarche eût-elle eu quelque chose d'empesé, comme celle d'un fat timide qui entre dans un salon. Quelques gens clairvoyants, s'il en est parmi ces provinciaux, eussent pu deviner ma faiblesse ... mais personne *ne l'eût vue.*

Et il se sentit délivré d'une partie de son malheur. Je suis un lâche en ce moment, se répétait-il en chantant, mais personne ne le saura.

Un événement presque plus désagréable encore l'attendait pour le lendemain. Depuis longtemps, son père annonçait sa visite; ce jour-là, avant le réveil de Julien, le vieux charpentier en[1439] cheveux blancs parut dans son cachot.

Julien se sentit faible, il s'attendait aux reproches les plus désagréables. Pour achever de compléter[1440] sa pénible sensation, ce matin-là il éprouvait vivement le remords de ne pas aimer son père.

Le hasard nous a placés l'un près de l'autre sur la terre, se disait-il pendant que le porte-clefs arrangeait un peu le cachot, et nous nous[1441] sommes fait à peu près tout le mal possible. Il vient au moment de ma mort me donner le dernier coup.

Les reproches sévères du vieillard commencèrent dès qu'ils furent sans témoin.

Julien ne put retenir ses larmes. Quelle indigne faiblesse ! se dit-il avec rage. Il ira partout exagérer mon manque de courage; quel triomphe pour les Valenod et pour tous les plats hypocrites qui règnent à Verrières ! Ils sont bien grands en France, ils réunissent tous les avantages sociaux. Jusqu'ici je pouvais au moins me dire: Ils reçoivent de l'argent, il est vrai, tous les honneurs s'accumulent sur eux, mais moi j'ai la noblesse du cœur.

Et voilà un témoin que tous croiront, et qui certifiera à tout Verrières, et en l'exagérant, que j'ai été faible devant la mort ! J'aurai été un lâche dans cette épreuve que tous comprennent ! [1442]

Julien était près du désespoir. Il ne savait comment renvoyer son père. Et feindre de manière à tromper ce vieillard si clairvoyant se trouvait en ce moment tout à fait au-dessus de ses forces.

Son esprit parcourait rapidement tous les possibles.

— *J'ai fait des économies !* s'écria-t-il tout à coup.

Ce mot de génie changea la physionomie du vieillard et la position de Julien.

— Comment dois-je en disposer ? continua Julien plus tranquille: l'effet produit lui avait ôté tout sentiment d'infériorité.

Le vieux charpentier brûlait du désir de ne pas laisser échapper cet argent, dont il semblait que Julien voulait laisser une partie à ses frères. Il parla longtemps et avec feu. Julien put être goguenard.

— Eh bien ! le Seigneur m'a inspiré pour mon testament. Je donnerai mille francs à chacun de mes frères et le reste à vous.

— Fort bien, dit le vieillard, ce reste m'est dû; mais puisque Dieu vous a fait la grâce de toucher votre cœur, si vous voulez mourir en bon chrétien, il convient de payer vos dettes. Il y a encore les frais de votre nourriture et de votre éducation que j'ai avancés, et auxquels vous ne songez pas ...

Voilà donc l'amour de père ! se répétait Julien l'âme navrée, lorsqu'enfin il fut seul. Bientôt parut le geôlier.

— Monsieur, après la visite des grands parents, j'apporte toujours à mes hôtes une bouteille de bon vin de Champagne. Cela est un peu cher, six francs la bouteille, mais cela réjouit le cœur.

— Apportez trois verres, lui dit Julien avec un empressement d'enfant, et faites entrer deux des prisonniers que j'entends se promener dans le corridor.

Le geôlier lui amena deux galériens tombés en récidive et qui se préparaient à retourner au bagne. C'étaient des scélérats fort gais et réellement très remarquables par la finesse, le courage et le sang-froid.

— Si vous me donnez vingt francs, dit l'un d'eux à Julien, je vous conterai ma vie en détail. C'est du *chenu*.[1443]

— Mais vous allez me mentir ? dit Julien.

— Non pas, répondit-il; mon ami que voilà, et qui est jaloux de mes vingt francs, me dénoncera si je dis faux.

Son histoire était abominable.[1444] Elle montrait un cœur courageux, où il n'y avait plus qu'une passion, celle de l'argent.

Après leur départ, Julien n'était plus le même homme. Toute sa colère contre lui-même avait disparu. La douleur atroce, envenimée par la pusillanimité, à laquelle il était en proie depuis le départ de Mme de Rênal, s'était tournée en mélancolie.

A mesure que j'aurais été moins dupe des apparences, se disait-il, j'aurais vu que les salons de Paris sont peuplés d'honnêtes gens[1444a] tels que mon père, ou de coquins habiles tels que ces galériens. Ils ont raison,[1445] jamais les hommes de salon ne se lèvent le matin avec cette pensée poignante: Comment dînerai-je ? Et ils[1446] vantent leur probité ! et, appelés au jury, ils condamnent fièrement l'homme qui a volé un couvert[1447] d'argent parce qu'il se sentait défaillir de faim.

Mais y a-t-il une cour,[1448] s'agit-il de perdre ou de gagner un portefeuille,[1449] mes honnêtes gens de salon tombent dans des crimes exactement pareils à ceux que la nécessité de dîner a inspirés à ces deux galériens ...

Il n'y a point de *droit naturel*:[1450] ce mot n'est qu'une antique niaiserie bien digne de l'avocat général qui m'a donné chasse l'autre jour, et dont l'aïeul fut enrichi par une confiscation de Louis XIV.[1451] Il n'y a de *droit* que lorsqu'il y a une loi pour défendre de faire telle chose, sous peine de punition.[1452] Avant la loi, il n'y a de *naturel* que la force du lion, ou le besoin de l'être qui a faim, qui a froid, le *besoin* en un mot... non, les gens qu'on honore ne sont que des fripons qui ont eu le bonheur de n'être pas pris en flagrant délit.[1453] L'accusateur[1454] que la société lance après moi a été enrichi par une infamie... J'ai commis un assassinat, et je suis justement condamné, mais, à cette seule action près, le Valenod qui m'a condamné est cent fois plus nuisible à la société.

Eh bien! ajouta Julien tristement, mais sans colère, malgré son avarice, mon père vaut mieux que tous ces hommes-là. Il ne m'a jamais aimé. Je viens combler la mesure[1455] en le déshonorant par une mort infâme. Cette crainte de manquer d'argent, cette vue exagérée de la méchanceté des hommes qu'on appelle *avarice*, lui fait voir un prodigieux motif de consolation et de sécurité dans une somme de trois ou quatre cents louis que je puis lui laisser. Un dimanche après dîner, il montrera son or à tous ses envieux de Verrières. A ce prix, leur dira son regard, lequel d'entre vous ne serait pas charmé d'avoir un fils guillotiné?

Cette philosophie pouvait être vraie, mais elle était de nature à faire désirer la mort. Ainsi se passèrent cinq longues journées. Il était poli et doux envers Mathilde, qu'il voyait exaspérée par la plus vive jalousie. Un soir Julien songeait sérieusement à se donner la mort. Son âme était énervée[1456] par le malheur profond où l'avait jeté le départ de Mme de Rênal. Rien ne lui plaisat plus, ni dans la vie réelle, ni dans l'imagination. Le défaut d'exercice commençait à altérer sa santé et à lui donner le caractère exalté et faible d'un jeune étudiant allemand. Il perdait cette mâle hauteur qui repousse par un énergique jurement certaines idées peu convenables, dont l'âme des malheureux est assaillie.[1457]

J'ai aimé la vérité... Où est-elle?... Partout hypocrisie, ou du moins charlatanisme, même chez les plus vertueux, même chez les plus grands; et ses lèvres prirent l'expression du dégoût... Non, l'homme ne peut pas se fier à l'homme.[1458]

Mme de*** faisant une quête pour ses pauvres orphelins, me disait que tel prince venait de donner dix louis; mensonge.[1459] Mais que dis-je? Napoléon à Sainte-Hélène!... Pur charlatanisme, proclamation en faveur du roi de Rome.[1460]

Grand Dieu! si un tel homme, et encore quand le malheur doit le rappeler sévèrement au devoir,[1461] s'abaisse jusqu'au charlatanisme, à quoi s'attendre du reste de l'espèce ?...

Où est la vérité ? Dans la religion ... Oui, ajouta-t-il avec le sourire amer du plus extrême mépris, dans la bouche des Maslon, des Frilair, des Castanède ... Peut-être dans le vrai christianisme, dont les prêtres ne seraient pas plus payés que les apôtres ne l'ont été ?... Mais saint Paul fut payé par le plaisir de commander, de parler, de faire parler de soi ...

Ah ! s'il y avait une vraie religion ... Sot que je suis ! je vois une cathédrale gothique, des vitraux vénérables; mon cœur faible se figure le prêtre de ces vitraux ...[1462] Mon âme le comprendrait, mon âme en a besoin ... Je ne trouve qu'un fat avec des cheveux sales ... aux agréments près,[1463] un chevalier de Beauvoisis.

Mais un vrai prêtre, un Massillon, un Fénelon ... Massillon a sacré Dubois.[1464] Les *Mémoires de Saint-Simon* m'ont gâté Fénelon;[1465] mais enfin un vrai prêtre ... Alors les âmes tendres auraient un point de réunion dans le monde ... Nous ne serions pas isolés ... Ce bon prêtre nous parlerait de Dieu. Mais quel Dieu ? Non celui de la Bible, petit despote cruel et plein de la soif de se venger ... mais le Dieu de Voltaire,[1466] juste, bon, infini ...

Il fut agité par tous les souvenirs de cette Bible qu'il savait par cœur ... Mais comment, dès qu'on sera *trois ensemble,*[1467] croire à ce grand nom de DIEU, après l'abus effroyable qu'en font nos prêtres ?

Vivre isolé !...[1468] Quel tourment !...

Je deviens fou et injuste, se dit Julien en se frappant le front. Je suis isolé ici dans ce cachot; mais je n'ai pas *vécu isolé* sur la terre; j'avais la puissante idée du *devoir.*[1469] Le devoir que je m'étais prescrit, à tort ou à raison ... a été comme le tronc d'un arbre solide auquel je m'appuyais pendant l'orage;[1470] je vacillais, j'étais agité. Après tout je n'étais qu'un homme ... Mais je n'étais pas emporté.[1471]

C'est l'air humide de ce cachot qui me fait penser à l'isolement ...

Et pourquoi être encore hypocrite en maudissant l'hypocrisie ? Ce n'est ni la mort, ni le cachot, ni l'air humide, c'est l'absence de Mme de Rênal qui m'accable. Si, à Verrières, pour la voir, j'étais obligé de vivre des semaines entières, caché dans les caves[1472] de sa maison, est-ce que je me plaindrais ?

L'influence de mes contemporains l'emporte, dit-il tout haut et avec un rire amer. Parlant seul avec moi-même, à deux pas de la mort, je suis encore hypocrite ... O dix-neuvième siècle !

... Un chasseur tire un coup de fusil dans une forêt, sa proie tombe, il s'élance pour la saisir. Sa chaussure heurte une fourmilière haute de deux pieds, détruit l'habitation des fourmis, sème au loin[1473] les fourmis, leurs œufs ... Les plus philosophes parmi les fourmis ne pourront jamais comprendre ce corps noir, immense, effroyable: la botte du chasseur, qui tout à coup a pénétré dans leur demeure avec une incroyable rapidité, et précédée d'un bruit épouvantable, accompagné de gerbes d'un feu rougeâtre ...[1474]

... Ainsi la mort, la vie, l'éternité, choses fort simples pour qui aurait les organes assez vastes pour les concevoir ...[1475]

Une mouche éphémère[1476] naît à neuf heures du matin dans les grands jours d'été, pour mourir à cinq heures du soir; comment comprendrait-elle le mot *nuit ?*

Donnez-lui cinq heures d'existence de plus, elle voit et comprend ce que c'est que la nuit.

Ainsi moi, je mourrai à 23 ans. Donnez-moi cinq années de vie de plus, pour vivre avec Mme de Rênal.

Et il se mit à rire comme Méphistophélès.[1477] Quelle folie de discuter ces grands problèmes !

1° Je suis hypocrite comme s'il y avait là quelqu'un pour m'écouter.

2° J'oublie de vivre et d'aimer, quand il me reste si peu de jours à vivre ... Hélas ! Mme de Rênal est absente; peut-être son mari ne la laissera plus revenir à Besançon, et continuer à se déshonorer.

Voilà ce qui m'isole,[1478] et non l'absence d'un Dieu juste, bon, tout-puissant, point méchant, point avide de vengeance.

Ah ! s'il existait ... Hélas ! je tomberais à ses pieds. J'ai mérité la mort, lui dirais-je; mais, grand Dieu, Dieu bon, Dieu indulgent, rends-moi celle que j'aime !

La nuit était alors fort avancée. Après une heure ou deux d'un sommeil paisible, arriva Fouqué.

Julien se sentait fort et résolu comme l'homme qui voit clair dans son âme.

Chapitre 45.

Je ne veux pas jouer à ce pauvre abbé Chas-Bernard le mauvais tour de le faire appeler, dit-il à Fouqué; il n'en dînerait pas de trois jours.[1479] Mais tâche de me trouver un janséniste, ami de M. Pirard et inaccessible à l'intrigue.

Fouqué attendait cette ouverture avec impatience. Julien s'acquitta avec décence de tout ce qu'on doit à l'opinion, en province. Grâce à M. l'abbé de Frilair, et malgré le mauvais choix de son confesseur,[1480] Julien était dans son cachot le protégé de la congrégation; avec plus d'esprit de conduite,[1481] il eût pu s'échapper. Mais le mauvais air du cachot produisant son effet, sa raison diminuait. Il n'en fut que plus heureux au retour de Mme de Rênal.

— Mon premier devoir est envers toi, lui dit-elle en l'embrassant; je me suis sauvée de Verrières...

Julien n'avait point de petit amour-propre à son égard, il lui raconta toutes ses faiblesses. Elle fut bonne et charmante pour lui.

Le soir, à peine sortie de sa[1482] prison, elle fit venir chez sa tante le prêtre qui s'était attaché à Julien comme à une proie;[1483] comme il ne voulait que se mettre en crédit auprès des jeunes femmes appartenant à la haute société de Besançon, Mme de Rênal l'engagea facilement à aller faire une neuvaine à l'abbaye de Bray-le-Haut.

Aucune parole ne put rendre l'excès et la folie de l'amour de Julien.

A force d'or, et en usant et abusant du crédit de sa tante, dévote célèbre et riche, Mme de Rênal obtint de le voir deux fois par jour.

A cette nouvelle, la jalousie de Mathilde s'exalta jusqu'à l'égarement. M. de Frilair lui avait avoué que tout son crédit n'allait pas jusqu'à braver toutes les convenances au point de lui faire permettre de voir son ami plus d'une fois chaque jour. Mathilde fit suivre Mme de Rênal afin de connaître ses moindres démarches. M. de Frilair épuisait toutes les ressources d'un esprit fort adroit pour lui prouver que Julien était indigne d'elle.[1484]

Au milieu de tous ces tourments elle ne l'en aimait que plus, et presque chaque jour, lui faisait une scène horrible.

Julien voulait à toute force être honnête homme jusqu'à la fin envers cette pauvre jeune fille qu'il avait si étrangement compromise; mais, à chaque instant, l'amour effréné qu'il avait pour Mme de Rênal l'emportait. Quand par de mauvaises raisons,[1485] il ne pouvait venir à bout de persuader Mathilde de l'innocence des visites de sa rivale: désormais, la fin du drame[1486] doit être bien proche, se disait-il; c'est une excuse pour moi si je ne sais pas mieux dissimuler.

Mlle de La Mole apprit la mort du marquis de Croisenois. M. de Thaler, cet homme si riche, s'était permis des propos désagréables sur la disparition de Mathilde; M. de Croisenois alla le prier de les démentir: M. de Thaler lui montra des lettres anonymes à lui adressées, et remplies de détails rapprochés[1487] avec tant d'art qu'il fut impossible au pauvre marquis de ne pas entrevoir la vérité.

M. de Thaler se permit des plaisanteries dénuées de finesse.[1488] Ivre de colère et de malheur, M. de Croisenois exigea des réparations tellement fortes,[1489] que le millionnaire préféra un duel. La sottise[1490] triompha; et l'un des hommes de Paris les plus dignes d'être aimés, trouva la mort à moins de 24 ans.

Cette mort fit une impression étrange et maladive sur l'âme affaiblie de Julien.

— Le pauvre Croisenois, disait-il à Mathilde, a été réellement bien raisonnable et bien honnête homme envers nous; il eût dû me haïr lors de vos imprudences dans le salon de Mme votre mère, et me chercher querelle; car la haine qui succède au mépris[1491] est ordinairement furieuse ...

La mort de M. de Croisenois changea toutes les idées de Julien sur l'avenir de Mathilde; il employa plusieurs journées à lui prouver qu'elle devait accepter la main de M. de Luz. C'est un homme timide, point trop jésuite,[1492] lui disait-il, et qui, sans doute, va se mettre sur les rangs.[1493] D'une ambition plus sombre[1494] et plus suivie que le pauvre Croisenois, et sans duché dans sa famille, il ne fera aucune difficulté d'épouser la veuve de Julien Sorel.

— Et une veuve qui méprise les grandes passions,[1495] répliqua froidement Mathilde; car elle a assez vécu pour voir, après six mois, son amant lui préférer une autre femme, et une femme origine de tous leurs malheurs.

— Vous êtes injuste; les visites de Mme de Rênal fourniront des phrases singulières à l'avocat de Paris chargé de mon recours en grâce; il peindra le meurtrier honoré des soins de sa victime. Cela peut faire effet, et peut-être un jour vous me verrez le sujet de quelque mélodrame,[1496] etc., etc.

Une jalousie furieuse et impossible à venger, la continuité d'un malheur sans espoir (car, même en supposant Julien sauvé, comment regagner son cœur ?), la honte et la douleur d'aimer plus que jamais cet amant infidèle avaient jeté Mlle de La Mole dans un silence morne, et dont les soins empressés de M. de Frilair, pas plus que la rude franchise de Fouqué, ne pouvaient la faire sortir.

Pour Julien, excepté dans les moments usurpés par la présence de Mathilde, il vivait d'amour et sans presque songer à l'avenir. Par un étrange effet de cette passion, quand elle est extrême et sans feinte aucune, Mme de Rênal partageait presque son insouciance et sa douce gaieté.

— Autrefois, lui disait Julien, quand j'aurais pu être si heureux pendant nos promenades dans les bois de Vergy, une ambition fougueuse entraînait mon âme dans les pays imaginaires. Au lieu de serrer[1497] contre mon cœur ce bras charmant qui était si près de mes lèvres, l'avenir[1498] m'enlevait à toi; j'étais aux[1499] innombrables combats que j'aurais à soutenir[1500] pour bâtir une fortune colossale ... Non, je serais mort sans connaître le bonheur, si vous n'étiez venue me voir dans cette prison.

Deux événements vinrent troubler cette vie tranquille. Le confesseur de Julien, tout janséniste qu'il était, ne fut point à l'abri d'une intrigue de jésuites, et, à son insu, devint leur instrument.

Il vint lui dire un jour, qu'à moins de tomber dans l'affreux péché du suicide, il devait faire toutes les démarches possibles pour obtenir sa grâce. Or, le clergé ayant beaucoup d'influence au ministère de la justice à Paris, un moyen facile se présentait: il fallait se convertir[1501] avec éclat ...

— Avec éclat ![1502] répéta Julien. Ah ! je vous y prends vous aussi, mon père, jouant la comédie comme un missionnaire ...[1503]

— Votre âge, reprit gravement le janséniste, la figure intéressante que vous tenez de la Providence, le motif même de votre crime, qui reste inexplicable, les démarches héroïques que Mlle de La Mole prodigue en votre faveur, tout enfin, jusqu'à l'étonnante amitié que montre pour vous votre victime, tout a contribué à vous faire le héros des jeunes femmes de Besançon. Elles ont tout oublié pour vous, même la politique ...[1504]

Votre conversion retentirait dans leurs cœurs et y laisserait une impression profonde. Vous pouvez être d'une utilité majeure à la religion, et moi j'hésiterais par la frivole raison que les jésuites suivraient la même marche en pareille occasion ! Ainsi, même dans ce cas particulier qui échappe à leur rapacité, ils nuiraient encore ![1505] Qu'il n'en soit pas ainsi ... Les larmes que votre conversion fera répandre annuleront l'effet corrosif de dix éditions des œuvres impies de Voltaire.

— Et que me restera-t-il, répondit froidement Julien, si je me méprise moi-même ? J'ai été ambitieux, je ne veux point me blâmer; alors, j'ai agi suivant les convenances du temps.[1506] Maintenant, je vis au jour le jour. Mais à vue de pays,[1507] je me ferais fort malheureux, si je me livrais à quelque lâcheté ...

L'autre incident, qui fut bien autrement sensible[1508] à Julien, vint de Mme de Rênal. Je ne sais quelle amie intrigante était parvenue à persuader à cette âme naïve et si timide qu'il était de son devoir de partir pour Saint-Cloud, et d'aller se jeter aux genoux du roi Charles X.

Elle avait fait le sacrifice de se séparer de Julien et après un tel effort, le désagrément de se donner en spectacle, qui en d'autres temps lui eût semblé pire que la mort, n'était plus rien à ses yeux.

— J'irai au roi, j'avouerai hautement que tu es mon amant: la vie d'un homme et d'un homme tel que Julien doit l'emporter sur toutes les considérations. Je dirai que c'est par jalousie que tu as attenté à ma vie. Il y a de nombreux exemples de pauvres jeunes gens sauvés dans ce cas par l'humanité du jury, ou celle du roi...

— Je cesse de te voir, je te fais fermer ma prison, s'écria Julien, et bien certainement le lendemain je me tue de désespoir, si tu ne me jures de ne faire aucune démarche qui nous donne tous les deux en spectacle au public. Cette idée d'aller à Paris n'est pas de toi. Dis-moi le nom de l'intrigante qui te l'a suggérée...

Soyons heureux pendant le petit nombre de jours de cette courte vie. Cachons notre existence; mon crime n'est que trop évident. Mlle de La Mole a tout crédit à Paris, crois bien qu'elle fait ce qui est humainement possible. Ici en province, j'ai contre moi tous les gens riches et considérés. Ta démarche aigrirait encore ces gens riches et surtout modérés, pour qui la vie est chose si facile... N'apprêtons point à rire aux Maslon, aux Valenod et à mille gens qui valent mieux.[1509]

Le mauvais air du cachot devenait insupportable à Julien. Par bonheur, le jour où on lui annonça qu'il fallait mourir, un beau soleil réjouissait la nature, et Julien était en veine de courage. Marcher au grand air fut pour lui une sensation délicieuse, comme la promenade à terre pour le navigateur qui longtemps a été à la mer. Allons, tout va bien, se dit-il, je ne manque point de courage.

Jamais cette tête n'avait été aussi poétique qu'au moment où elle allait tomber. Les plus doux moments qu'il avait trouvés jadis dans les bois de Vergy revenaient en foule à sa pensée et avec une extrême énergie.

Tout se passa simplement, convenablement, et de sa part sans aucune affectation.

L'avant-veille, il avait dit à Fouqué:

— Pour de l'émotion, je ne puis en répondre; ce cachot si laid, si humide, me donne des moments de fièvre où je ne me reconnais pas; mais de la peur non, on ne me verra point pâlir.

Il avait pris ses arrangements d'avance pour que le matin du dernier jour, Fouqué enlevât Mathilde et Mme de Rênal.

— Emmène-les dans la même voiture, lui avait-il dit. Arrange-toi pour que les chevaux de poste ne quittent pas le galop. Elles tomberont dans les bras l'une de l'autre, ou se témoigneront une haine mortelle. Dans les deux cas, les pauvres femmes seront un peu distraites de leur affreuse douleur.

Julien avait exigé de Mme de Rênal le serment qu'elle vivrait pour donner des soins au fils de Mathilde.

— Qui sait? peut-être avons-nous encore des sensations après notre mort, disait-il un jour à Fouqué. J'aimerais assez à reposer, puisque reposer est le mot, dans cette petite grotte de la grande montagne qui domine Verrières. Plusieurs fois, je te l'ai conté, retiré la nuit dans cette grotte, et ma vue plongeant au loin sur les plus riches provinces de France, l'ambition a enflammé mon cœur: alors c'était ma passion... Enfin, cette grotte m'est chère et l'on ne peut disconvenir qu'elle ne soit située[1510] d'une façon à faire envie à l'âme d'un philosophe... Eh bien! ces bons congréganistes de Besançon font argent de tout; si tu sais t'y prendre, ils te vendront ma dépouille mortelle...

Fouqué réussit dans cette triste négociation. Il passait la nuit seul dans sa chambre, auprès du corps de son ami, lorsqu'à sa grande surprise, il vit entrer Mathilde. Peu d'heures auparavant il l'avait laissée à dix lieues de Besançon. Elle avait le regard et les yeux égarés.

— Je veux le voir, lui dit-elle.

Fouqué n'eut pas le courage de parler ni de se lever. Il lui montra du doigt un grand manteau bleu sur le plancher; là était enveloppé ce qui restait de Julien.

Elle se jeta à genoux. Le souvenir de Boniface de La Mole et de Marguerite de Navarre lui donna sans doute un courage surhumain. Ses mains tremblantes ouvrirent le manteau. Fouqué détourna les yeux.

Il entendit Mathilde marcher avec précipitation dans la chambre. Elle allumait plusieurs bougies. Lorsque Fouqué eut la force de la regarder, elle avait placé sur une petite table de marbre, devant elle, la tête de Julien, et la baisait au front...

Mathilde suivit son amant jusqu'au tombeau qu'il s'était choisi. Un grand nombre de prêtres escortaient la bière et, à l'insu de tous, seule dans sa voiture drapée,[1511] elle porta sur ses genoux la tête de l'homme qu'elle avait tant aimé.

Arrivés ainsi vers le point le plus élevé d'une des hautes

montagnes du Jura, au milieu de la nuit, dans cette petite grotte magnifiquement illuminée d'un nombre infini de cierges, vingt prêtres célébrèrent le service des morts. Tous les habitants des petits villages de montagne traversés par le convoi, l'avaient suivi, attirés par la singularité de cette étrange cérémonie.

Mathilde parut au milieu d'eux en longs vêtements de deuil, et, à la fin du service, leur fit jeter plusieurs milliers de pièces de cinq francs.

Restée seule avec Fouqué, elle voulut ensevelir de ses propres mains la tête de son amant. Fouqué faillit en devenir fou de douleur.

Par les soins de Mathilde, cette grotte sauvage fut ornée de marbres sculptés à grands frais en Italie.

Mme de Rênal fut fidèle à sa promesse. Elle ne chercha en aucune manière à attenter à sa vie; mais trois jours après Julien, elle mourut en embrassant ses enfants.

FIN

TO THE HAPPY FEW[1512]

L'inconvénient du règne de l'opinion, qui d'ailleurs procure *la liberté,* c'est qu'elle se mêle de ce dont elle n'a que faire; par exemple: la vie privée. De là, la tristesse de l'Amérique et de l'Angleterre. Pour éviter de toucher à la vie privée, l'auteur a inventé une petite ville, *Verrières,* et, quand il a eu besoin d'un évêque, d'un jury, d'une Cour d'Assises, il a placé tout cela à Besançon, où il n'est jamais allé.

Notes

Notes

1. *événements de juillet* Revolution of July, 1830, when the Bourbon Restoration was overthrown and Louis-Philippe, of the House of Orleans, ascended the throne. This note is a precautionary one, since the novel (as a number of allusions show and Stendhal has admitted elsewhere) was given final form, not in 1827, but 1829-30.

2. *Danton* (1759-94) revolutionary leader whom Stendhal greatly admires and mentions frequently in *Le Rouge et le Noir*. The first of many epigraphs that are hoaxes—quotations invented by the author—but which are usually such astonishing pastiches that their source was not questioned until scholars tried to run them down.

3. *Hobbes* (1588-1679) English philosopher, author of the *Leviathan*, whose theory of laughter influenced Stendhal's.

4. The province of Franche-Comté (cap. Besançon) was under Spanish (Hapsburg) domination until Louis XIV conquered it in 1674.

5. *Jura* a chain of mountains to the south of Besançon.

6. *toiles peintes* an industry established at Mulhouse, in Alsace, around the middle of the 18th century, whence it spread to other regions.

7. *suffisance* vanity.

8. Stendhal's description of the moral climate of Verrières reproduces his experiences and reactions as a youth in Grenoble, capital of the neighboring province of Dauphiné.

9. *prétend* claims.

10. Since the restoration of the monarchy after Napoleon's downfall, the emphasis was on birth; wealth acquired in industry was looked down upon. The Restoration government arbitrarily appointed its own candidates to many normally elective posts such as mayoralties.

10a. *encore* in addition.

11. *louis* a coin worth twenty francs.

12. Probably the 1824 elections, when the already restrictive election laws (only about 90,000 were enfranchised by the Constitution on the basis of their wealth) were further tightened, with the result that the election of a reactionary Chamber ensured the passage of additional repressive legislation and an extension of personal privileges for those in power.

13. *un jour fatal* a fatal revelation.

14. *eût pu* might have been able.

15. The author is consistently of this opinion. Despite his political liberalism, Stendhal was too much the aristocrat, the individualist, and the epicurean to stomach Puritan conformity or the rule of the majority. See nn. 323-325.

16. *Barnave* (1761-93) revolutionary orator, like Stendhal, a native of Grenoble.

17. *ultra* ultraconservative, a member of the party in power under the Restoration.

18. *dépôt de mendicité* poorhouse, an institution dating from Louis XIV. M. Valenod is the "fortunate director" because of the opportunity for graft.

19. *Saint-Germain-en-Laye* is situated to the northwest of Paris. Saint-Germain's renowned terrace offers a breathtaking view over the capital. The town is also the site of a 16th-century royal chateau mentioned later in the story.

20. *une croix de plus* another decoration. The frequent mentions of "la croix" refer specifically to the Legion of Honor, established in 1802 by Napoleon, but retained by the Restoration government.

21. French Romanticism preferred to the geometrical shapes of traditional French gardens the more natural English ones.

22. Since the Revolution, France is divided administratively into departments whose chief officer is a prefect appointed by the central government; the prefect's seat is called a prefecture, or *chef-lieu.* Each department is divided into *arrondissements,* or subprefectures, which are subdivided into cantons and, finally, communes administered by a mayor and town council. Thus, the ancient province of Franche-Comté yielded three departments, one of which, Doubs (the departments are named after the rivers flowing through them), has Besançon for its prefecture; the imaginary commune of Verrières is located in that department's *arrondissement* of Bray ("two leagues away"), whose subprefect is "M. Charcot de Maugiron." Actually, the real subprefecture is located at Pontarlier, mentioned later in the story; and a few kilometers away from Pontarlier, but in Switzerland, there exists a village called Les Verrières.

23. *libéraux* members of the opposition, usually anticlerical under the Restoration.

24. *vicaire* curate (cf. *curé,* vicar, or parish priest, but *grand vicaire,* vicar-general).

25. *Besançon* diocese headquarters.

26. *jacobin* member of the radical party stemming from the Revolution. Also a Bonapartist, the retired army surgeon, a veteran of Napoleon's Italian campaigns, was doubly suspect in the mayor's eyes.

27. Not absolute haughtiness, since a decorated chief surgeon, however subversive, is worthy of some consideration.

28. *n'en fassent grand cas* pleonastic *ne.*

29. The innkeepers are obliged to import stores, which are taxed at the town tollhouse.

30. *Château* of Saint-Cloud, main residence of the Court on the western edge of Paris.

31. *ménagements savants* devious approaches.

32. *M. Appert* was a prison welfare worker of the time, who visited Antoine Berthet in his cell and tried to win him a pardon.

33. Author's note: *Historique.* Like the introduction of a real person, Appert, this note is a device to establish the tale's veracity. The reader appreciates the hypocrisy of M. de Rênal's remark.

34. L'abbé *Fleury* (1640-1723) Louis XV's confessor and author of an *Histoire ecclésiastique,* is not to be confused with his better-known contemporary, Cardinal Fleury, Louis XV's chief minister. Stendhal's grandfather was wont to praise l'abbé Fleury's *Histoire.*

35. *homme de cœur* generous, warmhearted man. Stendhal also uses the expression in the sense of "stouthearted."

36. *du bon bien au soleil* good houses and lands.
37. *pays* region, locality.
38. *livres* francs.
39. *vivait fort bien avec* got along very well with.
40. The Italian form of Bonaparte's name was used by his adversaries to emphasize the "Corsican upstart's" foreign extraction (cf. Chateaubriand's 1814 pamphlet, *De Buonaparte et des Bourbons*). The Italian campaigns took place in 1796-97 and 1800.
41. *signé non pour l'empire* voted against the (establishment of) the empire in the 1804 plebiscite. He was one of the fewer than 3,000 against in comparison with 3,500,000 in favor. Like Stendhal, the old surgeon is faithful to the young Bonaparte of the revolutionary period, not the subsequent dictator; *temps* past.
42. *charpentier* sawyer.
43. *normands* horses from Normandy.
44. An *écu* was worth three francs.
45. *passait pour* was reported to have.
46. *taillé en force* of sturdy build.
46a. *inégal* uneven.
47. *politique* policy, plan of action.
48. *épée* army (synecdoche).
48a. *esprit* wit.
49. The Duke of Orleans was the son of Philippe-Egalité (the great-great-grandson of Louis XIV's brother, who, during the Revolution, voted in favor of the execution of his cousin, Louis XVI) and future King of France under the name of Louis-Philippe (1830). Mme de Montesson, who was secretly married to Philippe-Egalité, had entrusted her niece, Mme de Genlis, with the young Duke of Orleans' upbringing. Mme de Genlis' brother, the Marquis Ducrest de Saint-Aubain, was the Duke's chancellor and constructed the famous galleries and shops embellishing the *Palais-Royal,* originally built for Cardinal Richeleu (1629) and subsequently the residence of the Dukes of Orleans.
50. *Machiavelli* (1469-1527). "And will it be my fault if that's the way it is?" Italian author and statesman best known for *The Prince,* he was the source of many of Stendhal's ideas concerning Italian character.
51. *sans repos* it is impossible to tell whether Stendhal means "unshriven, sinful" or "restlessly ambitious." Perhaps he means both, since M. Valenod is the villain of the piece.
52. *en contravention* against the law.
52a. *du temps de* in the days of.
53. *du Valenod* from that Valenod fellow.
54. *sapin* fir tree.
54a. *que* so that.
55. *Mémorial de Sainte-Hélène* diary published by Napoleon's secretary, Las Cases, in 1822-23 and relating his conversations with his exiled master on the Island of St.-Helena until Napoleon's death in 1821.
56. *plantés fort bas* growing low on his forehead.
57. *spécialité* special quality.
58. *bien prise* shapely.
58a. *voix* votes.
59. *Ennius* (239-169 B. C.). "Delay puts things right." One of the earliest Latin poets, a Greek by birth.
60. *lisard* bookworm (*-ard* is a pejorative suffix).
60a. *injures* insults.

61. He misses the point, thinking that Julien is referring to the kind of table that will be set for him rather than to the company he will keep.

62. *de traverse* cross-country.

63. Rousseau (1712-78) was the direct ancestor of Romanticism; his *Confessions* profoundly influenced several generations of writers, including Stendhal, whose novel owes much to him, particularly in its setting the superior man apart from a corrupt, hypocritical society; its exaltation of solitude, revery, and the simple, idyllic life; and its attitude toward nature. See n. 616.

63a. *figurait* corrected in later editions to *figurât.*

64. *grande armée* a term usually taken to mean the army with which Napoleon invaded Russia in 1812, but also applied to an earlier army raised in 1803 to invade England, which saw action in Austria, Prussia, Poland, and Spain.

65. *Joseph de Maistre* (1753-1821) Catholic reactionary and Jesuit sympathizer, whose works embody the doctrines of the Ultras, preaching monarchical absolution and Papal infallibility.

66. *incidenter* invent objections; *défiance* distrust.

67. *lèvera* will have cut out. The *trait de lumière* (preceding paragraph) is M. de Rênal's taking Julien's coming for granted.

68. *sans doute* naturally.

68a. *arrêtés* decided.

69. *dragons du 6e* sixth regiment of dragoons, in which Stendhal served as a second lieutenant in Italy (1800-02).

70. *Lodi, Arcole, Rivoli* were three decisive victories over the Austrians during the first Italian campaign (May 11, November 17, 1796 and February 2, 1797).

71. Under the Restoration—in 1825 or 1826—Julien's age being subject to some fluctuation in the course of the story.

72. *congrégation* vast secret society of the devout, backed by the Society of Jesus and standing for political and religious reaction, the dispatching of missionaries to all parts of the country, and the burning of freethinkers' books. L'abbé Maslon and M. Valenod are its agents in Verrières.

73. *Constitutionnel* organ of the liberals, dating from 1815, which advocated constitutional government. The "bon parti" in the next sentence is, of course, ironical.

74. *patrie* native heath.

75. *Mme de Beauharnais* is Josephine who married Napoleon in 1796 and was crowned Empress in 1804.

76. *envahie* invasion by the foreign coalition wishing to restore the monarchy. Napoleon's fame dated from the first Italian campaign.

77. This presage of the outcome—the scrap of paper in the church that will be the scene of Julien's crime and the lurid light effect—has led some critics to give an alternative interpretation of the title: blood splashed over the black of the priest's frock.

78. "I no longer know what I am [or] what I am doing." Mozart's *Marriage of Figaro,* derived from Beaumarchais' play of the same title. Mozart and Cimarosa were Stendhal's favorite composers.

79. *romanesque* romantic.

80. *Ce mot de Monsieur* a form of address not normally applied to a peasant's son in a class-conscious society like the Restoration.

81. *dame comme il faut* proper lady.

82. *fatal* imposed upon her by fate.

83. *de sa vie* never.

84. *sans pouvoir s'en rendre compte* although lacking a proper education, Julien is sensitive to details of accent and breeding; but he cannot analyze them yet.
85. *au collège* to high school.
86. *quand. . . et que* when. . . and (when).
87. *bon sujet* promising lad.
88. *une redingote à lui* one of his frock coats. The change from jacket to frock coat gives status to M. de Rênal and shows that his tutor is not to be confused, in the eyes of the world, with ordinary servants.
89. *gens* servants.
90. *in-32* a book in which each standard sheet of paper has been folded to make 32 leaves, or 64 pages.
91. He is reciting from the Vulgate, of course.
91a. *d'* with.
92. *Affinités électives* is the title of a work by Germany's greatest writer, Goethe (1749-1842), to whom Stendhal attributes several of his epigraphs.
93. Feast day of *Saint Louis* (August 25)—Louis IX, King of France and zealous crusader (1214-70). Royalists would naturally celebrate with a banquet, because of martyred Louis XVI, not to mention the latter's brother, the late Louis XVIII, who reigned from 1814 to 1824.
94. *tenait le dé* was monopolizing the conversation.
95. Stendhal's note to this passage on the copy bequeathed to his Civita Vecchia friend, Bucci: *On volait quatre millions sur les enfants trouvés. 1829.*
95a. *à. . .près* except.
96. *Devotion to the Sacré-Cœur de Jésus,* while not limited to any specific order, is in the French Church associated with the Order of the Visitation, founded by St. Francis of Sales in the 17th century.
96a. *dévotion* devoutness.
97. *condescendance* graciousness.
98. *gentilshommes* nobles.
99. *Sacré-Cœur* Convent of the Sacred Heart.
100. *confidences* confiding.
100a. *retournaient* twisted.
100b. *gens à argent* money-grubbers.
101. *âmes bien nées* aristocratic souls (sometimes used figuratively).
102. *Gymnase* a theater of the time. *Couplets* are any verse, such as the verses to a song.
103. *Aveyron* a department in the central mountain region, a part of the province of Auvergne. An example of Stendhal's belief, inherited from Mme de Staël and Montesquieu, in the influence of climate on character, institutions, and the arts.
104. *petit, mais . . . pas bas* of humble birth, but . . . not base.
105. *sortie* retort, sally.
105a. *en* by him.
106. *un goût personnel* a liking for him personally.
107. *Condé* a collateral branch of the Bourbons. The one in question (d. 1818) headed the *émigré* army based on Coblenz.
108. *Besenval* (1722-91) a Swiss officer who served in the French army and whose *Memoirs* were published 1805-07.
109. *choisit pour* chose in the amount of.
110. *lui étaient échus en partage* had fallen to his lot.
111. *l'idée de visu* acquaintance at first hand.
111a. i.e., at officers' school in Paris.
112. *il y aurait une haute inconvenance* it would be most unseemly.

113. *s'éloignait de la trace* was losing the scent.
114. *Quotidienne* conservative newspaper, founded in 1792.
115. *mezzo-termine* compromise.
115a. *en* by them.
116. *une action . . . admirable* if some action appeared admirable to him.
117. *le plaisant* the amusing thing.
118. *Don Juan, C. 1, st. 74* the first of several epigraphs, all authentic quotations, drawn from Byron's *Don Juan,* a poem whose rapid shifts of mood recall Stendhal's own style. Byron (1788-1824) greatly influenced French literature by his romantic hero and his attacks on cant and hypocrisy. Stendhal would naturally be attracted by an Englishman who could say that he was "damned sorry" for Napoleon's defeat at Waterloo.
118a. *actuel* present.
118b. *perte* damnation.
118c. *honnête* honorable.
119. *il eût été . . . que dans* even if he had been . . . in.
120. *Gabrielle de Vergy* heroine of a 12th-century romance, of tales by Marguerite de Navarre (Francis I's sister) and Bandello, and of a modern Italian opera and a French tragedy. Gabrielle's Vergy is actually located near Dijon, at some remove from the novel's locale. Victim of a deception, Gabrielle believes her lover to be unfaithful and commits suicide. On hearing the news of her death, the innocent lover stabs himself.
121. Stendhal shares the Romantics' liking for picturesque Gothic ruins.
122. *Tuileries* famous Paris gardens beside the Place de la Concorde, less extensive in Stendhal's time than today, since they now also occupy the site of the palace of that name destroyed in 1871.
123. *réparation* not properly "repairs" (he could hardly admit that his wife had improved *his* property)—a way of characterizing M. de Rênal, who has already spoken pompously of a newspaper "qui *déverse* le blâme" and of the weaker sex as "ces machines-là."
124. *Godart* (d. 1823) *L'Histoire naturelle des lépidoptères de France,* left incomplete by the author.
125. *qui trouvera peu de croyance, parmi nous* author's irony at the expense of the sophisticated Parisian reader.
126. *insensiblement* i.e., by degrees.
127. A sentiment often expressed in Stendhal's work; likewise, certain passages in the novel, particularly those concerned with scenery, possess a vibrancy akin to his favorite music, thanks to the magic of Stendhal's style, e.g., Julien holding Mme de Rênal's hand in the garden (ch. 9 and 11), on the crag between Vergy and Verrières (ch. 10), or at the grotto on the way to visiting his friend Fouqué (ch. 12).
128. *le livre* was the *Mémorial de Sainte-Hélène.*
129. *femmes jeunes* i.e., somewhat older than *jeunes femmes.*
130. *Strombeck* (1806-80) a German baron with whom Stendhal became friendly during his stay in Brunswick as a commissariat officer in Napoleon's army. Stendhal admired the neo-classic painter Guérin's *Dido and Aeneas,* exhibited in Paris in 1817.
130a. *temps* weather.
131. *emphatiques* pompous, bombastic.
132. Charles the Bold, last Duke of Burgundy (1433-77).
132a. *ce* the fact.
133. *un sentier abusif* the wrong path (encroaching on private property).

134. *Robespierre* (1758-94) leader of the Reign of Terror during the Revolution and chiefly responsible for the massacre of the aristocrats and moderates.
135. *promener* i.e., if I had that sum by now.
136. *premier étage* second story.
137. *l'usurpateur* see n. 40.
137a. *fâché* extremely sorry.
138. But Julien wants an apology, whereas M. de Rênal thinks that he wants an increase in wages.
139. *de l'air* with the air.
140. *enfants trouvés* Not to reimburse himself through graft, but because if M. Valenod can afford to compete with him, he is taking too much from the foundling fund.
140a. *ses* its.
141. *pour dit* i.e., not to insist.
142. *comme* so to speak.
143. *séduisait* attracted (not necessarily an idea of wrongdoing, although the verb is used elsewhere in the sense of "seduce").
144. *comme* as being.
145. *je lui mets . . . main* I'll force him to another decision (to keep me or not on my own terms).
146. *se présenta en foule à* crowded into.
147. *la* i.e., the other woman.
148. *se contraindre* restrain herself.
149. *Siéyès* (1748-1836) a revolutionary statesman, one of the founders of the Jacobin party.
150. *dépit* vexation.
151. One must not rebel against the scheme of things. Reminiscence of La Bruyère, *Les Caractères,* ch. XI, 1.
152. *on* refers to Julien who, according to M. de Rênal's surmise, must have asked M. Valenod for three days in which to make up his mind.
153. *compter avec* take into account.
154. *Beaujolais* a famous wine region between Mâcon and Lyons.
155. The lofty site, the hero's exaltation, and his feeling of liberty are all characteristics of Romantic literature. The point is that such moments are rare in Julien's socially oriented life.
156. *roman* daydreaming.
157. *que* since.
158. *en état de paraître aux adjudications* when wood-cutting contracts are awarded to the highest bidder. Not having Julien with him, Fouqué had had to let Michaud, of Saint-Amand, tender the winning bid on a wood lot.
159. *lumières* intelligence.
160. *vocation . . . autels* call to the holy ministry.
161. *je t'associe* I will make you my partner.
162. *cure du pays* vicarage in the region.
163. *essence de chêne . . . bois blanc* the best variety of oak . . . deal.
164. *placé* invested.
164a. *Hercules,* on Mt. Cithaeron, had to choose between the two women, Pleasure and Virtue.
165. *Saint-Réal* (1639-92) historian and author of the *Conjuration de Venise,* on which Otway based his *Venice Preserv'd.* This epigraph is often quoted as one of the first definitions of the realistic novel; like most of the epigraphs, it was almost certainly invented by Stendhal.

166. *anti-sympathie* Stendhal evidently found the usual word, *antipathie,* too strong to express the exact shade of Julien's feelings.

167. *lui avait fait . . . l'envi* had seemed to vie with one another in complimenting her.

168. *forces* strength.

169. I.e., overbreeding, as tied to *éducation* ("upbringing").

170. *si . . . et que* if . . . and (if).

171. *hôte importun* unwelcome guest.

172. *Polidori* Lord Byron's secretary and doctor, whom Stendhal had met with his master in Milan in 1816.

173. *parti* decision.

174. *intrigue* affair. Julien is indulging here in soldier talk (*langage cavalier*), as if he were billeted on M. de Rênal.

175. Because of its elegance; an allusion to his dream of Paris.

176. *un pourquoi* a mute interrogation. *n'* is pleonastic; *aimable* likable.

176a. *d'esprit* with a good mind.

177. *capitale de province* Mme Derville lives in Besançon.

178. *L'amour . . . pas* love is blind. Julien's ambition, driving energy, and lofty conception of duty to one's self, as well as Mathilde's pride of rank and her haughtiness, remind the reader of Corneille, whom Stendhal greatly admired. Despite their authentic ring, however, the lines quoted are not found in any of Corneille's plays.

179. *Blason d'amour* "*Love* in Latin is amor; / Thus death derives from love [*amor—mort*], / And, previously, do bitter care, / Grief, tears, pitfalls, crimes, and remorse." The *blason* was a medieval type of lyric poetry describing minutely the qualities of an object.

180. Stendhal, in conducting his own love affairs, often resorted to this stratagem; it usually worked to his disadvantage.

181. *ne fût accordée* pleonastic *ne.*

182. Ironical.

183. *à quel saint se vouer* at his wits' end.

183a. *Que* why.

184. "Jesus said unto him, Verily I say unto thee, That this night, before the cock crow, thou shalt deny me thrice" (*Matt.* 26. 34).

185. *quand il en aurait eu* even if he had had plans.

186. Stendhal detested the affected language and elegant circumlocutions of the novels of his time. He preferred to be direct, or in delicate episodes like this one, laconic.

187. *son adresse si maladroite* his clumsy skill (oxymoron).

188. *phrases* fancy sentences (cf. *phraseology*).

189. *Regretteriez-vous* would you miss.

190. *je ne regretterais pas* I should not regret.

190a. *ne tenant pas à* unable to endure.

191. *sans projet* i.e., without artifice.

192. *pays* regions (e.g., in Paris).

192a. *de* later editions correct to *à.*

193. *Adjoint* vice-mayor, the town councillor who replaces the mayor.

194. *Verona* I, 3.

195. *accès de malheur* misfortune.

196. *acheter un homme* a young man could hire a substitute to accomplish his military service in his stead.

197. *reculer* be moved back. The appointment would be a way of avoiding having to move the houses.

198. *beaucoup d'enfants* to provide for.

199. *Fontenoy* a battle in which Maurice de Saxe defeated the English and Dutch during the War of the Austrian Succession (1745).

200. *rendu au culte* reconsecrated. According to the liberal opposition, this "institution" was another of the Congregation's activities, which set servants to spying on their masters.

201. *Richelieu* (1585-1642) Louis XIII's prime minister and one of France's greatest statesmen.

202. *Saint-Clément* speech and place are identified in the course of the chapter.

203. *faire titre* be adduced to justify.

204. *rien à dire à la dévotion* no grounds for criticizing the devoutness.

204a. *portent* support.

205. *union des partis* in order to share in the festivities.

206. *tapissiers* decorators.

207. *saint Clément* Pope from 88 to 97 A.D.; *à une petite* inside a.

208. Under the Old Regime, the King appointed a governor for each province.

209. *soufflet* slap in the face.

210. *janséniste* a sect that arose in the 17th century. Although the Jansenists were officially condemned as heretical for their doctrine of predestination, they survived as a tendency in the French Church to overemphasize original sin and, consequently, to see evil in all human actions. Their independence, otherworldliness, and austerity made them the bitter foes of the Jesuits and of ultramontanism.

211. *il pense bien* he is an orthodox thinker (cf. *bien pensant*).

212. *banquière* banker's wife.

213. Parody of Racine's *Phèdre* (1677), I, 3: "Quand pourrai-je, au travers d'une noble poussière, / Suivre de l'œil un char fuyant dans la carrière?" Phèdre, too, was in love with a horseman younger than she.

214. *Leipsick . . . Montmirail* scenes of two heroic rear-guard actions by Napoleon's army during its withdrawal, in 1813 and 1814 respectively.

215. *Agde* town in southern France near Montpellier.

216. *chapitre noble* chapter with special privileges, because under the Old Regime its canons had been drawn exclusively from the nobility.

216a. *de* some of.

217. *nuance de trouble* slight lack of assurance.

217a. *caudataire* train-bearer.

218. *spirituel* lively, intelligent.

219. *cordon bleu* ribbon of the Order of the Holy Ghost, founded by Henri III in 1578, abolished in 1791, and reestablished by the Restoration.

220. *chapelle ardente* chapel ablaze with candles used for special occasions, e.g., the nightlong vigil preceding the ceremony of knighthood in the Middle Ages.

221. *Philippe le Bon* (1396-1467) father of Charles the Bold.

222. Stendhal's liberalism does not prevent his satirizing the liberal party under the Restoration—here as throughout the book. The king's visit to M. de Moirod is sure to bring about his appointment.

223. *A S. E. M.* *A Son Excellence Monsieur.*

224. *ordres du roi* i.e., of St. Michael (founded by Louis XI in 1469) and of the Holy Ghost.

225. *93* the beginning of the Reign of Terror, with the brutal repression of provincial insurrections and the abolishment of religious worship.

226. *devoir pascal* the obligation to take communion at Easter.

227. *fait maigre* eats no meat.

228. *bureau de loterie* the local office of the royal lottery, dating from 1776 and gradually abolished 1829-36.
229. *yert* illiterate spelling for *hier*.
230. *dans* into.
231. *mieux venu à* had greater success in.
231a. *de* by.
231b. I.e., he would have discovered.
231c. *que* omit for sense.
231d. *puis-je* *faire* undertsood.
232. *c . . .* idiot (an unprintable word).
233. *la Trappe* the strictest monastery in France, in southern Normandy, a branch of the Cistercian order reformed in the 17th century (cf. *Trappists*).
233a. *avec* at the same time.
234. *essayer de* sample, experiment with.
235. *glace* spell.
236. Cf. Don Rodrigue in Corneille's *Le Cid* (1636), III, 4: "Je le ferais encor, si j'avais à le faire."
237. *avec lui* i.e., Julien.
238. *prendre sur elle* restrain herself. *ce: celui.*
239. *dans le temps* previously.
239a. *de* during
240. *Tempest* IV, 1.
241. *Guardate . . .* look on page 130.
242. *la mettait fort bien* was a careful speller.
243. *se connaît-il en* does he know how to appreciate?
244. *pont d'or* compensation.
245. *honnête* honorable.
246. *n'en soit* pleonastic *ne*.
247. *Dût-il s'y résoudre* if by chance he should make up his mind to it (to let you go to someone else).
248. *arme-toi de patience et d'une paire de ciseaux* to show Mme de Rênal's wit and nonchalance in the presence of danger (zeugma).
249. *la colle à bouche* a dry, gelatinous paste soluble in water.
250. *Twelfth Night* II, 2.
251. *1816* see n. 274; *perspective* prospect.
252. *à mesure* as he went along.
253. *1814* year of Napoleon's abdication and the return of the Bourbons.
254. *homme d'esprit* intelligent man.
255. *brevet* permit. Newspapers were subjected to rigid censorship.
256. *en vieux Romain* inalterably virtuous, at the expense of ordinary human sentiments (ironic).
257. The sale of tobacco is still a government monopoly in France.
258. *ne trouverais pas* replace *pas* by *personne* for sense.
259. *arrangeait* suited.
260. *débonnaireté* excessive tolerance (of his wife's actions).
260a. *tympaniser* discredit.
261. This soliloquy is a mock heroic parody ("l'antique nom de Rênal," "ma gloire et ma force," "comble de misère," etc.) in the tradition of Molière.
262. *poule* game (cf. *pool*).
263. *que . . . n'est-elle* why is my wife not.
264. *du froid philosophe* of the skeptic (referring here to no one in particular).

265. *sire de Vergy* Gabrielle's husband. The heart-eating episode belonged originally to another medieval legend, the *Châtelain de Coucy,* but was added to the Vergy legend by de Belloy in his tragedy, *Gabrielle de Vergy* (1777).

265a. I.e., if he were reasonable.

266. *moment* psychological moment.

267. *êtres faibles* refers to "you women."

268. *passait sa colère* was working off his anger.

269. *faites bouillir du lait* afford pleasure (by giving them an opportunity for slander).

270. *sur l'œil* touchy.

271. *spirituelles* witty.

272. Irony of truth; another comic device that Stendhal owes to Molière.

273. *chambre des pairs* Upper Chamber, similar to the House of Lords, whose members (peers) were appointed by the King, thus reducing proportional representation to the Chamber of Deputies.

274. *1816* the White Terror following the return of the Bourbons to power, when scores were evened. The allusion to the man hiding on his roof is real: it relates to an innkeeper near Grenoble who in 1816 was persecuted by the Ultras for his liberal ideas; trying to escape arrest, he was shot down on a neighbor's roof.

275. *serai* this may be a future of probability ("am probably"), a construction which Stendhal frequently uses, doubtless under the influence of Italian (cf. note 1403). It may, however, be a simple future referring to Mme de Rênal's eventual inheritance of a fortune from her aunt.

276. *avec bonheur* in a felicitous way.

277. *sols* archaic for *sous* (five centimes, or the twentieth part of a franc).

278. *les bonnes âmes . . . l'employer* righteous souls hesitate to employ her.

279. *à toute force* in spite of everything.

280. *finesses* wily acts.

281. *Margarida* this paradox, often attributed to Talleyrand, is of uncertain origin, but has been traced back as far as Young's *The Universal Passion* (1725-28). The R.P., or Reverend Father, Malagurida, an Italian Jesuit (1689-1761), was burned by the Inquisition in Lisbon; he is mentioned by Voltaire in the *Précis du siècle de Louis XV*.

282. *chez lui* i.e., in his town house.

283. *affaires d'intérêt* money matters.

284. *éduquer* unlike the noun *éducation, éduquer* is colloquial, whence the italics.

285. *le roi Philippe* not part of the indirect discourse, but Stendhal's interpretation of M. Valenod's hypocrisy, which he compares to that of Philip II of Spain, as portrayed in Alfieri's *Filippo* (1783) or Schiller's *Don Carlos* (1787).

286. *mandement* pastoral letter.

287. In order to question the minister's conduct in office. *user* is "use up."

287a. *sous ses pas* into his path.

287b. *bas monde* world below.

288. *police correctionnelle* the police having jurisdiction over *délits,* or offences of the category between *contraventions* and *crimes.*

289. *cartons* cardboard files.

290. *bonnet grec* smoking cap.

291. *homme à bonnes fortunes* ladies' man.
291a. I.e., rather than by favorable comparisons.
292. *assurer sa contenance contre le mépris* put on airs as if to ward off contempt.
293. *percepteur des contributions* tax collector.
294. *impositions indirectes* indirect taxes.
295. *grivelé* illegally pared.
296. *pris sur place* bought locally (in the place of origin).
296a. See Julien's reflections in Book II, ch. 9.
297. *Uzès* town in southern France near Nîmes.
298. *la dernière mission* i.e., the last evangelizing mission.
299. Julien is pulling his ignorant audience's leg: Ligorio was a Neopolitan painter (d. 1580) who succeeded Michelangelo in the restoration of the Vatican. Stendhal probably knew his thirty volumes of manuscripts devoted to archaeology (not to theology) which had been deposited in the library of Turin.
300. *à l'usage de* for use in.
301. *les plus drôles de confusions* the oddest mistakes.
302. *fable de La Fontaine* traditionally recited from memory by French schoolchildren for the greater boredom of all except their parents.
303. Book VII, fable 11 (*Le Curé et le mort*): a satire of the priest calculating with glee the money he will collect for burial expenses.
304. *pied* stem.
305. *de M. de Rênal, ou du directeur du dépôt* omit the preposition before the two individuals when translating.
306. *géomètre* geometrician, who was probably also a surveyor.
307. Owing to his vow and his obligations, Julien could not visit Gros in order to verify the latter's reputation. Gros was a real person, who gave Stendhal private lessons in mathematics at Grenoble and whose liberalism his young pupil greatly admired.
308. *manquer* of being in need.
309. *se prenant aux cheveux* warring together.
310. *délicieux* delightful.
311. *laquais* because *dupe* implies *fripon* as antagonist.
312. La Fontaine, *Le Corbeau et le renard* (Book I, 2).
313. *pruderie moderne* out of hypocrisy—the trait Stendhal most detested in French provincial life. The *cabaret* is a public house, sometimes unfit for elegant company.
314. *nouveautés* dry goods.
314a. *monde* society.
315. *coule à fond* i.e., every act is calculated.
316. *dispositions* aptitude, talent.
317. *s'en était coiffée* was infatuated with the notion.
318. *petit* petty; *n'ont mis* a logical rather than grammatical agreement.
319. *joyeux gais* later editions correct to *plus joyeux et plus gais.*
320. *espèce* money.
321. *Saint-Joseph* a brotherhood founded by the Congregation to succor the working classes.
322. "The pleasure of bearing one's head high the year around is amply paid for by a few unpleasant, unavoidable moments." Stendhal admired Casti's opera librettos (1721-1803).
323. *ici* in Paris, too big for a few men to sway public opinion. *Par hasard* and *encore* are ironical.
324. *France* see n. 10, last sentence.

325. *charte* constitution.
326. Lines scratched with a diamond on a window of the chateau of Chambord. Francis I (1494-1547) was the great king of the Renaissance in France and a patron of arts and letters.
327. *à l'extinction du troisième feu* at the burning out of the third candle—a custom connected with certain public auctions.
328. *délai* time limit.
329. *cracher en l'air* i.e., a waste of time.
330. *il la sentira passer* he'll be punished (*la,* for *sa colère*).
330a. *Tartuffe,* I, 4.
330b. *dire* to think.
331. *pigeon qui vole* an ironic pun on the two meanings of *voler* ("steal" and "fly") tied to the game of *pigeon vole.*
332. An allusion to a Marseilles magistrate, Mérindol, who, when charging a liberal pamphleteer in January, 1830, used the dialectal (hence ridiculous) *nonante-cinq* instead of *quatre-vingt-quinze.*
333. *ambassade de Naples,* the French embassy in the capital of the Kingdom of the Two Sicilies. The Italian Geronimo, by his *brio* and bohemian existence, anticipates Stendhal's other masterpiece, *La Chartreuse de Parme.* Don Geronimo is the father in the *Matrimonio segreto* (1792), Cimarosa's masterpiece and Stendhal's favorite opera.
334. *de bonne compagnie* well bred.
335. *signorino* *-ino* is a diminutive ending (cf. *duettino* above).
336. *j'entends* I mean.
337. *de rire* burst out laughing.
338. Zingarelli and Giovannone were the actual directors of the two institutions mentioned.
339. *Caro* my dear chap.
340. *credete a me* believe me.
341. *c. . .* rump (another unprintable word).
342. *je marie ma fille* i.e., Geronimo will earn her dowry with his success.
343. *carta canta e villan dorme* he who has seen to the necessary documents need not worry.
344. *del Moltiplico* of the multiplication. Pulcinello (Fr. Polichinelle) was a stock comic character originating in Naples. Stendhal presumably invented this particular aria, which has not been identified, but which may well exist in one of the innumerable 18th-century comic operas devoted to Pulcinello's exploits.
345. *dépense* cost.
346. *jouait serré* was leaving nothing to chance (cf. *to play one's cards close to the chest*).
347. *de haute lutte* by the sheer weight of his authority.
348. *à la besace* out of the gutter (literally, "beggar's sack").
349. *gloire* reputation. A noble word used here for ironic parody.
350. *Dijon* ancient capital of the Dukes of Burgundy and, with Besançon, the other big town of the region.
351. *stramonium* same word in English (a narcotic derived from a plant of the nightshade family).
352. *ressort* reflex.
353. *bonnes lettres* i.e., from higher authority.
354. The sole reason is to prevent the public from trampling the grass.
355. *Bisontium* or *Vesontio* the Latin name of Besançon, capital of the Sequani.
356. Charles X, brother of Louis XVI and Louis XVIII.

357. *Nouvelle Héloïse* Rousseau's famous epistolary novel (1761), Stendhal's favorite romance, whose influence on the nature descriptions and the more exalted sentiments expressed in the *Rouge et le Noir* is unmistakable.

358. *Je prends à faire* I'll take anyone on, a remark that, because of the "threatening tone," could be meant for Julien as well as for an eventual opponent at billiards.

359. *embarras* over his meager skill.

360. *soufflet* according to the rules of the game, to be answered with a courtly bow and an eventual duel; but Julien rightly suspects that a country bumpkin would prefer fisticuffs on the spot.

361. *boursicot* pocketbook.

362. *c'est parler ça* that's offering more than you expected.

363. *de dessus sa porte* standing in her doorway.

364. *à qui de droit* for those entitled to it.

365. *soumission* tender.

366. *tombe du haut mal* is having an epileptic fit.

366a. *mal de cœur* nausea.

367. *Intelligenti pauca* a word to the wise is sufficient; one of Stendhal's favorite maxims, which explains his own style.

368. *trop peu* a probable allusion to postal censorship, "in these times."

369. *Bossuet* (1627-1704) vigorous defender of orthodoxy during Louis XIV's reign and author of polemical writings against Protestantism and ultramontanism. *Arnault,* or *Arnauld* (1612-94) leader of the Jansenists in their struggle against the Jesuits; mention of him here reveals the leanings of the two priests. *Fleury*: see n. 34.

370. *Vale et me ama* farewell and love me.

371. The Reformation rejected the writings of the Church Fathers and accepted only the teachings of Holy Writ. Although the Jansenists recoiled in horror from Protestantism, their ideas, when compared with rigid orthodoxy, frequently incurred that stricture.

372. *véritable* an alarming manifestation of a critical mind versed in exegesis.

373. *l'examen personnel* i.e., the individual's right to free inquiry substituted for the priest's authority.

374. *science* knowledge.

375. *l'ancienne Eglise gallicane* i.e., the opposite of de Maistre's theories, with a maximum of independence (appointment of bishops by the King, etc.) for the Church of France.

376. Pius V (1504-72) put the reforms of the Council of Trent into effect and generally tightened Church discipline. The bull *Unam Ecclesiam,* however, is one of Stendhal's inventions.

377. *salut* evening service.

378. Young's *Night Thoughts* (1742-45) was very popular in France and contributed to the development of French Romanticism.

379. *n'en était pas aux éléments* possessed much more than an elementary knowledge.

380. *parler veut dire* to take a hint.

381. Later editions correct to *Verna,* the mountain in the Apennines associated since the 14th century with St. Francis. St. Theresa (1515-82), the Spanish mystic.

382. I.e., ever since the development of the spirit of free inquiry, anticlericalism, and representative government.

383. *de cœur* in one's heart.

384. *Qui* short form of *qu'est-ce qui.*

385. *Grégoire* a priest of Grenoble who was elected liberal deputy for the town in 1819.
386. *sans reproche* but I'm not blaming you.
387. *francs* offered to the doorkeeper.
387a. *Aussi* consequently.
387b. *convaincu* convicted.
388. *tribunal de la pénitence* confessional.
389. *que* is.
390. Sixtus Quintus, Pope from 1585 to 1590, and another artisan of the Catholic Reform.
391. *estimeraient* conditional of supposition ("might").
392. *l'abbé Delille* (1738-1813) a very popular poet of the 18th century, famed for his nature descriptions, as well as his sparkling conversation.
393. *non culpa* guiltless state.
394. *écrit* Stendhal corrects this past participle to *écrites* on the Bucci copy.
395. *martyr* later editions correct to *martyre.*
396. *l'air penseur* because they never did think.
397. *couvents* the word has its broadest sense here, as in English.
398. Of the 250 extant paintings by Guercino (1591-1666), 106 are large altarpieces.
399. Author's note: *Voir, au musée du Louvre, François, duc d'Aquitaine, déposant la cuirasse et prenant l'habit de moine, n⁰ 1130.* In spite of the specific number, this is either a lapse of memory or another hoax. Guercino's famous painting, located in the museum at Bologna, is of St. Guillaume, Duke of Aquitania (d. 812) who, after driving the Saracens back into Spain, became a monk at Gellone, near Montpellier. His remains are still venerated in one of the masterpieces of French Romanesque architecture, St. Guilhen-le-Désert, as Gellone is now called.
400. *pitance* the portion of food allowed a monk.
401. *argent sec et liquide* cash.
401a. *Châlons* see n. 461.
402. I.e., I have always been persecuted.
402a. *Au fait* come to the point.
403. *Diderot* (1713-84) 18th-century philosopher who ranks with Voltaire and Rousseau.
404. *vicaire de Dieu* the Pope; this is Joseph de Maistre's doctrine.
405. *tant vaut. . .place* i.e., the position is what the man makes it; a variant of the proverb *tant vaut l'homme, tant vaut la terre.*
406. *casuel* perquisites.
407. *privé* tame.
408. *tendues* hung with cloths.
409. *présidente* presiding magistrate's wife.
410. Elsewhere Stendhal sees in the teaching of swordplay to divinity students a precaution of the Jesuits, who could provoke a civil war if they were threatened once again with expulsion from France. In 1828, they were forbidden to run schools for the general public.
411. *Fête-Dieu* Corpus Christi.
412. *cachés* literally, "I march through fire."
413. *bisontins* of Besançon.
414. *Optime* excellent.
414a. I.e., brought up.
415. *messes en chambre* priests could celebrate only clandestine masses during the Reign of Terror.
416. *Napoléon* see n. 479.

417. *à lui le pompon* he takes the cake.
418. *Sanctus* the hymn forming the conclusion of the Eucharistic preface.
419. *feuilles* petals.
420. *saint Jean* best loved of Jesus' disciples, John played with Jesus when both were children.
421. *graves* deep.
422. *bourse* i.e., a source other than the current expense account.
423. *Barême* (1640-1703) inventor of the ready reckoner.
424. *fabrique* fabric, upkeep.
425. *Le Précurseur* a Lyons newspaper.
426. *d'autant. . .vrai* all the uglier because the intention (to subjugate the French people through the priesthood) is true. A very elliptical sentence, which some editors have clarified—without justification—by substituting *dessin* for *dessein*. See nn. 410 and 953.
427. *y faut* popular for *il faut*.
428. *l'autre* i.e., Napoleon.
429. *de quoi* the wherewithal (to buy a substitute).
430. *gardé la mémoire* line applied here to Napoleon, but composed by Gudin de la Brenellerie (1738-1812) in his *Eloge de Voltaire* apropos of Voltaire's epic poem, *La Henriade*, and at one time engraved on Henry IV's statue on the Pont-Neuf. Henry IV (1553-1610), whose name will shortly figure in the story, founded the Bourbon dynasty and was one of France's greatest kings.
430a. *sa* Its.
431. *portemanteau* carpet bag.
432. *chronique* gossip.
433. *budget* i.e., obtain compensation from the government.
434. *belle raison!* i.e., much good that did him.
435. *solliciteur* petitioner.
436. *pas seulement* not even.
437. *garde des sceaux* in France, the Keeper of the Seals is Minister of Justice.
438. *qui* *celui qui*.
439. *à lui* of himself.
440. *marqué* to your credit.
441. *émigration* i.e., of the aristocrats and clergy during the Revolution.
441a. Pun.
442. Latin proverb: *Ex ore parvulorum veritas*.
443. A poem devoted to Mary Magdalen by Delphine Gay (1804-55), one of the most admired writers of the Restoration.
444. *Constantin* during whose reign Christianity became the official religion of the Empire (312 A. D.).
445. *Tacitus* (ca 55-120 A.D.) painted a gloomy picture of the vices and oppressiveness of the pagan emperors.
446. *candeur* artlessness.
447. *pas trop canonique* i.e., rather profane.
448. *titre* title-page.
449. *pas à cent lieues* i.e., in close proximity to.
450. *fournisseurs* and an opportunity for graft.
451. The Bishop is applauding what appears to him a masterly stroke on his adversary's part.
452. *par trop* much too; they cannot conceive of his not having feathered his nest.

453. *Marie Alacoque* (1647-90) the canonized nun of the Order of the Visitation who propagated the cult of the Sacred Heart.
454. *Edinburgh Review* a publication to which Stendhal contributed articles for a number of years.
455. *prend un jour* of the week to receive in her salon; here, roughly equivalent to "lionize."
456. *que* except.
457. *in pace* shut up in a (religious) dungeon for the rest of his life.
458. *a le feu sacré* is filled with the sacred fire.
459. He had written the Marquis himself. Also, the question is indiscreet.
460. *a le cœur haut* is mettlesome.
461. Châlons-sur-Marne is in the champagne country.
462. *passe-port* was required also for traveling inside the country
463. *Je suis* I am following.
464. *de montre* across the Swiss border.
464a. *inhabitée* uninhabited.
464b. I.e., by using the familiar form of address.
464c. *auprès* in comparison.
464d. *bref* curt.
465. *n'y voyant point* in the dark.
465a. I.e., managed.
465b. *office* pantry.
466. *d'un autre ordre* i.e., spiritual.
467. *cabinet de toilette.*
467a. *me sauver* escape.
468. *Sainte-Beuve* (1804-69) France's great literary critic, who underestimated Stendhal, however.
469. "O countryside, when shall I gaze upon thee!" Later editions rightly correct the author to Horace (*Satires*, II, 6).
470. *Mirabeau* (1749-91) the Revolution's great political orator.
471. *galopera* will harass.
472. *Au fait* come to the point.
473. Another ironic parody of Racine's *Phèdre* (I, 3), to show that the tone is not only rueful, but also flippant.
474. *Rogations* the three days preceding Ascension Day.
475. *friponner* cheat.
476. *pain bénit* the bread to be consecrated (in order to be left in peace after proving his devoutness); the parish is that of St. Philippe du Roule, near the Champs-Elysées. This ironically paradoxical situation was probably suggested by the satirical writings of P.-L. Courier (see n. 656).
476a. Subjunctive mood.
477. *1802* Napoleon saved the country from economic disaster by overhauling the tax collection system and sponsoring the Bank of France.
478. *corrigée* continues metaphor of previous sentence (*édition revue et corrigée*)—"le langage d'un ancien imprimeur."
479. *Concordat* of 1801 between Napoleon and Pius VII, who officiated at Napoleon's coronation in 1804. Relations deteriorated from 1807 on, however, with the result that the French clergy worked toward the restoration of the Bourbons.
480. *bon* easily taken in.
481. *enclume* i.e., attack in order not to be attacked, in the sense of becoming the government's "hammer."
481a. I.e., near the Louvre and the Banque de France.
482. *Malmaison* Napoleon's residence near Paris prior to his divorce from Josephine in 1809.

483. *pense* should think (subjunctive mood).

484. *Quoi!* an imaginary dialogue follows between the contemporary reader and the author.

485. I.e., no other spots counted.

485a. I.e., "du fils naturel de quelque homme riche" (Book I, ch. 30).

486. *luttera* will vie.

487. *guerre d'Espagne* 1823, when French troops acting for the Holy Alliance put down the revolution against Ferdinand VII. Norbert was somewhat young at the time—thirteen.

487a. *aïeul* ancestor.

488. *Grève* the square in front of the Paris city hall, where executions customarily took place.

489. *politique* event and personage, Boniface de La Mole, are historical, as probably is Mathilde's head-carrying at the end of the novel as well. Boniface's mistress was Marguerite de Valois, Queen of Navarre (until she was repudiated by her husband) and sister of Charles IX and Henri III; according to a well-established legend, she accomplished the rites after her lover's execution. Later, Stendhal will give the correct date: April 30. One of Alexandre Dumas' romances, *La Reine Margot* (1845), will be devoted to the 16th-century events.

490. *Moreri* author of the most noteworthy of early French encyclopedic dictionaries (1674, revised and greatly augmented in subsequent editions).

491. *chef d'escadron* rank equivalent to major.

492. *Adsum qui feci* freely translated in the following sentence.

493. I.e., his affection troubled his conscience.

494. *Philippe II ou Henri VIII* the Spanish and English despots; the one abhorred in France because of the Inquisition, his attempts to seize France during the Wars of Religion, and his cruelty; the other, because of the Reformation and his Bluebeard propensities.

494a. I.e., due your fortune.

495. *arguments en Sorbonne* disputations for the Faculty of Theology; this, the oldest school of the University of Paris, was abolished in 1885.

496. *Cardinal Dubois* (1657-1723) rose to be prime minister in 1722 during the Regency of the Duke of Orleans. His diplomatic talents did not compensate for his greed and unscrupulous ambition.

497. *charrette* the tumbril used during the Reign of Terror to haul the aristocrats to the guillotine.

498. *en sont souvent à mourir de rire* they are often killingly funny (because of their attitude).

499. *faubourg Saint-Germain* the aristocratic quarter of Paris, bounded by the Seine, the Boulevard des Invalides, the Rue des Saints-Pères, and the Rue de Sèvres. Today, its stately mansions are largely occupied by government ministries and foreign embassies.

500. *la mort de Voltaire* 1778.

501. *Kant* (1724-1804) Germany's great philosopher. His categorical imperative, with its subordination of the individual to humanity, is less foreign to Julien's morality than has been maintained.

502. *cabinet* de *travail.*

503. *l'ami de Henri III* Boniface de La Mole; Henri III (1551-89), the last of the Valois dynasty.

504. *un grand grec* very clever.

505. *demi-salut* half-bow.

506. *vous les essaiera* will try them on you.

507. Because of his provincial accent and expressions.
508. *en* by them.
509. *de Sorel* they thought him to be a noble.
510. *Père-Lachaise* a cemetery on the outskirts of Paris where many famous men are buried.
511. *libéral* generous, as well as of that political persuasion.
512. *maréchal Ney* one of Napoleon's greatest soldiers, a victim of the White Terror and, consequently, a martyred hero for the liberal opposition.
513. *importance* self-importance.
514. *déshonoré* by crossing class barriers.
515. Although Stendhal did not like Voltaire's dry novels (remarking in Book I, ch. 26 that his characters never thought of anything but eating), Voltaire was the fountainhead, with Rousseau, of the liberal tradition under the Restoration, and his books were periodically burned by the Congregation.
516. *cella* an autobiographical incident, when young Henri Beyle became secretary to his influential cousin Daru.
517. *rappelait* by contrast.
518. *que toute cette expérience de* (is) this entire experiment with.
519. *sous-préfète* subprefect's wife; *la Saint-Charles* the official dinner honoring the saint's day of King Charles (Nov. 4).
520. *Académie des Inscriptions et Belles-Lettres* founded in 1663 and not to be confused with the *Académie Francaise;* see n.544. The irony of one of its members "happening" to know Latin is obvious.
521. The same question he had discussed with the Bishop of Besançon.
522. *Chapelle* (1626-86) was a minor 17th-century poet. *Southey,* author of *The Vision of Judgment* (1821), violently attacked Byron's works for their satanic spirit. *George IV,* King of England (1820-30), unpopular because of his profligacy and meanness of disposition. *Maecenas,* the enlightened patron during Emperor Augustus' reign (74-8 B.C.) of some of Rome's greatest poets, including Horace and Virgil. See n. 658.
523. *dell'avvocato Reina* an Italian lawyer and poet, who helped to found the Cisalpine Republic under Napoleon (1772-1826).
524. Irony; Voltaire's oriental tale (1768) is antimonarchical, anticlerical, and scarcely edifying.
525. I.e., ordinary sentimental romances no longer interested her.
526. *nous* thus avoiding the establishment of any distinction between Julien, the employee, and himself, the son of the house.
527. I.e., on the left bank, opposite the western end of the Louvre.
528. *Louis XVI* name of the Place de la Concorde from 1826 to 1830.
529. *prendre texte de* refer to.
530. "L'homme n'est qu'un *roseau,* le plus faible de la nature." Pascal, *Pensées* (1670). A Jansenist, Pascal would be among l'abbé Pirard's favorite authors. Cf. "broken reed" (*Isaiah* 36.6.)
531. *Ronsard* (1524-85) France's greatest lyric poet of the 16th century and leader of the Pléiade. One of the many indications of Stendhal's admiration for that century's civilization (to which Julien and Mathilde are in some respects throwbacks) in both France and Italy.
531a. I.e., of the government.
532. *Béranger* (1780-1857) an extremely popular poet under the Restoration, several times in trouble with the authorities for his satirical verse in the Voltairian tradition.

533. An echo of Figaro's famous monologue in Beaumarchais' *Mariage de Figaro,* V, 3.

534. *devoirs* de politesse.

535. Stendhal had expressd his admiration for the Italian composer in his *Vie de Rossini* (1823).

536. *Gazette de France* the oldest French newspaper and leading Royalist daily under the Restoration (1631-1914).

537. *dit* expressed the same opinions.

538. *depuis la Restauration* since the beginning of the Restoration.

539. *croisade* i.e., nobility dating back to the Crusades.

540. *d'un certain âge* middle-aged.

540a. I.e., since 1814.

541. *de métier* professional.

542. *L'abbé de Pradt* (1759-1837) who was Napoleon's chaplain, paved the way for the restoration of the Bourbons. *Talleyrand* (1754-1838), Napoleon's turncoat foreign minister and the wittiest—and probably the most cynical—man in Europe, played a brilliant role at the Congress of Vienna, obtaining the best possible terms from the Allies for the Restoration government; cf. Kipling's Father Tout-à-tous in *Rewards and Fairies. Pozzo di Borgo* (1764-1842), an Italian diplomat in the service of Tzar Alexander I, advocated the overthrow of Napoleon and was Russian ambassador in Paris under the Restoration.

543. *je me fasse parler* corrected in later editions to *je le fasse parler.*

544. The *Académie Française,* founded in 1635, membership being a greater distinction than that in the *Académie des Inscriptions* previously mentioned.

545. This is what the Baron said to Mathilde. "Bouillon" is no more distinguished a name than "stick," yet the former family was of ancient lineage.

546. *espace* i.e., long intervals, as follows.

547. *traits* d'esprit.

548. *plaques* stars, sunbursts.

549. *honnêteté* honorability.

550. *morale. . .moralité* i.e., he preached the first and practiced the second.

551. Irony.

552. *caverne* den of thieves.

553. I.e., showing the same talent for slander as Don Bazile in his famous monologue on *la calomnie* in Beaumarchais' *Barbier de Séville* (1775), II, 8.

554. *tient à* is attached to the notion of. *C'est que* is "the fact is."

555. *d'abondance de cœur* from the bottom of his heart.

556. *parti* his decision to accept a fashionable parish.

557. *collège* electoral college.

558. Ironical: they challenged his honesty.

559. *galères* i.e., a prison sentence. *mal faits* is "unreasonable" (irony).

560. *Comte* (1788-1859) a famous prestidigitator and ventriloquist; the Baron, too, had shown his talents as a sleight-of-hand artist.

561. *abordaient* set foot (ashore).

562. *époque* allusion to Béranger, who in 1828 was fined 10,000 francs and sentenced to nine months in prison; Stendhal preferred Béranger as a poet to either Lamartine or Hugo. *parti* (in preceding paragraph) refers to the liberals.

563. *enfants perdus* zealots.

564. *Lord Holland* (1772-1840) was an English liberal who, in addition to his many reform schemes, had protested, like Byron, against the harsh treament meted out to Napoleon in exile.

565. *William IV* (1830-1837) uncle of the future Queen Victoria.

566. *vous prendrait en guignon* would take a dislike to you.

567. *d'Alembert* (1717-83) mathematician and one of the chief collaborators on the *Encyclopédie.* Marshal of France, the Duc de Castries (1727-1801) was navy minister from 1780 to 1787 and emigrated in 1791.

567a. Corrected to *enfermé* on the Bucci copy.

568. *Les Amours du chevalier de Faublas* (1789-90) was a licentious novel by Louvet de Couvray.

569. *signées* i.e., accepted by the Marquis.

570. I.e., consumptive.

570a. I.e., money from the government.

571. I.e., his novelty had worn off.

572. I.e., his rank was too low even for him to qualify as ridiculous.

573. *jouait à la rente* speculated in government bonds—thanks to the tips received from his friends at court.

574. *plaidait* instituted legal proceedings.

575. The usual expression is *avoir le cœur haut et la fortune basse;* a stylistic effect here.

576. *parti* part.

577. *penser* irony, since he did not.

578. *Gratius* (d. 1541) German theologian.

579. *castorine* castor.

580. *témoin* second.

581. *96e* regiment.

582. *rares* i.e., not numerous.

583. *d'honneur* on my honor.

584. *Staub* the fashionable tailor of the time.

584a. *suffisance* vanity.

585. *traits* features.

586. *Comte Ory* opera in two acts, libretto by Scribe and Delestre-Poirson and score incorporating various selections by Rossini, which was performed at the Royal Academy of Music, August 20, 1828.

587. *Bertolotti* (d. 1780) Italian biographer.

588. *Hyères* resort on the French Riviera near Toulon.

588a. *pour* to.

589. *Tite-Live* Livy.

590. On the Bucci copy, Stendhal changed *Chaulnes* to *Retz,* since he had inadvertently made Julien the Marquis' brother-in-law.

591. *Rivarol* (1753-1801) the extremely witty author of the *Discours sur l'universalité de la langue française* containing the famous saying "Ce qui n'est pas clair n'est pas français."

592. *bon mot* i.e., four of them had to put their heads together.

593. *nom* Napoleon.

594. *été* later editions correct to *hiver.*

595. *inconvénient* objection.

596. *marquis de Moncade, M. Poisson, son intendant* characters in Allainval's *L'Ecole des Bourgeois* (1728).

597. He was therefore accustomed to decorations.

598. *Calais* French port opposite Dover.

599. General *Sir Hudson Lowe* was Napoleon's jailer on St. Helena; the

Earl of *Bathurst* was English colonial secretary at the time of Napoleon's downfall.

600. *John Locke* (1632-1704) the great English empirical philosopher, author of the *Essay concerning Human Understanding* (1690), whose influence on French 18th-century thought was decisive and who was known at home and abroad as the champion of freedom and religious tolerance.

601. Julien's silence implies that there are no amusing ideas in England.

602. The implication for the Marquis is that the young men desire a war to overthrow the monarchy and avenge the humilition of the foreign occupation following Napoleon's downfall. The Holy Alliance had arisen from the Allies' disquiet over the presence in France, Spain, and Italy of a rebellious youth only too eager to bring back the glorious days of the French Revolution. Cf. the episode of the *Note secrète* (nn. 942-943 and next paragraph of text).

603. *Chaulnes* see n. 590.

604. *actions de grâces* expression of thanks.

605. Later editions correct to *pour point de mire.*

606. *porté par* the candidate of.

607. *chevalier* because of his membership in the Legion of Honor.

608. *par* later editions correct to *à.*

609. *altéré* thirsty; Diar-Békir is the name of an oasis.

610. *Silvio Pellico* (1789-1854) Italian dramatist, whom Stendhal considered his country's "premier poète tragique."

611. *Villequier* the name, as well as the location mentioned, indicates that the estate is in Normandy.

612. Referring to the gilt-edged books.

613. Ostensibly referring to the estate, this remark is also probably meant for Julien with his newly acquired cross.

614. *une nuance de bassesse* since he did not thank Norbert and appeared coy in his allusion to Mathilde's intervention.

614a. *des* on the.

615. *Coulon* a famous dancer of the time.

616. Julien suddenly remembers that he, like Rousseau, is a plebeian.

617. As Mathilde's character unfolds, it is hard to see why she so admires the *Contrat social* (1762), unless she is taken with its subversive ideas or, better, its defiance of the accepted norms. According to Stendhal himself, in an article about his novel destined for publication in Italy, Mathilde's fascination with revolutionary thought is to be explained by the great fear in 1829, in the faubourg St. Germain, of a new revolution as bloody as the Reign of Terror. See also the end of ch. 1, Book II. *Grand monde* (preceding paragraph) is "high society."

618. *Confessions,* Book 10. Montmorency is just north of Paris.

619. *Feretrius* never existed. Stendhal relates in his *Promenades dans Rome* (1829) that a learned gentleman had translated *Jupiter Feretrius* (Jupiter as associated with the sacred oak on the Capitol) as *Jupiter et le roi Feretrius.* Standhal is the master of the obscure allusion as well as of the elusive epigraph.

620. *en espoir* in anticipation.

621. *Conti* a younger branch of the Bourbon-Condé family.

622. The powerful *Rothschild* family of bankers, with branches in Frankfurt, Vienna, London, Naples, and Paris, had originally come from Frankfurt and their eminence was still fairly recent in 1830. The absence of the noble *de* is curious, since the five brothers had been created barons in 1822 by Francis I of Austria.

622a. *elle* she.

623. I. e., parliamentary government.

624. Note in original edition: *Cette feuille, composée le 25 juillet 1830, a été imprimée le 4 août.* The July Revolution broke out on July 26 and was over early in August (cf. *Les Trois Glorieuses*—July 27, 28, 29), by which time France had regained her civil liberties; Charles X had been "King of France"; Louis-Philippe was "King of the French." When the Latin American states broke away from Ferdinand VII's Spain early in the 19th century, the French Revolution served them as a guiding light.

625. *favorables* of escaping execution.

626. *de réponse difficile* difficult to answer.

627. *Conradin* the last of the Hohenstaufens, captured and executed by Charles I of Anjou.

628. Mathilde is being sarcastic with herself.

629. *galope* a lively dance in three-quarter time.

630. *le* it.

631. *pairs* i.e., rich bourgeois recently elevated to the peerage by the King.

632. *illustration* illustriousness.

633. *Mme de Staël* (1766-1817) a pre-Romantic writer whom Stendhal cordially disliked.

634. *Ciceri* (1782-1868) a French painter. This time, Stendhal seems to have invented not only the epigraph but the author.

635. *l'air anglais* the French have always been struck by the phlegmatic nature of their neighbors across the Channel.

636. Danton was actually a lawyer, but Julien thinks that Mathilde means Danton's part in the butchery of the Reign of Terror. Danton is still a controversial figure, some historians regarding him as a far-seeing idealist and others as a demagogue.

637. *Méry-sur-Seine* town near Troyes in Champagne. A lawyer is a member of the upper middle classes and, under the Old Regime, could even buy his way, by virtue of his office, into the ranks of the lesser nobility (*noblesse de robe,* as distinguished from *noblesse d'épée*).

638. *wisth* whist.

639. *Toison d'or* Order of the Golden Fleece, founded by Philip of Burgundy in 1429 and later appropriated by the Hapsburgs of Austria and Spain.

640. I.e., would have been unattainable for him.

641. *Provence* province in the southeastern part of France.

642. *pieuse et non dévote* pious, but not ostentatiously devout.

643. *Antibes* town on the French Riviera.

644. I.e., unconsciously, without really experiencing them passionately as in Stendhal's eyes 16th-century Frenchmen did and modern Italians still do.

645. Author's note: *C'est un mécontent qui parle.* (*Note de Molière au "Tartufe."*) Molière said nothing of the kind ("C'est un scélérat qui parle," IV, 5). Stendhal is parodying ironically again; to be read, however, like Molière's note, as an author's precaution against government censorship.

646. *tombe* euphemism for "burial service."

647. *bons offices* friendly intervention (ironical).

648. *jouisse. . .fortune* i.e., come into control of my fortune.

649. *purs de sang* not stained with blood.

650. *le grand cordon de son ordre* the highest grade of the order.

651. *telle quelle* of sorts, such as it might have been. *Partie d'échecs* is "game of chess."

652. *Girondin* moderate. The high-minded Girondists opposed Jacobin excesses during the Revolution, with the result that nearly all of them were

guillotined in 1793, partly because they had repulsed all offers to compromise differences. *Faisiez entendre* is "gave to understand."

653. Although the Count takes Julien's *Vous y êtes* to mean "you are present," and answers accordingly, what Julien seems to be saying is: "You are right. . .thought (of any kind) is still considered subversive (under this regime)." Some editors, missing the point like the Count, have changed Julien's sentence, without justification, to read: *N'est-ce pas la pensée, et conspirante encore?*

654. *pointe* witticism.

655. *vaudeville* light, gay comedy, partly farcical, partly topical, such as the plays Scribe had performed at the Gymnase theater.

656. *Paul-Louis Courier* (1772-1825) scholar and pamphleteer, famous for his incisive wit and championing of the peasantry against oppression by the clergy and government officials.

657. *Murat* was Napoleon's brother-in-law and King of Naples 1808-15, who having failed in his attempt to reconquer his kingdom after Napoleon's downfall, was caught and shot; *Washington* was not only a great general, but a statesman with a philosophy.

658. *Delavigne* dramatist and poet whose classical tragedies show some pre-Romantic traits. In *Marino Faliero* (1829), imitated from Byron, Israël Bertuccio, a man of the people, joins in a plot with the Doge, Marino Faliero, against the effete, cruel nobles in order to restore to his native republic its pristine honor and virtues. When he fails, he marches courageously to his death; so does the Doge, but his tragedy is to have already been reduced to a figurehead by the nobles.

658a. *procureur* attorney.

658b. *enfin* after all.

659. *Pichegru* a general implicated in a plot to overthrow Napoleon in 1804 and restore the Bourbons to power.

660. General *La Fayette* whom Stendhal had met in a Paris salon, played a part not only in the American Revolution, but in the 1789 Revolution (a liberal royalist, he fled across the border in 1792 and was imprisoned by the Austrians until Napoleon rescued him in 1797) and the Revolution of July, 1830.

661. *Espagnols libéraux* after Murat's execution, the autocratic Spanish Bourbons were reinstalled on the throne of the Kingdom of the Two Sicilies (1816), at which time they hastened to revoke Murat's liberal reforms.

662. *Carnot* (1753-1823) military genius of the Revolution.

663. L'abbé P.-François de *Vély,* or Velly, Jesuit historian (1709-59).

664. Allusion to the 1821 revolution in Piedmont and the rebellion in Spain against Ferdinand VII, which had broken out in 1827 and was still going on.

665. In 1821, the treasury of Turin was not ransacked. Julien reflects that perhaps it should have been.

666. Short epistolary novel (1688), probably by Guilleragues, contemporary and friend of Racine; the psychology of his novel resembles that of Racine's theater.

667. *le diable n'y perd rien* there will be the devil to pay (as in the next sentence).

668. *engager* i.e., be drawn into some other conversation.

669. The success of Victor Hugo's *Hernani* in 1830 consecrated the triumph of the Romantics and spelled defeat for their classical adversaries, whose stronghold was the French Academy.

670. *lettres de cachet* one of the most infamous institutions of the Old Regime, whereby any noble could apply for an order, sealed with the King's

privy seal, arbitrarily assigning an individual to banishment or imprisonment.

671. *il* Victor Hugo.

672. *Talma* (1763-1826) perhaps France's greatest tragic actor of all time.

673. *Coconasso* also a historical character.

674. *ses amis* Henry of Navarre and the Duke of Alençon; the latter was the brother of Marguerite, Charles IX, and Henry III and heir to the throne until his death in 1584, when the Protestant Henry of Navarre became heir.

675. *Catherine de Médicis* (1519-1589) widow of Henry II and regent during the minority of Charles IX.

676. *supplice* execution.

677. *24 août 1572* the St.-Bartholomew's Day massacre of the leading French Protestants, instigated by Catherine de Médicis.

678. *intimité* later editions correct to *inimitié*.

679. *recette de tabac* tobacco shop.

680. *Brantôme* (1540-1614) memorialist of court and military life, whose anecdotes are often licentious. *D'Aubigné* (1552-1630), famous Protestant baroque poet and author of an *Histoire universelle* for the period 1550-1601. *L'Etoile,* or L'Estoile (1546-1611), author of *Mémoires-journaux* covering the reigns of Henry III and Henry IV.

681. *confident de tragédie* whose subordinate role it is to listen to the confidings of the great and illustrious.

682. *Ligue* civil wars between the Protestants and the Catholics (*ligueurs*) (1576-94).

683. *Napoléon* as revealed in Mathilde's slighting reference to "votre empereur."

684. *commerce* intercourse; the idea is that of an armed truce.

685. *doutes* suspicions.

686. *mystifier* hoax.

687. *vieux langage* the term *domestique* formerly meant *retainer* and was applied even to nobles, whence the possible ambiguity in the old Duke's use of the term.

688. *Mérimée* (1803-70) Stendhal's friend and a gifted author in his own right, who, however, grasped Stendhal's genius no more clearly than other contemporaries.

689. *grands parents* closest relatives.

690. To judge by the course of the story, this may be irony and not to be taken at face value.

691. *de* for. *Jouer* (preceding sentence) is "risk."

692. *Palestine* like their ancestors, the crusaders.

693. *Wagram* famous victory of Napoleon over the Austrians (1809).

694. *Sainte-Hérédité* the name is satirical.

695. *pût-il* would that he could.

696. *coloré* too colorful, such as mentioning the slaughter of 10,000 soldiers, using the familiar construction "il est contagieux, cet ennui," and being cynical about her marriage.

697. *Boulogne* a large park on the western edge of Paris, still the haunt of equestrians today.

698. While in exile, in 1794, *l'abbé Maury* (1746-1817) was made a cardinal by the Pope for having defended throne and altar in the Assemblée Constituante during the early days of the Revolution. In 1810, Napoleon appointed him Archbishop of Paris.

699. *tutti quanti* all the others.

700. *Manon Lescaut* a sentimental novel by l'abbé Prévost (1731).

701. *Bassompiere* (1579-1646) a Marshal of France who spent twelve years in the Bastille for having conspired against Richelieu.

702. *Vendée* a region in western France where peasants, priests, and nobles waged an insurrection (1793-96) against revolutionary troops after Louis XVI's execution.

703. *au* by the.

704. *jouer* gamble.

705. The Duke of Angoulême (1573-1650) fought on Henry of Navarre's side in the Wars of Religion. His *Memoirs* were published in 1662.

706. *Un petit voyage. . .Afrique* alludes to the young men of many countries who, in the early '20s, helped Greece to fight for her independence from the Turks (e.g., Lord Byron, 1823-24); and to the invasion of Algeria by French forces, June 13, 1830.

707. *événement* outcome.

708. In a letter to R. Colomb (March 1836) Stendhal develops this idea: absurdity depends on a single model of conduct accepted by all classes, as under the Old Regime. Under a two-party system, if a man does something ridiculous, he immediately poses as a zealot of one party, thereby causing one-half of society to declare that he has been calumniated for political reasons by the opposing party. For the same reason, Stendhal considered the writing of comedy impossible in his century. French fear of the ridiculous and the cult of energy are recurrent themes in his work.

709. La Fontaine, *Le Berger et son troupeau* (Book IX, 19); the flock was afraid of the mere shadow of a wolf.

710. *la révolution aurait* let's suppose that the Revolution had.

710a. *Il* it.

711. *coups de fusil* violent actions, scandalous conduct.

712. *que* except.

713. *cette finesse* i.e., lack thereof.

714. *avec* if he wore.

715. *rendre ses bois* i.e., restore to the Church the property that had been expropriated during the Revolution (see farther on, the famous episode of the *Note secrète*).

716. *Coblentz* see n. 107. *Etais* (preceding sentence) is "should have been."

717. *Schiller* (1759-1805) German author of historical plays influencing French Romantic drama, whom Stendhal calls "l'immortel Schiller."

718. *disinvoltura* grace.

719. *à l'esprit* to wit (consequently not to sentiment).

720. *se dessiller* to open (to the truth or what he imagined to be the truth).

721. *Languedoc* province in southwestern France (cap. Toulouse).

722. *faire bouquer* win out over, cause to swallow an affront. *Son* is "his."

723. *Fay* contemporary actress of the Gymase theater.

724. *anglaise* slanted to the right.

725. *papiers marqués* stamped documents (with excise stamps).

726. *Que je suis bon* what a simpleton I am. For *tabouret* in the preceding paragraph, see n. 1161.

727. *se fâchât* so that Julien might fight a duel with him.

728. *seconde* the second of the eight parries recognized in swordplay.

729. *courage* the courage is Julien's own.

730. *trouvée* i.e., "le pauvre charpentier du Jura."

731. He is not thinking of Napoleon, who became a general at only 24.

732. *Beauvais* a prosperous town halfway between Paris and Amiens.

733. As in the first part of Goethe's *Faust* (1790).
734. Cardinal *Granvelle* (1517-86), minister of Charles V and Philip II and governor of the Low Countries, was born in Besançon.
735. *honnête* the comma, not in the play, should be omitted for the sense.
736. *ses* is italicized, since Stendhal has substituted it for *vos* in Molière's text. *Tartuffe* was very popular under the Restoration, because the public could read into it an attack on the Congregation.
737. *un autre* any other man.
738. *montrée* by Mathilde to her swains and brother.
739. *Fontan et Magalon* directors of a satirical publication imprisoned for their pamphlets against the Restoration government and doing hard labor at Poissy, near Paris. A *napoléon* is a 20-franc piece.
740. *je serai le second tome* I'll suffer the same fate.
741. *Caron* a retired colonel shot as a conspirator during the White Terror, at Colmar, in Alsace.
742. *à l'abri . . . budget* not to be corrupted by the government's secret funds for paying informers.
743. *le cabinet. . .poste* postal censors.
744. The Protestants, not the Catholics, encouraged the diffusion of the Bible in French among the general public.
745. *A nous!* let's take care of ourselves!
746. *simplicité* simple-mindedness.
747. *italien* see n. 1024.
748. Author's note: *Esprit per. pré. gui. il A, 30.* An ingenious commentator has interpreted this as: "Esprit perd préfecture. Guizot. 11 août 1830." Stendhal, having reached this page of his manuscript, learned that Guizot had refused his request for appointment as a prefect; Stendhal attributed the refusal to his having shown too much wit for the staid, conservative minister of the July Monarchy. The note, together with the running title *L'Esprit perd,* was Stendhal's way of giving vent to his disgust.
749. *Musset* (1810-57) one of France's greatest Romantic poets.
750. For comprehension, note that *liées* is dependent on *âmes.*
751. *idées reçues* prejudices.
752. *Jarnac . . . Moncontour* sites of two victories of the future Henri III over the Protestants (1569).
753. *hôtel de Soissons* the mansion, built by Catherine de Médicis near Saint-Eustache (modern quarter of the Halles Centrales), was called the hôtel de la Reine until the Count de Soissons purchased it in 1604. It was demolished in 1749.
753a. I.e., out of reach of.
754. *son père* a lapse of memory; the Duke de Chaulnes is her maternal grandfather, and M. de Croisenois' father is the Duke de Retz.
755. *ces lettres. . .réponses* i.e., she did not originate the correspondence—an extenuating circumstance.
756. *Baylen* a Spanish town where an entire French army corps was surrounded and forced to surrender by Spanish troops in 1808.
757. *peut tout* has absolute power.
758. *Moi* Corneille's *Médée* (1635), I, 5.
759. *Je me moquais. . .je centuplais* the last two imperfect verbs express what would have been the state of affairs if he had left.
760. *tout en* in the midst of (not adversative).
761. *roman par lettres* play on the two senses of *roman*: "epistolary novel" and "romance by correspondence."
762. *faire donner* turn loose.

763. *par une plaisanterie* as a joke.
764. *Mais quoi!* what the devil!
765. *réponse* response, reaction (as follows).
766. I.e., his not loving Mathilde and reasoning as follows immediately.
767. *Maugirons* to contest his right to their noble name.
768. *argent. . .complaisantes* cash on the spot, without counting on being given the benefit of the doubt.
769. Corneille's *Le Cid* (1636), III, 6.
770. *au blanc* like a sitting duck (cf. *point-blank*).
771. *accent gascons* accent of Gascony, in southwestern France, traditionally associated with a swashbuckling type of character.
772. *des bonnes fortunes* luck with the ladies.
773. *celui. . .oserait* i.e., Norbert.
774. *Abailard* (1079-1142) medieval philosopher and hero of a tragic love affair with Heloise; he was surprised and mutilated by the latter's relatives.
775. *Pharsale* scene of Caesar's decisive victory over Pompey in Thessaly (48 B.C.).
776. *nuit prochaine* that night.
777. I.e., a trap.
778. *parade* a parry.
779. *fulminante* dry: i.e., capable of provoking an explosion.
780. *cave* cellar.
781. Julien is prophetic here: some critics have called him just this.
782. I.e., he will have been forgotten in two or three years.
783. *Massinger* (1583-1640) English dramatist.
784. *café Tortoni* the oldest and most famous of the boulevard cafés, founded in 1798, and frequented by Stendhal.
785. *Saint-Domingue* Haiti.
786. *d'amour-propre* based on vanity.
786a. *sa* her.
787. *à* enough to.
788. *femmes de chambre.*
789. *c. XIII* stanza i.
790. *sèches* but not to Mathilde.
791. *peine* penalty; i.e., make public their affair.
792. *à croix ou pile* on the turn of a coin.
793. *Comme. . .que. . .* "as. . . as. . ."
794. *bonne compagnie* i.e., without recrimination.
795. *intéressante* profitable.
796. *honnête* honorable.
797. *Sainte-Valère* a chapel on the rue Saint-Dominique (faubourg Saint Germain) dating from 1710; after Stendhal's death, it was incorporated into the hôtel de Sagan.
798. *Cette épreuve lui manquait* he had not yet had to undergo that trial. Alternately: she was eager to put him to that test.
799. *avait sous les yeux* i.e., had really experienced.
800. *sortait* would have emerged.
801. *son bonheur* the rival's happiness in being loved.
802. See the same epigraph, Book I, ch. 17.
803. The Glorious Revolution, marking the overthrow of the Catholic Stuarts in favor of the Protestant House of Orange and the victory of Parliament in its long struggle with the Crown.
804. Girondist leaders; when the wife was guillotined in 1793, the husband committed suicide. Stendhal professed great admiration for Mme Roland.

805. Mme de Staël, a champion of political liberty, was notorious for her stormy love affairs.

806. *droits* over her.

807. *cantilène* cantilena (ballad).

808. *amour de tête* untranslatable: it is love originating in the mind rather than in the heart; in its wavering between infatuation and caprice, it is constantly influenced by its place of origin. Stendhal gives an excellent illustration of it in Mathilde.

809. "I must punish myself. . . / If I have loved to excess, etc." Cf. the paraphrase a few lines above. However "famous," the aria has not yet been identified.

810. *Les âmes. . .indécence* unfeeling prigs will accuse him of slandering the character of the young ladies of Paris society. This long digression applies, not merely to this one incident, but to all Mathilde's conduct up to this point; it indirectly justifies her by satirizing her contemporaries.

811. *injure* insult.

812. *siècle* tongue-in-cheek; see n. 1119.

813. The subject of this clause is understood: *elles*.

814. *eux* the material advantages, not the young man.

815. *d'étude* studious.

816. An excellent definition of realism; but how little it applies to Stendhal throughout the novel, as in this very digression!

817. *lui* her.

818. *compliquée* modifies *manœuvre*.

819. *lui* Mathilde will be the victim of her stratagem, since she does not know her own heart; to wish to displease Julien is for the master psychologist the surest token of her wishing unconsciously to attract Julien.

820. A clause that seems to bring Stendhal's previous digression crashing down about his ears.

821. *connut* realized.

822. *renversée* inverted; i.e., scorning his own qualities and best-loved things.

823. Rather than in the cold light of reason.

824. As the act of a coward.

825. A kind of reflex takes over, this being the hour of his previous visit; then, his mental processes can begin to function.

826. Even if she repulses me.

827. This kind of trance will reappear when Julien is given news of Mme de Rênal's letter.

828. *Serez-vous. . .pour moi* will *her* sentiments (not his) change? However, in the light of the story's development, there may be an intentional ambiguity.

829. *trouble* troubled state.

830. Julien is in so exalted a state that he imagines that he is pure spirit and has shucked his "mortal coil."

831. *pût* marks Mathilde's intention.

832. *promotion de cordons bleus* honors list.

833. *fait exprès* *fait* is a noun here.

834. *si ce n'est* if not.

835. *ligne* average.

836. *Meudon* woods to the west of Paris on the road to Versailles.

837. *Jean-Paul Richter* (1763-1825) a German author who influenced certain French Romantics.

838. *Suresnes* a town on the outskirts of Paris.

839. *disgrâce de cour* like a courtier out of favor with the sovereign,

and on whom all the other courtiers turn their backs as a consequence.

840. *bonhomie* naturalness.

841. Tsar Alexander I (1777-1825).

842. Because Julien usually dominates by his presence, instead of having to practice the art of beating a graceful retreat.

843. *était* was being.

844. By declaring that she no longer loves him, Mathilde realizes (but, knowing Julien, does not take seriously) that in his desire for revenge he might make their affair public and ruin her reputation.

845. Pleasure and displeasure are matters of taste and have their seat in the emotions, not in the intellect. Cf. Thomas Brown's famous line: "I do not love thee, Dr. Fell."

846. *ce cas* latter case.

847. *petit amour-propre* petty vanity.

848. *quand on s'en souvient de sang-froid* after regaining one's composure.

849. A satire of the frivolous aristocracy, eager, as it had been on the eve of the Revolution, to take cognizance of scandalous material aimed at destroying its world. This may be another explanation for Mathilde's fascination with Rousseau's *Contrat social,* mentioned in n. 617.

850. *Chelles* abbey east of Paris near Meaux, founded by St. Clotilde in the 6th century and abolished in 1790.

851. From the 17th century to Admiral Perry's visit in 1854, Japan banned all foreigners, except for a small Dutch trading post at Nagasaki.

852. Philip III of Orleans, Louis XIV's nephew, served as regent during Louis XV's minority (1715-23). Louis XV was Louis XIV's great-grandson.

853. *sa mère* i.e., she, too, had approached.

854. *le sentiment qui l'anime* i.e., haughty pride and pleasure over having destroyed his love for her.

854a. I.e., why was it not true?

855. I.e., as if civilization had outdone itself in creating so perfect a being.

856. *La Note secrète* the note is a historical fact; but it was sent to the Allies much earlier, in 1817, requesting them to prolong their occupation (see n. 921). The episode's obscurity, which has never been completely dispelled, arises from Stendhal's having moved it forward to 1830, when a different set of political conditions obtained. The real note was dispatched at the instigation of the Count of Artois (the future Charles X) and ran counter to the much more liberal policies of his brother Louis XVIII. As for the character of the individuals involved, Stendhal seems to have in the back of his mind what Napoleon, escaped from Elba, proclaimed to his people: "Depuis le peu de mois que les Bourbons règnent, ils vous ont convaincu qu'ils n'ont rien oublié ni rien appris."

857. *Londres* a slip, however hypothetically the Marquis meant it, which gives the game away; although Julien will go elsewhere, the recipient of the secret note is almost certainly the Duke of Wellington, for the reasons given in subsequent notes.

857a. *annonces* announcements and advertisements.

858. *manque* be missing.

859. *y manquer* failing the task.

860. *C'est que* the fact is.

861. *ce ne sera point une conversation confuse* with everyone talking at once and therefore hard to record. In view of the actual episode, this is an ironic buildup.

862. *toujours autant de fait* something already accomplished.

863. Wellington was prime minister from 1828 to 1830, although the Marquis is probably using the word *ministre* in a rather vague sense.

864. In order to attract as little attention as possible through his insignificance, and to throw off eventual pursuers by the discrepancy between his appearance at the meeting and that on the road.

865. Julien is thinking of "his M. de Maistre" and ultramontanism because of the mention of "vénérables personnages."

866. *votre esprit était bien loin* you were wool gathering.

867. *avait tort* was in the wrong.

868. *on en appelle. . .sottise* one invokes the purity of one's intentions as an excuse.

869. I.e., he was vindicated in the Marquis' eyes following his blunder, as expressed in the next sentence.

870. *cœur* courage.

871. *mille hommes.*

872. *ils périraient. . . trône* defending their sovereign to the last man.

873. Though conscious of class distinctions, the Marquis has grown to like Julien and does not send him to what may well be his death without a sigh.

874. *le* this.

875. *diplomate* the (cautious) diplomat.

875a. *tapis* cover.

876. *qui digère* his dinner (and a copious one, naturally with wines).

877. *en* therefore.

878. *tournure* i.e., neither knowing his name nor distinguishing his words.

879. *à malheur* into a misfortune.

880. *noir* dark.

881. *portée* significance. A deliberate ambiguity ((1) rank, (2) lack of intellectual capacity); satire as explained in the next note.

882. Surely a description of the famous Bourbon profile; in the secret notes on the real incident utilized by Stendhal, this was in all likelihood the Count of Artois.

883. *N. . .* probably the minister, M. de Nerval, mentioned a little later.

884. *président* chairman, presiding officer.

885. He is afraid that Julien may recognize the property.

886. *fourré* mixed up in.

887. *Grève* see n. 488.

888. *Heureux* lucky me.

889. I.e., the Marquis had had a public conveyance summoned (for greater anonymity).

890. *duc de. . .* i.e., Julien will relate to the Duke of Wellington everything they say henceforth.

891. *éditeur* publisher.

892. *mourir* i.e., not sell.

893. *submerge* i.e., drowns out aesthetic values.

894. A sentiment several times expressed by Stendhal. He is, of course, referring to real politics, not the purely imaginary variety invented for a novel.

895. *spéciale* i.e., competently discussed by experts.

896. *Gazette des Tribunaux* the newspaper in which Stendhal had read an account of the Berthet trial. Reality is stranger than fiction and must be toned down and rendered plausible for a novel.

897. This is still the Duke to whom Julien will report, since he knows, through the lackey's slip, the name of the one present.

898. *avocat général* State's attorney (representing the Ministry of Justice), who sums up the evidence.
899. *magistrats* members of the *magistrature debout* (barristers), as distinguished from the *magistrature assise* (judges).
900. *William Pitt* (1759-1809) statesman and England's main opponent of the French Revolution and Napoleon.
901. The reluctance of the Allies and their difficulty in putting armies into the field were notorious.
902. *rapporteur* synonymous with *avocat général.*
903. *Wellington* the "Iron Duke" (1769-1852) was victorious over Napoleon at Waterloo and took charge of the Allies' occupation of France.
904. Julien was supposed merely to take down the reporter's summary of the discussion, during which he had been excluded from the room.
905. Probably: enough ideas to have come over to the other side after Waterloo, plus the fact that he constantly contradicts the others.
906. *Y eût-il* even if there were.
907. Which lead a people to war.
908. The French nation, any more than the English nation, could not be hoodwinked twice in succession. To understand the suppressed anger, cf. n. 925.
909. *ne me tient nul compte des* gives me no credit for the.
910. *Pitt lui-même reviendrait, qu'avec* even if Pitt were to return, with. After Napoleon's defeat, England was a reluctant partner in the Holy Alliance, preoccupied at home with a depression and in urgent need of sweeping agricultural, industrial, social, and political reforms.
911. A perfidious allusion by the author, surely unintended by the speaker, to a famous liberal club, *Aide-toi, le ciel t'aidera.*
912. *dussé-je* at the risk of (even though I might).
913. *prévenus* by saying something to the credit of the future insurgents.
914. I.e., all the difference between raw recruits and trained soldiers.
915. I.e., Julien found the habitually frivolous Marquis' gravity amusing.
916. La Fontaine, *Fables,* Book IX, 6 (*Le Statuaire et la statue de Jupiter*—the sculptor undecided as to what shape his chisel should give a block of marble).
917. I.e., you seem to want to give the people time to deify themselves (by your inaction and by waiting passively for foreign intervention).
918. *aïeux* i.e., the aristocracy.
919. After the King's execution in 1792, the Revolution passed from moderate policies, such as constitutional monarchy, to violence, anarchy, and demagogy.
920. The members of the Holy Alliance had solemnly pledged one another that they would again take up arms against France if she attempted to install a second Bonaparte or committed an act of aggression against one of her neighbors.
921. The Duke of *Richelieu* (1766-1822), Louis XVIII's minister, who, at the Congress of Aix-la-Chapelle (1817), succeeded in having the Allies evacuate French territory, which they had been occupying since Napoleon's downfall.
922. I.e., the insurgents will have had time to consolidate their power.
923. I.e., the credit accruing from twenty military campaigns.
924. *Globe* liberal daily (1824-32).
925. All these men were revolutionary generals, all brilliant tacticians. The young liberals may rise up against the government, overwhelm the aristo-

cracy, and occupy the country in their own name with the aid of skillful generals.

926. *le* "him," like "bien intentionné" in the preceding paragraph, seems to refer to Pichegru (see n. 659); i.e., well-intentioned to the monarchy.

927. *immortel* since Pichegru was a royalist who had tried to kill Bonaparte and could have served as an inspiration in a similar situation in the future.

928. *nous avons. . .budget* i.e., we have the financial means to take the offensive.

929. *liste civile* same expression in English (the sum allotted by the legislature for the sovereign's personal and household expenses).

930. *à la* in.

931. *gentilshommes* nobles.

932. I.e., ready to defect to the Republic as the nation defected to Napoleon when he escaped from Elba. Under the Restoration, the mere showing of the tricolor (the Bourbons' flag was white) was, theoretically at least, punishable by deportation.

933. *Cathelineau* one of the leaders of the Vendée revolt (see n. 702). The French aristocracy traditionally felt a close bond with the peasants whose ancestors lived on their estates, rather than with their eternal opponents, the urban middle classes.

934. *frère de lait* foster brother in the sense of being the son of the noble's wet nurse.

935. I.e., not even one third the distance from the frontier to Paris.

936. *pénible* not morally, but requiring personal sacrifice. The question of betraying their country does not arise for the conspirators, so great is their hatred of democratic institutions.

937. I.e., disappear as a class or. . .

938. Line from the song that has become the French national anthem, *La Marseillaise,* composed by a young royalist officer, Rouget de Lisle, and adopted and brought to Paris in 1792 by a revolutionary batallion from Marseilles.

939. *Gustave-Adolphe* (1594-1632) King of Sweden; Richelieu's ally, he helped the German Protestant princes defend themselves against the Hapsburgs in the Thirty Years' War.

940. *Dans* if you do, in. . .

941. *candidats* to elective offices.

942. I.e., able to seize the country.

943. *troupiers* veterans of the revolutionary and Napoleonic campaigns and suspected of being subversive.

944. *fort avant* high up.

945. The ecclesiastical dignitary is now speaking, not M. de La Mole.

946. *chirurgien* the Duke of Wellington; French liberalism is the rotten limb.

947. *le. . .* at the end of ch. 17, the Marquis had said to Julien: "si vous partez, ce sera pour le Nord."

948. *bois* an allusion to the clergy's woodlands (see n. 715), which the Congregation tried to have returned early in the Restoration, but which the government retained as security for treasury bonds issued in 1814. Agitation for return was considerable during the early years of the regime. The liberals, however, supported by all who had acquired property confiscated during the Revolution, won a number of new seats in the 1817 elections on this very question.

949. *Hume* (1711-1776) Scottish philosopher and political economist,

religious skeptic, and advocate of middle class expansion in trade and industry.

950. So-called by their adversaries because of their self-importance, the *Saints* were a part of the Evangelical movement pressing for greater piety, a higher morality, abolition of the slave trade and capital punishment, the bettering of the lot of working children and animals, and the emancipation of the Catholics. Their piety (a mild Calvinism) made them abhor Voltaire, Rousseau, and the Revolution; their independent spirit, Napoleon's despotism. Like the overwhelming majority of the English, they looked kindly on the restoration of the Bourbons; thanks to their efforts, Louis XVIII, in the second Treaty of Paris (1815), pledged immediate cessation of slavery in all French colonies. But they could not have approved of the regime's oppressive measures.

951. *Lord Brougham* (1788-1868) one of the founders of the *Edinburgh Review,* a liberal leader when in the House of Commons, and later Lord Chancellor.

952. I.e., the defenders of the principle.

952a. Allusion to the irreligious 18th century.

953. *vers du monde* such as Béranger's; the priest's message will be diametrically opposed to the poet's.

954. *personnalité* personal allusion.

955. I.e., for the parish priests, but not for the higher clergy, who no longer have their own income-producing property, but who alone can direct operations.

956. *ne croit pas* religious sense.

957. I.e., some revolutionary general.

958. The Cardinal seems aggrieved that the proud French should resent the humiliation of another foreign intervention.

959. Almost certainly M. de Nerval represents Prince Jules de Polignac, an Ultra who had been implicated in the same plot as Pichegru, had refused to swear to uphold the Constitution, and whom the reactionary Charles X appointed prime minister in August, 1829. Prince Metternich wrote that the appointment was as valuable as a counter-revolution would have been; but it served instead to alienate the Chamber of Deputies and public opinion. The revolutionaries of 1830 fought to the cries of *Vive la Charte! A bas Polignac!*

960. *nombre* including me.

961. The *Parlement* had been essentially a judiciary body, registering royal edicts and having the right of remonstrance (which most kings disregarded), but without true legislative or executive functions save in an interregnum.

962. *Avec. . .sens* though possessing great courage, this man had no judgment.

963. *funèbre* because of M. de Nerval's do-or-die firmness. *Pendule* is "clock."

964. *dit-on* can one say.

965. *Deux heures. . .parlait encore* they were still talking when two o'clock struck.

966. I.e., among his opponents. The conspiracy, though within the party of the Ultras, is obviously directed against the ministry and official government policy; perhaps it secretly intends to replace M. de Nerval with M. de La Mole, who has expressed hope of obtaining a ministry that will make him a Duke (Book I, ch. 30). In any event the conspiracy contains wheels within wheels; not all has been said in M. de Nerval's presence, and Julien

risks danger from someone present—M. de Nerval has studied his face in a mirror for three quarters of an hour.

967. *y* here (in our midst). The implication is that he came to their earlier meetings out of opportunism; now that he is prime minister, he should forget his personal interests, particularly since the conspirators oppose him and want him replaced; therefore, he should have stayed away out of delicacy.

968. *il nous mène* i.e., keeps us under control.

969. *nous les ferons vouloir* i.e., we will make their will coincide with ours—when we are backed up by foreign troops and an armed party at home.

970. I.e., have him assassinated. In 1807, Napoleon instituted a new hereditary nobility.

971. I.e., there must be a fight to the finish. As early as 1827, it was apparent that the people of Paris were ready to revolt.

972. By stamping out the center of opposition.

973. *souffler* peep (rebel).

974. On October 5, 1795, a column of royalist insurgents, marching on the Convention, then in session in the Tuileries palace, had just reached the church of St. Roch (rue St. Honoré) when young General Bonaparte fired upon them point-blank and wiped them out as they stood massed on the church's steps.

975. *pour connaître* upon knowing.

976. *renversé* by the liberals because the royalists provoked them to a fight to the finish. The *jeunes fous,* in spite of the age of most of the ringleaders, refers to the young royalist conspirators, like the Bishop of Agde.

977. *cardinaux* would be appointed by the Pope.

978. *but* destination (not purpose).

979. *Metz* town in Lorraine 312 km. from Paris and about 70 km. from the German border.

980. *toujours* at any rate.

981. *allemands* German-speaking, but French subjects, since Lorraine was French from 1766 to 1871.

982. *Mayence* Mainz.

983. Germany was still broken up into small principalities.

984. *serrées* narrow, instead of widening at the cuff as on a frock coat.

985. *essences* scents. *Siècle* is "times."

986. Since he would be legally justified.

987. *venir à bout de* succeed in.

988. *Kehl* German town across the Rhine from Strasbourg.

989. The two revolutionary generals who held Kehl for two months in 1796. Saint-Cyr's *Memoirs* appeared in 1829.

990. The Russian's version of *se montrer inférieur.*

991. *Etes-vous ennuyé* if you are bored.

992. When the French were gay, dissolute, and cynical in conducting their love affairs. (Cf. the description of Korasoff at chapter's end.) The themes of 18th-century epicureanism and 19th-century romantic love are here dramatically counterposed.

993. *de Dubois* Mrs. De Smythe, so to speak.

994. *prendre en pitié* disdain.

995. *papillon* moth.

996. *éléments* most elementary principles.

997. I.e., not yet out of knee pants.

998. *col* necktie. London is already the center of masculine sartorial elegance, as is evidenced by Stendhal's use of the word "dandy."

999. *corde noire* piece of black string.

1000. *passementier* haberdasher.

1001. Korasoff's curiosity has got the better of his discretion not only in querying Mme de Dubois' name, but in asking Julien what company Mme de Dubois keeps.

1002. A play on two senses of *industrie*: (1) "ingenuity, living by one's wits"—cf. *chevalier d'industrie* (Julien) and (2) "industry, trade" (the hosier's daughter).

1003. Her title by marriage.

1004. *la vertu* the prudes.

1005. *nécessaire* *de toilette.*

1006. Richmond Terrace.

1007. I.e., it no longer represents military bravery and integrity.

1008. Korasoff is like a lawyer because of the qualities just mentioned.

1009. *raison de plus* all the more reason.

1010. I.e., those of Mme de Rênal.

1011. *Lope de Vega* (1562-1635) leading dramatist of the Spanish Golden Age.

1012. The *Carbonari* were a revolutionary group organized ca. 1811 to establish a united republican Italy. A French equivalent existed under the Restoration: the secret society of the *Charbonnerie* devoted to terrorist attacks against the government.

1013. *pas mal* quite.

1014. *furia francese* French impetuosity—a term coined by the Italians in the face of the French charge at Fornovo (1495).

1015. *Collé* (1709-83) dramatist and popular songwriter.

1016. *divine chanson* irony.

1017 *qualité* rank (cf. *the quality*).

1018. In Toledo, she would find a much harsher sort of religion than in Paris.

1019. *hôtel d'Aligre* the private mansion of an influential family whose sons became ministers to Louis XIV, Louis XVI, and Louis XVIII, located in the rue de l'Université (faubourg Saint-Germain).

1020. I.e., of not betraying himself by his glances; the first of Korasoff's precepts.

1021. *user* wear out, exhaust.

1022. *lui fit compliment* commiserated with him.

1023. *sa* her.

1024. *Opéra-Buffa* acclimatized in France as *bouffe*, or light opera; here used to distinguish the company of Italian singers from the official French Opera. "Opéra italien" at the end of ch. 13 and in ch. 19 and *Bouffes* in ch. 29 both refer to the same Italian theater. Not until 1855 will *Bouffes* be used to designate Offenbach's theater for the presentation of French operettas.

1025. *loge* box.

1026. *chambre* i.e., royal chamber.

1027. I.e., the power behind the throne, whose activities aroused the opposition's ire during the Restoration. *Disposer* is "make available."

1028. *Camarilla* the same word in English meaning the King's confidential advisers.

1029. Actually stanza 34.

1030. *Saint-Simon* (1675-1755) the great French memorialist, whose

Memoirs are a racy, colorful account of Louis XIV's court. He was as big a snob (his dukedom went back only to his father) as the *maréchale.*

1031. *d'avance* knowing that she would choose that spot.

1032. *yeux* those of Mathilde which held his fate in the balance.

1033. As in the German Romantic authors and some of their French disciples—a turgidity that Stendhal never tires of satirizing.

1034. *en* by her.

1034a. Allusion to the underlying idea of La Rochefoucauld's *Maximes* (1665).

1035. Cf. Henri Estienne's epigram: *Si jeunesse savait, si vieillesse pouvait.*

1036. *un sentiment. . .soi-même* love unconscious of its name. *Différence* refers to true virtue, embodied by her.

1037. *Massillon* an early 18th-century bishop famous for the gentle persuasiveness of his sermons.

1038. A pedagogical novel (1699) relating the adventures of Odysseus' son, Telemachus, which Bishop Fénelon composed for the Duke of Burgundy, his pupil and Louis XIV's grandson.

1039. *Ce jour-là* goes with *se dit-il,* not with the intervening clause.

1040. *forcé* compulsory.

1041. *pièces* documents.

1042. *traité de Munster* ending the Thirty Years' War (1648).

1043. *le néant* the (metaphysical) void.

1044. I.e., fear of being one's self and writing naturally, instead of fashionably.

1045. *suisse* hall porter.

1046. *bureau* desk.

1047. *fin* purpose.

1048. *Dorat* (1734-80) leader of a school of light poets; Korasoff had been frivolous and superficial in his instructions.

1049. *galerie de Diane* a state apartment in the Pavillon de l'Horloge, which burned in 1871.

1050. *feuille des bénéfices* i.e., the patronage of ecclesiastical benefices.

1051. *table* of contents.

1052. To elucidate the metaphor by prolonging it, substitute "read" for "listen."

1053. The Jansenists would have no dealings with the world, irremediably wicked in their eyes; the Jesuits were willing to compromise in order to bring the world back into the Lord's fold (*régénérer*). Their adversaries claimed that they compromised too much.

1054. *Lichtenberg* (1742-99) German physicist and satirist.

1055. An adaptation of l'abbé Prévost's novel by Scribe, music by Halévy, first performed May 3, 1830.

1056. *insignifiant* cf. the epigraph.

1057. *plats ouvrages* i.e., novels.

1058. The hero, Des Grieux, is enslaved by his degrading passion for the heroine, lovely, fickle Manon.

1059. Because of its sentimentality—a judgment on a masterpiece that posterity has refused to ratify.

1060. *Quand on m'aime. . . dire* does the *maréchale* merely mean "to like," on the grounds of his constant attendance, or is she finally acknowledging his ardent, though foggy, pursuit in his letters?

1061. *Mme de Rênal* a "poor provincial," incapable in her warmheartedness of such ambiguous dissemblance.

1062. I.e., in his conversations.

1063. *sautillant* jerky, clipped. The miracle of Stendhal's style is to resemble Voltaire's superficially and yet to express as profound emotions as any effusive Romantic.

1064. Whence her reproach of "frivolity."

1065. *sollicite* i.e., has a favor to ask.

1066. *landes* wastelands.

1067. *prendre sur elle* keep a firm grip on herself.

1068. Not treating him the same after a reconciliation; this reflection explains Julien's peculiar attitude toward Mathilde at the end of the novel.

1069. Julien continues to depreciate himself and to ignore his good qualities. Here, he is referring to his provincial upbringing and refuses to recognize that he has made any progress since his arrival in Paris a year ago. The tense corresponds to his imagining his future relationship with Mathilde.

1070. *passe* well and good.

1071. *Girodet* (1767-1824) a transitional painter, classical in form, romantic in inspiration.

1072. In her eyes, this is the wrong "cross," of course.

1073. She does, as follows, but since the motives are less laudable, only *in petto.*

1074. *intérêt* in Julien.

1075. If only he had been ordained a priest!

1076. I.e., with no title of any sort to his name.

1077. This is a part of the *politique russe.*

1078. *ambitieuse d'effet* i.e., eager to impress.

1079. *on* Mme de Fervaques.

1080. *de* during.

1081 *sans. . .compte* evaluating (and discounting the source).

1082. I.e., she was a gullible prey for them.

1083. The task is that of a valet.

1084. *se grimer* wrinkling up his face.

1085. *d'* in.

1086. Later editions correct to *à Julien.*

1087. I.e., for Korasoff's admonitions.

1088. Mathilde's.

1089. *en* because of that.

1090. *en tout* in all respects.

1091. *contrefaite* disguised.

1092. I.e., is she your mistress?

1093. *honnête homme* gentleman.

1094. *c'était à* to the point of.

1095. *avait pu* might have.

1096. *trouvée* in spite of the agreement, *se* is the indirect object.

1097. *aurais* "if you were here" is implied.

1098. *on* Mathilde.

1099. This sentence refers to the hypothetical state of Mathilde's feelings for Julien.

1100. In order to understand the outcome, it is important to remember Julien's sudden memories of Mme de Rênal even when he seems most absorbed in his passion for Mathilde.

1101. This is the *amour de tête* described previously.

1102. An action that symbolizes beautifully Julien's closing the door to Mathilde's overtures—and she senses it.

1103. *regards* which might betray him to Mathilde.

1104. *ne plus m'aimer* "what should I do" is understood. The idea is that perhaps he should have given in in order to enjoy one of those fleeting moments of happiness when Mathilde does love him; also, perhaps she will react unfavorably to his coldness.

1105. Julien treasures his happiness only in those solitary reveries which are an integral part of, and perhaps the key to, his character.

1106. *chapeaux* worn by the ladies.

1107. *sa* her.

1108. *troisièmes* third tier of boxes; a spot not congruent with the de La Moles' social position.

1109. *affaire* piece of business.

1110. *se piquer de vanité* grow vain.

1111. *si fata sinant* if the Fates allow.

1112. *ne pût dire* pleonastic *ne.*

1113. In addition to Las Cases' *Mémorial,* several collections of *Memoirs,* compiled from reminiscences and notes dictated by Napoleon, were published by French officers who had accompanied him into exile.

1114. If he had gone farther, the comparison would have been in Mme de Rênal's favor.

1115. *ennemi* Mathilde, in the language of the general whose battle is only half won.

1116. *Ici* in this instance, when the roles are reversed.

1117. *ne se répétât* pleonastic *ne.*

1118. *Ami* my dear.

1119. A daring trait, reminding the contemporary reader that Mathilde's character was partially based on that of Marie de Neuville, a young lady of the highest society who, in January 1830, had run away to London with her lover; afterwards, she refused to marry him.

1120. *qui me répond* what guarantee do I have?

1121. *perdue* ruined.

1122. *qu'un malheur de plus* and not a consoling revenge.

1123. Since you spurn me.

1124. *je la perds* she is lost to me.

1125. *nuance* *de conduite* (action).

1126. *une ressource* a means of compensation to bolster his ego, as explained in the next few paragraphs. The difficulty here is that the truth becomes a lie: Julien's tears are palmed off as a reminiscence of another love affair automatically evoked to cushion the blow of having seen Mathilde let M. de Croisenois keep the flower.

1127. *moins* than before his tears.

1128. *son* her.

1129. *sa* his.

1130. Smollett's *Complete History of England* (1758).

1131. Because they had hurt him and she had wanted to make him jealous.

1132. *droit* to ask you to delay.

1133. I.e., are you afraid?

1134. A reflexion to be retained for the ending.

1135. *amitié* affection.

1136. This clause is a quotation of the Marquis' words to his daughter.

1137. *de premier mouvement* impulsive.

1138. *tirent du pair* raise me above my peers.

1139. "Mais, Madame, après tout, je ne suis pas un ange" (*Tartuffe,* III, 3).

1140. *pensée* ideas.

1141. *aimable* attractive, lovable.

1142. *pour* marks Julien's intention (not the Marquis' opinion).

1143. *le dernier des hommes* beneath contempt.
1144. I.e., commit suicide.
1145. I.e., lead to measures that would compromise the situation.
1146. *serait mieux mon fait* would suit me better.
1147. The abbé Pirard is residing in his fashionable parish.
1148. Julien had forgotten that a Jansenist, believing the worst of the world's ways, can be surprised at nothing.
1149. *plus soucieux qu'irrité* concerned to help rather than annoyed by the news.
1150. Julien, not wishing a scene, transfers attention from himself to the Marquis' possible course of action.
1151. *furieux* explained by Julien's answer.
1152. *il* Julien.
1153. *se raviser* and come around; whereas the sight of Julien will only make him angrier. Alternately: and still have you killed.
1154. For Julien to flee is under any circumstances a cowardly act.
1155. *supposer* imply.
1156. *doutes* about the wisdom of his own suggestions.
1157. *inscription* certificate.
1158. *reprendre* by going away.
1159. *marche* procedure.
1160. Which would raise an outcry.
1161. A duchess' prerogative at court was to sit, whereas ladies of lesser rank had to remain standing in the royal presence.
1162. Under the Old Regime, when the aristocracy was a law unto itself.
1163. *prudence* in the sense of English "providence," or foresight.
1164. *tout confondre* mix everything up (especially class distinctions).
1165. *président du conseil* prime minister.
1166. *un* one (different from his "favorite plan").
1167. Both towns are on the Garonne, near Bordeaux.
1168. I.e., to keep her guessing as to his feelings for her.
1169. Desdemona to the Duke of Venice: "That I did love the Moor to live with him, / My downright violence and storm of fortunes / May trumpet to the world" (*Othello*, I, 3).
1170. *le* Julien.
1171. *influence* in keeping him up in the clouds and away from unpleasant decisions.
1172. *tantôt* *Le lendemain,* farther along, replaces the second *tantôt.*
1173. *passer sa pairie* have his peerage revert to Julien, since Norbert would be provided for by his maternal grandfather.
1174. I.e., the door to any office, elective or appointive, is an influence-dispensing salon.
1175. *Louis XI* (1423-83) the "Spider King," so named because of his machinations.
1176. *je m'y perds* I can't figure him out.
1177. I.e., do they preserve him from giving way to his generous impulses and other passions?
1178. *je le tiens par là* that much I do understand about him. It may also mean: that's my hold over him.
1179. *s'excuse s'accuse* italicized because it is a proverb; he suspects Mathilde of shouldering a blame that is not hers. In these last few paragraphs is contained the logical, adequate motivation of the Marquis' final decision concerning Julien, the plausibility of which many critics have

wrongly contested, maintaining that if he was brought around for one thing he could be brought around for any other.

1180. *gagner du temps* i.e., to temporize.

1181. *folies* those threatened in Mathilde's letter to her father.

1182. It is to be noted, in view of the outcome, that the Marquis will never have given his consent to the marriage.

1183. *droit* i.e., in the path of rectitude.

1184. Namely, his fierce independence.

1185. Her father's "half-hearted show of spunk."

1186. Who will influence the Marquis in Norbert's favor.

1187. The wife of his grandson, who by her charm and vivacity had become indispensable to the old monarch.

1188. *fini* has drawn to a conclusion. This is pride before the fall.

1189. Julien is to be henceforth of mysterious, but noble, birth; and old man Sorel will have been merely his foster father.

1190. *reconnu* but as whose son?—whence Stendhal's irony at Julien's expense.

1191. I.e., concern with noble birth.

1192. I.e., without explicitly accepting the Marquis' conditions.

1193. *bien* at all.

1194. *Napoléon* who had ruthlessly crushed any royalist conspiracies during his reign.

1195. *monstre* for having unnatural feelings toward his father.

1196. *en bataille* drawn up in battle array.

1197. *que* otherwise than.

1198. *armes* fencing.

1199. *ponctualité* punctiliousness.

1200. The gate opened on a different street from the main entrance, with less likelihood of Julien's visit coming to the Marquis' attention.

1201. *faillir* be in error.

1202. Since I was implicated, my pen fails me.

1203. *en conscience* my conscience impels me to add.

1204. This letter, with its sanctimonious tone, is strangely out of character; the reason will be furnished later. *Disposer* is "have at his disposal."

1205. Julien should have realized that she had copied it.

1206. *route* journey.

1207. As they had been on the premonitory day.

1208. *élévation* of the Host.

1209. *il se sentait la tête comme si* his head felt as if.

1210. *directeur de conscience* here, synonymous with *confesseur.*

1211. *ne s'y trompait pas* i.e., realized that it was Julien's absence, not remorse.

1212. *ma* my own.

1213. *de vous-même* on your own initiative.

1214. *ministériel* government official (zealous in the execution of official policies and procedures).

1215. The *juge d'instruction,* charged with preparing the case for trial.

1216. An invention of Stendhal's; the penal code contained only 484 paragraphs in his time.

1217. I.e., he would have preferred to prove Julien's guilt himself.

1218. The first indication of Julien's new attitude toward Mathilde.

1219. Without his or Mathilde's realizing it, Julien is revealing the depth of his affection for Mme de Rênal.

1220. The motive is noble, to be sure; but also, is Julien not on the point of realizing where his affections lie?

1221. The flaw in Mathilde's character which, in Stendhal's eyes, makes her unworthy of Julien on the moral plane to which the novel has now shifted.

1222. *être vivant* a living soul.

1223. In this respect, Julien will be shown to have been mistaken.

1224. Not Julien's execution, but Mathilde's confinement.

1225. *Iago* who, after all, had deliberately betrayed Desdemona with a falsehood.

1226. *Othello*, V, 2.

1227. *horrible* italicized as a cliché.

1228. *tous* i.e., death. Here Julien is definitely the Romantic hero.

1229. *offensé. . .atroce* i.e., falsely accused in Mme de Rênal's letter of being a vulgar schemer.

1230. *l'instrument* the guillotine, instrument for the execution of criminals.

1231. I.e., looked at dispassionately, without regard for pharisaical bourgeois morals, what could be more contemptible than their opinion?

1232. *évident* obvious, self-evident.

1233. *la cour royale* the royal tribunal having jurisdiction over the local penitentiary system, probably at Besançon.

1234. *Ses larmes. . .généreuse* tears of relief, not over possibly escaping punishment, but over Mme de Rênal's survival.

1235. *fameux cœur* terrific courage.

1236. I.e., your interests, advancement, or reputation.

1237. Because she has paid him once, and Julien is paying him a second time; thus, Julien remains in ignorance of Mme de Rênal's concern for his welfare.

1238. *peut gagner* probably earns.

1239. *fréquentée* by prisoners.

1240. *donjon* donjon keep.

1241. *superbe* this is the most striking paradox in both *Le Rouge et le Noir* and *La Chartreuse de Parme*: the heroes' happiness in a tower prison after an agitated existence.

1242. *interrogatoire* by the *juge d'instruction*.

1243. *que de* that was not.

1244. *sa pensée . . . davantage* i.e., he dismissed it from his mind.

1245. *le jour même* i.e., the day of the trial.

1246. *arrêtait* gave pause for thought.

1247. Stendhal seems to have fallen into the common error of confusing *orfraie* (osprey) with *effraie* (screech owl). In any event, a sentence out of a Gothic novel.

1248. *de* that he.

1249. Thus begins Julien's transformation, so beautifully portrayed in the remaining pages.

1250. I.e., for even contemplating the possibility of living on callously after having murdered one he had loved.

1251. *accrocher* obtain.

1252. "If I killed myself" is understood.

1253. *a vécu* kept on living in an exile that was worse than death; *après quelques jours* goes with *se dit-il*.

1254. *ennuyeux* bores.

1255. *Sterne* author of *Tristram Shandy* (1760-67) and *Sentimental*

Journey (1768), much appreciated by Stendhal and other French authors for his unique combination of sentiment and humor.

1256. I.e., usually.

1257. *une* another.

1258. *La main du temps* allegory—a device which Stendhal uses very sparingly.

1259. *reçois* narrative present.

1260. *Liveru* seemingly the name of an invented hamlet.

1261. *laideur* in the abbé's physical decay.

1262. *rude* austere.

1263. I.e., harder to attain and vanquish.

1264. *de niveau* on an even keel (literally: "on the same level").

1265. *en jeu* at stake.

1266. *procureur général* prosecuting attorney.

1267. I.e., in his vanity, he had been so preoccupied with his personal appearance that he had not taken time to write to his friend.

1268 *en* i.e., any ideas—irony over the impractibility of his scheme and his general lack of ideas.

1269. *faire sauver* help to escape.

1270. Condemned to death during the White Terror, the Count de Lavalette was saved by his wife who, visiting him in the Conciergerie prison on the eve of his execution, smuggled him out dressed in her clothes.

1271. *différence* between a glorious political imprisonment and a vulgar crime arising from adultery.

1272. *méfiant* obscure motivation. Does he suspect a trap in Fouqué's offer? Does he fear that he will let himself be moved to tears and fall back into the lamentable state caused by the abbé Chélan's visit? The most plausible explanation is that, given his character, whenever he faces up to a practical problem (as distinguished from his daydreaming), he does become "observant and alert to dangers" that may befall him in the execution of a plan; the *méfiant* would then be used in a general sense and not apply to Fouqué at all.

1273. *à cent francs près* give or take a hundred francs.

1274. I.e., Fouqué is a penny-pincher.

1275. *René* Chateaubriand's semiautobiographical novel (1802, 1805) in which a generation of young Frenchmen learned the attitudes (and attitudinizing) characteristic of the Romantic hero, from whom Julien differs by his activity, driving energy, and ambition, but not by his daydreaming and emotional propensities. See also n. 155 and 1228.

1276. *encore* also, even so. Fouqué did not inherit *his* money, but saved it through hard work and thrift.

1277. *comparée* when compared.

1278. *sublime* italicized as an aesthetic category much discussed in France and England since the end of the 18th century.

1279. *une belle plante* i.e., a promising young man.

1280. Cf. Pascal: "Qu'une vie est heureuse quand elle commence par l'amour et finit par l'ambition."

1281. *s'* the antecedent is *bonté*.

1282. Not to be taken at face value; his litigation with M. de La Mole has just been settled out of court and he hopes for further favors from the latter.

1283. Taking money under false pretenses (like Valenod), since, the implication is, the vicar-general does not believe in the efficacy of saying masses (but can hardly admit it), but in the manipulation of men.

1284. Thus speaks the Jesuit skilled in the motives of human conduct.
1285. Julien is an ex-seminary student, and there will be liberals on the jury that may convict him.
1286. *fin* ins and outs.
1287. An ironical situation: less of a psychologist than he thinks, the way to frighten Mme de Rênal will be for him to have her assailant acquitted.
1288. *transaction* compromise settlement.
1289. Because of Julien's unnatural sentiments and haughty pride; whereas, as we know, it is really because of Julien's intellectual and moral superiority.
1290. *secret* to hold incommunicado.
1291. *préventions* prejudices.
1292. Whose honor was intact.
1293. *étonnée* in its strong sense of "stunned, shocked."
1294. *le bonheur. . . monde* i.e., with what everyone else calls happiness, instead of reaching for the moon.
1295. I.e., the academician will express in pompous, hackneyed language a simple truth.
1296. *distingué* because of Julien's bantering tone in the midst of his difficulties.
1297. *nom* i.e., real name, whence her fear of Julien's anger.
1298. *colonel* M. de Croisenois.
1299. *couvrira* will justify.
1300. Note that despite the "délices," the love is Mathilde's.
1301. These are epithets characterizing the exalted nature of Mathilde's love.
1302. *douteuses* i.e., of doubtful honesty.
1303. *congréganiste* a member of the Congregation.
1304. *marchande de modes* milliner.
1305. *à pied* the height of unseemly conduct.
1306. I.e., if she should be recognized.
1307. I.e., on his way to the scaffold.
1308. *premier* ranking.
1309. *me demander* ask my whereabouts.
1310. *vertu* vigor.
1311. Later editions correct to *trouveront*.
1312. *pour qui* to repay the person who.
1313. *déclarer* make public.
1314. I.e., a bishopric for me.
1315. *vœux* wishes.
1316. *vif. . . nerveux* so keen that his nerves were twitching.
1317. *notables* a noun here; jury duty, like the right to vote, was limited to the upper income brackets.
1318. Later editions correct to *bien peu chanceux*.
1319. *plus qu'elle même* even more than it.
1320. *pour condamner* for a conviction.
1321. Another trait of the Jesuits, accused over the centuries of getting even murderers absolved, if it suited their purposes.
1322. *retourner* twist.
1323. *Il s'en faut bien qu'elle soit* she certainly is not.
1324. Only a Jesuit would dream of accusing the incorruptible Jansenists of lacking principles.
1325. Later editions correct to *des yeux ardents*.

1326. *qu'il* which he.
1327. *pris* surprised.
1328. This would seem to be a false note, since Mathilde's conduct, despite her having more head than heart and taking such pride in her rank, has always been the opposite of prudent. Stendhal has let himself be carried away by his need to render Julien's change of heart plausible.
1329. *mentait* tongue-in-cheek—an oratorical precaution.
1330. *au moins* in the conditional tense, because this is what he promised Mathilde.
1331. *cinq* for *cinquième.*
1332. *Castres* a town in southern France near Albi.
1333. *conseillers* judges.
1334. *distraction* absent-mindedness.
1335. *il* he.
1336. *sentiment* her passion.
1337. *du roi* royal (*du roi* and *le prince* refer to the same person). Note Mathilde's complacent dwelling on the details of her heroic step; compare Mme de Rênal's simple conception of exactly the same action in ch. 45.
1338. He is ready for a different kind of love.
1339. I.e., he would have felt even more vexed with himself for not responding.
1340. Although he was disconcerted by the wildness and number of her schemes.
1341. The author is slightly skeptical of the firmness of Mathilde's resolves.
1342. *bonheur* a secret delectation.
1343. I.e., became an obsession.
1344. *occupante par elle-même* absorbing *per se.*
1345. *ses* her.
1346. *subalternes* explained in the following sentence.
1347. *mon courage entrevoit* I have the courage to contemplate.
1348. *prendre sur* attach itself to.
1349. Victor Hugo had just spoken out against capital punishment the year before, in *Le Dernier Jour d'un condamné* (1829).
1350. *Fronde* a revolt of the aristocracy and parliament against Cardinal Mazarin and the Crown's absolutism (1648-53). The Duchesses of Chevreuse (1600-79) and Longueville (1619-79) were ringleaders.
1351. Later editions correct to *W. GOETHE.*
1352. *faut* it must be (supposition).
1353. *roi des épouvantements* parody of the pseudo-noble style of the time, such as was used by lawyers—worthy of the academician.
1354. Than death.
1355. *pouvoir dire* to think.
1355a. *bruits* rumors.
1356. *aristocrate* satirical irony; Julien is the aristocrat in the true sense of the term, while Mathilde is the aristocrat who pulls strings thanks to her influence.
1357. M. de Frilair would like an even more selective list of those eligible for jury duty, from among whom the thirty-six names for the session will be drawn by lot, and twelve finally chosen for Julien's trial.
1358. *libéral de la défection* one of a group of rightists who, in the 1827 parliamentary elections, joined forces with the liberals. Cf. n. 606.
1359. *constante* clearly established.
1360. *grandes occasions* cases of emergency.

1361. *industriel* a noun here.
1362. *fourniture* supply contract.
1363. Note that, irony of fate, all will depend on the way Valenod votes.
1364. "A proper Gothic style." The rest of the sentence also depends on *était*.
1365. A curious judgment, since English Gothic, though it evolved independently, was imported from France. It is true that the major restorations of French Gothic monuments were carried out somewhat later in the century.
1366. In French courts, several judges try a case, as in the U. S. Supreme Court.
1367. *préfète* prefect's wife.
1368. *emphase* bombast, grandiloquence.
1369. *Bossuet* (1624-1704) France's great preacher, famous for his rolling periods and sonorous epithets.
1370. *fortes* powerful, energetic. In Pascal's words, "la vraie éloquence se moque de l'éloquence" (conceived as a bag of rhetorical tricks).
1371. I.e., Valenod's triumph.
1372. *président* presiding judge.
1373. A possible allusion to Rousseau's reference in the *Confessions* to his mistress and benefactor, Mme de Warens, as "Maman."
1374. *à* to consider.
1375. *éducation* not only education, but upbringing.
1376. I.e., the proud rich restrict the term to mean their society (the same two meanings as in English).
1377. Because Julien had raised the specter of class war in a trial that had been treated as an individual crime of passion, and he must appear indignant.
1378. I.e., dealing in general ideas rather than in concrete images and sentiments. Despite his tender feelings for a sizable number of women, Stendhal was no feminist.
1379. *ne revenait point* still had not come back.
1380. *en* swearing by; author's irony.
1381. *Lavalette* whose calm dignity on hearing his sentence struck contemporaries.
1382. I.e., is there an afterlife?
1383. *apprêter à rire* give an opportunity to laugh at my expense.
1384. *tout juge qu'il est* although he has been a judge.
1385. *C'en est fait* all hope is past.
1386. I.e., which I should have said to her.
1387. *aimât* could love.
1388. *Fénelon's* conception of God was a mystical one influenced by Quietism, or passive adoration of the Divine.
1389. "Wherefore I say unto thee, Her sins, which are many, are forgiven; for she loved much" (*Luke* 7. 47.).
1390. *perspective* prospect.
1391. *affaires étrangères.*
1392. *Qui . . . maligne?* Pascal, especially, in his *Pensées*.
1393. *de compte à demi* sharing expenses; a window on the route to the scaffold.
1394. *location* rental.
1395. *Venceslas*, V, 4 Rotrou's play (1647), with its violent emotions, would appeal to an admirer of energy.
1396. Author's irony; Julien had said everything he should not have said.

1397. The sources were not positively identified until after Stendhal's time.

1398. *vrai* of truth.

1399. *souffrir* such a misunderstanding by showing emotion.

1400. This last sentence is part of the scoundrels' reflections; *cœur* is "courage." Cf. the Pharisees and Jesus, also "fils d'un charpentier."

1401. Incomplete sentence: "I could easily be moved" understood.

1402. Voltaire's tragedy *Mahomet* (1742), II, 5.

1403. *sera* is probably.

1404. I.e., she made Julien suffer in M. de Frilair's place.

1405. Author's note: *C'est un jacobin qui parle.* Another ironic parody of Molière's *Tartuffe* (see n. 645).

1406. *un homme. . .remarquable* the public executioner.

1407. *méphistophélès* i.e., the devil's advocate, advising him to appeal his sentence through fear.

1408. *oublié* by her.

1409. *Manuel* (1775-1827) a liberal leader in the Chamber of Deputies, who was expelled in 1823 for opposing the Spanish campaign (see n. 487). He served in the revolutionary armies from 1792 to 1797.

1410. The implication seems to be that there would not be much use of appealing, except to live two months more.

1411. I.e., commit suicide.

1411a. *brave* worthy.

1412. La Fontaine's tale *Belphégor* (1682), concerning the devil Belphégor who, having been sent to earth to verify if marriage was as damning (literally) as the mortals sent to Hell maintained, not only observed but took a wife to try for himself. He finally returned to Hell to escape his wife. The lines are his report to Satan: "Sire, dit-il, le nœud de mariage / Damne aussi dru qu'aucuns autres états."

1413. *l'eût dit* would have said that matters would come to such a pass. The lyrical repetition by Mme de Rênal recalls the famous "Rodrigue, qui l'eût cru?—Chimène, qui l'eût dit?" of *Le Cid,* III, 4.

1414. The marvel of Stendhal's psychology is that the reader, on thinking back, realizes that this is true; with Mathilde, only the chase was exciting.

1415. One weds to save a woman's honor; but one loves a mistress.

1416. *religion* is the subject of this sentence.

1417. *prouvé* by Julien's conviction, as well as by her son's nearly fatal illness.

1418. Namely, adultery.

1419. *charbon* i.e., by asphyxiation.

1420. *fin ou obstacle* the one would be a sudden, the other a lingering, death.

1421. *fit place à* gave way to.

1422. *Si nous mourions* why don't we die?

1423. *héroïne d'anecdotes* the kind of woman people tell stories about.

1424. *se pousser* get ahead. Satirical force of *pourtant.*

1425. *prétendait* had the pretension to.

1426. *toucha* affected.

1427. *prétendrait* would claim.

1428. *autre apostat* Julian the Apostate, Constantine's nephew (see n. 444), who abjured Christianity on becoming emperor (361-63) and tried unsuccessfully to restore paganism.

1428a. *Saint-Esprit* Holy Ghost.

1429. *incognito* i.e., without a public execution, by committing suicide.
1430. *Pour comble d'impatience* the most provoking thing of all.
1431. *se trouva* was found to be.
1432. *plus crotté* than he was ugly.
1433. *horrible* as a result of the priest's exhortations (and descriptions).
1434. *midi* and the priest has forty francs to spend for his lunch.
1435. That is true; all ambition spent and his one true love unattainable, Julien has been unconsciously impelled by a romantic death wish.
1436. *successeur* as Mathilde's lover.
1437. *ce jour-là* of the execution.
1438. Perhaps reminiscent of Milton's "Fame is the spur that the clear spirit doth raise" (*Lycidas*), itself derived from Tacitus' *cupido gloriae* (*Historia,* IV, 6).
1439. *en* with his.
1440. *achever de compléter* to make complete; such tautologies are rare in Stendhal's spare style.
1441. *nous* each other.
1442. There would have been room for doubt in an ordeal that passed their comprehension.
1443. *chenu* vintage (choice like the best wine).
1444. As Stendhal liked them; this is a sop for the right-thinking reader, not without irony at the latter's expense.
1444a. Ironical.
1445. *raison* to steal in order not to starve; *Ils* refers to the *galériens*.
1446. *ils* *les hommes de salon.*
1447. *couvert* fork and spoon.
1448. *y a-t-il une cour* the minute there is a (royal) court.
1449. *un portefeuille* a (minister's) portfolio.
1450. *droit naturel* native right, or natural law, as distinguished from legislation. A reminiscence of the beginning of Rousseau's *Contrat social*: ". . . l'ordre social est un droit sacré qui sert de base à tous les autres. Cependant ce droit ne vient point de la nature; il est donc fondé sur des conventions." However, the argument as it develops owes much more to Hobbes' *Leviathan.*
1451. The prosecutor could have invoked one's native right to protection from criminals, for example; but Louis XIV took from one person (who had a "native right" to his property) in order to give to his ancestor.
1452. The negative law protects a positive right.
1453. Since they are under the law and have no "native" need, they are scoundrels.
1454. *accusateur* prosecutor.
1455. *combler la mesure* break the camel's back.
1456. *énervée* exacerbated.
1457. This sentence explains in part why Stendhal rejected the Romantic movement as it developed in France. *Défaut* is "lack."
1458. Cf. Hobbes' "every man is Enemy to every man" (*Leviathan,* I, 13), taken from Plautus' *homo homini lupus* (*Asinaria*).
1459. *mensonge* told in order to make people give alms out of snobbery.
1460. Since he had no hope of returning to power or imposing his son as king.

1461. *devoir* sense of his responsibilities (to the French people).
1462. I.e., a priest possessing the faith that created the medieval stained glass windows.
1463. *aux agréments près* less the charms (but with the unctuous diplomacy and foppishness).
1464. *Dubois* i.e., a scoundrel (see n. 496).
1465. Although Saint-Simon pays tribute to *Fénelon's* noble mien, the memorialist is at no pains to conceal his overweening ambition and currying favor with everyone, including servants.
1466. The God of the deists, divorced from any particular sect or creed.
1467. *trois ensemble* three "tender souls."
1468. Cf. the *Leviathan* (1, 13): ". . . the life of man solitary, poor, nasty, brutish, and short."
1469. *devoir* i.e., Hobbes corrected by Corneille.
1470. *orage* of his passions.
1471. *emporté* by the storm. A possible rejoinder to Chateaubriand's *René,* who cries on the wind: "Levez-vous, orages désirés [des passions]."
1472. *caves* basement; autobiographical.
1473. *sème au loin* scatters far and wide.
1474. *rougeâtre* with the gun's detonation.
1475. Such as the hero of Voltaire's *Micromégas* (1752), of which this passage is a reminiscence.
1476. *mouche éphémère* ephemerid, May fly.
1477. Image suggested by the request for five more years of existence.
1478. Although Stendhal did not like Lamartine, this Romantic attitude was superbly expressed in *L'Isolement*: "Un seul être vous manque, et tout est dépeuplé!"
1479. Not only because of his distress over Julien's plight, but also because of his fear that he might jeopardize his ardently desired appointment to a canonry in the cathedral chapter.
1480. *confesseur* i.e., a Jansenist.
1481. *plus d'esprit de conduite* a steadier head.
1482. *sa* his.
1483. This is the charlatan, not the Jansenist confessor. Mme de Rênal being one of the society ladies, he fell in readily with her suggestion.
1484. Since he had designs on her.
1485. I.e., if he had had his wits about him, he would have thought of better reasons.
1486. *la fin du drame* his execution.
1487. *rapprochés* put together.
1488. *dénuées . . . finesse* i.e., coarse.
1489. *réparations tellement fortes* not financial, but perhaps a public apology.
1490. *sottise* i.e., M. de Thaler. The name is satirical, being a German coin that is the ancestor of the dollar.
1491. *mépris* M. de Croisenois' previous attitude towards Julien.
1492. *jésuite* figurative sense.
1493. *se mettre sur les rangs* i.e., solicit your hand.
1494. *plus sombre* i.e., less light-hearted.
1495. I.e., who will not marry for love.
1496. Melodrama, which originated in France at the end of the 18th century, was extremely popular in many Paris theaters during the first thirty years of the 19th century, and quickly spread to other countries.

A number of Romantic tragedies were contaminated by the sensational incidents and violent emotions characteristic of the nonliterary genre.

1497. *serrer* my squeezing (implied personal subject).

1498. I.e., my dreaming of the future.

1499. *étais aux* was engaged (in my imagination) with.

1500. *soutenir* see through to a finish.

1501. Nominally a Catholic, Julien would be converted in the sense of turning from a sinful life to a devout, edifying one—a frequent use of the verb *se convertir* in French.

1502. Notoriety would redound to the credit of the Church.

1503. *un missionnaire* i.e., a Jesuit missionary of the Congregation.

1504. *même la politique* satirical force of *même.*

1505. *ils nuiraient encore* their corrupting influence would still be felt (according to you).

1506. I.e., he will not blame himself for having been ambitious (and using the Church), since such were the conventions of his time; but now that he has realized the futility of ambition, he would blame himself if he feigned a conversion.

1507. *à vue de pays* judging by what I believe.

1508. *sensible* painful.

1509. *mieux* than they.

1510. *on ne peut . . . située* one must agree that it is situated.

1511. *drapée* with black.

1512. Stendhal also places this dedication for the ideal readers capable of appreciating him at the end of *La Chartreuse de Parme.* The expression has been traced back to Goldsmith's *Vicar of Wakefield* (1766) and ultimately to Shakespeare's *Henry V* (IV, 3). Cf. the second preface (1834) to *De l'Amour*: "Je n'écris que pour cent lecteurs, et de ces êtres malheureux, aimables, charmants, point hypocrites, point moraux, auxquels je voudrais plaire; j'en connais à peine un ou deux."

Bibliography

SUGGESTIONS FOR FURTHER READING

Adams, Robert M. *Stendhal: Notes on a Novelist.* New York: Noonday Press. 1959.
A lively discussion of some of the fundamental problems of Stendhal criticism; it is sometimes meandering, but its arguments are never hackneyed and often fresh and compelling.

Bardèche, Maurice. *Stendhal Romancier.* Paris: Editions de la Table Ronde, 1947.
The origin and development of the novelist's universe and techniques. The best technical discussion.

Blin, Georges. *Stendhal et les problèmes du roman* and *Stendhal et les problèmes de la personnalité.* Paris: J. Corti, 1954 and 1958.
The first is an exhaustive study of Stendhal's "realism" and, especially, of its limitations; the second investigates the question constantly asked by Stendhal and his characters: "Who am I, and how can I become more like my true self?"

Brombert, Victor. *Stendhal et la voie oblique; l'auteur devant son monde romanesque.* New Haven, Conn. and Paris: Yale University Press and Presses Universitaires Françaises, 1954.
A penetrating study of Stendhal's irony and the manner in which it manifests itself in the work. The reader may not be in agreement with the causes adduced; but he cannot cavil at the skillful presentation of the effects.

Del Litto, Vittorio. *La Vie intellectuelle de Stendhal (1802-1821).* Paris: Presses Universitaires Françaises, 1959.
The shaping of Stendhal's ideas in the light of their use in the later novels.

Levin, Harry. *Toward Stendhal.* Murray, Utah (Pharos No. 3), 1945.
A probing short analysis of Stendhal's work, somewhat 19th century in outlook because of its insistance on Stendhal's realism. (Revised as Ch. 3 in *The Gates of Horn: A Study of Five French Realists,* N.Y., Oxford University Press, 1963.)

Marill-Albérès, Francine. *Le Naturel chez Stendhal* and *Stendhal et le sentiment religieux*. Paris: Nizet, 1956.
Vigorously conducted studies of two key concepts, the first (the better) in relation to hypocrisy and the second, to atheism.

Martineau, Henri. *Le Cœur de Stendhal; histoire de sa vie et de ses sentiments*. 2 vol. Paris: Albin Michel, 1952-53.
The most exhaustive, and probably the definitive, biography.

Prévost, Jean. *La Création chez Stendhal; essai sur le métier d'écrire et la psychologie de l'écrivain*. Paris: Mercure de France, 1951.
One of the best genetic studies in all French criticism.

NOTE ON EDITION: *The manuscript of* LE ROUGE ET LE NOIR *has disappeared. The first two editions, really two printings of the same text in different format by the publisher Levavasseur in mid-November 1830 and March 1831, are the only ones that appeared during Stendhal's lifetime.*

In 1846 (Hetzel publisher) and 1854 (Michel Lévy), Stendhal's cousin and literary executor, Romain Colomb, issued two new editions, differing considerably from the original and from each other; he even designated the second as ENTIÈREMENT REVUE ET CORREGÉE. *Perhaps some of the corrections were derived from instructions left by Stendhal. But that is doubtful; we know that Romain Colomb did not approve of Stendhal's style and fancied his own. In both editions, pedantry and pseudo-elegance have brought the elimination of provincial expressions, turns of phrase considered grammatically incorrect, and repetitions taken for careless writing. Whole sentences and clauses have thus disappeared. At the same time, these editions perpetrated a large number of typographical errors, such as words mutilated, out of proper order, or entirely omitted. Unfortunately, most standard editions are even today based on the 1854 text.*

The problem has been complicated by the discovery, at Civita Vecchia in fairly recent times, of a copy of the original edition emended and annotated in Stendhal's hand. This copy, found in the library of a descendant of Stendhal's friend Bucci, has been adopted as a truly definitive text in two of the three important critical editions of LE ROUGE ET LE NOIR: *Jules Marsan's in 1923 (Champion) and Pierre Jourda's in 1929 (Textes Français). The procedure is not sound, for given Stendhal's impulsive nature and his habit of having second thoughts about already corrected versions of other works, there is no proof that he would ever have published the Bucci copy as it stands.*

Of modern editors, the late dean of Stendhal specialists, Henri Martineau, was the first to return resolutely to the original edition (Bossard, 1925; Le Divan, 1927; La Pléiade—N.R.F., 1932; Classiques Garnier, 1939). However, even he has adopted—not without some arbitrariness—later readings that correct the original.

The present edition, reproducing scrupulously the primitive text, has been prepared by collation of the three critical editions mentioned. The handful of obvious errors that have been corrected in later editions or on the Bucci copy have been indicated in the notes.

bourbier ... esclandre (130)
râpé (130)
acajou (132)
écrouler (135)
~~journaux (135)~~

NOTES

collé (137)
équiter (141)
plu (151)
étui ... maroquin (151)
marguillier (153)
répandrer (156)
bâtisses (161)
racheter (165)
gibier (166)
méfiance (168)

fourbes (142)
simagrées (142)
lierre
muraille (145)
bleuâtre (150)
se égarer (150)
fier (151)
su (186)
poing (161)
aveu (163)
dépêche (166)
dispendieuses (167)

bien pis (168) gueux (16[illegible])
tapage (169) parvienndre (169) égratignure (169)
cochère (171) jaser (172) rôti (172) ~~[illegible]~~
gênante (173) conter (173) dupe (173)
Chatouilleuse (174) étourderie (174)
faraud (174) épiciers (174) mesquin (176)
quêtes (176) hobereaux (176) badine (177)
afficheur (179) regimber (180) enchère (189)
Malle (204) balivernes (212)
lard / laideur (217) prévisites (218)
cuistre (218) brebis galeuse (219)
épanchement (224) aunes (224)